COLLE

Né en Norvège en 1968, Karl Ove Knausgaard vit en Suède avec ses trois enfants. Considérée comme une entreprise unique en littérature, son autobiographie divisée en six volumes l'a fait accéder à une reconnaissance internationale.

PREMIÈRE PARTIE

Pour un cœur, la vie est une chose simple : il bat aussi longtemps qu'il peut, puis il s'arrête. Un jour ou l'autre, ce mouvement scandé cesse de lui-même et le sang commence à refluer vers le point le plus bas du corps où il s'accumule en une petite flaque visible de l'extérieur, comme une tache molle et sombre sur la peau de plus en plus blanche, en même temps que la température baisse, que les membres se raidissent et que les intestins se vident. Ces transformations des premières heures se font si lentement et avec une telle assurance qu'elles ont quelque chose de rituel en elles comme si la vie capitulait selon des règles précises, un genre d'accord tacite auquel même les agents de la mort se soumettent avant d'entamer leur invasion du territoire qui, elle, est irrévocable. Rien ne peut arrêter les hordes de bactéries qui commencent à se disséminer à l'intérieur du corps. Si elles avaient essayé, ne serait-ce que quelques heures plus tôt, elles auraient été combattues immédiatement mais là, tout est calme et c'est sans peine qu'elles s'enfoncent de plus en plus dans les zones sombres et humides. Elles abordent les canaux de Havers, les cryptes de Lieberkühn et les îlots de Langerhans. Elles atteignent la capsule de Bowman dans les néphrons, la colonne de Clark dans le corps spinal et la substance noire dans le mésencéphale. Puis elles touchent le cœur. Il est toujours intact mais dépourvu du mouvement auquel toute sa construction était dédiée, on dirait un lieu déserté, comme un chantier que des ouvriers auraient abandonné en toute hâte avec ses véhicules immobiles et brillants dans la nuit, ses baraquements vides et ses wagonnets pleins, suspendus, arrêtés dans leur ascension de la paroi rocheuse.

Aussitôt que la vie quitte un corps humain, il appartient au non-vivant. Les lampes, les valises, les tapis, les clenches, les fenêtres. Les terres, les marécages, les ruisseaux, les montagnes, les nuages, le ciel. Rien de tout cela ne nous est étranger et, bien que nous soyons en permanence entourés d'objets et de phénomènes non vivants, il existe peu de choses qui provoquent en nous autant de désagrément que de voir quelqu'un pris par la mort, du moins à en juger par tous les efforts que nous faisons pour maintenir les cadavres hors de la vue. Dans les hôpitaux, ils sont cachés dans des chambres spéciales auxquelles on accède par des ascenseurs et des couloirs réservés et si, par mégarde, on s'y fourvoyait, on verrait que les cadavres y sont transportés toujours couverts. Quand il faut les sortir de l'hôpital, on les fait passer par une porte spéciale et on les met dans des voitures aux vitres teintées. Dans les églises, ils disposent d'un endroit particulier, sans fenêtre, et pendant les obsèques, ils sont dans un cercueil fermé jusqu'à leur mise en terre ou leur crémation. On a du mal à discerner le côté pratique de cette façon de faire. On pourrait très bien transporter les cadavres à travers les couloirs des hôpitaux sans les couvrir et les mettre ensuite dans des taxis ordinaires, sans aucun risque pour personne. L'homme âgé qui meurt dans une salle de cinéma pourrait très bien rester dans son fauteuil jusqu'à la fin du film et même pendant la séance suivante. Le professeur terrassé par une attaque dans la cour de l'école n'a pas besoin d'être évacué immédiatement, il n'arrivera rien, même si on ne peut s'en occuper qu'après l'école ou dans la soirée. Et quand bien même un oiseau se mettrait à le picorer, quelle importance ? Est-ce que ce qui l'attend dans la tombe sera mieux uniquement parce qu'on ne le verra pas ? Tant que les morts ne nous encombrent pas, il n'y a aucune raison de se presser, ils ne mourront pas une seconde fois. C'est particulièrement vrai en hiver. Les sans-abri qui meurent de froid sur les bancs ou sous les porches, les candidats au suicide qui se jettent du haut des bâtiments ou des ponts, les vieilles qui tombent dans les pommes dans l'escalier, les victimes d'accidents coincés dans leur voiture, le jeune homme ivre qui tombe dans la mer après une soirée en ville, la petite fille qui se retrouve sous les roues d'un bus, pourquoi cette précipitation à les cacher ? Par décence ? Quoi de plus décent que des parents puissent voir leur petite fille une ou deux heures après, sur le lieu de l'accident, allongée dans la neige, qu'ils puissent voir aussi bien sa tête broyée que le reste du corps intact, aussi bien ses cheveux ensanglantés que son anorak propre ? Elle serait là, exposée au monde, sans secret. Mais même cette petite heure dans la neige est impensable. Une ville qui ne sait pas ôter ses morts de la vue, où l'on peut les voir dans les rues et les ruelles, les parcs et les parkings, n'est pas une ville mais un enfer. Et que cet enfer reflète notre condition d'une façon plus réaliste, et au fond plus vraie, n'a aucune importance. Nous savons bien ce qu'il en est mais nous ne voulons pas le voir, d'où cet acte de refoulement collectif, l'escamotage des corps morts.

Mais dire ce qu'on refoule exactement est beaucoup

plus difficile. Ça ne peut être la mort en soi car elle est omniprésente dans la société. La quantité de morts mentionnée quotidiennement dans les journaux ou montrée aux actualités varie selon les circonstances mais reste probablement à peu près constante d'une année sur l'autre et, parce qu'en plus elle est relayée par de nombreuses chaînes de télévision, il est pratiquement impossible d'y échapper. Pourtant cette mort-là n'est pas redoutable. Bien au contraire, on en redemande et on paie volontiers pour la voir. Si on ajoute à cela les énormes quantités de morts que produisent les fictions, on comprend encore moins bien qu'il faille, par ailleurs, les ôter systématiquement de la vue. Si ce n'est pas la mort en tant que phénomène qui nous effraie, pourquoi cette gêne devant les corps morts ? Soit qu'il existe deux sortes de mort, soit qu'il existe une contradiction entre notre représentation de la mort et la mort telle qu'elle est en réalité, ce qui au fond revient au même : l'essentiel restant que notre vision de la mort est tellement ancrée dans notre conscience que non seulement nous sommes ébranlés lorsque la réalité s'en éloigne mais, en plus, nous essayons de la cacher par tous les moyens. Non pas comme le résultat d'une quelconque réflexion délibérée, ce que sont les rituels, par exemple l'enterrement, dont la signification aujourd'hui négociable l'a fait basculer de l'irrationnel vers le rationnel et du collectif vers l'individuel — non, la façon dont nous escamotons les morts n'a jamais fait l'objet d'aucune discussion, c'est quelque chose qu'on a toujours fait par nécessité, que personne ne peut expliquer mais que tout le monde connaît : si ton père meurt sur la pelouse un dimanche d'automne balayé par le vent, tu le rentreras si possible dans la maison. Et si tu ne peux pas, au moins tu le couvriras. Cette réaction impulsive face aux morts n'est pas la seule que nous ayons : il est tout aussi frappant de vouloir les mettre le plus vite possible au niveau du sol. On imagine mal un hôpital installer ses salles d'autopsie et sa morgue au dernier étage, car les morts sont toujours entreposés le plus près possible de la terre et le même principe régit les institutions qui s'occupent d'eux : une société d'assurances peut très bien avoir ses bureaux au huitième étage mais pas une entreprise de pompes funèbres. Elles sont toutes au rez-de-chaussée. Il est malaisé de dire d'où ça vient et on pourrait être tenté de croire qu'à l'origine de cette convention il y avait une raison pratique, que la cave étant froide, elle était le meilleur endroit pour conserver les corps, et ce principe aurait été maintenu tel quel jusqu'à l'époque des réfrigérateurs et des chambres froides, si ce n'était que le fait même de monter les corps dans les étages soit tout simplement *contre nature*, comme si hauteur et mort s'excluaient mutuellement. Comme si nous possédions une sorte d'instinct chtonien, quelque chose de profondément ancré en nous qui nous obligerait à mener nos morts en terre, cette terre d'où nous venons.

Il peut donc sembler que la mort se distribue selon deux systèmes différents. Le premier est lié à la dissimulation, la pesanteur, la terre et les ténèbres, le second à la transparence, la légèreté, l'air et la lumière. Quelque part dans une ville du Moyen-Orient, un père et son fils se font tuer au moment où le père essaie d'écarter le fils de la ligne de tir. L'image de leurs corps, enlacés au moment où les balles les touchent et les font tressauter sous l'impact, est filmée, transmise à un des milliers de satellites qui tournent autour de la Terre puis diffusée sur les téléviseurs du monde entier, de là elle pénètre dans notre conscience comme une image supplémentaire de morts ou d'agonisants. Ces images n'ont aucun poids, aucune dimension, aucune temporalité, aucune localisation, ni aucun lien non plus avec les corps d'où elles proviennent. Elles sont nulle part et partout. La plupart d'entre elles ne font que nous traverser puis disparaissent, d'autres, pour des raisons diverses, restent et vivent dans l'obscurité de notre cerveau. Une skieuse tombe dans une descente et se sectionne l'artère fémorale, le sang coule en une traînée rouge sur la piste blanche, elle meurt avant même que le corps achève sa course. Un avion décolle au-dessus des maisons de banlieue, des flammes s'échappent de ses ailes, il explose et se transforme en boule de feu dans le ciel bleu. Un soir, un bateau de pêche coule au large de la Norvège du Nord, les sept membres de l'équipage se noient, le lendemain, l'événement est relaté dans tous les journaux, c'est un mystère, dit-on, car la mer était calme et le bateau n'a émis aucun signal de détresse, il a simplement disparu. C'est cet aspect-là de l'événement que les rédactions des journaux télévisés soulignent en montrant les images d'une mer calme filmée depuis un hélicoptère sur les lieux de l'accident. Sous un ciel nuageux, la houle gris-vert paisible et lourde est d'un autre tempérament que les brusques sommets d'écume blanche qui apparaissent çà et là. Je suis seul à regarder ces images. C'est sûrement une journée de printemps car mon père travaille dans le jardin. Les yeux rivés sur la mer, je n'entends pas ce que dit le commentateur quand, tout à coup, *apparaissent les contours d'un visage*. Je ne sais pas combien de temps ça dure, quelques secondes, peut-être, mais suffisamment longtemps pour que ça m'impressionne énormément. Dès que le visage disparaît, je me lève pour aller raconter ça à quelqu'un. Ma mère est de garde, mon frère a un match et les autres enfants de la cité ne m'écouteront pas. Ce sera donc papa, me dis-je en me dépêchant de descendre l'escalier. J'enfile des chaussures, une veste, ouvre la porte et contourne la maison en courant. Nous n'avons pas le droit de courir dans le jardin et, avant d'arriver dans son champ de vision, je ralentis et finis par marcher. Il est derrière la maison, en contrebas, là où il y aura un potager, et il frappe avec une masse sur un morceau de rocher. Bien que la dénivellation ne soit que de quelques mètres, la terre noire bêchée où il se tient et l'épais bosquet de sorbiers qui pousse derrière lui au-delà de la clôture font que le déclin du jour est plus avancé de ce côté-là. Quand il se redresse et se tourne vers moi, son visage est pratiquement dans la pénombre.

J'ai malgré tout assez d'informations sur son humeur. Elle ne s'exprime pas sur son visage mais dans sa façon de se tenir et c'est plus l'intuition qui me la révèle que l'analyse intellectuelle.

Il pose la masse et enlève ses gants.

— Qu'est-ce que tu veux ? dit-il.

— Je viens de voir un visage dans la mer à la télé, dis-je en m'arrêtant en face de lui, sur la pelouse.

Dans l'après-midi, le voisin a abattu un pin et l'air est saturé de la forte odeur de résine qui émane des bûches de l'autre côté du muret en pierre.

— Un plongeur ? dit papa.

Il sait que je m'intéresse à la plongée et ne peut s'imaginer que quelque chose d'autre puisse me passionner au point de sortir lui en parler.

Je secoue la tête.

— C'était pas une personne. C'était une sorte d'image dans la mer.

— Une sorte d'image, hein, dit-il en sortant son paquet de cigarettes de la poche de sa chemise.

J'acquiesce et tourne les talons pour repartir.

— Attends un peu.

Il craque une allumette et baisse à peine la tête pour allumer la cigarette. La flamme creuse une petite grotte de lumière dans le crépuscule gris.

— Alors, dit-il.

Après avoir tiré longuement sur sa cigarette, il pose un pied sur le rocher et se met à fixer la forêt de l'autre côté de la route. Ou bien peut-être le ciel au-dessus des arbres.

— C'était une image de Jésus ? dit-il en levant les yeux vers moi.

Sans le ton aimable de sa question et la longue pause qu'il fit avant de la formuler, j'aurais pu croire qu'il se moquait de moi car il trouve un peu gênant que je sois croyant. Tout ce qu'il veut, c'est que je sois comme les autres et, parmi tous les enfants qui grouillent dans la cité, son plus jeune fils est le seul à se dire croyant.

Mais là, il se pose vraiment la question.

Je sens une bouffée de joie m'envahir car il s'intéresse à moi, mais je suis en même temps un peu vexé qu'il me sous-estime autant.

Je secoue la tête.

— C'était pas Jésus, dis-je.

— Ça fait presque plaisir à entendre, dit-il en souriant.

Tout en haut de la côte, on perçoit le faible chuintement d'une roue de vélo sur l'asphalte. Le bruit s'amplifie rapidement et la cité est tellement calme qu'un autre son léger et chantant se détache nettement du sifflement lorsque la bicyclette, quelques secondes plus tard, passe tout près de nous sur la route.

Papa tire à nouveau sur sa cigarette avant de la jeter à moitié fumée par-dessus la clôture, tousse un peu, renfile ses gants et reprend la masse.

— N'y pense plus, dit-il en levant les yeux vers moi.

J'avais huit ans à ce moment-là, mon père en avait trente-deux. Bien que je ne puisse toujours pas dire que je le comprenne ou même quel genre d'homme il était, avoir aujourd'hui sept ans de plus qu'il n'avait à l'époque rend certaines choses plus faciles à saisir. Par exemple la grande différence qu'il y avait entre nos journées. Mes journées à moi avaient du sens, chaque pas débouchait sur une opportunité qui me comblait d'une manière aujourd'hui proprement incompréhensible. Le sens de ses journées à lui n'était pas concentré dans des événements isolés mais s'étalait sur des espaces tellement vastes qu'on ne pouvait les saisir qu'à l'aide de notions abstraites. La Famille en était une, la Carrière une autre. Je pense qu'il n'y avait pour ainsi dire jamais d'imprévu dans ses journées à lui, qu'il devait savoir de quoi elles seraient faites et comment se comporter. Il était marié depuis douze ans et professeur de collège depuis huit ans, il avait deux enfants, une maison et une voiture. Il était élu au conseil municipal où il siégeait pour le parti de la gauche. L'hiver, il faisait de la philatélie, non sans succès d'ailleurs, car en peu de temps il était devenu l'un des meilleurs collectionneurs de la région. L'été, c'était le jardin qui occupait son temps libre. Je ne sais rien de ce qu'il pensait ce soir-là, rien non plus de l'image qu'il avait de lui-même lorsqu'il s'est redressé dans la pénombre, la masse dans les mains, mais je suis convaincu qu'il avait le sentiment de bien comprendre le monde autour de lui. Il savait qui étaient tous les habitants de la cité et où se situer socialement par rapport à eux, il savait probablement aussi d'autres choses sur eux, qu'ils auraient préféré cacher, parce qu'il était le professeur de leurs enfants mais aussi parce qu'il avait le don de déceler les faiblesses des autres.

Appartenant à cette nouvelle classe moyenne ayant fait des études, il était aussi très au fait des choses du monde grâce aux quotidiens, à la radio et à la télévision. Il avait de bonnes connaissances en botanique et en zoologie car il s'y était beaucoup intéressé quand il était jeune et, sans pouvoir dire qu'il était très versé dans les autres matières scientifiques, il en connaissait au moins les principes de base acquis au lycée. Il avait davantage de connaissances en histoire, en norvégien et en anglais qu'il avait étudiés à l'université. En d'autres termes, il n'était expert en rien, sauf peut-être en pédagogie, mais avait des connaissances dans tous les domaines. À cet égard, il était le professeur certifié type d'une époque où le fait d'enseigner au collège jouissait d'une certaine reconnaissance. Le voisin qui habitait de l'autre côté du muret en pierre, Prestbakmo, était professeur dans le même collège, Olsen aussi, qui habitait en face de la pente boisée derrière la maison, et Knudsen, à l'autre bout de la rocade, était principal adjoint dans un autre collège. Donc, lorsque mon père leva la masse au-dessus de sa tête et la laissa s'abattre sur le rocher ce soir de printemps du milieu des années soixante-dix, il le fit dans un monde qu'il connaissait bien et qui lui était familier. Ce n'est qu'arrivé à son âge que j'ai compris que cela aussi avait un coût. Quand notre connaissance du monde s'étend, non seulement la douleur qu'il occasionne diminue mais aussi son sens. Comprendre le monde, c'est prendre une certaine distance par rapport à lui. Ce qui est trop petit à voir à l'œil nu comme les molécules et les atomes, nous l'agrandissons, ce qui est trop grand comme les formations nuageuses, les deltas, les constellations, nous le rapetissons. Nous ne pouvons fixer les choses qu'après les avoir mises à la portée de nos sens et ce que nous avons fixé s'appelle la connaissance. Nous passons toute l'enfance et l'adolescence à nous efforcer de trouver la bonne distance face aux choses et aux phénomènes. Nous lisons, nous apprenons, nous expérimentons, nous rectifions. Et puis arrive le jour où toutes les distances et les systèmes nécessaires sont établis. C'est à partir de là que le temps commence à passer plus vite. Il ne rencontre plus aucun obstacle, tout est établi, le temps traverse nos vies, les jours passent à une vitesse farouche et, avant même de s'en apercevoir, on a quarante, cinquante, soixante ans... Le sens a besoin de plénitude, la plénitude a besoin de temps, le temps a besoin de résistance. La connaissance est distance, la connaissance est stagnation et ennemie du sens.

En d'autres termes, l'image que j'ai de mon père ce soir de 1976 est double : d'un côté je le vois comme je le voyais alors, avec mes yeux de huit ans, imprévisible et terrifiant, d'un autre côté je le vois comme quelqu'un de mon âge dont la vie subissait les rafales du temps qui passe, entraînant avec lui des pans de sens.

Le fracas de la masse contre le rocher résonna dans la cité. Une voiture remonta la pente douce après avoir quitté la route principale et passa, les phares allumés. La porte du voisin s'ouvrit, Prestbakmo s'arrêta sur le seuil, enfila ses gants de travail et inspira l'air pur du soir avant d'empoigner la brouette et de traverser la pelouse. Il y avait dans l'atmosphère l'odeur de poudre émanant du rocher que papa frappait, l'odeur de pin qu'exhalaient les bûches derrière le muret, l'odeur de terre retournée et de forêt et, dans la brise venue du nord, une trace de sel.

Je pensais au visage que j'avais vu dans la mer. Il ne s'était écoulé que quelques minutes depuis la dernière fois que j'y avais pensé et il avait déjà changé. C'était le visage de papa que je voyais maintenant.

Il cessa de cogner dans son trou.

— Tu es encore là ?

Je hochai la tête.

— Rentre maintenant.

Je m'en allai.

— Et puis, dit-il.

Je me retournai, intrigué.

— Ne cours pas cette fois.

Je le regardai les yeux écarquillés. Comment pouvait-il savoir que j'avais couru ?

— Et ferme la bouche. Tu as l'air idiot comme ça.

J'obéis et fis le tour de la maison lentement. De l'autre côté, la rue était pleine d'enfants. Il y avait le groupe des plus vieux avec leurs bicyclettes, on aurait dit dans l'obscurité qu'elles étaient une partie de leur corps. Les plus jeunes, eux, jouaient à cache-cache. Ceux qui avaient été pris étaient rassemblés dans un cercle en craie dessiné sur le trottoir, les autres étaient cachés aux alentours, dans les bois en contrebas de la route, hors de la vue de celui qui cherchait mais pas de la mienne.

Les lampes des mâts du pont rougeoyaient au-dessus des cimes noires. Une autre voiture monta la pente. Dans la lumière des phares, on entrevit d'abord les cyclistes : des réflecteurs, du métal, des anoraks, des yeux noirs et des visages blancs, puis les enfants en train de jouer qui s'étaient contentés de faire un pas de côté pour laisser passer la voiture et qui la fixaient du regard, fantomatiques.

C'était les Trollnes, les parents de Sverre, un garçon de ma classe, mais il ne semblait pas être dans la voiture.

Je me retournai pour suivre des yeux les feux arrière rouges jusqu'à ce qu'ils aient disparu derrière la colline. Puis je rentrai. J'essayai un moment de lire sur mon lit, mais je n'arrivais pas à trouver le calme nécessaire et allai dans la chambre d'Yngve d'où je pouvais voir papa. C'est quand je l'avais sous les yeux que je pouvais le jauger et, d'une certaine façon, c'était cela le plus important. Je connaissais ses humeurs et j'avais appris à les prévoir depuis longtemps grâce à une sorte de catégorisation subconsciente où, j'y ai réfléchi depuis, c'était le rapport entre quelques éléments fixes qui suffisait à déterminer ce qui m'attendait, si bien que je pouvais m'y préparer. Une sorte de météorologie de l'humeur... La vitesse de la voiture grimpant la pente douce vers la maison, le temps qu'il mettait à éteindre le moteur, à attraper ses affaires et sortir, la façon qu'il avait d'embrasser du regard le paysage en verrouillant la voiture, les nuances dans les bruits qui montaient de l'entrée lorsqu'il ôtait son vêtement — tout était signe, tout était sujet à interprétation. À cela, il fallait ajouter le lieu d'où il venait, le temps qu'il y avait passé et avec qui, avant de pouvoir tirer la bonne conclusion, seule cette partie du processus m'était connue à cette époque-là. Ce qui me faisait le plus peur était donc qu'il survienne *à l'improviste,* tout simplement... lorsque, pour une raison ou une autre, je n'avais pas fait attention...

Mais comment avait-il pu savoir que je courais ?

Ce n'était pas la première fois qu'il me démasquait de cette façon complètement inexplicable. Un soir de cet automne-là, par exemple, j'avais caché un paquet de bonbons sous la couette de mon lit, justement parce que je me doutais bien qu'il viendrait dans ma chambre et que jamais il ne me croirait si j'expliquais comment l'argent était arrivé entre mes mains. Il entra effectivement dans ma chambre et me regarda quelques secondes.

— Qu'est-ce que tu as caché dans ton lit ?

Comment *pouvait-il* savoir ?

Dehors, Prestbakmo alluma la puissante lampe qui éclairait la plate-forme où il avait l'habitude de travailler. Ce nouvel îlot de lumière surgi de l'obscurité était rempli d'objets divers qu'il restait là, à fixer du regard. Des piles de boîtes de peinture, des pots remplis de pinceaux, des bûches, des restes de planches, des bâches pliées, des pneus, un cadre de bicyclette, quelques boîtes à outils, des boîtes de clous et de vis de toutes tailles, des plateaux chargés de cartons de lait pleins de plantes en train de germer, des sacs de chaux, un tuyau d'arrosage enroulé et posé contre le mur, une planche avec tous les outils imaginables dessinés dessus, sûrement prévue pour son atelier, dans la cave.

Lorsque je regardai à nouveau papa, il traversait la pelouse avec la masse dans une main et la pelle dans l'autre. Je fis rapidement quelques pas en arrière. Au même instant, la porte d'entrée s'ouvrit. C'était Yngve. Je regardai l'heure. Il était huit heures vingt-huit. Il grimpa aussitôt les marches de ce pas caractéristique de palmipède, saccadé, que nous avions trouvé pour entrer rapidement dans la maison sans faire aucun bruit, il était rouge et hors d'haleine.

— Où est papa ? dit-il une fois arrivé dans la chambre.

— Dehors, dans le jardin, dis-je. Mais tu n'es pas en retard. Regarde, il est exactement huit heures et demie.

Je tendis le bras pour qu'il voie ma montre.

Il passa devant moi et tira la chaise du bureau. Il sentait encore comme dehors. L'air froid, les bois, le gravier, l'asphalte.

— T'as touché à mes cassettes ? dit-il.

— Non.

— Qu'est-ce que tu fais dans ma chambre, alors ?
— Rien.
— Tu peux pas faire ça dans ta chambre ?
En bas, la porte d'entrée s'ouvrit de nouveau. Cette fois, ce fut papa qu'on entendit marcher de son pas lourd. Il avait enlevé ses bottes dehors, comme d'habitude, et se dirigeait vers la buanderie pour se changer.
— J'ai vu un visage dans la mer aux informations, dis-je. T'en as entendu parler ? Tu sais si d'autres aussi l'ont vu ?
Yngve me toisa, mi-interrogateur, mi-suspect.
— Qu'est-ce que tu racontes ?
— Tu sais, le bateau de pêche qui a coulé ?
Il acquiesça tout juste.
— Quand ils ont montré l'endroit où il a coulé aux informations, j'ai vu un visage dans la mer.
— Un cadavre ?
— Non, c'était un vrai visage. Comme si la mer avait formé l'image d'un visage.
Il me regarda un instant sans rien dire puis il fit pivoter son index sur sa tempe.
— Tu ne me crois pas, dis-je. Mais c'est vrai.
— Ce qui est vrai, c'est que t'es nul.
À ce moment, papa ferma le robinet d'en bas et je pensai qu'il valait mieux retourner dans ma chambre maintenant pour ne pas risquer de le rencontrer dans le couloir. Mais, en même temps, je ne voulais pas qu'Yngve ait le dernier mot.
— C'est toi qu'es nul, dis-je.
Il ne prit même pas la peine de répondre. Il tourna la tête vers moi, découvrit ses dents de devant et souffla comme un lapin. Cette mimique faisait allusion à mes dents qui avançaient. Je tournai la tête et sortis de la pièce avant qu'il pût voir que je commençais à pleurer. Tant que j'étais seul, pleurer ne me faisait

rien. Et cette fois, est-ce que c'était bien ? Parce qu'il n'avait pas vu ?

Je m'arrêtai dans l'embrasure de la porte de ma chambre et penchai un instant pour la salle de bains. Je pourrais me passer de l'eau sur le visage et ôter toute trace. Mais papa était en train de monter l'escalier et je me contentai de m'essuyer les yeux sur la manche de mon pull. La fine couche de liquide que l'étoffe sèche étala sur la surface de l'œil fit trembler les volumes et les couleurs de ma chambre, comme si elle avait coulé et se trouvait maintenant sous l'eau. Cette idée fut si saisissante que je levai les bras et fis quelques mouvements de brasse en allant lentement vers mon bureau. Dans mon imagination, j'avais un casque de scaphandrier, du temps où ils marchaient au fond de la mer avec des semelles de plomb et une combinaison épaisse comme de la peau d'éléphant, avec un tuyau à oxygène sur la tête comme une trompe. Je respirais par la bouche par à-coups et piétinais le sol du pas lourd et lent des anciens plongeurs jusqu'à ce que cette mise en scène confine à la terreur. Ce sentiment s'insinuait en moi comme de l'eau froide.

Quelques mois auparavant, j'avais vu le feuilleton télévisé *L'Île mystérieuse*, d'après le roman de Jules Verne, et l'histoire de ces hommes en ballon échouant sur une île déserte de l'Atlantique m'avait énormément impressionné, dès les premières images. Tout y était poignant, le ballon, la tempête, les hommes habillés à la mode des années 1800 et cette île stérile, battue par les intempéries mais finalement pas aussi déserte qu'ils avaient cru, et où il se passait sans cesse des choses mystérieuses et inexplicables… Mais alors, qui étaient donc les autres habitants de l'île ? La réponse survint brusquement à la fin d'un épisode. C'était dans des grottes sous-marines… des créatures qui ressemblaient à des hommes… dans le faisceau des lampes qu'ils portaient, on apercevait des têtes lisses, couvertes d'un masque… des nageoires… ils ressemblaient à des sauriens mais se tenaient debout… sur le dos, ils avaient des réservoirs… l'un d'eux se retourna, il n'avait pas d'yeux…

Je n'avais pas crié sur le coup mais ces images m'envahirent d'une peur que je ne parvenais pas à chasser, même en plein jour, la terreur pouvait s'emparer de moi à la pensée des monstres dans leurs grottes. Et là, dans ma chambre, mon imagination était en train de me métamorphoser en homme-crapaud. Ma respiration devenait la leur, mes pas devenaient les leurs, mes bras devenaient leurs bras et, lorsque je fermai les yeux, je vis leurs visages aveugles. La grotte… l'eau noire… les hommes-crapauds en rang, leur lampe dans les mains… C'était si fort que rouvrir les yeux n'était plus suffisant. Même quand je réalisai que j'étais dans ma chambre, entouré d'objets familiers, la terreur ne lâcha pas prise. J'osai à peine cligner des yeux de peur que quelque chose ne survienne. Je m'assis sur le lit, raide, attrapai mon cartable sans le regarder, jetai un coup d'œil à mon emploi du temps, trouvai mercredi, lut ce qu'il y avait à faire : *maths, sciences, musique*, posai mon cartable sur mes genoux et en sortis mécaniquement mes livres. Quand ce fut fait, je pris le livre ouvert sur le coussin, me calai contre le mur et me mis à lire. Les secondes qui s'écoulèrent entre chaque fois que je levais les yeux devinrent petit à petit des minutes et, lorsque papa s'écria qu'il était l'heure de manger, à neuf heures pile, ce n'était plus la peur qui me tenait mais le livre. Ce fut difficile aussi de s'en détacher.

Nous n'avions pas le droit de couper le pain nous-mêmes, ni de nous servir de la cuisinière, c'était donc toujours maman ou papa qui nous préparait le repas du soir. Si maman était de garde, papa faisait tout : quand on entrait dans la cuisine, deux verres de lait et deux assiettes avec quatre tartines nous attendaient. La plupart du temps, il les avait préparées à l'avance et mises au réfrigérateur. Ainsi refroidies, elles devenaient difficiles à avaler, même si elles étaient garnies de quelque chose que j'aimais. Quand maman était là, on posait tout sur la table, et cette petite variante, qui nous permettait de choisir non seulement ce qu'on voulait mettre sur la table mais aussi sur nos tartines, et le fait que le pain était à température ambiante, suffisait à faire naître en nous un sentiment de liberté : pouvoir ouvrir les portes du placard, sortir les assiettes qui tintaient toujours un peu en s'entrechoquant et les poser sur la table ; pouvoir ouvrir le tiroir à couverts qui cliquetait légèrement et poser les couteaux à côté des assiettes ; pouvoir sortir le lait du réfrigérateur et le verser dans les verres que nous avions posés sur la table, ça voulait dire aussi pouvoir ouvrir la bouche et parler. L'un n'allait pas sans l'autre quand nous dînions avec maman. On parlait de tout ce qui nous passait par la tête, elle s'intéressait à ce que nous disions et, si nous faisions des taches de lait ou que nous posions par inadvertance nos sachets de thé utilisés sur la nappe (car elle nous faisait parfois du thé), ce n'était pas si grave. C'était d'un côté la participation active au repas qui ouvrait les vannes de la liberté, mais de l'autre le degré de présence de papa qui en réglait l'intensité. S'il était en dehors de la maison ou en bas, dans le bureau, nous parlions aussi fort, aussi librement et en remuant autant que nous voulions ; s'il était en train de monter l'escalier, nous baissions automatiquement le ton et changions de sujet de conversation quand nous parlions de quelque chose que nous supposions ne pas lui convenir ; s'il entrait dans la cuisine, on arrêtait complètement de parler, raides comme la justice, comme concentrés sur nos tartines ; si en revanche il allait s'asseoir dans le salon, on continuait la conversation, mais moins fort et plus prudemment.

Ce soir-là, c'étaient les assiettes avec les quatre tartines toutes prêtes qui nous attendaient dans la cuisine. Une au fromage de chèvre, une au gruyère, une aux sardines à la sauce tomate et une au gouda au cumin. Je n'aimais pas les sardines et pris cette tartine-là en premier. Le poisson me dégoûtait. Le cabillaud, que nous mangions au moins une fois par semaine, me donnait des haut-le-cœur. Les vapeurs qui s'échappaient de la casserole où il pochait, le goût, la consistance, tout m'écœurait. C'était la même chose avec le lieu jaune, le lieu noir, le hareng, l'églefin, la plie, le maquereau et le sébaste. Avec les sardines, ce n'était pas le goût le pire, je parvenais à avaler la purée de tomate en imaginant que c'était du ketchup, mais la consistance, et surtout les petites queues toutes lisses. Elles étaient repoussantes. Pour minimiser tout contact avec elles, j'avais l'habitude de les détacher d'un coup de dents, de les mettre sur le bord de l'assiette, de faire un tas de purée de tomate au bout de la tartine, de planter les queues de sardine dedans et de replier la croûte dessus. Je pouvais ainsi commencer à mâcher sans sentir les queues, puis avaler le tout avec une gorgée de lait.

Quand papa n'était pas dans la pièce, ce qui était le cas ce soir-là, j'avais toujours la possibilité de fourrer tout simplement les queues de sardines dans la poche de mon pantalon.

Yngve fronça les sourcils et secoua la tête quand il me vit faire. Puis il sourit et je lui souris aussi.

Au salon, papa bougea dans son fauteuil et on

reconnut le bruit d'une boîte d'allumettes ; l'instant d'après, on entendit le pschitt du soufre frotté sur la bande rugueuse, le craquement quand il s'alluma puis enfin le silence de la flamme. Quand l'odeur de cigarette, quelques secondes plus tard, s'insinua dans la cuisine, Yngve se pencha et ouvrit la fenêtre le plus silencieusement qu'il put. Les bruits de la nuit qui s'engouffrèrent par là changèrent complètement l'ambiance de la cuisine. Tout à coup, celle-ci fit partie du paysage extérieur. *On a l'impression d'être sur une étagère*, pensai-je. Cette idée me donna la chair de poule. Le vent enfla dans la forêt et déferla sur les bosquets et les arbres du jardin, en dessous de nous. On entendit les voix des enfants avec leurs bicyclettes toujours en train de bavarder au carrefour. Dans la montée qui mène au pont, une moto changea de vitesse. Et au loin, comme au-dessus de tout, il y avait le grondement d'un bateau qui arrivait du bras de mer.

Mais bien sûr ! C'était évident : il m'avait *entendu* ! Mes pas sur le gravier, quand j'ai couru !

— On échange ? dit Yngve à voix basse en montrant la tartine de gouda au cumin.

— Oui, on peut, dis-je.

Ragaillardi à l'idée d'avoir résolu l'énigme, j'avalai le dernier morceau de pain à la sardine en buvant une toute petite gorgée de lait puis entamai la tartine qu'Yngve avait mise sur mon assiette. Il était important de bien répartir le lait car, si on arrivait à la dernière tranche de pain sans lait, il était presque impossible de déglutir. Le mieux, c'était bien sûr d'en avoir encore après avoir mangé toutes les tartines car le lait n'était jamais aussi bon qu'à ce moment-là, quand il n'avait d'autre fonction que de couler pleinement dans la gorge sans être mélangé à autre chose, ce que je n'arrivais presque jamais à faire : les nécessités de l'instant présent l'emportaient toujours sur les promesses à venir, si séduisantes fussent-elles.

Mais Yngve, lui, y parvenait. Il était passé maître en la matière.

Là-haut, chez Prestbakmo, on entendit des bottes battre le seuil puis trois appels brefs déchirer le soir.

Geir! — Geir! — Geir!

Depuis la cour de la maison où John Beck habitait arriva une réponse si peu naturelle que tous ceux qui l'entendirent comprirent qu'elle avait été mûrement réfléchie.

J'arrive! cria Geir.

Aussitôt après, on entendit ses pas dehors. Au moment où ils atteignirent le mur des Gustavsen, papa se leva de son fauteuil dans le salon. Sa façon de se déplacer me fit baisser la tête. Yngve aussi baissa la tête. Papa entra dans la cuisine, se dirigea vers la table, se pencha sans un mot et referma la fenêtre d'un geste brusque.

— Le soir, on ferme les fenêtres, dit-il.

Yngve acquiesça.

Papa nous regarda.

— Dépêchez-vous de finir, dit-il.

Ce n'est que quand il se fut rassis au salon que je regardai Yngve.

— Ha ha, murmurai-je.

— Ha ha, quoi? répondit-il en murmurant lui aussi. Il s'adressait autant à toi.

Il me devançait de presque deux tartines et pourrait bientôt filer dans sa chambre pendant que je resterais encore quelques minutes à mâcher. J'avais prévu d'aller voir papa après le dîner pour lui dire qu'ils allaient sûrement repasser les images du visage dans la mer aux informations mais, vu les circonstances, il valait mieux laisser tomber.

Ou alors?

Je décidai que je verrais. En sortant de la cuisine, j'avais l'habitude de me tourner vers l'entrée du salon pour lui souhaiter bonne nuit. S'il se montrait neutre ou, dans le meilleur des cas, bienveillant, je pourrais lui en parler. Sinon, pas question.

Malheureusement, il était assis sur le canapé au fond du salon et pas dans un des deux fauteuils en cuir en face de la télé, comme il en avait l'habitude. Je ne pouvais plus me contenter de me retourner pour lui dire bonne nuit en passant, comme je le faisais quand il était assis dans un des fauteuils, et je fus obligé de m'engager dans le salon. Il allait forcément comprendre que je voulais quelque chose. En plus, je n'allais pas pouvoir jauger son humeur et serais obligé de me lancer sans savoir sur quel ton il allait me répondre.

Mais je ne réalisai tout cela qu'une fois sorti de la cuisine et, mon hésitation m'ayant immobilisé, je n'eus soudain plus le choix. J'étais persuadé qu'il m'avait entendu m'arrêter et avait donc compris que je voulais quelque chose. Alors je fis les quatre pas nécessaires pour entrer dans son champ de vision.

Il était assis les jambes croisées, le coude appuyé au dossier du canapé, et sa tête, légèrement penchée en arrière, reposait dans sa main. Son regard, dirigé vers le plafond, descendit vers moi.

— Bonne nuit, papa.

— Bonne nuit.

— Ils vont sûrement montrer la même image aux informations, dis-je. Je voulais te le dire, comme ça, maman et toi pourrez la voir.

— Quelle image ?

— La tête.

— Quelle tête ?

J'étais sans doute bouche bée car, tout à coup, il

laissa tomber sa mâchoire inférieure et sa bouche s'ouvrit tellement que je compris qu'il m'imitait.

— Celle dont je t'ai parlé tout à l'heure.

Il ferma la bouche et se redressa sans me quitter du regard.

— Ça suffit maintenant, cette histoire de tête !

— Oui, dis-je.

En me retournant pour m'engager dans le couloir, je sentis son regard lâcher prise. Je me brossai les dents, me déshabillai et enfilai un pyjama, allumai la lumière au-dessus de mon lit et éteignis le plafonnier. Je me couchai et me mis à lire.

Je n'avais le droit de lire qu'une demi-heure, jusqu'à dix heures, mais j'avais l'habitude de continuer jusqu'à ce que maman rentre, vers dix heures et demie. C'est ce que je fis ce soir-là. Lorsque j'entendis la coccinelle remonter la pente depuis la rue principale, je posai mon livre par terre et éteignis la lumière pour, dans le noir, l'entendre claquer la portière, marcher sur le gravier, ouvrir la porte d'entrée, ôter son vêtement, monter l'escalier... Quand elle était là, c'était comme si la maison se transformait et le plus étrange, c'est que je pouvais le *ressentir*. Si par exemple je m'endormais avant qu'elle rentre et me réveillais la nuit, je sentais qu'elle était là. Quelque chose dans l'atmosphère se métamorphosait et j'en éprouvais de l'apaisement. C'était la même chose lorsqu'elle rentrait avant moi, plus tôt que prévu : dès que je franchissais le seuil, je savais qu'elle était là.

J'aurais bien voulu lui en parler à elle. Elle au moins aurait compris l'histoire de la tête. Ce n'était pas vraiment nécessaire. Le plus important était qu'elle soit là. Je l'entendis déposer son trousseau de clés sur la table du téléphone en haut de l'escalier, ouvrir la porte coulissante et dire quelque chose à papa en refermant derrière elle. Parfois le week-end, il avait préparé à manger quand elle rentrait de ses gardes du soir. Ces jours-là, il leur arrivait d'écouter des disques. Quelques rares fois, ils ouvraient une bouteille de vin ordinaire, toujours la même marque et, rarement aussi, ils buvaient de la bière, là encore, toujours la même marque : deux ou trois bouteilles en verre brun de la brasserie d'Arendal avec le voilier sur l'étiquette jaune.

Mais pas ce soir-là et j'étais bien content car, quand ils mangeaient ensemble, ils ne regardaient pas la télé et il fallait bien qu'ils le fassent pour que mon plan s'exécute. Il était aussi simple qu'audacieux : quelques secondes avant onze heures, je me lèverais, me glisserais dans le couloir, entrouvrirais la porte coulissante et regarderais les informations à la télé. Je n'avais jamais rien fait de tel auparavant, pas même envisagé la chose car je ne faisais pas ce que je n'avais pas le droit de faire. Jamais. Pas une seule fois je n'avais fait quelque chose que mon père m'avait interdit. Pas exprès, en tout cas. Mais là, c'était autre chose car il ne s'agissait pas de moi mais d'eux. Moi j'avais déjà vu l'image de la tête dans la mer et je n'avais pas besoin de la revoir. Je voulais seulement savoir s'ils voyaient la même chose que moi.

Je réfléchissais ainsi allongé dans l'obscurité en suivant des yeux les aiguilles fluorescentes du réveil. Dans le silence, je pouvais entendre les voitures passer sur la route principale : une trajectoire acoustique qui commençait par le passage de la butte où se situait le nouveau supermarché B-Max, qui descendait ensuite vers l'intersection de Holtet, passait devant la rue Gamle Tybakken et remontait la pente vers le pont où elle disparaissait aussi complètement qu'elle était apparue une demi-minute plus tôt.

À onze heures moins neuf, la porte de la maison d'en face s'ouvrit. Je me mis à genoux sur mon lit et regardai par la fenêtre. Mme Gustavsen sortait avec un sac-poubelle.

C'était rarissime et je m'en rendis compte en la voyant. Mme Gustavsen ne sortait pour ainsi dire jamais. On ne la voyait que dans sa maison, ou assise à la place du passager dans leur Ford Taunus bleue. Même si je le savais, je n'y avais pas fait attention. Mais là, alors qu'elle s'arrêtait devant la poubelle, soulevait le couvercle, déposait le sac et refermait, le tout avec la grâce un peu paresseuse qu'ont beaucoup de femmes corpulentes, j'en prenais pleinement conscience : elle ne sortait jamais.

Le lampadaire devant notre haie jetait sur elle sa lumière crue mais, contrairement aux choses qui l'entouraient, la poubelle, les parois blanches de la caravane, les dalles de ciment, l'asphalte, qui toutes renvoyaient cette lumière crue et froide, c'était comme si sa silhouette l'absorbait et la modulait. Ses bras nus luisaient légèrement, l'étoffe de son pull blanc brillait, sa grosse chevelure châtain-gris était presque dorée.

Elle resta là un moment à regarder autour d'elle, d'abord vers la maison des Prestbakmo, puis plus haut vers celle des Hansen, puis plus bas vers la forêt de l'autre côté de la route.

Un chat qui descendait la rue en se pavanant s'arrêta et la regarda un instant. Elle se passa plusieurs fois la main sur le bras. Puis elle tourna les talons et rentra.

Je jetai un coup d'œil rapide au réveil. Onze heures moins quatre minutes. J'avais un peu froid et me demandai l'espace d'une seconde si je n'allais pas enfiler un pull, mais je me dis que ça aurait vraiment l'air prémédité si je me faisais prendre. Et puis ce n'était l'affaire que de quelques minutes.

Je me levai sans bruit et collai mon oreille à la

porte. Le seul vrai risque était que les toilettes se trouvaient de ce côté-ci de la porte coulissante. Là, j'avais le contrôle de la situation et pouvais me retirer au cas où mes parents se lèveraient, mais avec la porte fermée il serait forcément trop tard si jamais ils venaient vers ici.

Après tout, je pourrais toujours faire comme si j'allais aux WC !

Rassuré par cette possibilité, j'ouvris doucement la porte et m'engageai dans le couloir. Il n'y avait pas un bruit. Je sentis la moquette rêche sous mes plantes de pied moites, stoppai devant la porte coulissante, je n'entendais toujours rien, j'entrouvris légèrement et jetai un œil par la fente.

La télé était allumée dans le coin. Les deux fauteuils en cuir vides.

Ils étaient donc assis tous les deux sur le canapé.

C'était parfait.

Puis, tout à coup, le globe terrestre avec un grand N se mit à tourner sur l'écran. Je priai Dieu qu'ils repassent le même reportage pour que papa et maman puissent voir ce que j'avais vu.

Le journaliste commença effectivement les informations en parlant du bateau de pêche perdu en mer et mon cœur battait fort dans ma poitrine. Mais le reportage n'était pas le même : au lieu de montrer les images d'une mer d'huile, on vit un policier interviewé sur un quai, puis une femme avec un petit enfant dans les bras, et pour finir le reporter lui-même qui commentait, le tout sur fond de mer agitée.

Quand le reportage fut terminé, j'entendis la voix de mon père dans la pièce, puis des rires. Le sentiment de honte qui m'envahit alors fut si intense que je ne parvenais plus à penser. C'était comme si tout mon sang avait reflué à l'intérieur de mon corps.

Cette honte soudaine et d'une force inouïe fut le seul des sentiments de mon enfance qui puisse se mesurer en intensité à la peur, et à la colère intempestive aussi. Ces trois émotions ayant pour point commun mon *propre* anéantissement. Rien n'existait d'autre que ce sentiment-là. De sorte que, lorsque je retournai dans ma chambre, je ne perçus rien, ni la fenêtre de l'escalier si noire que tout le couloir se reflétait dedans, ni la porte de la chambre d'Yngve, fermée comme celle de papa et maman et celle de la salle de bains, ni le trousseau de clés de maman étalé sur la table du téléphone comme un animal fabuleux avec sa tête en cuir et ses pattes en métal, ni le grand vase en céramique rempli de fleurs séchées et de paille, par terre à côté, comme en opposition au synthétique de la moquette. Je ne voyais rien, n'entendais rien, ne pensais rien. J'entrai dans ma chambre, me couchai et éteignis la lumière, et quand la nuit m'enveloppa j'inspirai profondément, les muscles de mon estomac se contractèrent et m'arrachèrent des sanglots si bruyants que je dus les étouffer dans l'étoffe moelleuse mais bientôt trempée de mon oreiller. Cela faisait du bien, autant que vomir fait du bien quand on a la nausée. Longtemps après que les larmes eurent cessé, je hoquetais encore. Ça aussi, ça faisait du bien et quand ce bien-là aussi cessa, je me mis sur le ventre, posai ma tête sur mon bras et fermai les yeux pour m'endormir.

Lorsque j'écris ces lignes, assis à ma table, plus de trente ans se sont écoulés. Dans la fenêtre devant moi, j'aperçois vaguement le reflet de mon visage. À part l'œil droit qui luit et sa partie inférieure qui reflète légèrement la lumière mate, toute la face gauche est dans l'ombre. Deux profonds sillons verticaux barrent mon front et un autre creuse chaque joue de traits noirs, et quand j'ai le regard fixe et grave et que les coins de ma bouche retombent, on ne peut faire autrement que de trouver ce visage austère.

Qu'est-ce qui l'a marqué de cette façon ?

Aujourd'hui, nous sommes le 27 février 2008 et il est 23 h 43. C'est moi, Karl Ove Knausgaard, né en décembre 1968 et donc dans ma trente-neuvième année, qui écris. J'ai trois enfants, Vanja, Heidi et John, et j'ai épousé Linda Boström Knausgaard, en secondes noces. Ils dorment tous dans leurs chambres autour de moi, dans un appartement de Malmö où nous vivons depuis un an et demi. Exception faite de quelques parents du jardin d'enfants de Vanja et Heidi, nous ne connaissons personne ici. Cela ne nous manque pas, en tout cas pas à moi, car de toute façon, je ne retire aucun bénéfice du contact avec les autres. Je ne dis jamais ce que je pense vraiment, ni ne dévoile mes convictions, au contraire, je me range systématiquement à l'avis de la personne avec qui je parle et je fais semblant de m'intéresser à ce que les gens disent. Sauf quand je bois : dans ces moments-là, je vais trop loin dans l'autre sens et je me réveille avec cette peur d'avoir dépassé les limites qui n'a fait que grandir avec les années et qui peut maintenant me tenailler pendant des semaines. Quand je bois, j'ai des absences et je perds le contrôle de mes actes, qui se révèlent souvent désespérés et idiots mais parfois aussi désespérés et dangereux. C'est pour ça que je ne bois plus. Je voulais être inaccessible et invisible et c'est maintenant chose faite : personne ne m'atteint et personne ne me voit. Et c'est ça qui a marqué mon visage, c'est ça qui l'a figé comme un masque et c'est ça qui m'empêcherait presque de faire le lien entre lui et moi quand, par hasard, j'aperçois son reflet dans une vitrine.

*

La seule chose qui ne vieillit pas dans un visage ce sont les yeux. Ils sont aussi nets le jour de notre naissance que le jour de notre mort. Certes, les vaisseaux capillaires peuvent y éclater et les membranes se matifier, mais leur lumière intérieure ne change jamais. Il existe un tableau à Londres que je vais admirer dès que je peux et qui me touche autant chaque fois. C'est un autoportrait de Rembrandt âgé. Les peintures tardives de Rembrandt sont habituellement empreintes d'une brutalité inouïe, et la subordination à l'expression de l'instant, à la fois brillante et sacrée, y reste encore inégalée — sauf peut-être dans les poèmes tardifs de Hölderlin, si incomparable que cela puisse paraître, car là où la lumière, évoquée par le langage de Hölderlin, est éthérée et céleste, celle évoquée par les couleurs de Rembrandt est matérielle et terrestre — mais cette peinture de la National Gallery a une facture plus classiquement réaliste, plus proche de la réalité, apparentée à l'expression du jeune Rembrandt. Et pourtant ce que la peinture représente, c'est le vieux Rembrandt. C'est la vieillesse. Tous les détails du visage y sont visibles et on peut suivre toutes les traces que la vie y a laissées. Le visage est ridé, crevassé, bouffi, ravagé par le temps. Mais les yeux sont limpides et, même s'ils ne sont pas jeunes, ils semblent hors de ce temps dont le reste du visage est chargé. C'est comme si c'était un autre qui nous regardait depuis un lieu intérieur où tout est différent. Il est difficile d'approcher l'âme de quelqu'un de plus près. Car tout ce qui touche à la personne de Rembrandt, ses habitudes, ses odeurs et ses bruits corporels, sa voix et ses mots, ses pensées et ses convictions, ses façons d'être, ses tares et ses défauts physiques, tout ce qui fait une personne aux yeux des autres a disparu. Cette peinture a plus de quatre cents ans, elle a été réalisée l'année de la mort du peintre et ce que Rembrandt a représenté, c'est l'être en soi : ce qu'il retrouvait tous les matins au réveil et qui lui venait aussitôt à l'esprit sans être les pensées elles-mêmes, ce qu'il ressentait sans être les sentiments eux-mêmes et ce qu'il abandonnait le soir en s'endormant, et à la fin de sa vie, une fois pour toutes. C'est ce qui, dans un être, reste insensible au temps. C'est de là que vient la lumière des yeux. Entre cette peinture-là et les autres tableaux tardifs de Rembrandt il y a la même différence qu'entre voir et être vu. Dans ce tableau-là, il s'observe en train de regarder, en même temps qu'il est vu, et seul le baroque, avec ses jeux de miroirs, son théâtre dans le théâtre, ses mises en abyme, sa croyance en la concomitance des choses et l'habileté inégalée de ses artisans, a pu donner naissance à une telle peinture. Mais ce visage existe toujours et c'est pour nous qu'il regarde.

*

La nuit où elle est née, Vanja est restée à nous regarder plusieurs heures durant. Ses yeux ressemblaient à deux lanternes noires. Son corps était couvert de sang, ses cheveux longs collaient à son crâne et, quand elle bougeait, ses mouvements lents étaient ceux d'un reptile. Elle ressemblait à un être venu de la forêt, allongée comme elle l'était sur le ventre de Linda en nous fixant. On n'arrivait pas à se lasser d'elle et de son regard. Mais qu'y avait-il donc dedans ? Du calme, de la gravité, des ténèbres. J'ai tiré la langue, il s'écoula une minute puis elle tira la langue à son tour. Jamais je n'ai vu autant de sens à l'avenir qu'à ce moment-là, jamais je n'ai ressenti autant de joie.

Maintenant, elle a quatre ans et tout est différent. Son regard est vif, il se remplit aussi rapidement de jalousie que de joie, de tristesse que de colère, elle est dégourdie et se montre parfois si insolente que j'en perds la tête au point de lui crier dessus ou bien de la secouer jusqu'à ce qu'elle se mette à pleurer. Mais souvent elle se contente de rire. La dernière fois que cela s'est produit, la dernière fois que je me suis mis en colère, que je l'ai secouée et qu'elle s'est mise à rire, j'ai eu l'intuition de poser ma main sur son torse.

Son cœur battait à tout rompre. Oh, comme il battait.

Il est huit heures passées. Nous sommes le matin du 4 mars 2008. Je suis à mon bureau, entouré de livres du sol au plafond, et j'écoute le groupe suédois Dungen en réfléchissant à ce que j'ai écrit et où cela me mène. Linda et John dorment dans la chambre à côté, Vanja et Heidi sont au jardin d'enfants, je les y ai conduites il y a une demi-heure. Sur la façade encore à l'ombre de l'immense hôtel Hilton en face, les trois ascenseurs montent et descendent sans arrêt dans leur tour de verre. À côté, il y a une construction rouge. Avec ses fenêtres en saillie, ses mansardes et ses voûtes, elle doit dater de la fin du XIXe siècle ou du début du XXe. Un peu plus loin, on entrevoit un bout du parc Magistrat avec ses arbres sans feuilles et son herbe verte, là, une maison grisâtre des années soixante-dix ferme la vue et oblige le regard à s'élever vers le ciel, qui pour la première fois depuis des semaines est clair et bleu.

Habitant ici depuis un an et demi, je connais bien cette vue et ses variations tout au long du jour et de l'année mais je n'y suis pas attaché. Rien de ce que je vois ici n'a d'importance pour moi. Peut-être est-ce exactement ce que je cherchais car il y a décidément quelque chose que j'aime dans cette absence de liens, peut-être même quelque chose dont j'ai besoin sans que ce soit conscient. Il y a six ans, c'est à Bergen que j'habitais et que j'écrivais, et même si je n'envisageais pas de vivre toute ma vie dans cette ville, je n'avais l'intention de quitter ni le pays ni celle avec qui j'étais marié alors. Bien au contraire, nous parlions d'avoir des enfants et peut-être d'aller vivre à Oslo, où j'aurais écrit d'autres romans et où elle aurait continué de travailler à la radio et à la télévision. Mais l'avenir qui nous attendait aurait plutôt ressemblé au prolongement du présent d'alors avec ses routines quotidiennes, ses repas entre amis et connaissances, ses voyages pendant les vacances et ses visites aux parents et beaux-parents, le tout enrichi des enfants que nous aurions eus. Cet avenir ne se concrétisa pas. Quelque chose se produisit et je partis pour Stockholm du jour au lendemain, d'abord pour m'échapper quelques semaines, et puis tout à coup c'est là que fut ma vie. Ce fut un changement total : la ville, le pays mais surtout les gens. S'il me paraît étrange d'avoir vécu ce changement, il est plus étrange encore que je n'y pense pour ainsi dire jamais. Comment en suis-je arrivé là ? Pourquoi cela s'est-il passé *ainsi* ?

Quand je suis arrivé à Stockholm, je ne connaissais que deux personnes, mais ni l'une ni l'autre très bien : Geir, que j'avais vu quelques semaines à Bergen, au printemps 1990, donc douze ans plus tôt, et Linda que j'avais rencontrée lors d'un séminaire pour débutants à Biskops-Arnö au printemps 1999. J'envoyai un mail à Geir pour lui demander si je pouvais habiter chez lui le temps de me trouver quelque chose. Il accepta et, une fois là-bas, je mis une annonce dans deux journaux suédois pour louer un appartement. Sur la quarantaine de réponses que je reçus, j'en gardai deux. L'une des adresses se trouvait dans la rue Bastugatan et l'autre dans la Brännkyrkagatan. Après avoir visité les deux appartements, je me décidai pour le second, jusqu'à ce que je tombe sur la liste des résidents où je lus le nom de Linda. Quelle était la probabilité pour que cela arrive dans une ville de plus d'un million et demi d'habitants ? Si j'avais eu l'appartement par l'intermédiaire d'amis ou de connaissances, le hasard aurait été moindre car les milieux littéraires sont relativement petits, quelle que soit la taille de la ville. Mais ici, il s'agissait d'une annonce anonyme dans un journal lu par plusieurs centaines de milliers de personnes, et celle qui y avait répondu ne connaissait ni Linda ni moi. Je changeai d'avis aussitôt, le mieux était de prendre l'autre appartement car, si je prenais celui-ci, Linda aurait pu croire que je voulais l'importuner. Toutefois c'était un signe. En tout cas j'ai bien fait, aujourd'hui je suis marié avec Linda, elle est la mère de mes trois enfants et c'est avec elle que je partage ma nouvelle vie. De l'ancienne, je n'ai gardé que les livres et les disques que j'ai emportés, tout le reste, je l'ai laissé. Alors qu'à l'époque je passais beaucoup de temps, anormalement beaucoup de temps, à penser au passé, et c'est pour cette raison que je n'ai pas seulement lu mais littéralement bu *À la recherche du temps perdu* de Marcel Proust, je suis frappé de voir qu'aujourd'hui le passé me préoccupe à peine. La raison principale, c'est sans doute les enfants que nous avons eus et la place qu'ils prennent ici et maintenant. Même le passé le plus récent, ils se chargent de l'évincer: demandez-moi ce que j'ai fait il y a trois jours, je ne m'en souviens pas. Demandez-moi comment était Vanja il y a deux ans, Heidi il y a deux mois ou John il y a deux semaines, je ne m'en souviens pas. Il se passe beaucoup de choses dans la petite vie de tous les jours mais c'est toujours dans le même cadre, et c'est cela avant tout qui a transformé ma perception du temps. Avant, je voyais le temps comme une distance à parcourir avec l'avenir comme perspective lointaine, volontiers lumineuse, en tout cas jamais ennuyeuse, dorénavant le temps est un enchevêtrement du vécu de l'instant, c'est tout à fait différent. Pour le comparer à une image, je choisirais celle d'un bateau dans une écluse: aussi lentement qu'irrévocablement, la vie est portée par le temps qui s'écoule de tous les côtés et, hormis les détails, tout est toujours pareil. Chaque jour qui passe voit grandir le désir d'instants où la vie atteint la limite, où les portes de l'écluse s'ouvrent et où elle peut enfin continuer à voguer. En même temps, j'ai bien conscience que cette répétition, cet enfermement et cette immuabilité sont nécessaires, ils me protègent, car les rares fois où je les ai fuis, mes vieux tourments sont revenus. Tout à coup, mon esprit se préoccupe à nouveau de ce qui s'est dit, de ce qui s'est vu, de ce qui s'est pensé, comme propulsé dans le monde incontrôlable, stérile, souvent humiliant et à la longue destructeur dans lequel j'ai vécu si longtemps. Le désir d'ailleurs est aussi intense là-bas qu'ici mais la différence réside dans la façon d'y accéder : ils sont réalisables là-bas mais pas ici. Ici, il me faut trouver d'autres désirs et m'en contenter. L'art de savoir vivre, c'est de ça que je parle. Là sur le papier, il n'y a aucun problème, je peux très facilement évoquer l'image de Heidi, par exemple, en train de descendre de son lit à barreaux à cinq heures du matin, trottiner dans le noir, allumer la lumière, dire « cuisine » en se postant devant moi qui, dans mon demi-sommeil, arrive à ouvrir un œil. Elle a encore son langage bien à elle où les mots signifient autre chose, et « cuisine » veut dire « du müesli avec du yaourt aux myrtilles ». De la même façon, pour signifier par exemple le mot « bougie », elle dit « joyeux anniversaire ». Heidi a de grands yeux, une grande bouche, un grand appétit, et elle est en tout point une enfant gloutonne, mais la joie saine et inébranlable dans laquelle elle a vécu les dix-huit premiers mois de sa vie a fait place, depuis cet automne et la naissance de John, à des sentiments jusque-là inconnus. Les premiers mois, elle profitait de chaque occasion pour essayer de faire du mal à son frère et les griffures sur le petit visage étaient plus souvent la règle que l'exception. Un jour de cet automne où je rentrais d'un voyage de quatre jours à Francfort, on aurait dit que John avait traversé un champ de bataille. C'était difficile car nous ne voulions pas non plus l'empêcher d'approcher son frère et il nous fallait prévoir ses humeurs pour réguler les contacts entre eux. Mais même quand elle était de très bonne humeur, elle pouvait tout à coup et de façon totalement imprévisible lui décocher un coup ou le griffer. Parallèlement à ça, elle a commencé à piquer des colères d'une intensité dont je ne l'aurais jamais crue capable deux mois plus tôt, en même temps qu'apparut une fragilité tout aussi inconnue : s'il y avait la moindre trace de dureté dans ma voix ou dans mon comportement, elle baissait la tête, se retournait et se mettait à pleurer, comme si elle voulait bien nous montrer sa colère mais nous cacher sa sensibilité. En écrivant ces lignes, je me sens rempli de tendresse pour elle. Mais c'est sur le papier. Dans la réalité, quand il faut vraiment s'y coller et qu'elle est devant moi, tellement tôt le matin qu'il n'y a pas encore un bruit dans les rues ni dans la maison, resplendissante à l'idée de commencer un jour nouveau, que moi, dans un grand effort de volonté, je sors du lit, enfile mes vêtements de la veille et la suis jusque dans la cuisine où le yaourt aux myrtilles et le müesli l'attendent, ce n'est vraiment pas de la tendresse que j'éprouve pour elle, et si là en plus elle dépasse les bornes en me serinant par exemple pour regarder un film ou pour aller dans la chambre où dort son frère, bref quand elle n'accepte pas mon autorité et essaye de repousser les limites le plus possible, il arrive que l'irritation se transforme en exaspération, et dans ces moments-là, si je lui parle durement, que les larmes lui viennent et qu'elle se retourne, toute recroquevillée, je suis convaincu qu'elle le mérite. Ce n'est que le soir, quand tout le monde dort et que je réfléchis à ce que j'ai fait, que je reconnais qu'elle n'a que deux ans. Mais uniquement quand je prends de la distance par rapport à la situation. Quand je suis plongé dedans, je n'ai aucune chance, totalement pris par l'urgence de surmonter la matinée, les trois heures pendant lesquelles il faut leur changer les couches, les habiller, leur servir le petit déjeuner, leur débarbouiller le visage, les coiffer, leur brosser les dents, les empêcher de se chamailler et de se taper, leur enfiler combinaisons et bottes avant d'attraper la double poussette pliée d'une main et de pousser de l'autre les deux petites vers l'ascenseur où elles entrent en criant et se bagarrant, de les flanquer dans la poussette une fois arrivés en bas, de leur enfiler bonnets et moufles, de nous engager dans la rue déjà pleine de gens qui partent au travail, de les déposer dix minutes plus tard au jardin d'enfants et d'avoir enfin devant moi cinq heures de libres pour travailler avant que ne reprenne l'engrenage des routines inhérentes à la vie des petits enfants.

J'ai toujours eu besoin d'être seul, il me faut de grandes plages de solitude et quand je ne peux pas en disposer, comme c'est le cas depuis cinq ans, ma frustration peut se transformer en panique ou en agressivité. Et quand ce qui me motive depuis que je suis adulte, à savoir l'ambition d'écrire un jour une œuvre unique, est menacé, je ne pense qu'à une seule chose, et cette pensée me ronge de l'intérieur comme un rat : il faut que je me sauve, le temps passe, s'échappe comme le sable s'écoule entre mes doigts pendant que moi, qu'est-ce que je fais ? Je lave le sol, lave le linge, prépare le dîner, fais la vaisselle, fais les courses, joue avec les enfants au parc, les déshabille, les baigne, m'occupe d'eux jusqu'à ce qu'ils aillent au lit, les couche, étends le linge, le plie, le range dans l'armoire, range, lave tables, chaises et placards. C'est un véritable combat qui, sans être héroïque, est absolument inégal car, j'ai beau faire tous les travaux domestiques possibles, l'appartement n'en déborde pas moins de saleté et de désordre et nos enfants, dont on s'occupe sans cesse, sont les plus indociles que j'aie jamais vus. Par périodes, c'est une maison de fous ici. Peut-être est-ce parce que nous n'avons jamais su trouver le bon équilibre entre proximité et distance, équilibre d'autant plus important quand les tempéraments sont marqués. Et chez nous, on peut dire qu'ils le sont. Lorsque Vanja avait huit mois environ, elle a commencé à avoir des trop-pleins d'émotions et parfois même des crises qui la coupaient de son environnement pour un temps, elle ne faisait que crier sans pouvoir s'arrêter. La seule chose à faire, c'était de la prendre dans nos bras jusqu'à ce que ça passe. Il est difficile de dire à quoi c'était dû mais cela survenait souvent quand elle avait vécu des choses inhabituelles, comme quand nous allions à la campagne rendre visite à sa grand-mère, quand elle était restée longtemps avec d'autres enfants ou quand nous avions passé la journée en ville. Hors d'elle et inconsolable, elle hurlait de toutes ses forces. Sensibilité et entêtement ne font pas bon ménage. La situation ne s'arrangea guère à la naissance d'Heidi. J'aimerais pouvoir dire que je réagis alors de façon raisonnable et mesurée mais ce ne fut malheureusement pas le cas car ces événements déclenchèrent en moi aussi de fortes émotions et de la colère qui allaient en s'amplifiant, et s'exprimaient même en public : quand Vanja se vautrait par terre dans un centre commercial de Stockholm, il pouvait m'arriver, hors de moi, de l'attraper sans ménagement et, en pleine rue, de la jeter sur mon épaule comme un sac de pommes de terre, pendant qu'elle me martelait de coups de pied et de coups de poing et qu'elle hurlait comme une possédée. Il m'arrivait aussi de répondre à ses hurlements en criant encore plus fort qu'elle, en la jetant dans son lit et en la maintenant fermement jusqu'à ce que ça passe. Elle ne mit pas longtemps à savoir exactement ce qui me rendait fou : une façon particulière de crier, non pas de pleurer ni de sangloter, ni même de hurler, mais de pousser un cri arbitraire, déterminé et agressif qui pouvait me faire perdre tout contrôle, allant jusqu'à lui crier dessus à mon tour ou secouer la pauvre petite jusqu'à ce que ses cris se transforment en pleurs, que son corps se décontracte et qu'elle se laisse enfin consoler.

Quand je repense à cette époque-là, je suis frappé de constater à quel point Vanja, qui avait à peine deux ans, a pu marquer notre vie. C'était un temps effectivement où il n'était vraiment question que de son comportement. Mais ça en dit surtout long sur nous, pas sur elle. Linda et moi vivons en permanence au bord du chaos ou de l'impression de chaos et, chez nous, tout peut déborder à n'importe quel moment. Tout ce qu'exige une vie avec des petits enfants est pour nous une contrainte. Nous sommes incapables de prévoir quoi que ce soit et qu'il faille faire des courses pour manger tous les jours ne coule pas de source, ni d'ailleurs payer les factures à la fin du mois. Et tout aurait pu très mal tourner si un organisme quelconque ne s'était chargé de verser sur mon compte, même irrégulièrement, les avances sur contrats d'option, les droits d'auteur pour une réédition ou une édition scolaire, ou, comme cet automne, des honoraires que j'avais oubliés. Cette improvisation permanente, en revanche, intensifie l'importance de l'instant, le rend extrêmement vivant dans la mesure où rien ne va de soi, et si en plus l'existence nous semble légère, ce que bien sûr elle est aussi, alors notre présence est forte et notre joie d'autant plus intense. Oh, que nous sommes radieux dans ces moments-là ! Tous les enfants sont naturellement pleins de vie et aspirent à la joie, et pour peu qu'on ait l'énergie de les prendre du bon côté, ils oublient en quelques minutes caprices et colères. Ce qui me mine c'est de savoir qu'il suffirait effectivement de les prendre du bon côté mais d'en être profondément incapable quand la situation l'exige, comme si j'étais embourbé dans un marécage de frustration. Une fois tombé dedans, chaque pas ne fait que m'enfoncer davantage. Et ce qui me mine au moins autant, c'est de savoir que j'ai affaire à des *enfants*. Que ce sont des *enfants* qui me coulent. Il y a là quelque chose de profondément indigne. C'est dans ces situations-là que je ressemble le moins à l'être humain que je voudrais être. Je n'avais pas la moindre idée de tout cela avant d'avoir des enfants. Je croyais qu'il suffisait d'être bon avec eux pour que tout aille bien. Et, certes, c'est vrai aussi, mais rien de ce que j'avais vu jusque-là ne m'avait averti de la véritable intrusion que représentent les enfants dans une vie. L'incomparable proximité qu'on a avec eux et l'interaction de nos tempéraments, de nos humeurs font que nos pires défauts, ceux qu'on avait soigneusement gardés pour soi, ressortent et nous reviennent en pleine figure. La même chose vaut évidemment pour nos qualités. Car finalement, à part au moment de la naissance de Heidi, et de John, où les émotions des uns et des autres atteignirent ce qu'il faut bien appeler l'exacerbation, nos enfants ont une vie stable et facile, et même si je me mets parfois en colère, ils se sentent en sécurité avec moi et recherchent ma présence chaque fois qu'ils en ont besoin. Ils n'aiment rien tant que sortir en famille, et pour eux les choses les plus simples peuvent se métamorphoser en véritables aventures, comme une balade au port de Västre Hamnen un jour de beau temps : d'abord nous passons par le parc où un tas de bâtons les occupent pendant une demi-heure, ensuite nous allons au port voir les voiliers, et ça les intéresse beaucoup, puis nous nous installons sur les marches au bord de l'eau pour manger nos paninis achetés au café italien, car bien entendu personne n'a pensé à emporter des sandwichs, et pour finir ils jouent et courent en riant pendant une heure. Vanja avec la façon qu'elle a depuis toujours de lancer les jambes dans tous les sens, Heidi de son pas lourd mais plein d'ardeur, toujours deux mètres derrière sa sœur, prête à recueillir les rares instants de complicité que Vanja veut bien lui accorder. Et nous rentrons par le même chemin. Si Heidi s'est endormie dans la poussette, nous nous installons dans un café avec Vanja. Elle adore ces instants où elle est seule avec nous à boire sa limonade en posant plein de questions pour savoir si le ciel est bien accroché, si on peut arrêter l'automne ou si les singes ont un squelette. Sans doute la joie que j'éprouve dans ces moments-là n'est-elle pas à proprement parler délirante, c'est plutôt une certaine satisfaction et une forme de paix, mais c'est quand même de la joie. Peut-être même, à certains moments, du bonheur. Et n'est-ce pas suffisant ? N'est-ce pas suffisant ? Si, peut-être, à condition que ce soit le but recherché, or le bonheur n'est pas mon but, il ne l'a jamais été. Qu'en ferais-je ? La famille non plus n'est pas mon but. Si ça avait été le cas et que je puisse y consacrer tout mon temps et toute mon énergie, nous aurions eu une vie merveilleuse, j'en suis sûr et certain. Nous aurions pu vivre quelque part en Norvège, partir l'hiver faire du ski et du patin à glace avec des sandwichs et un thermos dans le sac à dos, sortir l'été en bateau, nous baigner, pêcher, camper, partir en vacances à l'étranger avec d'autres familles, avoir une maison bien rangée, prendre le temps de faire de la bonne cuisine, passer du temps avec des amis, satisfaits et heureux. On dirait une caricature, mais je rencontre tous les jours des familles capables d'organiser leur vie de cette façon-là. Dans ces familles-là, les enfants sont propres et ils portent de beaux vêtements, les parents sont gais et, même s'ils élèvent la voix de temps en temps, on ne les surprend jamais en train de crier sur leurs enfants comme des imbéciles. Ils partent en week-end, louent une maison en Normandie l'été et leur réfrigérateur n'est jamais vide. Ils travaillent dans une banque ou un hôpital, dans l'informatique ou dans l'administration municipale, dans un théâtre ou à l'université. Pourquoi le fait d'écrire m'exclut-il de ce monde-là ? Pourquoi le fait d'écrire fait-il que nos poussettes ont toujours l'air de sortir d'un dépotoir ? Pourquoi le fait d'écrire fait-il que j'arrive au jardin d'enfants le regard halluciné et le visage pétri de frustration ? Pourquoi le fait d'écrire fait-il que nos enfants n'en font qu'à leur tête, indépendamment des conséquences ? D'où vient tout ce désordre dans notre vie ? Mais en même temps, je sais aussi que je pourrais faire disparaître ce chaos, je sais que nous aussi, nous pourrions devenir comme eux, pour cela il faudrait le vouloir et il faudrait que ce soit ça la vie. Mais je ne veux pas. Je fais tout pour ma famille, c'est mon devoir. La seule chose que j'ai apprise dans la vie, c'est de tenir bon, sans se poser de questions, et de consumer les aspirations qui en découlent en écrivant. Je n'ai pas la moindre idée d'où me vient cet idéal mais le voir écrit noir sur blanc me semble quelque peu pervers : pourquoi faire passer le devoir avant le bonheur ? La question du bonheur est banale mais celle qui s'ensuit, celle du sens, ne l'est pas. Les larmes me montent aux yeux quand je regarde un beau tableau mais pas quand je regarde mes enfants. Ça ne signifie pas que je ne les aime pas car je les aime de tout mon cœur, ça veut seulement dire que le sens qu'ils donnent ne peut remplir une vie. En tout cas pas la mienne. Bientôt j'aurai quarante ans, et après quarante bientôt cinquante, et après cinquante bientôt soixante et après soixante bientôt soixante-dix. Et ce sera tout. Alors sur ma tombe, on pourra inscrire : *Ci-gît un homme qui tint bon toute sa vie. C'est finalement ce qui a eu raison de lui.* Ou bien :

Ci-gît un résigné
Qui vécut à moitié.
Ses tout derniers mots,
Avant le tombeau :
Oh mais qu'il fait froid ici !
Passez-moi le sel de la vie.

Ou plutôt :

Ci-gît un écrivain,
Au fond quelqu'un de bien,
Mais étranger aux rires,
Il vécut sans plaisir.
Sa bouche qui autrefois était pleine de mots,
L'est maintenant de terre, au fond de son tombeau.

Venez larves et vers
Vous repaître de chair,
Mangez un œil, ou deux
Ce sera encore mieux.
Depuis longtemps cet homme
De plus rien ne s'étonne.

Mais si j'ai encore trente ans à vivre, il n'est pas dit que je reste le même. Alors peut-être plutôt ça ?

Entends notre prière, Seigneur !
Karl Ove Knausgaard est mort enfin.
Le voici dans toute sa splendeur,
Celui qui mangeait notre pain
Et qui brisait ses amitiés
Pour écrire en paix et aussi bander.

Il se branlait, oui, mais écrivait mal,
Le style était pesant et la prose banale,
Puis il prit un gâteau et en reprit encore,
Puis il prit une patate et puis un hareng saur,
Puis aussi un cochon et qu'il rôtit entier,
S'empiffra et rota en disant heil, quel métier !
Je ne suis pas nazi mais j'aime la couleur brune.
Je change d'alphabet et écris tout en runes.

Les éditeurs dirent non, il devint fou furieux,
Continua à manger et roter de son mieux.
Le ventre grossissait, la graisse dégoulinait,
Les yeux étaient mauvais et la langue brûlait :
« Je voulais simplement vous dire ce qui est vrai. »

La graisse boucha les artères puis le cœur
Et un beau jour il hurla de douleur :
À l'aide, à l'aide mon cœur s'arrête,
Greffez un cœur neuf au poète !
Non, dit le docteur, tes livres sont poison,
Tu mourras comme une truite à l'hameçon.
Sens la douleur, elle t'enserre, elle te tord.
Ce coup au cœur, mon ami, c'est la mort !

Ou peut-être, si j'ai de la chance, une version un peu moins personnalisée ?

Ci-gît celui qui fumait au lit.
Ci-gît sa femme aussi qui brûla avec lui,
Mais pas exactement
Car c'est uniquement
Un peu de cendre trouvée dans le pâtis.

Quand mon père eut le même âge que moi aujourd'hui, il rompit avec sa vie d'avant et en recommença une autre. J'avais seize ans à l'époque et j'étais en seconde au lycée Katedralskolen de Kristiansand. Au début de l'année scolaire, mes parents étaient encore mariés et, même s'ils avaient des problèmes, rien dans leur comportement ne laissait imaginer la direction que prendrait leur relation. À cette époque, nous habitions à Tveit, à vingt kilomètres de Kristiansand, à l'extrémité du bourg, dans la vallée. Notre vieille maison était à flanc de colline : nous avions la forêt derrière nous et la vue sur la rivière devant. Sur la propriété, il y avait aussi une imposante grange et une dépendance. Nous y emménageâmes l'été de mes treize ans et mes parents achetèrent des poules, je crois qu'elles restèrent chez nous environ six mois avant de disparaître. Sur une parcelle à côté de la pelouse, mon père cultivait des pommes de terre, et un peu plus bas il y avait le compost récemment introduit. Un des nombreux métiers que mon père aurait pu s'imaginer faire à la place du sien était celui de jardinier, et il avait d'ailleurs un certain talent dans le domaine. Le jardin de la maison que nous avions quittée avait été luxuriant et non dépourvu d'une pointe d'exotisme, avec par exemple ce pêcher que mon père avait planté au pied du mur le plus ensoleillé et dont il était si fier quand il lui arrivait de porter des fruits. S'installer à la campagne à l'époque avait donc été synonyme d'optimisme et d'avenir, mais pourtant ce fut aussi à ce moment-là qu'une certaine ironie commença lentement mais sûrement à s'implanter. L'un des rares faits concrets liés à mon père pendant ces années-là et dont je me souvienne est une réplique qu'il formula un soir d'été alors que nous dînions de grillades dehors tous les trois, papa, maman et moi.

— C'est fou ce qu'on s'amuse !

L'ironie était très claire, même moi je la compris, mais elle restait cependant complexe car je n'en saisissais pas la raison. Une soirée comme celle-là, c'était vraiment l'idéal. Son ironie traversa cet été-là comme un courant sous-jacent. Nous plongions dans la rivière dès le matin de bonne heure, jouions au foot sur les terrains ombragés, allions à bicyclette jusqu'au camping de Hamresanden pour nous baigner et regarder les filles, et en juillet on se rendit à la Norway Cup de football, où je me soûlai pour la première fois. L'ami d'un ami disposait d'un appartement à Oslo et un autre ami d'ami avait accepté d'acheter de la bière pour nous. C'est ainsi que je me retrouvai un après-midi d'été dans un salon, chez des inconnus, à boire. Et ce fut comme une explosion de joie : plus rien n'était dangereux ou ne valait la peine qu'on se tracasse, je riais sans pouvoir m'arrêter et c'est là, au milieu de ces meubles inconnus, de ces filles inconnues, de ce jardin inconnu, que je me suis dit que c'était ça que je voulais, exactement ça, faire tout ce qui me passe par la tête et rire. Il existe deux photos de moi de cette soirée-là, sur l'une je suis dans un tas de corps agglutinés par terre, je tiens une tête de mort, ma tête qui dépasse est comme dissociée de mes mains et de mes pieds, je grimace de joie. Sur l'autre je suis sur un lit, j'ai une bouteille de bière dans une main et de l'autre je tiens la tête de mort sur mon entrejambe, je porte des lunettes de soleil et je ris à gorge déployée. C'était l'été 1984, j'avais quinze ans et je venais de faire une découverte: boire était quelque chose de fantastique.

Les semaines suivantes, je continuai à mener ma vie d'enfant, nous somnolions allongés sur les rochers de la cascade, plongions de temps en temps dans le creux de rivière, prenions le bus le samedi matin pour nous rendre en ville acheter des bonbons et aller dans les magasins de disques, pendant qu'en même temps l'idée d'entrer au lycée me travaillait. Ce ne fut pas le seul changement dans la famille cette année-là car ma mère avait pris une année de disponibilité à l'école d'infirmières pour suivre des études à Bergen, où Yngve résidait déjà. Nous devions donc, papa et moi, habiter tous les deux à la maison et c'est ce que nous fîmes les premiers mois, jusqu'à ce qu'il propose, probablement pour se débarrasser de moi, que j'habite dans la maison que mes grands-parents possédaient dans Elvegaten, où mon grand-père avait toujours eu son bureau d'expert-comptable. Tous mes amis habitaient à Tveit et les nouvelles connaissances que j'avais faites au lycée ne m'étaient pas suffisamment proches pour que je les retrouve après l'école, si bien que les jours où je ne faisais pas de sport — à l'époque, je m'entraînais cinq fois par semaine — je regardais la télévision, seul dans le salon du rez-de-chaussée, faisais mes devoirs à mon bureau sous les toits, ou bien lisais sur mon lit en écoutant de la musique. J'allais de temps en temps à Sannes, c'était le nom de notre propriété, pour y prendre des vêtements, des cassettes ou des livres, parfois aussi j'y passais la nuit, mais je préférais l'appartement de mes grands-parents car notre maison s'était voilée de froid, probablement parce plus personne ne s'y activait, mon père mangeant la plupart du temps à l'extérieur et ne faisant qu'un minimum d'entretien. Cela finit par imprégner l'atmosphère de la maison qui, à l'approche de Noël, avait un petit air abandonné. À l'étage, des petits tas de crottes de chat séchées traînaient sur le canapé devant la télé, de la vaisselle sale encombrait l'évier dans la cuisine et tous les radiateurs étaient éteints, sauf le radiant qu'il emmenait avec lui dans toutes les pièces. Lui-même était en proie au désespoir. Un soir que j'étais allé là-bas, ça devait être début décembre, et que j'avais déposé mon sac dans ma chambre glaciale, j'étais tombé sur lui dans le couloir, il venait de la grange dont le sous-sol avait été transformé en appartement, ses cheveux n'étaient pas soignés et il avait le regard noir.

— On ne pourrait pas mettre du chauffage ? dis-je. Il fait tellement froid ici.

— Mett'e du chauffage ? dit-il. Il est ho's de question de mett'e du chauffage !

Je ne savais pas prononcer les *r*, je n'avais jamais su, c'était un de mes traumatismes d'enfant. Mon père avait l'habitude de m'imiter, à la fois pour me faire remarquer que je ne les prononçais pas correctement, dans l'espoir vain que je me ressaisisse et qu'enfin je les dise comme le faisaient les gens d'ici, et à la fois quand quelque chose en moi lui répugnait, comme c'était le cas ce jour-là.

Je me contentai de lui tourner le dos et remontai l'escalier. Je ne voulais pas lui donner la satisfaction de me voir les larmes aux yeux. La honte d'être sur le point de pleurer à quinze, presque seize ans était plus forte que l'ignominie de son imitation. Normalement je ne pleurais plus, mais mon père avait une emprise sur moi dont je n'arrivais pas à me libérer. Mais je savais réagir de façon démonstrative. Dans ma chambre, j'attrapai vivement quelques cassettes, les fourrai dans mon sac, descendis dans la pièce où se trouvaient les armoires à linge et pris quelques pull-overs. Je m'habillai dans le vestibule et, mon sac jeté sur l'épaule, je sortis dans la cour. La neige était recouverte d'une couche de glace dans laquelle se reflétaient les lumières du garage, formant des taches jaunes juste au-dessous des lampes. Le pré descendant vers la route et la lande de l'autre côté du fleuve étaient eux aussi éclairés par un ciel étoilé et une lune presque pleine. Je commençai à descendre le chemin, mes pas faisaient craquer la glace dans les traces de pneus. Arrivé aux boîtes aux lettres, je m'arrêtai. J'aurais peut-être dû le prévenir que je partais. Mais ça n'aurait eu aucun sens puisque mon intention était qu'il réfléchisse à ce qu'il avait fait.

Quelle heure pouvait-il être ?

J'enlevai prestement ma moufle, remontai un peu la manche gauche de ma veste et regardai. Huit heures moins vingt. Le bus passait dans une demi-heure. J'avais largement le temps de remonter.

Putain ! Jamais de la vie !

Je rejetai mon sac sur l'épaule et continuai de descendre. En lançant un dernier regard à la maison, je vis la fumée s'échapper de la cheminée. Il devait croire que j'étais encore dans ma chambre et, ayant finalement regretté ses paroles, il était allé chercher du bois pour allumer le poêle.

La glace du fleuve craqua. Le son se propagea et s'éleva le long des pentes douces de la vallée.

Puis il y eut un grondement.

Un frisson me parcourut le dos. Ce bruit-là me remplissait toujours de joie. Je levai les yeux vers la multitude d'étoiles. La lune était suspendue au-dessus de la colline. Les phares des voitures de l'autre côté du fleuve formaient des trouées de lumière dans la nuit. Le long du fleuve, les arbres s'alignaient noirs et muets mais pas hostiles. Les deux ou trois mille mètres carrés de surface blanche, recouverts de l'eau du fleuve à l'automne, s'étalaient nus et brillants maintenant que le niveau d'eau était bas.

Il avait fait du feu. C'était une façon de dire qu'il regrettait. Partir sans prévenir n'avait plus aucun sens.

Je remontai le chemin, rentrai et commençai à délacer mes chaussures. J'entendis ses pas dans le salon et me redressai. Il ouvrit la porte, gardant la main sur la clenche, il me regarda.

— Tu pars déjà ? dit-il.

Dans l'impossibilité de lui expliquer que j'étais déjà parti et revenu, je me contentai d'acquiescer.

— Oui, je pars. Je commence de bonne heure demain.

— Oui, oui. Pour information, j'avais l'intention de passer demain après-midi.

— OK, dis-je.

Il me regarda pendant quelques secondes. Puis il referma la porte du salon derrière lui.

Je la rouvris.

— Papa ?

Il se retourna et m'observa sans rien dire.

— Tu sais qu'il y a une réunion parents professeurs demain, à six heures ?

— Ah bon ? Alors j'irai.

Il retourna dans le salon et je refermai la porte, laçai mes chaussures, remis mon sac à l'épaule et marchai vers l'arrêt de bus, où je m'arrêtai dix minutes plus tard. Un peu plus bas, la cascade avait gelé en formant des arcs et des veines de glace impressionnants, légèrement éclairés par les lumières de la fabrique de parquet. Derrière moi s'élevait la lande. Elle entourait de ténèbres et d'absence les maisons qui scintillaient, éparses, dans la vallée. Les étoiles au-dessus semblaient reposer au fond d'une mer prise par les glaces.

Le bus arriva en balayant la nuit de ses phares. Je montrai ma carte au chauffeur et m'installai à l'avant-dernier siège sur le côté gauche, comme toujours s'il était libre. Il y avait peu de circulation et le bus fila à travers Solsletta, Ryensletta, longea la plage d'Hamresanden, traversa la forêt vers Timenes, prit la E18 et le pont de Varodd, passa devant le lycée de Gimle et entra en ville.

L'appartement se trouvait tout près de la rive. À gauche en entrant, il y avait le bureau de mon grand-père, à droite, l'appartement. Deux salons, une cuisine et une petite salle de bains. Le premier étage aussi était séparé en deux, d'un côté il y avait un immense grenier, de l'autre une chambre, et c'est là que j'habitais. J'y avais un lit, un bureau, un petit canapé et une table basse, un lecteur de cassettes, un rangement pour cassettes, une pile de manuels scolaires, quelques revues et magazines de musique et, dans l'armoire, un monceau de vêtements.

La maison était vieille, elle avait appartenu à la grand-mère de papa, donc à mon arrière-grand-mère, qui y mourut. Si j'avais bien compris, papa avait été proche d'elle quand il était jeune, il avait passé beaucoup de temps ici. Pour moi, elle était une sorte de mythe, une maîtresse femme, forte, autoritaire, mère de trois fils dont mon grand-père. Sur les photos que j'avais vues, elle portait toujours des robes noires et fermées. À la fin de sa vie, commencée dans les années 1870 et qui dura presque un siècle, elle était devenue sénile et avait commencé à « radoter », comme on dit dans la famille. Je n'en savais pas plus sur elle.

J'ôtai mes chaussures, montai l'escalier raide comme une échelle et entrai dans ma chambre. Il y faisait froid et j'allumai le radiateur soufflant. Je mis le lecteur de cassettes en marche : Echo and the Bunnymen, *Heaven Up Here*, m'allongeai sur le lit et me mis à lire. J'étais en train de lire *Dracula* de Bram Stoker. Je l'avais déjà dévoré l'année précédente mais le trouvais tout aussi fantastique et intense à la deuxième lecture. La ville au-dehors et son bourdonnement sourd et régulier disparaissaient de ma conscience pour resurgir de temps en temps, comme si je me déplaçais, mais ce n'était pas le cas, je restais allongé sans bouger. Je lus jusqu'à onze heures et demie, me brossai les dents, me déshabillai et me couchai.

C'était une impression toute particulière de se réveiller là le matin, tout seul dans un appartement, c'était comme si le vide n'était pas seulement autour de moi mais aussi en moi.

Jusqu'à ce que j'aille au lycée, je m'étais toujours réveillé dans une maison où mes parents étaient déjà levés et se préparaient pour aller au travail, avec tout ce que cela implique : l'odeur de cigarette et de café, le bruit de la radio, du petit déjeuner et des moteurs qu'on laisse tourner dehors dans le noir pour chauffer les voitures. Là, c'était complètement différent et j'aimais ça. Faire à pied le kilomètre qui me séparait du lycée en traversant le vieux quartier résidentiel, j'aimais ça aussi, ça me remplissait de pensées que j'affectionnais, par exemple le sentiment d'être quelqu'un. La plupart des lycéens étaient de la ville ou des environs très proches et nous n'étions qu'une poignée à venir de la campagne. Ce n'était pas sans inconvénient car les autres se connaissaient depuis longtemps, se rencontraient en dehors de l'école et formaient des bandes. Ces mêmes bandes existaient aussi pendant le temps scolaire et il n'était pas facile de s'y faire sa place, alors à chaque récréation le même problème se posait : où aller ? Où me mettre ? Je pouvais bien sûr me rendre à la bibliothèque et lire ou rester dans la classe et faire semblant de réviser mes leçons, mais ça signalait la même chose : j'étais de ceux qui n'appartenaient à aucun groupe. À long terme, c'était sans issue, alors en octobre de cette année-là je commençai à fumer. Non pas parce que j'aimais ça, pas non plus parce que ça faisait bien, mais parce que ça me permettait d'avoir ma place quelque part : à chaque récréation, je pouvais maintenant traîner avec les autres fumeurs devant le portail, sans que personne ne se pose de questions. Dès que l'école était terminée, je rentrais chez moi et le problème n'existait plus. D'abord parce que en règle générale j'allais à Tveit m'entraîner ou retrouver Jan Vidar, mon meilleur camarade de collège, et ensuite parce que personne ne pouvait savoir que je restais toute la soirée seul dans l'appartement.

Pendant les cours, c'était différent. Nous étions quatre garçons et vingt-six filles dans la classe où j'avais mon rôle à jouer, ma place, je pouvais parler, répondre aux questions, discuter, faire des exercices, être quelqu'un. Comme les autres, j'avais été placé là et on ne pouvait pas me reprocher une présence que je n'imposais à personne. J'étais assis au fond, dans un coin, à côté de moi il y avait Bassen, devant, Molle, et devant lui encore il y avait Pål, le reste de la classe était composé de filles. Vingt-six filles de seize ans. J'en aimais certaines plus que d'autres, mais aucune au point de pouvoir dire que j'en étais amoureux. Il y avait Monica, nées de parents juifs hongrois, très intelligente, aux connaissances fort étendues et qui défendait toujours ardemment et fermement Israël quand nous discutions du conflit palestinien, ce que d'ailleurs je n'arrivais pas à comprendre tellement c'était évident : Israël était un État militaire et la Palestine une victime. Il y avait Hanne, une jolie fille de Vågsbygd, croyante pratiquante et assez naïve mais dont la présence rendait gai et qui chantait dans une chorale. Il y avait Siv, blonde, bronzée, les membres déliés, et qui avait dit, dans les premiers jours, que l'espace entre notre lycée et l'école de commerce ressemblait à un campus américain, ce qui la distingua des autres à mes yeux car elle savait quelque chose d'un monde que je ne connaissais pas et dont j'aurais bien voulu faire partie. Elle avait vécu au Ghana ces dernières années, se vantait trop et riait trop fort. Il y avait Benedicte, aux traits marqués, un peu comme les visages des années cinquante, aux cheveux frisés et à l'allure légèrement bourgeoise. Il y avait Tone, gracieuse, brune et sérieuse, qui dessinait souvent et semblait plus autonome que les autres. Il y avait Anne avec son appareil dentaire, que j'avais embrassée dans un fauteuil du salon de coiffure de la mère de Bassen où nous avions fait une fête avec toute la classe cet automne-là. Il y avait Hilde, une blonde aux joues rouges, au caractère décidé mais qui en même temps passait presque inaperçue et se tournait souvent vers moi. Il y avait Irene, le point de mire de toutes les filles, dont la beauté fugace apparaissait et disparaissait dans le même instant. Il y avait Nina, à la forte corpulence masculine avec pourtant quelque chose de fragile et de timide en elle. Il y avait Mette, petite, intrigante et acerbe, qui affectionnait Bruce Springsteen et s'habillait toujours en jean dans un style à la fois provocant et loubard. Elle riait à tout bout de champ et sentait constamment la cigarette.

Elle était jolie aussi, sauf qu'on lui voyait les gencives chaque fois qu'elle souriait. Son rire, cette sorte de gloussement qui accompagnait tout ce qu'elle disait, toutes les bêtises qu'elle pouvait dire, et son léger cheveu sur la langue dissipaient sa beauté, la réduisaient en quelque sorte. J'étais entouré d'un flot de filles, d'un courant de corps, d'un océan de seins et de cuisses. Dans le cadre formel de la classe, assises derrière leur table, leur présence n'en était que plus forte. Ça donnait comme un sens à mes journées, je me réjouissais d'aller en classe, d'être là où j'avais le droit d'être, avec toutes ces filles.

Ce matin-là, j'étais d'abord descendu à la cantine m'acheter une brioche et un Coca avant de m'asseoir à ma place et de manger en feuilletant un livre pendant que la classe s'emplissait petit à petit d'élèves aux mouvements et aux expressions encore ensommeillés. J'échangeai quelques mots avec Molle, un camarade de collège qui habitait à Hamresanden. Puis notre professeur de norvégien entra. Berg, c'était son nom, portait un sarrau. Le norvégien et l'histoire étaient les deux matières où j'étais le plus fort. J'avais des notes entre 5 et 5 plus sur 6, dont je ne décollais pas, mais je m'étais promis d'obtenir encore plus le jour du bac. Dans les matières scientifiques, j'étais plus faible. Je n'avais que 2 sur 6 en maths et, ne faisant rien, j'étais sérieusement à la traîne en cours. Les professeurs que nous avions dans ces matières-là étaient de la vieille école. Vestby, qui enseignait les maths, était plein de tics, il pliait et tournait le bras sans arrêt. Pendant ses cours, je mettais les pieds sur la table et bavardais tellement avec Bassen qu'il finissait par hurler mon nom d'une voix stridente, le visage écarlate. Alors j'ôtais mes jambes de sur la table, attendais qu'il se retourne et recommençais à bavarder. Nygaard, le prof de biologie, près de la retraite, était petit, mince et comme ratatiné, il avait un sourire diabolique et des gestes enfantins. Lui aussi avait un certain nombre de tics, il clignait tout le temps d'un œil, avait des secousses dans les épaules et rejetait la tête en arrière, une véritable caricature de prof tourmenté. À la belle saison, il portait un costume clair et, le reste de l'année, un costume foncé. Un jour, je l'avais vu se servir du compas pour tableau comme d'une arme : nous planchions sur un devoir lorsque soudain il nous fixa du regard, referma le compas, le mit à l'épaule et l'avança par à-coups dans notre direction en souriant méchamment. Je n'en croyais pas mes yeux. Avait-il perdu la raison ? Pendant ses cours à lui aussi je bavardais tellement que c'était toujours moi le coupable. Dès qu'il entendait murmurer, il disait : Knausgaard ! en levant la main : cela signifiait qu'il fallait que je passe le reste du cours debout à côté de ma table. Je n'y voyais aucun inconvénient car je sentais poindre en moi la révolte. J'avais envie de me foutre de tout, de sécher les cours, de boire et d'importuner les autres. Anarchiste, athée et chaque jour un peu plus antibourgeois, je jouais avec l'idée de me percer les oreilles et de me raser complètement la tête. Qu'est-ce que j'en avais à faire de la biologie ? Et des maths ? Je désirais avant tout jouer de la musique dans un groupe, être libre, vivre comme je voulais et non comme je devais.

J'étais seul avec ma révolte, elle restait velléitaire et floue pour le moment, comme tout ce qui appartient à l'avenir.

Ne pas faire mes devoirs, ne pas suivre en classe en faisait partie. J'avais toujours été parmi les meilleurs dans toutes les matières et l'avais volontiers montré avant mais plus maintenant. C'était devenu presque une honte d'avoir de bonnes notes. Ça signifiait qu'on faisait ses devoirs, qu'on ne faisait que ça, qu'on était un perdant. En norvégien, c'était différent parce que, d'une part, j'y voyais un lien avec les écrivains et la vie d'artiste et que, d'autre part, ça ne pouvait pas s'apprendre, il s'agissait de tout autre chose, de feeling, d'habileté, de personnalité.

En même temps que le monde s'ouvrait à moi, les journées s'écoulaient, rythmées par les heures de cours passées à cogiter et par les récréations passées à fumer devant le portail jusqu'à ce que la dernière sonnerie retentisse à quatorze heures trente et que je rentre chez moi, dans ma chambre d'étudiant. On était le 5 décembre, la veille de mon anniversaire, j'allais avoir seize ans et maman devait revenir de Bergen. Je m'en réjouissais. Le côté positif de vivre seul avec papa était qu'il se tenait le plus possible à l'écart, habitant à Sannes quand j'habitais en ville et inversement. Avec l'arrivée de maman, cela cesserait, on vivrait tous sous le même toit jusqu'à la nouvelle année. L'inconvénient de voir papa tous les jours était compensé en quelque sorte par la présence de maman. Avec elle, je pouvais parler, et de tout. Avec papa, je ne pouvais rien dire. Non, je ne pouvais rien lui dire, à l'exception de choses concrètes comme où j'allais et quand je rentrais.

Quand j'arrivai, sa voiture était garée devant l'appartement. J'entrai, le vestibule sentait le four, et depuis la cuisine on entendait des cliquetis et la radio.

Je passai la tête par la porte.

— Salut, dis-je.

— Salut, dit-il. As-tu faim ?

— Oui, assez. Qu'est-ce que tu prépares ?

— Des côtelettes. Assieds-toi, elles sont prêtes.

Je m'installai à la table ronde. C'était une vieille table et je supposai qu'elle avait appartenu à sa grand-mère paternelle.

Papa déposa dans mon assiette deux côtelettes, trois pommes de terre et un petit tas d'oignons frits. Puis il s'assit et se servit.

— Alors ? dit-il. Du nouveau à l'école ?

Je secouai la tête.

— Tu n'as rien appris aujourd'hui ?

— Non.

— Ah bon.

On continua à manger en silence.

Je ne voulais pas le blesser, je ne voulais pas qu'il pense que cette rencontre était ratée, qu'il avait raté sa relation avec son fils, et je cherchai ce que je pouvais dire. Je ne trouvai rien.

Il n'était pas de mauvaise humeur, ni en colère. Seulement absent.

— Tu es allé voir grand-mère et grand-père ces derniers temps ? dis-je.

Il me regarda.

— Oui. J'y ai fait un saut hier après-midi. Pourquoi ?

— Pour rien en particulier, dis-je en sentant le rouge me monter aux joues. Je me demandais, c'est tout.

Avec mon couteau, j'avais détaché de l'os toute la viande que je pouvais et mangeai le reste avec les doigts. Papa fit de même. Je déposai l'os dans mon assiette, bus de l'eau.

— Merci, c'était bon, dis-je en me levant.

— C'est bien à six heures la réunion parents professeurs ? dit-il.

— Oui.

— Tu vas rester ici ?

— Oui, c'est ce que j'ai prévu.

— Alors je repasserai te prendre après pour rentrer à Sannes, d'accord ?

— D'accord.

J'étais en train d'écrire une rédaction sur une publicité pour une boisson énergétique quand il revint. Le bruit de la porte, le grondement plus net de la ville, les coups sourds sur le sol de l'entrée. Sa voix.

— Karl Ove ? Tu es prêt ? On part tout de suite.

J'avais déjà préparé mon sac et mon cartable, ils étaient pleins à craquer car j'allais habiter là-bas tout un mois et je ne pouvais pas savoir exactement ce dont j'aurais besoin.

Il me regarda quand j'arrivai en bas de l'escalier et secoua la tête. Pourtant, il n'était pas en colère. C'était autre chose.

— Comment ça s'est passé ? dis-je sans le regarder dans les yeux, sachant que c'était ce qu'il détestait le plus.

— Comment ça s'est passé ? Je vais te le dire comment ça s'est passé ! Je me suis fait engueuler par ton professeur de maths. Voilà ce qui s'est passé. Vestby, c'est ça ?

— Oui.

— Pourquoi tu ne m'as rien dit ? Je n'étais pas au courant. J'ai été complètement pris au dépourvu.

— Mais qu'est-ce qu'il a raconté ? dis-je en commençant à m'habiller, infiniment content qu'il garde son calme.

— Il a dit que tu mettais les pieds sur la table pendant ses cours, que tu étais récalcitrant et effronté, que tu bavardais et ne faisais pas ton travail. Et que si ça continue comme ça, il a l'intention de te mettre zéro. Voilà ce qu'il a dit. C'est vrai ?

— Oui, en quelque sorte, dis-je en me redressant, habillé et prêt à partir.

— Il a dit aussi que c'était ma faute. Il m'a engueulé d'avoir un vaurien pareil.

Mal à l'aise, je me tortillai.

— Et qu'est-ce que tu lui as répondu ?

— Je l'ai engueulé aussi. Ton attitude à l'école, c'est sa responsabilité, pas la mienne. Mais tu comprends bien que ce n'était pas particulièrement agréable.

— Oui, je comprends. Pardon.

— Ça n'y changera rien maintenant mais je t'assure que c'est la dernière fois que je vais à une réunion parents professeurs. Bon, on y va ?

On sortit dans la rue. Papa monta dans la voiture et se pencha pour déverrouiller la portière de mon côté.

— Tu peux ouvrir derrière aussi ?

Il ne répondit pas mais déverrouilla le hayon. Je mis mon sac et mon cartable dans le coffre, le refermai avec précaution pour ne pas éveiller sa colère, m'assis à l'avant, tirai et bouclai la ceinture de sécurité.

— C'était franchement gênant, dit papa en démarrant.

Le tableau de bord s'éclaira, la voiture devant nous aussi, ainsi qu'un peu du ravin descendant vers le fleuve.

— Mais ce Vestby, quel genre de prof est-il ?

— Plutôt mauvais. Il a des problèmes de discipline, personne ne l'écoute et il ne sait pas enseigner.

— Pourtant les résultats qu'il a eus à ses examens universitaires étaient parmi les meilleurs jamais obtenus. Tu le savais ?

— Non.

Il recula sur quelques mètres, s'engagea sur la route pour faire demi-tour et sortir de la ville. Le chauffage de la voiture chuintait et les pneus à clous martelaient l'asphalte dans un bourdonnement régulier. Il conduisait vite, comme d'habitude. Une main sur le volant et l'autre posée sur le siège à côté du levier de vitesses. Je frémissais, des décharges de bonheur me traversaient régulièrement car ce n'était encore jamais arrivé. Jamais il n'avait pris ma défense. Habituellement, il ne ratait aucune occasion de critiquer mon comportement et je m'inquiétais plusieurs semaines à l'avance à l'idée de lui remettre mes relevés de notes avant Noël ou les grandes vacances. La moindre petite remarque sur le bulletin, et sa colère s'abattait sur moi. Même chose avec les réunions parents professeurs. Le moindre petit commentaire disant que je bavardais beaucoup ou que je n'avais pas d'ordre dans mes affaires, et il était en rage. Sans parler des rares fois où j'avais un mot dans mon carnet de correspondance. C'était la fin du monde. C'était l'enfer.

Était-ce parce que j'étais en train de devenir adulte qu'il me traitait différemment ? Étions-nous en train de devenir égaux ?

J'avais envie de le regarder pendant qu'il fixait la route sur laquelle nous filions. Mais je ne pouvais pas, il aurait fallu que j'aie quelque chose à dire et rien ne venait.

Une demi-heure plus tard, nous montions le dernier raidillon et nous arrêtions devant la maison. Laissant le moteur tourner, papa descendit ouvrir la porte du garage. J'allai à la porte d'entrée puis, me souvenant de mes sacs, retournai à la voiture au moment où, papa coupant le moteur, les feux arrière rouges s'éteignirent.

— Tu peux rouvrir le coffre ? dis-je.

Il acquiesça, remit le contact et le hayon s'éleva, comme la queue d'une baleine, pensai-je subitement. En entrant dans la maison, je compris aussitôt qu'il avait nettoyé. Ça sentait le propre, les pièces étaient rangées, les sols luisaient et la crotte de chat séchée sur le canapé d'en haut avait disparu.

Bien sûr, c'était l'arrivée de maman qui l'avait poussé à ranger mais même s'il y avait une raison, s'il ne l'avait pas fait de lui-même, à cause de la saleté et du désagrément, j'étais soulagé. Un certain ordre avait été restauré. Ça ne m'avait pas vraiment inquiété mais plutôt troublé, d'autant plus qu'il n'y avait pas eu que ça cet automne-là. Quelque chose en lui avait changé. Sans doute était-ce lié à la façon dont nous vivions, au fait qu'il n'y avait plus que nous deux, et encore. Mais c'était manifeste. Il n'avait jamais eu d'amis, ni de visites à la maison excepté la famille, bien sûr. Les seules connaissances qu'il avait étaient ses collègues et ses voisins, en tout cas à Tromøya car ici les voisins, il ne les connaissait même pas. Or, à peine quelques semaines après que maman eut déménagé à Bergen pour suivre des études, il avait invité des collègues à une soirée à la maison de Sannes et m'avait demandé si je pouvais rester en ville ce soir-là. Au cas où je me sentirais seul, je pourrais toujours, si je voulais, aller chez mes grands-parents. Mais être seul était bien la dernière chose au monde que je redoutais. Ce matin-là, il passa à l'appartement déposer un sac contenant une pizza toute prête, du Coca et des chips que je mangeai en regardant la télévision.

Le lendemain matin, je pris le bus pour aller chez Jan Vidar, restai chez lui quelques heures puis repris le bus pour rentrer à la maison. La porte était fermée à clé. J'ouvris le garage pour voir si papa était parti faire un tour à pied ou s'il avait pris la voiture. Il était vide. Je retournai à la maison et ouvris la porte avec ma clé. Sur la table du salon traînaient quelques bouteilles de vin et les cendriers débordaient, mais le désordre était limité et je me dis que la fête avait dû être modeste. La stéréo, d'habitude dans la grange, avait été posée sur une petite table à côté du poêle et je m'agenouillai devant les piles de disques, les uns adossés au pied de la chaise, les autres étalés par terre. C'était ceux qu'il avait toujours écoutés, aussi loin que je me souvienne. Pink Floyd. Joe Dassin. Arja Saijonmaa. Johnny Cash. Elvis Presley. Bach. Vivaldi. Ces deux derniers, il avait dû les passer avant que la fête commence, ou bien peut-être le matin même. Mais les autres disques n'étaient pas particulièrement festifs non plus. Je me relevai et allai dans la cuisine, où des assiettes et des verres sales encombraient l'évier, j'ouvris le réfrigérateur, dont le contenu se limitait pratiquement à deux bouteilles de vin blanc et quelques bières. Puis je montai à l'étage. La porte de la chambre de papa était ouverte, j'y jetai un œil : au milieu de la pièce, contre celui de papa, se trouvait le lit de maman qu'on avait été chercher dans sa chambre. Il avait dû se faire tard et, parce qu'ils avaient bu et que, la maison étant loin de tout, rentrer en taxi en ville ou à Venesla, où papa travaillait, eût été beaucoup trop cher, certains avaient passé la nuit ici. Ma chambre n'avait pas servi et je pris les affaires dont j'avais besoin. Bien que j'aie prévu de dormir ici, je voulais finalement redescendre en ville. Tout ici m'était étranger.

Une autre fois, j'étais rentré sans avoir prévenu. C'était le soir, je n'avais pas eu le courage de retourner en ville après l'entraînement de foot, et Tom, un gars de l'équipe, m'avait reconduit en voiture jusqu'à la maison. Par la fenêtre éclairée de la cuisine, je vis papa accoudé à la table, la tête posée sur sa main, devant une bouteille de vin. Ça aussi c'était nouveau, il n'avait jamais bu avant, pas que je sache et en tout cas jamais seul. À cet instant-là, je fus témoin de quelque chose que je refusai d'admettre. Ne pouvant pas repartir, je donnai des forts coups de pied bruyants sur le seuil de la porte pour décoller la neige de mes chaussures, ouvris la porte d'un coup franc, la claquai derrière moi, et pour qu'il sache bien où j'étais, j'ouvris les deux robinets de la salle de bains et m'assis quelques minutes sur le couvercle des toilettes. Lorsque j'entrai dans la cuisine, il n'y avait plus personne. Le verre vide était sur le plan de travail, la bouteille vide dans le placard sous l'évier et papa dans l'appartement de la grange. Et comme si tout ça n'était déjà pas assez mystérieux, je le vis passer en voiture devant le magasin de Solsletta. C'était un après-midi où j'avais séché les trois dernières heures de cours pour aller chez Jan Vidar avant l'entraînement du soir à la salle de sport de Kjevik. Assis sur le banc devant le magasin en train de fumer, je vis l'Ascona vert pâle de papa, reconnaissable entre toutes, s'approcher. Je jetai ma cigarette mais ne vis aucune raison de me cacher et suivis la voiture du regard quand elle passa devant moi. Je fis même un signe de la main. Mais, trop occupé à discuter avec la personne assise à côté de lui, il ne me vit pas. Le lendemain, il passa à l'appartement et je lui en parlai, il me dit que c'était un collègue avec qui il avait travaillé sur un projet, à la maison, après la fin des cours.

Il eut soudain beaucoup de contacts avec ses collègues. Il était allé avec eux à un week-end de travail à Hovden mais aussi à bien plus de soirées que pendant toutes les années où nous avions vécu ensemble. Sans doute s'ennuyait-il ou bien n'aimait-il pas être seul et je trouvais ça bien. J'avais commencé à le voir autrement, moins avec les yeux d'un enfant, plus avec ceux de quelqu'un en passe de devenir adulte, et dans ce nouveau regard je souhaitais le voir fréquenter des amis et des collègues, comme tout le monde. Mais en même temps, cette transformation le rendait imprévisible et je n'aimais pas ça.

Le fait d'avoir pris ma défense à la réunion parents professeurs faisait partie de cette nouvelle image, c'était même sans doute le changement le plus net.

Je sortis mes vêtements de mon sac et les mis dans l'armoire, rangeai les cassettes une par une dans leur casier sur mon bureau et fis une pile de mes manuels scolaires. La maison datait du milieu du XIXe siècle, les parquets craquaient et les bruits traversaient les murs, de sorte que je savais exactement que papa se trouvait juste en dessous de moi, sur le canapé du salon. J'avais prévu de finir *Dracula*, mais je sentais que je ne pourrais le faire avant que les choses soient claires entre nous, qu'il sache ce que j'allais faire et que je sache ce qu'il allait faire. D'un autre côté, ce n'était pas si simple que ça de descendre exprès pour le lui dire. « Salut, papa, je suis dans ma chambre en train de lire. — Pourquoi est-ce que tu me le dis ? » ne manquerait-il pas de demander ou au moins de penser. Mais il fallait être quitte. Je descendis et passai par la cuisine — peut-être que je pouvais lui parler du dîner ? — avant de faire les derniers pas pour entrer dans le salon où il était en train de lire une de mes vieilles bandes dessinées.

— Est-ce que tu veux manger maintenant ? dis-je.

Il leva les yeux vers moi un instant.

— Sers-toi quelque chose sans m'attendre, dit-il.

— D'accord. Et après je remonte dans ma chambre.

Il ne répondit pas, continua son *Agent Secret X9* sous la lumière de la lampe à côté du canapé. Je me taillai un gros morceau de saucisse que je mangeai à mon bureau. Il ne m'avait sûrement pas acheté de cadeau d'anniversaire, pensai-je tout à coup, c'est maman qui le rapporterait de Bergen. Mais le gâteau, c'était bien à lui de s'en occuper ? Y avait-il pensé ?

Lorsque je rentrai de l'école le lendemain, maman était là. Papa était allé la chercher à l'aéroport, ils se tenaient assis à la table de la cuisine, un rôti cuisait dans le four. Nous dînâmes aux chandelles, je reçus un chèque de cinq cents couronnes et une chemise qu'elle avait achetée à Bergen. Je n'avais pas le cœur de lui dire que je ne la mettrais pas. Elle s'était donné la peine de faire les boutiques pour moi, avait fini par trouver une chemise qui lui plaisait et pensait qu'elle me plairait aussi.

Je l'enfilai, nous prîmes le gâteau et le café au salon. Maman était ravie et dit plusieurs fois qu'elle était contente d'être à la maison. Yngve appela pour me souhaiter mon anniversaire. Il annonça en même temps qu'il n'arriverait pas avant la veille de Noël et que j'aurais mon cadeau à ce moment-là. Plus tard, à mon retour de l'entraînement vers neuf heures, ils étaient dans l'appartement de la grange.

J'aurais bien voulu parler seul à seul avec maman mais ça paraissait impossible, alors, après avoir attendu un moment, je montai me coucher. Le lendemain, j'avais une évaluation à l'école, les deux dernières semaines avant les vacances en étaient truffées, et je les bâclai toutes pour aller en ville dans les magasins de disques ou dans les cafés, soit avec Bassen, soit avec des filles de la classe lorsque cela semblait naturel, pour qu'elles ne puissent pas me soupçonner de m'incruster. Avec Bassen c'était OK, on avait commencé à se voir en dehors de l'école. Un soir j'étais allé chez lui et on n'avait rien fait d'autre qu'écouter des disques dans sa chambre, mais ça m'avait rempli de joie car j'avais un nouvel ami. Pas un plouc, pas un fan d'heavy metal mais quelqu'un qui appréciait Talk Talk et U2, Waterboys et Talking Heads. Bassen, qui s'appelait en réalité Reid, était un beau brun tombeur de filles mais sans que ça lui monte à la tête. Ni prétentieux ni suffisant, sans être trop modeste non plus, il ne prenait jamais toute la place qu'il aurait pu. Sa retenue était due à son côté réfléchi et introverti. Il ne se donnait jamais complètement. Était-ce parce qu'il ne voulait pas ou ne pouvait pas ? Je ne sais pas, c'est souvent les deux faces d'une même réalité. Mais ce qui me frappait le plus chez lui, c'était qu'il avait sa propre opinion sur les choses. Là où moi je réfléchissais à l'intérieur d'un cadre défini, par exemple en politique, où un point de vue en appelait systématiquement un autre, ou bien dans le domaine des goûts, où aimer tel groupe musical impliquait forcément d'aimer ceux qui lui étaient proches, ou encore dans les relations humaines, où je ne parvenais jamais à m'affranchir de l'opinion majoritairement partagée sur un tel ou un tel, lui au contraire avait son indépendance d'esprit, sa propre échelle de valeurs. De cela non plus il ne se vantait pas, il fallait même le connaître depuis un certain temps pour s'en apercevoir. En d'autres termes, ce n'était pas chez lui un artifice mais une façon d'être. J'étais fier de pouvoir compter Bassen au nombre de mes amis, pas seulement en raison de ses nombreuses qualités et de l'amitié en elle-même mais aussi, et ce n'était pas le moins important, parce que j'imaginais pouvoir tirer profit de son aura sociale. Je n'en avais pas conscience à l'époque mais, en y réfléchissant aujourd'hui, c'est une évidence : à seize ans, quand on est exclu, il faut trouver quelqu'un qui vous inclut. Et, dans mon cas précis, l'exclusion n'était pas qu'une métaphore. J'avais beau être entouré de plusieurs centaines de garçons et de filles de mon âge, je n'arrivais pas à entrer dans leur sphère et tous les lundis j'appréhendais la question que tout le monde posait : « Qu'est-ce que tu as fait ce week-end ? » On pouvait bien répondre une fois : « J'ai regardé la télé », une autre fois : « J'ai écouté des disques chez un copain », mais après il valait mieux trouver autre chose à dire si on ne voulait pas être écarté. Certains l'avaient été dès leur entrée au lycée et le resteraient jusqu'à la fin, et pour rien au monde je ne voulais en être, je rêvais au contraire de faire partie de ceux autour desquels la vie tourbillonnait, d'être invité à leurs fêtes, de sortir avec eux, de vivre leur vie.

Le test décisif, la fête la plus importante de l'année, c'était la Saint-Sylvestre, et on en parlait partout depuis des semaines. Bassen allait chez des amis à Justvik, où il m'était impossible d'imposer ma présence, et quand les vacances de Noël arrivèrent je n'avais été invité nulle part. Avec Jan Vidar, qui habitait Solsletta, à environ quatre kilomètres de chez nous, et qui cet automne-là avait commencé une formation de pâtissier au lycée professionnel, nous réfléchissions un jour, entre Noël et le jour de l'an, aux possibilités qui nous restaient car nous voulions absolument faire la fête et nous soûler. Ce deuxième souhait se réaliserait sûrement sans problème car Tom, le gardien de but de notre équipe, plutôt débrouillard, n'aurait rien contre le fait de nous acheter des bières. Mais la fête… Il y avait bien un groupe de troisièmes, du genre petits délinquants presque marginaux, qui devaient se retrouver dans une maison à proximité, mais c'était complètement hors de question, je préférais encore rester à la maison. Il y avait aussi un autre groupe que nous connaissions bien mais dont nous ne faisions pas partie, des gens de Hamresanden, d'anciens camarades de collège ou de terrain de foot, mais nous n'étions pas invités. Et même si nous avions réussi à nous incruster d'une quelconque manière, je ne les trouvais pas assez bien : ils étaient de Tveit, allaient au lycée professionnel ou travaillaient déjà, et ceux d'entre eux qui possédaient une voiture avaient couvert leurs sièges de housses en imitation fourrure et accroché des pendentifs odorants à leur rétroviseur. Nous n'avions pas d'alternative, et à la Saint-Sylvestre il fallait impérativement avoir une invitation. D'un autre côté, il y avait aussi les gens qui se rassemblaient à minuit sur les places et aux carrefours pour faire exploser des fusées et trinquer à la nouvelle année. Et là, pas besoin d'invitation. Je savais que beaucoup de gens de l'école allaient à une fête dans la région de Søm, pourquoi pas nous ? C'est à ce moment-là que Jan Vidar s'est souvenu que le batteur de notre groupe, un élève de quatrième qui habitait Hånes et auquel nous avions eu recours en désespoir de cause, avait dit qu'il allait à Søm pour la Saint-Sylvestre.

Deux coups de téléphone plus tard, tout était organisé. Tom achèterait les bières pour nous et nous irions commencer la soirée chez l'un des collégiens, dans son sous-sol jusqu'à minuit, ensuite nous irions au carrefour où tout le monde se rencontre, pour retrouver les gens de mon lycée et finir la soirée avec eux. C'était un bon plan. Lorsque je rentrai chez moi cet après-midi-là, j'annonçai à maman et papa, en passant, que j'avais été invité à une fête organisée à Søm par quelqu'un de la classe, et demandai si je pouvais y aller. Ni l'un ni l'autre ne s'y opposa. Ce soir-là, il y aurait des invités à la maison : mes grands-parents paternels et Gunnar, le frère de mon père, avec sa famille.

— C'est très bien ! dit maman.

— Pas de problème, dit papa. Mais il faut que tu sois rentré à une heure du matin.

— Mais c'est la Saint-Sylvestre ! On pourrait pas dire à deux heures ?

— D'accord mais deux heures pile, pas deux heures et demie. C'est compris ?

Le matin de la Saint-Sylvestre, on alla à bicyclette au magasin de Ryensletta où Tom nous attendait et on lui donna de l'argent en échange de deux sacs plastique contenant chacun dix bouteilles de bière.

Jan Vidar les cacha dans son jardin et je rentrai à la maison.

Papa et maman, en plein préparatifs pour la soirée, rangeaient et nettoyaient. Dehors, le vent soufflait. Je restai un moment à la fenêtre de ma chambre à regarder la neige voltiger dans tous les sens. Le ciel gris était si bas qu'il semblait être descendu jusque dans les arbres noirs de la forêt. Puis je mis un disque, pris le livre que j'avais commencé et m'allongeai. Un moment plus tard, maman frappa à la porte.

— Jan Vidar au téléphone, dit-elle.

Je descendis à la pièce aux armoires où se trouvait le téléphone, fermai la porte derrière moi et pris le combiné.

— Salut ?

— C'est une catastrophe, dit Jan Vidar. Ce connard de Leif Reidar…

Leif Reidar était son frère. Il avait un peu plus de vingt ans, conduisait une Opel Ascona débridée et travaillait à Boen, la fabrique de parquets. Contrairement à moi et à la plupart d'entre nous, la grande ville ne l'intéressait pas, il était davantage tourné vers les bourgs de Birkeland et Lillesand, au nord-est. À cela s'ajoutait notre différence d'âge, et je n'ai jamais tout à fait saisi qui il était ni ce qu'il faisait vraiment. Et bien qu'il portât la moustache et souvent des lunettes de soleil de pilote, ce n'était pas non plus un beauf, quelque chose dans le soin apporté à son habillement et dans son comportement l'en distinguait.

— Qu'est-ce qu'il a fait ? dis-je.

— Il a trouvé les bières dans le jardin. Et putain, il n'a pas pu s'empêcher de les prendre. Quel enfoiré alors, quel hypocrite ! Il m'a engueulé, lui, tu te rends compte ! Disant que je n'avais que seize ans et tout le reste. Et puis il a voulu que je lui dise qui avait acheté les bières. J'ai refusé, évidemment. Ce n'est pas ses affaires ! Alors il m'a menacé de tout dire à mon père si je ne lui donnais pas le nom. Quel hypocrite ! Quel salaud ! J'ai été obligé de lui dire. Et tu sais ce qu'il a fait ? Tu sais ce qu'il a fait cet enfoiré ?

— Non.

Sous les rafales, des voiles de neige tombaient du toit de la grange. En dessous, les lumières de l'appartement brillaient doucement, presque secrètement dans le jour qui déclinait lentement. Je perçus un mouvement et pensai que c'était papa. Effectivement, la seconde d'après, son visage s'inscrivit dans le carreau de la fenêtre, il me fixa. Je baissai les yeux en me tournant à moitié.

— Il m'a obligé à monter dans la voiture pour aller chez Tom avec les sacs.

— C'est pas vrai ?

— Oh putain ! Quel connard celui-là. Et en plus, il savourait la situation, on aurait dit qu'il se délectait. Lui, tout à coup si irréprochable. Oh putain, je suis furax.

— Et alors, qu'est-ce qui s'est passé ? dis-je.

Lorsque je rejetai un coup d'œil vers la fenêtre, le visage avait disparu.

— Ce qui s'est passé ? Qu'est-ce que tu crois ? Il a engueulé Tom, m'a obligé à rendre les bières et Tom à rendre l'argent. Exactement comme si j'étais encore un gamin. Comme si lui, il n'avait pas fait pareil quand il avait seize ans. Oh putain ! Et il était ravi, tu sais. Ravi de se mettre en colère, ravi de me conduire chez Tom et ravi de l'engueuler.

— Et alors, qu'est-ce qu'on fait maintenant ? On peut pas y aller sans bière ?

— Non, mais j'ai fait un clin d'œil à Tom au moment de partir. Il a bien compris et, une fois à la maison, je l'ai appelé pour m'excuser. Il a dit que ce n'était pas grave et qu'on déposerait les bières chez toi. Il me prend au passage pour que je puisse le payer.

— Vous venez *ici* ?

— Oui, il passe chez moi dans dix minutes et on est chez toi dans un quart d'heure.

— Il faut que je réfléchisse, dis-je.

Ce n'est qu'à ce moment-là que je remarquai le chat sur la chaise à côté du téléphone. Il me regardait puis commença à se lécher une patte. Dans le salon, l'aspirateur se mit en route. Le chat tourna brusquement la tête vers le bruit, la seconde suivante il se détendit de nouveau. Je me penchai pour lui caresser le ventre.

— Vous ne pouvez pas venir jusqu'à la maison mais on pourra déposer les sacs quelque part au bord de la route. Personne ne les trouvera par ici, de toute façon.

— En bas de la côte peut-être ?

— Celle qui mène à la maison ?

— Oui.

— En bas de la côte dans un quart d'heure alors ?

— Oui.

— D'accord, et puis tu diras à Tom qu'il ne peut pas faire demi-tour chez nous, ni même aux boîtes aux lettres. Dis-lui d'aller un peu plus haut, il y a un endroit où la route est plus large.

— OK, à tout à l'heure.

Je raccrochai et allai voir maman au salon. Elle arrêta l'aspirateur quand elle me vit.

— Je vais faire un tour chez Per, dis-je. Pour lui souhaiter bonne année.

— Vas-y, dit maman. Salue ses parents de notre part si tu les vois.

Per avait un an de moins que moi et habitait la maison la plus proche de la nôtre, à quelques centaines de mètres plus bas sur la route. C'était avec lui que j'avais passé le plus de temps durant les années que nous avions vécues ici. Ensemble, on jouait au foot le plus souvent possible, après l'école, le samedi, le dimanche et pendant les vacances. On essayait surtout de rassembler assez de joueurs pour faire de vrais matchs mais quand c'était impossible, on était capable de jouer à deux contre deux pendant des heures, et même seulement lui et moi. On faisait des tirs au but à tour de rôle, des passes transversales. On était des acharnés, même quand je suis entré au lycée. Sinon, on allait se baigner, soit sous la cascade, dans les remous, là où l'eau était profonde et où on pouvait plonger d'un rocher, soit plus bas, dans les rapides où les masses d'eau en mouvement nous emportaient.

Quand le temps était trop mauvais pour faire quoi que ce soit dehors, nous regardions des vidéos dans leur salon aménagé au sous-sol ou bien nous traînions dans le garage à discuter. J'aimais bien être chez lui, sa famille était chaleureuse et généreuse et, même si le père ne pouvait pas me souffrir, j'étais toujours le bienvenu. Pourtant, alors que Per était celui avec qui je passais le plus de temps, je ne le considérais pas comme un ami et je n'y faisais jamais allusion dans d'autres contextes, à la fois parce qu'il était plus jeune que moi, une tare à mes yeux, et parce qu'il était plouc. Il ne s'intéressait pas à la musique et n'y connaissait rien, ne s'intéressait pas plus aux filles ni à l'alcool, et se satisfaisait pleinement de passer le week-end en famille. Il se souciait comme d'une guigne d'arriver à l'école en bottes de caoutchouc, portait aussi bien des pulls tricotés et des pantalons de velours que des jeans trop courts et des t-shirts publicitaires du parc zoologique de Kristiansand. À l'époque où j'avais emménagé près de chez lui, il n'était encore jamais allé seul en ville. C'est tout juste s'il avait lu quelques livres, bouquinant plutôt des bandes dessinées, ce que je faisais aussi du reste mais toujours parallèlement à la très longue liste de livres de MacLean, de Bagley, de Smith, de Le Carré et de Follet que je dévorais, réussissant petit à petit à les lui faire lire aussi. De temps en temps, le samedi, on allait à la bibliothèque, et un dimanche sur deux aux matchs du Start, le football club de Kristiansand. En plus des matchs hebdomadaires de la saison, on s'entraînait en équipe deux fois par semaine et tous les jours on faisait ensemble le chemin jusqu'à l'arrêt du bus qui nous emmenait à l'école. Mais il était hors de question de s'asseoir l'un à côté de l'autre, car plus nous approchions de l'école et de tout ce qui tournait autour, moins Per était mon ami, si bien qu'arrivés dans la cour de l'école nous n'avions plus aucun contact. Singulièrement, cela ne le gênait pas. Il était toujours gai, toujours ouvert, avait beaucoup d'humour et était, comme sa famille, chaleureux. J'étais allé chez lui parfois entre Noël et le jour de l'an, nous avions regardé des vidéos et fait du ski sur la lande, derrière la maison. Mais lui proposer de venir fêter la Saint-Sylvestre avec nous ne m'avait même pas traversé l'esprit, l'idée était purement inconcevable. Jan Vidar n'avait aucun lien particulier avec Per, ils se connaissaient, bien sûr, comme tout le monde par ici, mais ne se fréquentaient pas et ne voyaient aucune raison de le faire. Lorsque j'étais arrivé ici, Jan Vidar était souvent avec Kjetil, un garçon de son âge qui habitait Kjevik. Ils étaient les meilleurs copains du monde et allaient souvent l'un chez l'autre. Le père de Kjetil était militaire et, d'après ce que j'avais compris, ils avaient souvent déménagé. Quand Jan Vidar avait commencé à me fréquenter, surtout en raison de notre goût commun pour la musique, Kjetil avait essayé de le récupérer, il l'appelait sans cesse pour l'inviter. À l'école, quand on était ensemble, il disait des plaisanteries qu'eux seuls pouvaient comprendre et, quand il n'arrivait pas à ses fins, il mettait la barre moins haut et nous invitait tous les deux chez lui. On faisait de la bicyclette à l'aéroport, traînait au café du coin, allait à Hamresanden et on sonnait chez Rita, une fille qui plaisait à Jan Vidar et à Kjetil. Un jour sur le chemin pentu de la lande, Kjetil avait une barre de chocolat qu'il partagea uniquement avec Jan Vidar, mais ce fut un échec car Jan Vidar fit comme si de rien n'était et partagea sa part avec moi. Et puis Kjetil finit par lâcher prise et se tourner vers d'autres, mais jusqu'à la fin du collège il n'eut plus d'ami aussi proche que l'avait été Jan Vidar. Tout le monde aimait bien Kjetil, surtout les filles, mais personne ne voulait être avec lui. Rita, elle, était dure, sans-gêne et elle n'épargnait jamais personne, mais elle avait jeté son dévolu sur lui et ils riaient toujours beaucoup ensemble. Leur relation était particulière mais ils ne furent jamais plus qu'amis. Ses sarcasmes les plus cinglants, Rita les gardait toujours pour moi et j'étais constamment sur mes gardes dès qu'elle était à proximité, ne pouvant jamais prévoir quand et comment arriverait l'attaque. Elle était petite et menue, avait le visage étroit, la bouche petite mais les traits bien dessinés, et son regard souvent méprisant brillait d'une intensité rare, jetait presque des étincelles. Rita était belle d'une beauté à venir mais elle savait si bien être désagréable qu'on ne la verrait peut-être jamais comme telle.

Un soir, elle m'avait appelé à la maison.

— Salut, Karl Ove, c'est Rita, dit-elle.

— Rita ?

— Oui, imbécile, Rita Lolita.

— OK, salut.

— J'ai une question à te poser.

— Oui ?

— Est-ce que tu veux sortir avec moi ?
— Qu'est-ce que tu dis ?
— Je recommence : est-ce que tu veux sortir avec moi ? C'est une question simple et tu es censé répondre par oui ou non.
— Je ne sais pas…
— Allez ! Si tu ne veux pas, dis-le.
— Je ne crois pas…
— D'accord, j'ai compris. À demain. Salut.
Et elle raccrocha. Le lendemain, je me comportai comme d'habitude et elle se comporta comme d'habitude, mais peut-être était-elle encore plus à l'affût d'une occasion de me blesser. Elle n'en parla jamais et je n'en parlai jamais non plus, ni à Jan Vidar ni à Kjetil, je ne voulais pas avoir cet avantage-là sur eux.

Je dis au revoir à maman qui remit l'aspirateur en marche, m'habillai dans le vestibule et sortis en baissant la tête contre le vent. Papa avait ouvert une des portes du garage et était en train de sortir le mini-chasse-neige. Le gravier qui couvrait le sol à l'intérieur était sec et cela éveillait toujours en moi un léger trouble car le gravier en tant que matériau extérieur aurait dû être couvert de neige, ça créait un déséquilibre entre dehors et dedans. Quand la porte était fermée, je n'y pensais pas, ça ne m'effleurait même pas mais, quand mon regard tombait dessus…
— Je vais juste faire un tour chez Per, criai-je.
Papa, qui peinait à sortir la machine, tourna la tête et opina. Je regrettais un peu de leur avoir donné rendez-vous au bas de la côte, c'était peut-être trop près, avec le sixième sens de mon père pour tout ce qui était inhabituel, mais par ailleurs ça faisait un certain temps qu'il me laissait tranquille. Arrivé aux boîtes aux lettres, j'entendis le chasse-neige se mettre en route. Je me retournai pour tester s'il pouvait me voir.

Comme ce n'était pas le cas, je continuai ma route mais en marchant du côté du talus pour réduire le risque d'être vu. J'attendis au bas de la côte en regardant le fleuve. Sur la rive opposée, trois voitures se suivaient. La lumière des phares faisait comme des petites pointes jaunes dans l'immensité de gris. La plaine couverte de neige avait pris la teinte du ciel dont la luminosité s'estompait, prise dans les filets de la nuit tombante. L'eau noire du chenal scintillait. Puis j'entendis à quelques centaines de mètres une voiture débrayer dans le virage. Le crépitement du moteur indiquait une vieille voiture, celle de Tom sans aucun doute. Je scrutai le bout de la route et fis un signe de la main lorsqu'elle déboucha du virage. Elle ralentit et s'arrêta à ma hauteur. Tom baissa la vitre.

— Salut, Karl Ove.

— Salut.

Il sourit.

— Alors, tu t'es fait engueuler ? dis-je.

— Quel enfoiré, alors ! dit Jan Vidar à côté.

— C'est pas grave. Alors comme ça, vous sortez ce soir ?

— Oui et toi ?

— Je vais sûrement faire un petit tour.

— Et sinon ?

— Ça va bien.

Il me regardait en souriant, plein de gentillesse.

— Vos affaires sont derrière, dit-il.

— C'est ouvert ?

— Oui, bien sûr.

J'allai à l'arrière de la voiture, ouvris le coffre et sortis les deux sacs plastique blanc et rouge qui s'étalaient au milieu d'un fouillis d'outils, de boîte à outils et de sangles munies de crochets pour attacher des choses sur la galerie.

— Ça y est, je les ai, dis-je. Merci, Tom. On n'oubliera pas ce que tu as fait pour nous.

Il soupira.

— À tout à l'heure alors, dis-je à Jan Vidar.

Il acquiesça. Tom remonta la vitre, salua gaiement en portant la main à la tempe comme il en avait l'habitude, enclencha la première et remonta la côte. J'enjambai le remblai de neige et avançai sur une vingtaine de mètres parmi les arbres en suivant le lit du ruisseau tout enneigé, et déposai les bouteilles au pied d'un bouleau facilement reconnaissable. À ce moment-là, j'entendis la voiture repasser dans l'autre sens.

Je restai quelques minutes encore à l'orée de la forêt pour que mon absence ne paraisse pas trop brève puis remontai la pente où papa était toujours occupé à déneiger le passage jusqu'à la maison. Il ne portait ni bonnet ni gants et poussait la machine vêtu de sa vieille veste en peau de mouton et d'une grosse écharpe négligemment enroulée autour du cou. Projetée en l'air, la neige qui n'était pas emportée par le vent retombait en cascade quelques mètres plus loin dans le champ. Je lui fis un signe de tête en le dépassant, son regard m'effleura mais son visage resta immobile. Maman était assise et fumait quand j'entrai dans la cuisine après avoir pendu mes vêtements dans le couloir. Sur le bord de la fenêtre, la flamme d'une bougie vacillait. À l'horloge de la cuisinière, il était trois heures et demie.

— Les préparatifs vont comme tu veux ? dis-je.

— Oui, oui. La soirée s'annonce bien. Veux-tu manger quelque chose avant de partir ?

— Je vais me faire des tartines.

Sur le plan de travail, il y avait un énorme paquet de poisson dans son papier blanc, à côté l'évier était rempli de pommes de terre noires. Dans le coin, la lampe de la cafetière électrique était allumée, la verseuse était à moitié pleine.

— Mais je crois que je vais attendre un peu, dis-je. Je ne pars pas avant sept heures. Quand est-ce qu'ils arrivent au fait ?

— Ton père doit aller chercher tes grands-parents, je crois qu'il va bientôt partir. Quant à Gunnar, il arrive vers sept heures.

— J'aurai juste le temps de les voir alors, dis-je en allant me poster devant la fenêtre du séjour pour regarder la vallée, puis je pris une orange sur la table du salon, m'assis sur le canapé et l'épluchai. Les lumières du sapin de Noël scintillaient, les flammes dans la cheminée vacillaient et, sur la table dressée à l'autre bout de la pièce, la lumière étincelait dans les verres en cristal. Je pensais à Yngve, me demandant comment il avait vécu tout ça quand il était au lycée. En tout cas il était désormais sorti d'affaire et se trouvait en ce moment même au chalet de Vindil, dans le district d'Aust-Agder, avec tous ses amis. Arrivé la veille de Noël, c'est-à-dire le plus tard possible, il était reparti trois jours après, le plus tôt qu'il estimait pouvoir se permettre. Il n'avait jamais habité la nouvelle maison. L'été où nous avions déménagé, il devait commencer sa dernière année de lycée et voulait la passer dans la même école qu'avant avec les amis qu'il avait là-bas. Papa s'était mis en colère mais Yngve avait été inflexible et il était resté. Comme papa avait refusé de l'aider financièrement, il avait pris un emprunt d'études et louait une chambre près de notre ancienne maison. Pendant les rares week-ends qu'il passait avec nous, papa lui adressait à peine la parole. Ils étaient en froid. L'année suivante, Yngve faisait son service militaire et je me souviens qu'il était venu en permission avec sa petite amie Alfhild. C'était la première fois qu'il faisait ça. Papa, bien sûr, s'était tenu à l'écart et nous n'étions que nous quatre, Yngve, Alfhild, maman et moi. Mais juste au dernier moment, lorsqu'on descendait la côte pour les accompagner jusqu'à l'arrêt de bus, papa arriva en voiture. Il s'arrêta, baissa la vitre et salua Alfhild en souriant. Le regard joyeux et intense qu'il lança à ce moment-là, jamais je ne l'avais vu auparavant. Jamais il n'avait regardé l'un d'entre nous de cette façon-là, j'en étais certain. Puis il détourna les yeux, enclencha la vitesse et disparut en haut de la côte pendant qu'on continuait vers l'arrêt de bus.

Était-ce bien notre père ?

Toute la gentillesse et l'attention que maman avait portées à Alfhild et à Yngve ce week-end-là avaient été complètement éclipsées par les quelques secondes qu'avait duré le regard de papa. Et c'était d'ailleurs comme ça chaque fois qu'Yngve venait, même seul. Papa passait le plus clair de son temps dans l'appartement de la grange, n'apparaissait que pour les repas et, malgré tous les efforts de maman pour qu'Yngve se sente chez lui, la seule chose qui marquait le week-end était qu'il n'avait posé aucune question à Yngve, ne lui avait accordé qu'un minimum d'attention. C'était papa qui déterminait l'ambiance à la maison et nous ne pouvions rien y faire.

Dehors, tout à coup, le grondement du chasse-neige cessa. Je me levai, attrapai les pelures d'orange, allai dans la cuisine où maman épluchait les pommes de terre, ouvris la porte du placard à côté d'elle et jetai les pelures dans la poubelle. Je vis papa remonter le chemin déneigé, il se passait la main dans les cheveux de sa manière si caractéristique, je montai dans ma chambre, fermai la porte derrière moi, mis un disque et m'allongeai.

Nous avions réfléchi un moment au moyen de nous rendre à Søm. Nous savions bien que le père de Jan

Vidar et ma mère ne manqueraient pas de se proposer pour nous y emmener dès que nous leur parlerions de nos projets, ce qu'ils firent. Mais les sacs de bière rendaient la chose impossible et la seule solution qui nous restait fut que Jan Vidar raconte chez lui que ce serait ma mère qui nous transporterait et que je dise chez moi que ce serait le père de Jan Vidar. Ce n'était pas sans danger car il arrivait que nos parents se rencontrent, mais la probabilité que ce sujet-là soit évoqué nous parut mince et on décida de prendre le risque. Une fois ce problème réglé, il restait le transport en lui-même. Les bus ne roulaient pas par ici le soir de la Saint-Sylvestre mais on nous avait dit que certains s'arrêtaient au carrefour de Timenes, à une dizaine de kilomètres d'ici. On irait en stop, avec un peu de chance, on trouverait une voiture qui nous emmènerait jusqu'à destination, ou au moins jusqu'à l'arrêt de bus. Pour éviter questions et soupçons, il fallait que cela se fasse après l'arrivée de nos invités. C'est-à-dire à sept heures. Si tout se déroulait comme prévu, on devait y arriver : le bus passait à huit heures dix.

Se soûler requérait une certaine logistique. Il fallait se procurer des boissons et un endroit sûr pour les consommer, trouver un moyen de transport pour y aller et revenir, et éviter les parents en rentrant. C'était bien pour ça que je ne m'étais soûlé que deux fois depuis la première et bienheureuse cuite à Oslo. Mais la dernière par contre avait failli tourner à la catastrophe. La sœur de Jan Vidar venait de se fiancer à Stig, un militaire qu'elle avait rencontré à Kjevik, où leurs pères travaillaient aussi. Elle voulait se marier jeune, avoir des enfants et être femme au foyer, une perspective plutôt inhabituelle pour une fille de son âge, et bien qu'elle n'eût qu'un an de plus que nous elle vivait dans un autre monde. Un samedi soir, ils nous avaient invités chez des amis à eux et, n'ayant rien prévu d'autre, nous avions accepté. Quelques jours plus tard, nous étions donc installés dans un canapé à boire du vin fabriqué maison et à regarder la télévision. La soirée s'annonçait agréable, il y avait des bougies sur la table, on nous servit des lasagnes et tout aurait dû bien se passer, sauf qu'il y avait du vin et en quantité énorme. Et je bus jusqu'à me sentir aussi incroyablement joyeux que la première fois. Puis ce fut le black-out total, je ne me souvenais plus de rien entre le moment où j'avais avalé mon cinquième verre de vin et celui où je me réveillai dans une cave sombre, allongé par terre sur une couette couverte de serviettes de bain, vêtu d'un pantalon de jogging et d'un sweat-shirt que je n'avais jamais vus de ma vie, à mes côtés, mes vêtements à moi étaient roulés en boule et complètement imbibés de vomi. J'aperçus une machine à laver contre le mur, une corbeille à linge sale à côté, un congélateur contre l'autre mur avec plusieurs vestes et pantalons imperméables dessus. Il y avait aussi une pile de nasses à crabes, une épuisette, une canne à pêche et une étagère couverte d'outils et de bric-à-brac. Tout cet environnement nouveau pour moi, je le perçus d'un seul coup d'œil car je m'éveillai reposé et la tête claire. À quelques mètres de moi se trouvait une porte entrouverte, je la poussai et entrai dans la cuisine, où Stig et Liv étaient assis les mains entrelacées et rayonnants de bonheur.

— Salut, dis-je.

— Tiens, voilà Garfield, dit Stig. Comment te sens-tu ?

— Bien. Mais qu'est-ce qui s'est passé ?

— Tu ne te souviens pas ?

Je secouais la tête.

— De rien ?

Il rit. À ce moment-là Jan Vidar arriva du salon.

— Salut, dit-il.

— Salut.

Il sourit.

— Salut, Garfield, dit-il.

— Mais pourquoi Garfield au fait ? dis-je.

— Tu ne t'en souviens pas ?

— Non, je ne me souviens d'absolument rien, mais je sais que j'ai vomi.

— On regardait la télé, un film de Garfield. Tout à coup, tu t'es levé, tu t'es frappé le torse en criant *I'm Garfield* et tu t'es rassis en riant. Après tu as recommencé. *I'm Garfield ! I'm Garfield !* Et là tu as vomi, dans le salon, sur le tapis, et puis tu t'es endormi, mon vieux, comme ça, d'un coup, boum. Plus possible de communiquer avec toi.

— Et merde, dis-je. Je suis désolé.

— C'est pas grave, dit Stig. Le tapis, on peut le laver, mais il faut qu'on vous ramène chez vous.

C'est à ce moment précis que je sentis la terreur m'envahir.

— Quelle heure est-il ? dis-je.

— Presqu'une heure.

— Ah ça va. C'est l'heure à laquelle je devais rentrer. J'arriverai seulement quelques minutes en retard.

Stig n'avait pas bu et on le suivit jusqu'à la voiture, Jan Vidar monta devant et moi derrière.

— Tu te souviens vraiment de rien ? dit Jan Vidar pendant que nous roulions.

— Non, de rien du tout, c'est con, hein ?

Mais j'étais fier. Fier de tout ce que j'avais dit, de tout ce que j'avais fait, même du vomi, toute l'histoire me rendait fier. Ça me rapprochait de celui que je voulais être. Mais lorsque Stig arrêta la voiture devant les boîtes aux lettres et que je montai le raidillon à pied dans la nuit, habillé de vêtements inconnus, les miens pendouillant au bout de mon bras dans un sac, je n'étais plus fier du tout, j'avais peur.

Pourvu qu'ils soient déjà couchés. Pourvu qu'ils soient déjà couchés.

Ça en avait tout l'air. Les lumières de la cuisine étaient éteintes et c'était toujours la dernière chose qu'ils faisaient avant d'aller au lit. Mais lorsque j'ouvris la porte et que je me faufilai dans le vestibule, j'entendis leurs voix. Ils étaient en haut, sur le canapé devant la télé, et parlaient. Ça ne leur arrivait jamais d'habitude.

Est-ce qu'ils m'attendaient ? Est-ce qu'ils voulaient contrôler quelque chose ? Mon père était tout à fait capable de me demander de lui souffler dans le nez. Ses parents l'avaient fait avant lui, ils en riaient aujourd'hui mais sûrement pas à l'époque.

L'escalier débouchant juste à côté d'eux, il était proprement impossible de passer sans qu'ils me voient. Autant se jeter à l'eau tout de suite.

— Bonsoir, dis-je.

— Bonsoir, Karl Ove, dit maman.

Je montai lentement et m'arrêtai en arrivant dans leur champ de vision.

Ils étaient assis l'un à côté de l'autre, papa le bras sur l'accoudoir.

— Tu t'es bien amusé ? dit maman.

Elle ne voyait donc rien ?

Je n'arrivais pas à le croire.

— C'était pas mal, dis-je en faisant quelques pas. On a regardé la télé et mangé des lasagnes.

— C'est bien, dit maman.

— Mais je suis très fatigué. Je crois que je vais me coucher tout de suite.

— Vas-y, dit-elle. Nous aussi, nous allons nous coucher bientôt.

J'étais à quatre mètres d'eux, habillé d'un jogging et d'un sweat inconnus, mes propres vêtements pleins de dégueulis dans un sac en plastique puant la cuite, et ils ne s'apercevaient de rien !

— Bonne nuit, dis-je.

— Bonne nuit, dirent-ils.

Et ce fut tout. Que cela ait pu se passer aussi bien restait un mystère pour moi mais j'étais rempli de gratitude. Je cachai le sac de vêtements sales dans l'armoire et, dès que je fus seul à la maison, je les rinçai dans la baignoire, les mis à sécher dans l'armoire de ma chambre puis les mis dans le panier à linge sale comme d'habitude.

Pas un mot de la part de quiconque.

Boire était bon pour moi, ça déclenchait des choses. J'éprouvais un sentiment… non pas vraiment d'infini mais plutôt de quelque chose d'inépuisable où je pouvais avancer toujours plus loin. C'était une impression très claire et très nette.

Avancer, sans rencontrer d'obstacle, aucun.

Je m'en faisais une joie. Pourtant, même si ça s'était bien passé la fois précédente, j'allais prendre mes précautions : j'emporterais ma brosse à dents et du dentifrice, des bonbons à l'eucalyptus et à la menthe, des chewing-gums et une chemise de rechange.

Dans le salon du bas, la voix de papa résonnait. Je me redressai, étirai les bras en hauteur, les repliai et les retendis le plus possible, l'un après l'autre. Depuis plusieurs mois, j'avais mal aux articulations. Je grandissais. Sur la photo de classe de troisième prise à la fin du printemps, j'avais une taille moyenne. Huit mois plus tard, je mesurais tout à coup presque un mètre quatre-vingt-dix. J'étais terrifié à l'idée de ne pas m'arrêter de grandir. Dans une classe au-dessus, il y avait un élève qui mesurait presque deux mètres dix et qui était maigre comme un clou. Plusieurs fois par jour, je pensais avec horreur à la possibilité de devenir comme lui. J'allais même parfois jusqu'à prier Dieu, auquel je ne croyais pas, pour que ça n'arrive pas. Je ne croyais pas en Dieu, mais enfant je faisais mes prières et, en priant de nouveau, c'était un peu comme si mes croyances enfantines revenaient. Mon Dieu, faites que je m'arrête de grandir, priai-je. Faites que je ne mesure pas plus d'un mètre quatre-vingt-dix ou quatre-vingt-onze, au maximum quatre-vingt-douze ! Je vous promets d'être le meilleur possible si vous m'exaucez. Mon Dieu, mon Dieu, m'entendez-vous ?

Oh, je savais bien que c'était idiot mais je le faisais quand même car la peur, elle, n'était pas idiote, seulement cruelle. À cette époque-là, une autre frayeur plus grande encore me taraudait, c'était celle que j'avais éprouvée en découvrant que ma bite était de travers quand j'avais la trique. Forcément elle était mal formée, et, nigaud comme j'étais, j'ignorais si on pouvait m'opérer ou s'il y avait d'autres possibilités. La nuit, je descendais à la salle de bains, m'arrangeais pour avoir une érection et voir si ça avait changé. Mais non, c'était toujours pareil. Putain, elle atteignait presque mon ventre ! N'était-elle pas un peu tordue aussi ? Tordue et de travers comme une horrible souche de la forêt. J'étais persuadé que je ne pourrais jamais coucher avec une fille, et comme c'était la seule chose que je voulais vraiment et dont je rêvais, le désespoir n'en était que plus grand. Évidemment, il me vint à l'esprit que je pouvais l'abaisser et j'essayai en appuyant le plus possible, jusqu'à la douleur. Certes elle était alors plus droite mais ça faisait mal. Et puis on ne pouvait quand même pas coucher avec une fille avec la main plaquée sur la bite comme ça ? Est-ce qu'on pouvait faire quelque chose ? Ça me minait. À chaque érection, le désespoir grandissait. Chaque fois que j'étais en train d'embrasser une fille, sur un quelconque canapé, ayant peut-être même réussi à glisser mes doigts sous son pull, et la queue raide comme un levier contre la jambe du pantalon, je savais que j'avais atteint la limite, que jamais je ne pourrais aller plus loin. C'était pire que l'impuissance, car non seulement ça me paralysait mais en plus c'était grotesque. Irais-je pour autant jusqu'à prier Dieu que cela cesse ? Oui, je finis par prier Dieu pour ça aussi. Mon Dieu, priai-je. Mon Dieu, faites que mon organe génital reste droit quand il se gorge de sang. Je ne vous le demande qu'une seule fois, alors, s'il vous plaît, faites que je sois exaucé.

Quand je fis ma rentrée au lycée, on rassembla un matin toutes les classes de seconde au gymnase de Gimle, à je ne sais plus quelle occasion. Un des professeurs, nudiste notoire de Kristiansand, nous lut un poème en longeant les tribunes. On disait qu'un été il avait repeint sa maison uniquement vêtu d'une cravate. Par ailleurs il soignait peu son apparence et s'habillait continuellement en baba cool de province, ses cheveux blancs et frisés en bataille. Il commença par déclamer puis se mit tout à coup à chanter, sous les éclats de rire, la bite qui s'élevait de travers.

Je ne riais pas. Je crois que j'en restai bouche bée. Les yeux dans le vide, je réalisais lentement le sens de ses paroles. Toutes les bites en érection ou presque sont de travers, et le phénomène est tellement répandu qu'on en a fait une chanson.

Mais d'où venait le grotesque ? Lorsque nous avions déménagé, il n'y avait que deux ans de cela, je n'étais encore qu'un jeune garçon de treize ans à la peau lisse, incapable de prononcer les *r* et ravi de pouvoir jouer au foot, de se baigner et de faire de la bicyclette dans ce nouvel endroit où personne encore ne venait lui chercher des noises. Au contraire, les premiers jours d'école tout le monde voulait me parler. Un nouvel élève n'était pas chose courante par ici et tous se demandaient naturellement qui j'étais et ce que je savais faire. L'après-midi et le week-end, il arrivait que des filles viennent d'aussi loin qu'Hamresanden à bicyclette pour me voir. Un jour que j'étais en train de jouer au foot avec Per, Trygve, Tom et William, j'aperçus deux filles à vélo sur la route, qu'est-ce qu'elles faisaient là ? Notre maison était la dernière, après il n'y avait que la forêt, puis deux fermes puis la forêt, encore la forêt et toujours la forêt. Elles mirent le pied à terre dans la montée, nous regardèrent de loin et disparurent derrière les arbres. Puis elles redescendirent dans l'autre sens sur leur vélo et s'arrêtèrent pour nous observer encore.

— Qu'est-ce qu'elles veulent ? dit Trygve.

— Elles sont venues pour Karl Ove, dit Per.

— Tu blagues, dit Trygve. Elles n'ont quand même pas fait tout le trajet depuis Hamresanden à bicyclette pour *ça*. Ça fait dix kilomètres !

— Et elles seraient venues pour qui alors ? Sûrement pas pour toi, dit Per. Tu as toujours habité ici.

Nous les regardâmes se frayer un chemin à travers les buissons. L'une avait une veste rose, l'autre une bleu clair. Et des chevelures épaisses.

— Non, allez, dit Trygve. On joue.

Et nous avons continué à jouer sur la langue de terre formée par le fleuve où le père de Tom et Per avait construit deux buts. Les filles s'arrêtèrent au niveau de la ceinture de roseaux, à environ une centaine de mètres de nous. Je savais qui c'était, elles n'étaient pas particulièrement jolies et par conséquent je les ignorai. Après être restées une dizaine de minutes dans les roseaux comme d'étranges oiseaux, elles regagnèrent leurs bicyclettes et retournèrent chez elles. Une autre fois, quelques semaines plus tard, arrivèrent trois filles pendant que nous travaillions dans le grand hangar de la parqueterie. Nous empilions des planchettes sur des palettes en séparant chaque couche par des lattes. C'était un travail au rendement et, quand j'appris enfin à en lancer toute une brassée à la fois de façon qu'elles se rangent d'elles-mêmes, j'arrivai à gagner un peu d'argent. On pouvait aller et venir à notre guise, souvent, on y passait faire un tas en rentrant de l'école, on allait dîner puis on revenait travailler le reste de la soirée. Avides d'argent, on était capables d'y aller tous les soirs et tous les week-ends, mais il arrivait souvent aussi qu'il n'y ait pas de travail, soit parce que le hangar débordait de palettes pleines, soit parce que les ouvriers de la fabrique avaient eux-mêmes empilé les planchettes sur leur temps de travail. La bonne nouvelle selon laquelle il y avait à faire nous parvenait soit par le père de Per, qui était employé dans les bureaux, soit par William, dont le père était chauffeur de camion à l'usine. C'était un de ces soirs-là que les trois filles nous rendirent visite au hangar. Elles aussi habitaient à Hamresanden. Mais cette fois j'étais prévenu car le bruit courait qu'une fille de cinquième s'intéressait à moi et elle était là. Autrement plus hardie que les deux volatiles dans les roseaux, Line, c'était son nom, s'était dirigée tout droit vers moi, avait posé les bras sur le cadre qui entourait les piles de planchettes et me regardait faire, sûre d'elle, en mâchant un chewing-gum pendant que ses deux copines étaient restées en retrait. Lorsque j'avais entendu dire qu'elle s'intéressait à moi, j'avais pensé saisir l'occasion. Elle n'était qu'en cinquième mais sa sœur était mannequin et, bien qu'elle ne fût pas encore jolie elle-même, un jour ça viendrait. C'était ce qu'on disait d'elle, qu'un jour elle serait jolie, c'était son potentiel qu'on admirait en elle. Elle était mince et pâle, avait de longues jambes, les cheveux bruns et longs, les pommettes saillantes et une bouche trop grande. Son allure de veau dégingandé me rendait sceptique. Mais les hanches étaient bien dessinées. La bouche et les yeux aussi. Autres choses à son désavantage : c'était de notoriété publique qu'elle ne savait pas prononcer les *r* et elle avait un côté un peu bêbête. En même temps, elle plaisait bien et les filles de sa classe recherchaient sa compagnie.

— Salut, dit-elle. Je suis venue te voir. Tu es content ?

— Je vois bien, dis-je en me tournant pour attraper une brassée de planches que je jetai contre le cadre.

Elles claquèrent en se rangeant les unes contre les autres, je poussai celles qui dépassaient et attrapai un autre tas.

— Vous gagnez combien de l'heure ?

— C'est au rendement. Vingt couronnes pour un tas double, quarante pour un quadruple.

— Ah ouais.

Per et Trygve, qui étaient dans la classe parallèle de Line et qui avaient exprimé à plusieurs reprises leur désapprobation en ce qui la concernait elle et sa bande, se tenaient à quelques mètres de nous et travaillaient. Il me traversa l'esprit qu'ils ressemblaient à des nains : penchés sur leur travail, les dents serrées, ils paraissaient petits au milieu de cet énorme hangar rempli de palettes jusqu'au plafond.

— Est-ce que je te plais ? dit-elle.

— Il y a plaire et plaire.

Au moment où je l'avais vue entrer, j'étais bien décidé à me lancer mais maintenant qu'elle était devant moi, que le chemin était tout tracé, je n'arrivais pas à m'y engager, à faire le nécessaire. Sans comprendre pourquoi, je la sentais plus sophistiquée que moi. Elle était peut-être un peu bête mais elle était aussi sophistiquée et c'était ce côté-là que je ne savais pas gérer.

— Toi, tu me plais, dit-elle. Mais tu le sais déjà.

Je me penchai pour redresser une latte, le visage tout à coup empourpré.

— Non, dis-je.

Puis elle ne dit plus rien pendant un certain temps, accoudée au cadre de la palette à mâcher son chewing-gum. Près du tas de planches, ses amies donnèrent des signes d'impatience. À la fin, elle se redressa.

— OK, dit-elle, en tournant les talons.

Avoir gâché l'occasion n'importait pas beaucoup en soi, mais je trouvais plus grave mon incapacité à faire le dernier bout de chemin, à traverser le dernier pont. Lorsque s'estompa l'intérêt qu'on me prêtait, on ne me passa plus rien et le jugement des autres refit lentement surface, comme avant. Je le sentais tout proche, en percevais l'écho bien qu'il n'y eût aucun lien entre mes deux lieux de résidence. Dès le premier jour d'école, j'avais repéré une fille qui s'appelait Inger, elle avait de beaux yeux effilés, le teint légèrement mat, un petit nez enfantin qui contrastait avec les longues courbes de son visage, et il émanait d'elle une certaine distance, sauf quand elle souriait. Elle avait un sourire doux et libérateur que j'admirais et que je trouvais infiniment attirant, à la fois parce que, étant partie intégrante de son être le plus intime qu'elle seule et ses amis pouvaient partager, il n'incluait pas les gens comme moi, et parce que sa lèvre supérieure se retroussait légèrement chaque fois. Elle était dans une classe en dessous de moi et, durant les deux années que je fréquentai cette école, nous n'échangeâmes pas un seul mot. En revanche, je sortis avec sa cousine Susanne, qui était dans une classe parallèle à la mienne et habitait une maison sur la rive opposée du fleuve. Elle avait le nez pointu, une petite bouche, les dents de devant qui avançaient légèrement mais une belle poitrine saillante, des hanches de bonne largeur et des yeux provocants dont on aurait dit qu'ils savaient toujours ce qu'ils voulaient et surtout se mesurer aux autres. Alors qu'Inger, dans toute son inaccessibilité, était empreinte de secrets et de mystères et que sa séduction résidait exclusivement dans ce que j'ignorais d'elle mais que je supposais ou rêvais, Susanne, elle, était davantage mon égale, ma pareille. Avec elle, j'avais moins à perdre, moins à craindre mais aussi moins à gagner. J'avais quatorze ans, elle en avait quinze, et il nous suffit de quelques jours pour nous trouver, comme on le fait à cet âge-là. Juste après, Jan Vidar sortit avec l'amie de Susanne, Margrethe. Nos relations se situaient à mi-chemin entre le monde de l'enfance et celui de l'adolescence et la ligne qui les séparait était fluctuante. Nous étions assis l'un à côté de l'autre dans le bus scolaire le matin, ainsi que lors du rassemblement de toute l'école le vendredi matin, nous partions à bicyclette pour la préparation à la confirmation à l'église une fois par semaine et restions ensemble après, à un carrefour ou au parking devant le magasin. Dans toutes ces situations où nos dissemblances étaient atténuées, Susanne et Margrethe étaient plus comme des camarades pour nous. Le week-end, c'était différent, on pouvait aller au cinéma en ville ou bien passer la soirée chez quelqu'un, enlacés dans un salon au sous-sol à regarder la télévision ou à écouter de la musique en mangeant de la pizza et en buvant du Coca. Dans ces moments-là, notre relation ressemblait davantage à ce que tout le monde imaginait. Le baiser, ce grand pas réalisé quelques semaines plus tôt, dont Jan Vidar et moi avions longuement discuté la méthode et les détails pratiques : de quel côté de la fille s'asseoir, quoi dire pour engager le processus qui y aboutirait ou est-ce qu'il n'était pas préférable de le faire tout simplement sans rien dire, était maintenant une chose bien acquise et même en passe de devenir mécanique : après avoir mangé de la pizza ou des lasagnes, les filles s'asseyaient sur nos genoux et on commençait à s'embrasser. De temps en temps aussi, quand nous étions sûrs que personne ne viendrait, on s'allongeait sur le canapé, un couple de chaque côté. Un vendredi soir que Susanne était seule chez elle, Jan Vidar, monté chez moi à bicyclette dans l'après-midi, et moi, on avait longé le fleuve et traversé l'étroite passerelle pour atteindre la maison où elle habitait et où les deux filles nous attendaient. Ses parents avaient fait une pizza qu'on mangea. Dans le salon, Susanne s'installa sur mes genoux et Margrethe sur ceux de Jan Vidar, la stéréo diffusait *Telegraph Road* de Dire Straits et j'embrassais Suzanne et Jan Vidar embrassait Margrethe pendant un temps qui me parut une éternité. *Je t'aime, Karl Ove,* me murmura-t-elle à l'oreille au bout d'un moment. *On va dans ma chambre ?* J'acquiesçai et on se leva en se tenant par la main.

— On va dans ma chambre, dit-elle aux deux autres. Comme ça vous serez tranquilles.

Ils levèrent les yeux vers nous et opinèrent. Puis continuèrent à s'embrasser. Les longs cheveux noirs de Margrethe couvraient presque entièrement le visage de Jan Vidar. Les langues tournaient et retournaient dans les bouches. Il lui caressait le dos de haut en bas mais restait sinon immobile. Susanne me sourit, pressa ma main plus fort et me fit traverser le couloir menant à sa chambre. Il y faisait sombre et plus froid que dans le salon. J'y étais déjà venu et j'aimais bien être chez elle, même si ses parents étaient là chaque fois et que Jan Vidar et moi ne faisions finalement que ce que nous avions l'habitude de faire: discuter, aller dans le salon pour regarder la télévision avec les parents, prendre des tartines dans la cuisine, faire de longues promenades le long du fleuve. C'était tout autre chose que la chambre sombre de Jan Vidar qui sentait la transpiration, avec son ampli et sa stéréo, sa guitare et ses disques, ses revues de musique et ses bandes dessinées. Chez Susanne, la chambre était claire et sentait bon, avec son papier blanc à fleurs sur les murs, son dessus-de-lit brodé, son étagère blanche chargée de bibelots et de livres, son armoire blanche où ses vêtements étaient bien empilés et pendus. En voyant un de ses jeans bleus sur le dossier de la chaise, je déglutis car ce pantalon, elle l'enfilerait sur ses cuisses, ses hanches, elle remonterait la fermeture éclair et fermerait le bouton. Sa chambre était pleine de ce genre de promesses mais j'étais à peine capable de les formuler, c'était plutôt qu'elles provoquaient en moi des vagues successives de sensations. J'avais aussi d'autres raisons de me plaire ici. Ses parents, par exemple, étaient toujours aimables, il y avait quelque chose dans leur ton qui me faisait comprendre que j'existais pour eux. J'étais quelqu'un dans la vie de Susanne, quelqu'un dont elle parlait à ses parents et à sa sœur plus jeune.

Elle alla fermer la fenêtre. Dehors, il y avait du brouillard, même les lumières des voisins avaient pratiquement disparu dans la grisaille. Des voitures passèrent en contrebas, leur stéréo pulsait, puis le silence revint.

— Hello, dis-je.

Elle sourit.

— Hello, dit-elle en s'asseyant sur le bord du lit.

Je ne m'attendais pas à autre chose qu'on s'allonge plutôt que de s'asseoir l'un sur l'autre. Une fois, j'avais glissé ma main dans son anorak et l'avais posée sur son sein, elle avait dit non et je l'avais retirée. Il n'y avait eu ni brusquerie ni reproche dans son refus, c'était plus une constatation, comme si elle faisait référence à une loi à laquelle nous obéissions. On s'embrassait, voilà tout, et bien que je fusse toujours prêt à le faire, je m'en laissai vite. Au bout d'un certain temps apparut un sentiment d'écœurement, car il y avait quelque chose d'aveugle et d'immature dans ces baisers sans fin, tout en moi aspirait à une issue, je savais qu'elle existait mais qu'elle était impossible. Je voulais aller plus loin mais devais en rester là, aux langues qui tournent et aux cascades de cheveux qui tombent immanquablement sur le visage.

Je m'assis à côté d'elle. Elle me sourit. Je l'embrassai, elle ferma les yeux et se renversa sur le lit, je montai sur elle, sentis son corps souple sous le mien, elle gémit un peu. Étais-je trop lourd ? Je m'allongeai à côté d'elle, mes jambes sur les siennes. Ma main lui caressa l'épaule et le bras. Lorsque j'atteignis ses doigts, elle la serra fort. Je relevai la tête et ouvris les yeux, elle me regardait. Son visage, blanc dans la pénombre, était sérieux. Je me penchai et embrassai son cou. Je ne l'avais encore jamais fait. Je posai ma tête sur sa poitrine. Elle passa sa main dans mes cheveux. J'entendais son cœur battre. Je caressai ses hanches. Elle se tortilla un peu. Je soulevai son pull et posai ma main sur son ventre. Me penchai et l'embrassai. Elle attrapa le bas de son pull et le remonta lentement. Je n'en croyais pas mes yeux. Là, juste devant moi, s'étalaient ses seins nus. Dans le salon, on remit *Telegraph Road*.

Je n'hésitai pas et les pris dans ma bouche. D'abord l'un, puis l'autre. Je frottais mes joues sur eux, les léchai, les suçai et, pour finir, je posai les mains dessus et l'embrassai, elle que j'avais oubliée pendant quelques secondes. Je n'étais jamais allé aussi loin que ça, sauf en rêve, mais maintenant j'y étais. Pourtant, au bout de dix minutes, le même sentiment de lassitude apparut, et tout à coup, malgré l'inouï de la situation, ce n'était plus suffisant, je voulais aller plus loin, où que ce fût, et fis une tentative en commençant à triturer son bouton de pantalon.

Il s'ouvrit, elle ne dit rien, avait toujours les yeux fermés et le pull remonté sous le menton. J'ouvris la braguette. Son slip blanc apparut. J'eus du mal à déglutir. Je saisis le pantalon aux hanches et le tirai. Elle ne dit rien. Elle se tortilla un peu pour aider à le faire glisser. Quand il fut à la hauteur des genoux, je posai ma main sur son slip et sentis les doux poils en dessous. *Karl Ove*, dit-elle. Je me remis sur elle, on s'embrassait et en même temps je tirai son slip vers le bas, pas beaucoup mais assez pour passer un doigt, il glissa le long des poils et, au moment où je sentis quelque chose de lisse et d'humide, il y eut comme une déchirure en moi. Une douleur me traversa l'abdomen et mon bas-ventre fut pris de sursauts convulsifs. Dans la seconde qui suivit, tout me devint étranger et ses seins nus, ses hanches nues perdirent en un instant tout intérêt. Mais je m'aperçus qu'il en était autrement pour elle. Elle était comme avant, les yeux fermés, la bouche entrouverte, respirant lourdement, complètement dans l'état dans lequel je me trouvais aussi quelques secondes auparavant, mais plus maintenant.

— Qu'est-ce qu'il y a ? dit-elle.

— Rien, mais on devrait peut-être rejoindre les autres ?

— Non, attends un peu.

— Oui.

Et on a continué. On s'embrassait mais ça n'éveillait plus rien en moi, j'aurais pu tout aussi bien couper une tranche de pain. J'embrassais ses seins et ça n'éveillait rien en moi, tout était étrangement neutre. Ses bouts de seins étaient des bouts de seins, sa peau de la peau et son nombril un nombril quand, à ma grande surprise et pour ma grande satisfaction, tout se transforma à nouveau : je ne souhaitais rien d'autre au monde qu'être là à embrasser tout ce qui me tombait sous la bouche.

C'est à ce moment-là que quelqu'un frappa à la porte.

On se redressa, elle remonta son pantalon et rabaissa son pull.

C'était Jan Vidar.

— Vous venez ? dit-il.

— Oui, dit Susanne. On arrive, attends un peu.

— C'est qu'il est déjà dix heures et demie, dit-il. Je voudrais bien partir avant que tes parents reviennent.

Pendant que Jan Vidar rangeait les disques dans leur pochette et les mettait dans le sac en plastique, mon regard croisa celui de Susanne et je lui souris. Dans l'entrée, prêts à partir et sur le point de les embrasser pour leur dire au revoir, elle me fit un clin d'œil.

— À demain, dit-elle.

Dehors, il crachinait. La lumière tombant des lampadaires sous lesquels nous marchions s'associait à chaque petite particule d'eau pour former de grandes auréoles.

— Alors, dis-je. C'était comment ?

— Comme d'habitude. On a passé notre temps à nous bécoter. Je ne sais pas si je vais sortir encore longtemps avec elle.

— C'est vrai que tu n'as pas l'air spécialement amoureux.
— Et toi alors ?
Je haussai les épaules.
— Peut-être pas.
On atteignit la route principale et on la suivit à travers la vallée. De ce côté-ci, il y avait une ferme et la terre gorgée d'eau qui jouxtait la route luisait sous la lumière, disparaissant dans l'obscurité pour ne réapparaître qu'au bâtiment d'exploitation puissamment éclairé. De l'autre côté, il y avait quelques vieilles maisons avec leurs jardins en pente vers le fleuve.
— Et toi, ça s'est passé comment ? dit Jan Vidar.
— C'était plutôt bien. Elle a enlevé son pull.
— Qu'est-ce que tu racontes ? C'est vrai ?
J'acquiesçai.
— Je n'te crois pas, couillon, elle a pas fait ça !
— Si.
— Pas Susanne.
— Si.
— Et alors, qu'est-ce que tu as fait ?
— J'ai embrassé ses seins, évidemment.
— Mon salaud. Non, t'as pas fait ça !
— Si.
Je n'avais pas le cœur à lui raconter qu'elle avait aussi enlevé son slip. S'il s'était passé quelque chose d'intéressant entre lui et Margrethe, je le lui aurais dit. Mais comme ce n'était pas le cas, je ne voulais pas avoir l'air de triompher. Sans compter qu'il ne m'aurait jamais cru. Jamais.
C'est à peine si je le croyais moi-même.
— Et alors, ils étaient comment ? dit-il.
— Quoi donc ?
— Ses seins, bien sûr !
— Ils étaient beaux, ni trop grands ni trop petits, et

fermes. Bien fermes. Tout dressés, même quand elle était allongée.

— Mon salaud. C'est pas vrai.

— Mais si, merde !

— Putain !

Puis on ne dit plus rien pendant un moment. On traversa le pont suspendu, là où le fleuve luisant et noir gonflait en silence, puis le champ de fraises pour atteindre la route goudronnée. Après un virage brusque, elle montait en pente raide dans la combe où les sapins noirs penchaient, puis après quelques méandres elle passait devant notre maison. Tout était sombre, lourd et trempé, sauf la conscience de ce qui s'était passé qui tranchait totalement et s'élevait comme des bulles vers la lumière. Jan Vidar s'était contenté de mon explication mais je brûlais d'envie de lui raconter que ses seins n'étaient pas tout et qu'il s'était passé autre chose, mais quand je vis son air renfrogné j'abandonnai l'idée. Et puis c'était bien aussi d'avoir un secret avec Susanne. Cependant, les sursauts convulsifs que j'avais eus me préoccupaient. Ma bite n'avait que du duvet et quelques longs poils noirs, et une de mes craintes était que cela arrive aux oreilles des filles, en particulier à celles de Susanne. Je savais que je ne pouvais pas coucher avec quelqu'un avant que les poils aient poussé et interprétais les crampes que j'avais eues comme une sorte de fausse éjaculation, j'avais dû en faire plus que mon pénis ne permettait, et c'était pour ça que j'avais eu mal, c'était une sorte d'éjaculation sèche. Pour ce que j'en savais, ça pouvait être dangereux. Mais en même temps, mon slip était mouillé. Ça pouvait être de la pisse et ça pouvait aussi être du sperme. Peut-être même du sang ? Ces deux derniers étant pour moi improbables car je n'étais pas mûr sexuellement et jamais auparavant je n'avais ressenti une douleur semblable. En tout état de cause, j'avais eu mal et ça me tracassait.

On resta un moment à parler devant le garage où Jan Vidar avait posé sa bicyclette, puis il s'en retourna chez lui et je rentrai. Yngve était à la maison ce week-end-là et je vis par la fenêtre qu'il était dans la cuisine avec maman. Papa devait être dans l'appartement de la grange. Après avoir ôté mes vêtements dans le vestibule, j'allai aux toilettes, verrouillai la porte, baissai mon pantalon, entrouvris la braguette de mon slip et passai mon index sur le tissu humide. J'examinai mon doigt, le frottai contre mon pouce. C'était brillant et collant. Ça sentait la mer.

La mer ?

Alors c'était du sperme ?

Bien sûr que c'était du sperme !

J'étais mûr sexuellement !

Rempli d'allégresse, j'entrai dans la cuisine.

— Veux-tu un peu de pizza ? On t'en a gardé quelques morceaux, dit maman.

— Non merci. On a déjà mangé là-bas.

— Tu as passé un bon moment ?

— Oui, oui, dis-je, sans pouvoir m'empêcher de sourire.

— Il a les joues toutes rouges, dit Yngve. Serait-ce de bonheur ?

— Tu l'inviteras un jour, dit maman.

— Oui, c'est promis, dis-je toujours en souriant.

Deux semaines plus tard, mon histoire avec Susanne prenait fin. Avec mon meilleur copain de Tromøya, Lars, nous avions passé, il y a bien longtemps, un accord selon lequel nous devions nous échanger les photos des plus jolies filles d'ici contre les photos des plus belles filles de là-bas. Ne me demandez pas pourquoi. J'avais complètement oublié jusqu'à un après-midi où je reçus au courrier une enveloppe pleine de photos d'identité de Lene, Beate, Ellen, Siv, Bente, Marianne, Anne Lisbet et toutes celles dont j'ai oublié le nom. C'étaient les plus jolies filles de Tromøya et il fallait que je trouve des photos des plus belles filles de Tveit. Pendant quelques jours, j'eus des entretiens réguliers sur la question avec Jan Vidar et on s'accorda sur une liste, mais il restait à se procurer les photos. Je pouvais demander directement à certaines personnes, par exemple à Susann-Marie, l'amie de la sœur de Jan Vidar, elle était trop vieille pour que je me préoccupe de ce qu'elle en pensait. Pour d'autres, je pouvais prier Jan Vidar de leur demander. Moi j'étais coincé : réclamer sa photo à une fille voulait dire que je m'intéressais à elle, et sortant avec Susanne, un tel intérêt eût été suffisamment déplacé pour que l'information puisse se propager. Mais il existait d'autres solutions. Per, par exemple, n'avait-il pas des photos de Kristin qui était dans sa classe ? Oui, il en avait. Et je finis ainsi par rassembler six photos. C'était largement suffisant mais le joyau de la couronne, la plus jolie de toutes, Inger, que je souhaitais tant montrer à Lars, manquait. Or Inger était la cousine de Susanne...

Alors, un après-midi, je sortis ma bicyclette du garage pour aller chez elle. Nous n'avions pas rendez-vous mais elle eut l'air contente de me voir quand elle vint m'ouvrir. Je saluai ses parents et on alla dans sa chambre. On discuta un moment de ce que nous pourrions faire, sans vraiment aboutir, on parla un peu de l'école et des professeurs avant que, l'air de rien, je lui explique la raison de ma venue. Avait-elle une photo d'Inger à me donner ?

Assise sur le lit, elle se figea et me dévisagea sans comprendre.

— Une photo d'Inger ? finit-elle par dire. Qu'est-ce que tu veux en faire ?

Je n'avais pas pensé que cela puisse poser problème. Sortant avec elle, le fait de lui demander la photo à elle prouvait immanquablement que mes intentions étaient honnêtes.

— Je ne peux pas le dire.

Et c'était vrai. Si je lui racontais que j'allais envoyer les photos des huit filles les plus jolies de Tveit à un copain de Tromøya, elle s'attendrait à être parmi elles. Or elle ne l'était pas et ça, je ne pouvais pas le dire.

— Tu n'auras pas la photo d'Inger tant que tu ne me diras pas ce que tu veux en faire.

— Mais je ne peux pas. Tu ne pourrais pas m'en donner une tout simplement ? Elle n'est pas pour moi, si c'est ce que tu crois.

— Elle est pour qui alors ?

— Je ne peux pas le dire.

Elle se leva et je compris qu'elle était furieuse. Tous ses mouvements étaient saccadés, comme écourtés, comme si elle ne voulait plus me faire le plaisir de les voir se déployer librement, comme si je n'avais plus droit à leur affectueuse profusion.

— Tu es amoureux d'Inger, c'est ça ?

Je ne répondis pas.

— C'est ça, Karl Ove ? J'ai entendu beaucoup de gens le dire.

— Laisse tomber la photo. Laisse tomber.

— Donc c'est bien ça ?

— Non. Je l'étais peut-être au tout début quand je suis arrivé ici, mais plus maintenant.

— Qu'est-ce que tu veux en faire alors ?

— Je ne peux pas le dire.

Elle commença à pleurer.

— Si, tu es amoureux d'Inger. Je le sais, je le sais.

L'idée me traversa soudain l'esprit que, si Susanne le savait, Inger devait sûrement le savoir aussi.

Une lumière s'alluma en moi. Si elle le savait, l'approcher devenait moins compliqué. Je pourrais par exemple l'inviter à danser lors d'une fête d'école et elle comprendrait qu'elle n'était pas seulement une fille parmi toutes les autres. Peut-être même qu'elle s'intéresserait à moi ?

En sanglotant Susanne se dirigea vers le secrétaire à l'autre bout de la pièce et ouvrit le tiroir.

— La voilà ta photo. Prends-la et je ne veux plus te voir ici.

D'une main, elle cacha son visage et, de l'autre, elle me tendit la photo. Ses épaules tremblaient.

— Ce n'est pas pour moi, je te le promets. Je ne vais pas la garder.

— Espèce de salaud. Va-t'en !

Je pris la photo.

— On ne sort plus ensemble alors ?

Il s'était écoulé deux ans jusqu'à ce soir de Saint-Sylvestre venteux et glacial où je lisais sur mon lit en attendant les festivités. Susanne était sortie avec un autre à peine quelques mois plus tard. Il s'appelait Terje, était petit, un peu gros, avait les cheveux permanentés et portait une moustache idiote. Qu'elle pût le laisser prendre ma place m'était incompréhensible. Certes il avait dix-huit ans et une voiture dans laquelle ils roulaient tous les deux le soir et le week-end, mais quand même, le préférer à moi ? Un petit gros à moustache ? Autant laisser tomber ! Voilà ce que j'avais pensé à l'époque et pensais encore ce soir-là, allongé sur mon lit. Sauf que je n'étais plus un enfant du collège de Ve, j'avais seize ans et étais lycéen à la Katedralskolen de Kristiansand.

Dehors retentit le grincement strident, comme

rouillé, de la porte du garage qu'on ouvrait, le coup sourd qu'elle fit une fois l'ouverture achevée, la voiture qui démarra juste après et le moteur qui tourna un moment au point mort. Je me postai devant la fenêtre pour regarder les feux arrière rouges disparaître dans le virage. Alors je descendis à la cuisine, mis une casserole d'eau à chauffer, sortis la charcuterie de Noël : du jambon, du fromage de tête, du roulé d'agneau et du pâté de foie. Je coupai quelques tranches de pain, allai chercher le journal dans le salon, l'étalai sur la table et m'installai pour le lire en mangeant. Il faisait complètement nuit dehors. Mais dans la maison, la nappe rouge sur la table et les petites bougies allumées sur le bord de la fenêtre rendaient l'atmosphère plutôt confortable. Lorsque l'eau bouillit, je rinçai la théière à l'eau chaude, y déposai quelques pincées de thé et versai l'eau frémissante dessus en criant à la volée :

— Maman, tu veux du thé ?

Pas de réponse.

Je m'assis et continuai de manger. Un moment plus tard, je soulevai la théière et me servis. Le thé, foncé comme du bois, s'éleva le long des parois blanches de la tasse, quelques feuilles tourbillonnèrent, les autres se déposèrent au fond, formant un tapis noir. J'ajoutai du lait, trois cuillerées de sucre, mélangeai, attendis que les feuilles reposent à nouveau au fond et bus.

Hmm.

Sur la route en contrebas, un chasse-neige passa à toute vitesse en clignotant. La porte d'entrée s'ouvrit. J'entendis le bruit de chaussures tapant contre le seuil et me retournai juste au bon moment pour voir maman entrer, flottant dans la veste en peau de mouton de papa et chargée d'une brassée de bois.

Pourquoi portait-elle ses vêtements ? Cela ne lui ressemblait pas.

Elle alla au salon sans regarder dans ma direction. Elle avait de la neige sur les cheveux et le revers de la veste. Les bûches se heurtèrent dans le panier à bois.

— Tu veux du thé ? dis-je lorsqu'elle revint.

— Oui, volontiers. Je vais juste enlever la veste.

Je me levai pour prendre une autre tasse, la posai en face de moi sur la table et versai le thé.

— Où étais-tu ? dis-je pendant qu'elle prenait place.

— Dehors, partie chercher du bois, c'est tout.

— Mais avant ça ? Je suis là depuis un moment et il ne faut pas vingt minutes pour aller chercher du bois.

— Ah, je vois. J'ai changé une ampoule dans la guirlande du sapin dehors et maintenant ça marche.

Je me retournai pour regarder par la fenêtre de l'autre pièce. Le sapin à l'extrémité du terrain scintillait dans la nuit.

— Est-ce que je peux aider à quelque chose ? dis-je.

— Non, tout est prêt. Je n'ai plus qu'un chemisier à repasser et c'est tout, et il faut préparer le repas mais c'est ton père qui s'en occupe.

— Est-ce que tu pourrais repasser ma chemise en même temps ?

Elle acquiesça.

— Tu n'as qu'à la mettre sur la table à repasser.

Après le dîner, je remontai dans ma chambre, allumai mon ampli, branchai la guitare et m'installai pour jouer un peu. J'aimais l'odeur que l'ampli dégageait en chauffant et je pouvais jouer rien que pour cela. J'aimais aussi toutes les petites choses qu'exigeait la pratique de la guitare : la pédale fuzz et la pédale chorus, les câbles et les prises, les médiators et les petits sachets de cordes, le bottleneck et le capodastre, l'étui à guitare capitonné avec toutes ses poches. J'aimais les marques, Gibson, Fender,

Hagström, Rickenbacker, Marshall, Music Man, Vox, Roland. Avec Jan Vidar, on allait dans les magasins d'instruments de musique regarder les guitares, arborant des mines de connaisseurs. Pour la copie bon marché de Stratocaster que je m'étais achetée à l'occasion de ma confirmation, j'avais commandé de nouveaux micros, apparemment le nec plus ultra, dans un catalogue de vente par correspondance de Jan Vidar ainsi qu'une nouvelle série de médiators. Tout ça était très bien mais mon jeu lui-même l'était beaucoup moins. Malgré un an et demi de pratique régulière et consciencieuse, les progrès restaient maigres. Pourtant, je connaissais tous les accords et répétais différentes gammes à l'infini, mais je ne parvenais pas à m'en libérer, je ne parvenais pas à *jouer* vraiment. Il n'y avait aucun lien entre ma tête et mes doigts, on aurait dit qu'ils ne m'obéissaient pas, qu'ils étaient uniquement soumis aux gammes qu'ils savaient monter et descendre, et les sons qui sortaient de l'ampli n'avaient rien à voir avec de la musique. J'étais capable de passer un jour ou deux à reproduire un solo note à note et à l'apprendre mais pas plus, ça s'arrêtait toujours là. Pour Jan Vidar, c'était pareil mais il était encore plus ambitieux que moi et il répétait vraiment intensément. Par période, il ne faisait rien d'autre. Mais de son ampli à lui aussi ne sortaient que des gammes et des reproductions de solos. Pour mieux jouer, il se lima les ongles, se laissa pousser l'ongle du pouce de la main droite pour s'en servir comme médiator, s'acheta une sorte d'appareil qu'il passait son temps à serrer pour se muscler les doigts, bricola sa guitare et, avec son père qui était ingénieur électricien à Kjevik, expérimenta un genre de guitare-synthétiseur fait maison. Souvent j'emportais ma guitare chez lui, j'essayais de tenir le guidon d'une main pendant que l'étui se balançait à l'autre, ça me donnait au moins le *sentiment* d'être un musicien, ça faisait bien, même si ce qu'on jouait n'était pas extraordinaire. On n'avait pas encore atteint le niveau souhaité mais il était tout à fait possible que ça puisse changer. On ignorait tout de l'avenir et bien malin celui qui aurait pu prévoir combien de temps il nous faudrait encore répéter avant qu'on décolle. Un mois ? Six mois ? Un an ? En attendant, on jouait. On réussit même à mettre sur pied un groupe. Un certain Jan Henrik en cinquième savait jouer un peu de guitare et, malgré ses chaussures bateau, ses vêtements B.C.B.G. et ses cheveux gominés, on lui demanda s'il voulait bien jouer de la basse avec nous et il accepta. Et comme j'étais le plus mauvais guitariste du groupe, je m'improvisai batteur. L'été d'avant notre entrée en troisième, le père de Jan Vidar nous emmena à Evje chercher une batterie bon marché pour laquelle nous nous étions cotisés. Et c'était parti ! On parla au directeur de l'école qui nous autorisa à utiliser une salle où on installait batterie et amplis pour répéter une fois par semaine.

À mon arrivé ici l'année précédente, j'écoutais The Clash, The Police, The Specials, Teardrop Explodes, The Cure, Joy Division, New Order, Echo and the Bunnymen, The Chameleons, Simple Minds, Ultravox, The Aller Værste, Talking Heads, The B52's, Pil, David Bowie, The Psychedelic Furs, Iggy Pop et Velvet Underground : ce à quoi Yngve m'avait initié, lui qui non seulement dépensait tout son argent dans la musique, mais jouait aussi de la guitare, avec un son et un style bien à lui, et composait même ses propres chansons. À Tveit, personne n'avait jamais entendu parler de ces groupes-là. Jan Vidar par exemple, écoutait Deep Purple, Rainbow, Gillan, Whitesnakes, Black Sabbath, Ozzy Osbourne, Def Leppard et Judas Priest. Faire coïncider ces deux univers musicaux était impossible mais, la musique étant ce que nous avions en commun, il fallait que l'un de nous cède. Ce fut moi. Jamais je n'ai acheté de disques de ces groupes, mais je les ai écoutés chez Jan Vidar et les ai étudiés de près, gardant ceux qui m'importaient vraiment à cette époque-là pour les moments où j'étais seul. Et puis il y avait aussi quelques rares groupes qui faisaient l'unanimité, d'abord et avant tout Led Zeppelin, mais aussi Dire Straits pour le jeu de guitare, selon Jan Vidar. Notre discussion la plus fréquente portait sur l'opposition entre feeling et technique. Jan Vidar était capable d'acheter des disques de Lava uniquement parce qu'ils étaient d'habiles musiciens, il n'avait rien non plus contre TOTO et leurs deux grands tubes de l'époque. Moi à l'opposé, je détestais la prouesse technique, elle allait à l'encontre de tout ce que j'avais appris en lisant la presse musicale de mon frère, qui déclarait la guerre à la performance technique et érigeait la créativité, l'énergie et la force en idéal. Mais on avait beau discuter souvent et passer de nombreuses heures dans les magasins de musique et sur les catalogues de vente par correspondance, notre groupe ne décollait pas, on était et on restait des musiciens minables et on n'avait même pas la présence d'esprit de compenser cette misère en composant nos propres chansons. Non, on ne jouait que les titres les plus ressassés et les plus ordinaires : *Smoke on the Water* de Deep Purple, *Paranoid* de Black Sabbath, *Black Magic Woman* de Santana et aussi *So Lonely* de The Police, qui figurait à notre répertoire parce que Yngve m'en avait appris les accords.

Nous étions totalement désarmés, complètement dans notre monde, et il n'y avait pas la moindre chance que ça marche. On n'aurait même pas été capable de jouer à une fête scolaire. Si misérable que fût notre situation, on ne la vivait pas comme telle, au contraire, ça donnait du sens à notre vie. Oui, c'était la musique de Jan Vidar et elle allait à l'encontre de mes convictions, mais pourtant j'avais confiance en elle. L'intro de *Smoke on the Water*, l'incarnation même de la bêtise et l'antipode de ce qui est cool, était malgré tout le morceau que je répétais au collège de Ve en 1983 : d'abord la partie de guitare, puis la cymbale, *tchica-tchica, tchica-tchica, tchica-tchica, tchica-tchica*, puis la grosse caisse, *dunk, dunk, dunk*, puis la caisse claire, *tic, tic, tic*, puis la basse, ridicule, pendant laquelle on se regardait souvent en souriant, scandant le rythme de la tête et des jambes jusqu'au moment où, sans être synchronisés, on attaquait le couplet. Nous n'avions pas de chanteur. Quand Jan Vidar intégra le lycée professionnel, il entendit parler d'un élève de quatrième habitant Hånes qui jouait de la batterie et pourrait faire l'affaire, tout faisait l'affaire. Lui aussi avait accès à une salle là-bas avec batterie, sono et tout, et ce fut là qu'on répéta désormais. À la guitare rythmique, il y avait donc moi, l'élève de seconde, qui rêvais d'une vie dans la musique indépendante sans être le moins du monde musicien ; à la guitare solo, il y avait Jan Vidar, l'apprenti pâtissier qui répétait suffisamment pour devenir un Yngwie Malmsteen, un Eddie Van Halen ou un Ritchie Blackmore, mais qui était incapable de dépasser le stade des exercices d'agilité ; à la basse, il y avait Jan Henrik qu'on préférait ne pas fréquenter en dehors des répétitions ; et à la batterie, il y avait Øyvind, le gars de Hånes, costaud et jovial mais sans aucune ambition. *Smoke on the Water, Paranoid, Black Magic Woman, So Lonely* et plus tard, *Ziggy Stardust* et *Hang on to Yourself* des débuts de Bowie, dont Yngve m'avait aussi appris les accords. Pas de texte, uniquement l'accompagnement. Tous les week-ends. Partout on discutait musique et instruments, dans le bus, sur la plage, sur les bancs devant le magasin, dans la chambre de Jan Vidar, au café de l'aéroport, en ville. Puis on fit des enregistrements de nos répétitions qu'on analysait scrupuleusement dans notre tentative vaine et condamnée d'avance d'élever notre groupe à un niveau imaginaire.

Un jour, j'avais emporté à l'école une cassette de nos répétitions. Pendant la récréation, le casque sur les oreilles, je repassais nos accompagnements en réfléchissant à qui je pourrais les faire écouter. Pas à Bassen car il avait les mêmes goûts musicaux que moi et ça c'était tout autre chose, il ne comprendrait pas. À Hanne peut-être ? Elle chantait dans une chorale et je l'aimais vraiment bien, mais c'était prendre un trop grand risque. Elle savait que je jouais dans un groupe et c'était un avantage qui me plaçait au-dessus des autres, je pouvais donc retomber très bas si elle nous entendait effectivement jouer. À Pål ? Oui, lui il était capable d'écouter. Il jouait lui-même dans un groupe qui s'appelait Vampire, leur jeu était très rapide, dans la veine de Metallica. Pål, qu'on aurait volontiers qualifié de timide, sensible et délicat à la limite du féminin, portait des vêtements en cuir noir, jouait de la basse et hurlait sur scène comme le diable en personne. Lui, il comprendrait ce qu'on faisait. À la récréation suivante, j'allai le voir, lui dis qu'on avait enregistré quelques chansons le week-end précédent et lui demandai s'il voulait bien les écouter et dire ce qu'il en pensait. Oui bien sûr, il voulait bien. Il mit le casque et appuya sur play pendant que, tendu, j'observais son visage. Il sourit en me regardant d'un air étonné. Au bout de quelques minutes, il se mit à rire et enleva le casque.

— Mais c'est rien ça, Karl Ove ! Rien du tout !

Pourquoi est-ce que tu me fais écouter un truc pareil ? Tu te fous de moi ?

— Rien ? Comment ça rien ?

— Mais vous ne savez pas jouer. Et puis vous ne chantez même pas. C'est rien du tout !

Il ouvrit les bras et les laissa retomber.

— On peut sûrement progresser, dis-je.

— Arrête, dit-il.

Et toi, tu crois que ton groupe est mieux, hein ? avais-je envie de répliquer, mais je ne le fis pas.

— OK, m'entendis-je lui dire à la place. Merci en tout cas.

Il rit de nouveau toujours en me regardant de son air étonné. Pål était difficile à cerner car son côté speed metal et beauf, dont toute la classe se moquait, cadrait mal avec sa timidité qui, à son tour, cadrait mal avec la franchise quasi totale dont il était capable et qui faisait qu'il ne craignait rien. Un jour, par exemple, il était arrivé avec un poème de sa composition qui avait été publié quelques années auparavant dans le journal féminin *Det Nye*, où il avait aussi été interviewé. Pål était tout à la fois modeste, impudent, sensible, timide, agressif et beauf. Après tout, c'était bien que ce soit lui qui ait écouté notre musique car il ne signifiait rien et ses railleries n'avaient aucune importance. Et je remis sereinement le walkman dans ma poche avant d'aller en cours. Il avait sûrement raison sur le fait que nous n'étions pas particulièrement doués. Mais depuis quand était-il important d'être doué ? N'avait-il pas entendu parler de punk ? De New Wave ? Aucun de ces groupes-là n'était doué. Mais ils avaient de l'audace. De la force. Du caractère. De la présence.

Peu de temps après, au début de l'automne 1984, nous donnions notre premier concert. C'était Øyvind qui nous avait trouvé ce petit job au centre commercial de Hånes qui fêtait ses cinq ans : il y aurait des ballons, des gâteaux et de la musique. Connus dans toute la région depuis une vingtaine d'années pour leurs interprétations de chansons régionales, les frères Bøksle devaient se produire mais le directeur du centre souhaitait aussi des musiciens locaux en lien avec la jeunesse. Nous avions exactement le bon profil, nous qui répétions dans une salle à quelques centaines de mètres du centre. On devait jouer vingt minutes et gagner cinq cents couronnes. Lorsqu'il nous annonça la nouvelle, on sauta au cou d'Øyvind. Putain, c'était enfin notre tour !

Les deux semaines qui nous séparaient du concert, prévu un samedi matin à onze heures, passèrent vite. On répéta plusieurs fois, avec tout le groupe ou seulement Jan Vidar et moi, on discuta du répertoire dans tous les sens, on acheta de nouvelles cordes longtemps à l'avance pour les roder, on décida de notre tenue et, lorsque le grand jour arriva, on se retrouva à la salle pour répéter plusieurs fois notre répertoire avant le concert. On avait bien conscience du danger de brûler toutes nos cartouches avant le combat, mais on était arrivés à la conclusion que le plus important était la maîtrise de l'instrumental.

Oh, comme je me sentais bien en traversant l'esplanade goudronnée du centre, ma guitare au bout du bras. Le matériel était déjà en place à l'entrée du passage menant à la place centrale. Øyvind était en train d'installer la batterie. Jan Vidar accordait sa guitare avec le nouvel accordeur qu'il avait acheté pour l'occasion. Quelques enfants les regardaient. Bientôt ils me regarderaient aussi. J'avais les cheveux coupés très court, une veste militaire verte, un jean noir, une ceinture à clous et des chaussures de base-ball bleu et blanc. Et ma guitare.

À l'autre extrémité du passage, les frères Bøksle chantaient. Un petit groupe, environ une dizaine de personnes, s'était arrêté pour les regarder pendant qu'un flot de gens allait et venait. Il y avait du vent et cela me fit penser au concert des Beatles sur le toit de l'immeuble Apple, en 1970.

— Ça va ? dis-je à Jan Vidar en posant l'étui.

Je sortis la guitare, trouvai la sangle et me la mis sur l'épaule.

— Oui, oui, dit-il. On branche ? Quelle heure est-il, Øyvind ?

— Dix.

— Il reste dix minutes. On attend encore un peu, cinq minutes, d'accord ?

Il alla vers l'ampli et prit une gorgée de sa bouteille de Coca qui se trouvait là. Il s'était mis une écharpe sur le front. Pour le reste, il portait une chemise blanche sur un pantalon noir.

Les frères Bøksle chantaient toujours.

Je jetai un coup d'œil à la liste des titres collée sur l'arrière de l'ampli.

Smoke on the Water
Paranoid
Black Magic Woman
So Lonely

— Je peux t'emprunter ton accordeur ? dis-je à Jan Vidar.

Il me le tendit et je le branchai. La guitare était bien accordée mais je tournai quand même un peu les vis. Plusieurs voitures arrivèrent sur le parking, tournant lentement à la recherche d'une place libre. Dès que les portières arrière s'ouvraient, les enfants descendaient, sautaient à droite et à gauche avant d'attraper la main de leurs parents et de se diriger vers nous. Tout le monde nous dévisageait en passant mais personne ne s'arrêtait.

Jan Henrik brancha la basse sur l'ampli et pinça fortement une corde. Le son résonna sur la place.

BOUM.

BOUM. BOUM. BOUM.

Les deux frères Bøksle nous lancèrent un coup d'œil tout en continuant à chanter. Jan Henrik fit un pas vers l'ampli, tourna légèrement le bouton du son et joua encore quelques notes.

BOUM. BOUM.

Øyvind essaya quelques coups sur la batterie. Jan Vidar joua un accord de guitare. C'était sacrément fort. Sur la place, tous les regards se tournèrent vers nous.

— Eh ! Arrêtez ça ! s'écria un des frères Bøksle.

Jan Vidar les défia du regard avant de se retourner pour avaler une autre gorgée de Coca. Il y avait du son à l'ampli de la basse et à l'ampli de la guitare de Jan Vidar. Et au mien ? Je baissai le volume de ma guitare, jouai un accord en remontant lentement le son jusqu'à ce que, d'abord saccadé, il prenne de l'ampleur, tout en fixant les deux chanteurs à l'autre bout du passage qui, les jambes écartées et le sourire aux lèvres, poussaient leurs chansonnettes sur les mouettes, les canots et les couchers de soleil. Lorsqu'ils me lancèrent des regards pour le moins fous furieux, je baissai. Il y avait du son, tout allait bien.

— Quelle heure est-il ? dis-je à Jan Vidar. Ses doigts couraient sur le manche de sa guitare.

— Vingt.

— Putain, les imbéciles, ils devraient déjà avoir fini !

Les frères Bøksle représentaient tout ce que j'avais en aversion : la respectabilité, la gentillesse, la bourgeoisie, et je me faisais une joie d'augmenter le son pour les envoyer au diable. Jusque-là, ma révolte s'était surtout exprimée en classe en soutenant des points de vue excentriques, parfois en posant ma tête sur le bureau pour dormir et, un jour que j'avais jeté un sac en papier vide sur le trottoir en ville et qu'un homme âgé m'avait demandé de le ramasser, en le priant de le ramasser lui-même si c'était si important pour lui. Mon cœur battait tellement fort dans ma poitrine quand je lui avais tourné le dos pour poursuivre mon chemin que j'en avais eu le souffle coupé. Autrement, c'était par la musique qu'elle s'exprimait. Le seul fait d'écouter des groupes non commerciaux, underground et intransigeants faisait de moi un révolté, quelqu'un qui n'acceptait pas l'ordre établi et qui luttait pour que ça change. Et plus je jouais fort, plus je me rapprochais de cet idéal. J'avais acheté un câble de guitare spécialement long qui me permettait de jouer devant le miroir du vestibule avec l'ampli à fond dans ma chambre, à l'étage, et là, il s'était passé quelque chose d'unique : le son s'était tordu jusqu'à la stridence et quoi que je joue, ça sonnait bien, toute la maison était remplie du son de ma guitare et il s'établit une harmonie étrange entre mes sentiments et les sons, comme si ces sons-là étaient moi, comme si c'était mon véritable moi. J'avais écrit un texte à ce sujet, au départ ce devait être une chanson mais, comme la musique ne vint jamais, j'appelai ça un poème, plus tard, lorsque je le notai dans mon journal.

Je tords le feedback de mon âme
Je joue à m'en vider le cœur
Je te regarde et je pense :
Nous sommes à l'unisson de ma solitude
Nous sommes à l'unisson de ma solitude
Toi et moi
Toi et moi, ma mie

Je voulais m'évader, j'aspirais à un monde ouvert et vaste. Et pour moi, la seule chose qui s'en approchait, c'était la musique. Voilà pourquoi je me trouvais au centre commercial de Hånes ce jour d'automne 1984, ma copie de Stratocaster en bois blanc pendue à mon cou et l'index sur le bouton du volume, prêt à l'augmenter dès que les frères Bøksle auraient fait entendre leur dernier accord.

Sur la place, le vent se leva brusquement, quelques feuilles tournoyèrent en bruissant, un panneau publicitaire pour une marque de glace tourna sur lui-même à toute vitesse. Je crus sentir une goutte sur la joue et levai les yeux vers un ciel laiteux.

— Il commence à pleuvoir, ou quoi ? dis-je.

Jan Vidar tendit la main devant lui puis haussa les épaules.

— Je sens rien. Mais on joue de toute façon. Et putain, même s'il devait commencer à pleuvoir des cordes !

— Tout à fait d'accord. Tu as le trac ?

Il secoua la tête d'un air buté.

Enfin les deux frères avaient terminé. Les rares personnes qui s'étaient rassemblées autour d'eux applaudirent et ils saluèrent en s'inclinant légèrement.

Jan Vidar se tourna vers Øyvind

— Tu es prêt ? dit-il.

Øyvind acquiesça.

— Tu es prêt, Jan Henrik ?

Jan Henrik acquiesça.

— Karl Ove ?

J'acquiesçai à mon tour.

— Deux, trois, quatre, dit Jan Vidar plus pour lui-même car il était le seul à jouer au tout début de l'intro.

Dans la seconde qui suivit, le son de sa guitare

déchira l'air sur toute la place. Les gens sursautèrent. Tous se tournèrent vers nous. Je comptai tout bas. Plaçai mes doigts sur le manche, prêt à jouer l'accord. Ma main tremblait.

UN DEUX TROIS — UN DEUX TROIS QUATRE — UN DEUX TROIS — UN DEUX.

C'était à moi.

Aucun son ne sortit !

Jan Vidar me fixa du regard. J'attendis la fois d'après, augmentai le volume et me lançai. Avec deux guitares, ce fut assourdissant.

UN DEUX TROIS — UN DEUX TROIS QUATRE — UN DEUX TROIS — UN DEUX.

Puis la charleston entra en action.

Tchica-tchica, tchica-tchica, tchica-tchica, tchica-tchica.

Puis la grosse caisse et la caisse claire.

Et enfin la basse.

BAM-BAM-BAM-bambambambambambambam-bambambam-BA

BAM-BAM-BAM-bambambambambambambam-bambambam-BA

C'est à ce moment-là que je regardai de nouveau Jan Vidar. Son visage, déformé par une grimace, essayait de nous dire quelque chose.

Trop rapide ! Trop rapide !

Alors Øyvind ralentit. J'essayai moi aussi mais j'étais perdu car Jan Henrik et Jan Vidar continuèrent au même rythme et, lorsque je me décidai finalement à les suivre, c'est eux qui ralentirent tout à coup, si bien que je restai le seul à jouer à toute allure. Au milieu de ce chaos, je perçus que le vent soufflait dans les cheveux de Jan Vidar et que des enfants devant nous se bouchaient les oreilles. L'instant d'après, nous entamions le couplet à peu près synchrones. C'est alors qu'un homme en pantalon clair, chemise à rayures bleues et blanches et blazer d'été jaune pâle traversa la place. C'était le directeur du centre et il allait droit sur nous. À une vingtaine de mètres, il se mit à agiter les bras devant lui, comme s'il devait stopper un navire. Ses bras n'arrêtaient pas de bouger. On continua encore quelques secondes mais, lorsqu'il s'arrêta juste devant nous en continuant ses gesticulations, il n'y eut plus de doute possible, c'était bien à nous qu'il s'adressait et on cessa de jouer.

— Mais qu'est-ce que vous fabriquez ? dit-il.

— On joue, dit Jan Vidar. Comme prévu.

— Mais vous êtes complètement fous ! C'est un centre commercial ici. C'est samedi. Les gens veulent passer un moment agréable à faire leurs courses ! Vous ne pouvez pas jouer aussi fort que ça !

— On peut baisser un peu si vous voulez ? dit Jan Vidar.

— Plus qu'un peu.

Un petit attroupement s'était formé autour de nous malgré tout. Peut-être quinze ou seize personnes, en comptant les enfants. Ce n'était pas si mal.

Jan Vidar se retourna et baissa le volume de l'ampli. Il joua un accord en regardant le directeur.

— C'est bien comme ça ?

— Encore !

Jan Vidar baissa un peu plus et rejoua un accord.

— Ça va cette fois ? On n'est pas non plus un orchestre de bal.

— Ça peut aller, dit le directeur. Mais on pourrait essayer encore un peu plus bas.

Jan Vidar se retourna encore une fois. Lorsqu'il toucha le bouton, je vis qu'il faisait semblant.

— Voilà, dit-il.

On baissa aussi le son Jan Henrik et moi.

— Bon, on reprend, dit Jan Vidar.

Et on recommença. Je comptai tout bas.

UN DEUX TROIS — UN DEUX TROIS QUATRE — UN DEUX TROIS — UN DEUX.

Tout en jouant, je vis le directeur repartir vers l'entrée principale du centre commercial. Lorsqu'on entama le passage où il nous avait interrompus, le directeur s'arrêta et jeta un coup d'œil dans notre direction. Il fit quelques pas en avant et se retourna de nouveau. Puis tout à coup il revint vers nous en reprenant ses grands gestes de la main. Jan Vidar ne voyait rien, il avait les yeux fermés. Jan Henrik, en revanche, l'avait vu et me questionnait du regard.

— Stop, stop, stop, dit le directeur en s'arrêtant devant nous encore une fois.

— Ça ne va pas, dit-il. Désolé. Vous pouvez remballer.

— Quoi ? dit Jan Vidar. Mais pourquoi ? Vous aviez dit vingt-cinq minutes !

— Vraiment, ce n'est pas possible, dit-il en baissant la tête et en agitant la main devant lui. Sorry, les gars.

— Mais pourquoi ? redit Jan Vidar.

— C'est insupportable à écouter. Et vous ne chantez même pas ! Allez, vous aurez votre argent quand même.

Il sortit une enveloppe de sa poche intérieure et la tendit à Jan Vidar.

— Tenez, dit-il. Merci d'être venus mais ce n'était pas du tout ce que je voulais. *No hard feelings*. OK ?

Jan Vidar attrapa l'enveloppe, tourna le dos au directeur, débrancha sa guitare, éteignit l'ampli, passa la guitare au-dessus de sa tête, se dirigea vers l'étui, l'ouvrit et y déposa son instrument. Les gens autour de nous souriaient.

— Allez, dit Jan Vidar. On rentre.

Après cet épisode, une incertitude plana sur le groupe. On avait répété plusieurs fois mais sans enthousiasme, puis Øyvind s'était décommandé pour la répétition suivante et la fois d'après il manquait le batteur, et après encore c'était mon tour, j'avais un stage de sport… C'est à ce moment-là que Jan Vidar et moi avons commencé à nous voir moins souvent. Il est vrai qu'on fréquentait des écoles différentes et que quelques semaines auparavant il avait vaguement parlé d'un camarade de classe avec qui il jouait, si bien que quand je jouais de la guitare à cette époque-là, c'était surtout pour passer le temps.

Je me mis à chanter *Ground Control to Major Tom* en jouant les deux accords en mineur que j'aimais particulièrement et pensai aux bières cachées dans le bois.

Quand il était venu pour Noël, Yngve avait apporté un livre des chansons de Bowie que j'avais entièrement recopié dans un cahier avec tous les chiffrages, les paroles et les notes. Je le sortis, mis *Hunky Dory* sur la platine, la chanson numéro quatre, *Life on Mars ?*, et commençai à jouer mais suffisamment bas pour que je puisse entendre les paroles et les autres instruments. J'eus un frisson dans le dos. C'était une chanson magnifique. En jouant la suite d'accords sur ma guitare, j'avais l'impression qu'elle s'ouvrait à moi, comme si j'étais en elle, alors qu'en écoutant seulement je restais en dehors d'elle. Si j'avais dû entrer dans la chanson tout seul, j'aurais mis plusieurs jours car, ne sachant pas reconnaître les accords, je tâtonnais toujours laborieusement et, même si je trouvais quelque chose d'approchant, je n'étais jamais sûr que ce soit les bons. Poser le saphir, écouter intensément, relever le saphir, jouer un accord. Hmm… Reposer le saphir, réécouter, rejouer le même accord. Était-ce bien celui-là ? Ou peut-être celui-ci ? Sans parler de ce qui relevait du jeu de guitare dans la chanson. C'était désespérant. Lui, Yngve, n'avait besoin que d'une seule écoute et de quelques essais pour trouver. J'en avais vu d'autres qui avaient ça en eux, chez qui la musique ne se distinguait pas de la pensée ou bien n'avait rien à voir avec elle mais vivait en eux. Quand ils jouaient, ils *jouaient* vraiment, ils ne se contentaient pas de répéter mécaniquement un modèle qu'ils avaient appris, et cette liberté intrinsèque à la musique me faisait complètement défaut. C'était la même chose avec le dessin. Dessiner ne m'apportait aucune gloire mais j'aimais ça et, quand j'étais seul dans ma chambre, j'y consacrais du temps. Avec un modèle, par exemple une bande dessinée, j'arrivais à quelque chose de présentable, mais sans copier, à main levée, je n'arrivais à rien. Là aussi j'avais vu des gens qui avaient ça en eux. Dans ma classe, Tone en particulier dessinait tout très facilement, l'arbre sur la place qu'on voyait de la fenêtre, la voiture garée un peu plus loin, le professeur devant le tableau. Quand il a fallu choisir des options, j'eus envie de prendre arts plastiques mais comme les autres élèves savaient vraiment dessiner, avaient ça en eux, j'abandonnai l'idée et choisis l'option cinéma à la place. Cette constatation m'accablait parfois ; je voulais tellement être quelqu'un, quelqu'un de spécial.

Je me levai, remis la guitare sur son support, éteignis l'ampli et descendis voir maman qui repassait du linge. Les auréoles de lumière autour des lampes sur le mur de la grange et au-dessus de la porte étaient saturées de neige.

— Quel temps ! dis-je.

— Ah oui alors !

En allant dans la cuisine, il me revint à l'esprit que le chasse-neige était passé sur la route et qu'il valait peut-être mieux déblayer le nouveau talus de neige avant qu'ils arrivent.

Je me tournai vers maman.

— Je sors déblayer le talus avant qu'ils arrivent.
— Bonne idée. Peux-tu allumer les torches en même temps ? Elles sont dans le garage, dans un sac sur le petit mur.
— J'y vais. As-tu un briquet ?
— Dans mon sac.
Je m'habillai, sortis, ouvris la porte du garage, pris la pelle, nouai mon écharpe autour du visage et descendis au croisement. Même en tournant le dos aux rafales venues du champ, les flocons me piquèrent les yeux et les joues lorsque je me mis à pelleter le tas de neige fraîche mêlée aux amas plus anciens. Quelques minutes plus tard, j'entendis un bruit lointain et assourdi, comme venant d'un endroit fermé, et je levai la tête juste au bon moment pour apercevoir une petite explosion de lumière au-dessus des ténèbres balayées par le vent. C'était sans doute Per, Tom et leur père qui testaient leurs feux d'artifice. Ça les avait tous emplis de joie, moi ça m'avait vidé au contraire car cette petite lumière eut pour seul effet de renforcer le néant qui s'ensuivit. Pas une voiture, pas un seul être humain. Seulement le bois d'un noir profond, la neige soufflée par le vent, le ruban de lumières immobiles le long de la route, les ténèbres de la vallée en contrebas, le raclement métallique de ma pelle sur les couches de neige anciennes et dures et ma respiration comme amplifiée par l'écharpe serrée sur mon bonnet et mes oreilles.

Quand j'eus terminé, je remontai vers le garage, y déposai la pelle et trouvai les quatre torches dans le sac. C'est avec joie que je les allumai une à une dans le noir car les flammes douces au cœur bleu s'élevaient et s'abaissaient au gré des courants d'air. Je réfléchis un instant où elles seraient le mieux et décidai d'en mettre deux à la porte d'entrée et deux sur le muret devant la grange.

J'avais à peine terminé de les installer en les protégeant du vent par un petit tas de neige et fermé la porte du garage que j'entendis une voiture prendre le virage en bas de la maison. Je rouvris la porte du garage et me dépêchai de rentrer, il fallait que *tout* soit prêt avant qu'ils arrivent et qu'aucune trace des derniers préparatifs ne soit visible. Cette petite obsession devint si forte que j'attrapai une serviette dans la salle de bains et essuyai mes chaussures afin qu'elles ne trônent pas dans l'entrée couvertes de neige fraîche et que j'ôtai le reste de mes vêtements, parka, bonnet, écharpe et moufles là-haut, dans ma chambre. Lorsque je redescendis, la voiture était dans la cour, le moteur tournait, les feux arrière rouges brillaient et grand-père attendait en tenant la portière que grand-mère s'extraie de la voiture.

Quand j'étais seul à la maison, chaque pièce avait son caractère propre et, sans être véritablement hostiles à mon égard, elles ne m'accueillaient pas volontiers. On aurait dit qu'elles ne voulaient pas se soumettre à moi, comme si elles étaient là de leur plein droit, béantes, avec leurs murs, leur sol, leur plafond, leurs plinthes et leurs fenêtres bien à elles. Ce que je ressentais et qui me résistait, c'était leur côté inerte, mort. Pas la mort comme fin de vie mais comme absence de vie, comme la vie est absente d'une pierre, d'un verre d'eau, d'un livre. Même la présence de notre chat Mefisto n'était pas assez forte pour contrecarrer cet aspect-là, il n'était qu'un simple chat dans cet espace béant. Mais qu'une personne entrât, ne serait-ce qu'un nourrisson, et ça disparaissait. Mon père, lui, remplissait l'espace d'inquiétude et d'agitation, ma mère, de douceur, de patience, de mélancolie et parfois, lorsqu'elle rentrait fatiguée du travail, d'une onde d'irritabilité faible mais perceptible. Per, qui n'allait jamais plus loin que l'entrée, remplissait l'espace de gaieté, d'expectative et d'obéissance. Jan Vidar, à l'époque le seul en dehors de la famille à être allé dans ma chambre, l'emplissait de ténacité, d'ambition et de camaraderie. Quand plusieurs personnes étaient dans la même pièce, ça devenait intéressant car il n'y avait de la place que pour un, tout au plus deux caractères et ce n'était pas toujours le plus fort qui était le plus perceptible. La soumission de Per, par exemple, et sa politesse envers les adultes étaient par moments plus fortes que le comportement d'ours de mon père, comme la fois où, rentré à la maison, il était passé à côté de Per en le saluant à peine. Chez nous les visites étaient rares, à l'exception de mes grands-parents paternels et de Gunnar, le frère de mon père, et de sa famille qui venaient régulièrement, environ six à huit fois par an. Je me réjouissais toujours de leur venue, à la fois parce que l'aura dont brillait ma grand-mère, moins due aux cadeaux qu'elle ne manquait jamais d'apporter qu'à sa véritable affection pour les enfants, n'avait pas changé depuis mon enfance, et à la fois parce que mon père savait se montrer à la hauteur dans ces situations-là. Il était plus aimable avec moi, faisait de moi quelqu'un qui compte et, plus important encore que cette amabilité envers son fils, il savait faire preuve d'une grande générosité et se montrer charmant, drôle, cultivé et intéressant. En un sens ça expliquait l'ambiguïté de mes sentiments à son égard et pourquoi je leur consacrais autant de temps.

Lorsqu'ils furent devant la porte, maman leur ouvrit.

— Bonsoir et bienvenue ! dit-elle.

— Bonsoir, Sissel, dit grand-père.

— Quel temps de chien ! dit grand-mère. Vous avez vu ça un peu ! Mais les torches, c'est très bien.

— Donnez-moi vos manteaux.

Grand-mère ôta son bonnet rond en fourrure sombre, le tapa contre la paume de sa main pour faire tomber la neige et le donna à maman ainsi que son manteau de fourrure assorti.

— C'était bien que tu sois venu nous chercher, dit-elle en se tournant vers papa. Toi, tu n'aurais jamais pu conduire par ce temps !

— Je ne sais pas, dit grand-père. Mais c'est loin et compliqué de venir jusqu'ici.

Grand-mère entra dans le vestibule, où elle lissa sa robe et rectifia sa coiffure.

— Mais tu es là, toi aussi ! dit-elle en me souriant hâtivement.

— Bonsoir, dis-je.

Derrière elle arrivait grand-père, son manteau gris sur le bras. Maman avança pour le prendre et l'accrocher au portemanteau à côté du miroir sous l'escalier. Puis papa apparut en dernier, il donna des coups de pied sur le seuil pour se débarrasser de la neige.

— Bonjour, dit grand-père. Alors comme ça, tu vas faire la fête toi aussi, nous a dit ton père ?

— Oui, c'est vrai, dis-je.

— Qu'ils sont grands maintenant ! dit grand-mère. Fêter la Saint-Sylvestre entre amis, voyez-vous ça !

— Oui, il paraît qu'on ne fait plus l'affaire, dit papa depuis l'entrée.

Il se passa la main dans les cheveux en secouant la tête plusieurs fois.

— On va au salon ? dit maman.

Je les suivis et m'assis dans le fauteuil en rotin à côté de la porte donnant sur le jardin pendant qu'ils s'installaient sur le canapé. On entendit le pas lourd de mon père dans l'escalier puis au-dessus de nos têtes, où se trouvait sa chambre.

— Je vais vous faire du café en attendant, dit maman en se levant.

Il m'incombait de rompre le silence qui emplit la pièce quand elle fut partie.

— Et Erling, il est à Trondheim ? dis-je.

— Oui, tout à fait, dit grand-mère. Ils ont prévu de passer la soirée chez eux tranquillement.

Vêtue d'une robe soyeuse bleue ornée d'un dessin noir sur la poitrine, elle portait des perles blanches aux oreilles et une chaîne en or autour du cou. Elle avait les cheveux bruns, sans doute teints, mais je n'en étais pas sûr, car pourquoi alors n'aurait-elle pas coloré la boucle grise qui lui tombait sur le front ? Ni grosse ni ronde mais ferme, sa corpulence était comme à l'opposé de ses gestes toujours rapides. Mais le plus frappant chez elle, c'était ses yeux bleu très clair. Soit que leur couleur fût inhabituelle, soit qu'elle contrastât fortement avec sa chevelure, en tout cas ils avaient l'air artificiels, comme s'ils étaient en pierre. Les yeux de mon père étaient exactement pareils et donnaient la même impression. Outre son amour pour les enfants, elle avait comme qualité d'être très bonne jardinière. Quand nous lui rendions visite les mois d'été, c'était normalement dans le jardin qu'on la trouvait et, quand je pensais à elle, je la voyais traverser la pelouse, gantée, les cheveux en bataille à cause du vent, portant une brassée de branches à brûler ou alors à genoux devant un trou qu'elle venait de creuser, ôtant précautionneusement l'emballage autour des racines du petit arbre qu'elle allait y planter, ou encore tournant la tête pour vérifier que le tourniquet d'arrosage commençait correctement ses rotations lorsqu'elle ouvrait le robinet sous la terrasse et que l'instant d'après, les mains sur les hanches, elle admirait le spectacle de l'eau projetée en l'air, scintillant au soleil. Je la voyais accroupie sur la pente derrière la maison, arrachant les mauvaises herbes des plates-bandes qui avaient été plantées dans tous les creux de la roche de la même façon que l'eau forme sur les rochers de la côte des flaques isolées du reste de la mer. Je me souviens que je plaignais ces plantes, esseulées et fragiles sur leur promontoire, comme elles devaient envier la vie qui s'épanouissait par terre en dessous d'elles. Là où les végétaux s'entremêlaient et formaient sans cesse de nouvelles constellations selon le moment de la journée et la période de l'année, comme les vieux poiriers et pruniers qu'elle était allée chercher un jour chez ses grands-parents à la campagne, leur jeu d'ombres sur l'herbe lorsque le vent passait dans les feuilles, un de ces après-midi d'été somnolents, au moment où le soleil déclinait à l'horizon sur la mer et où on entendait les bruits lointains de la ville monter et descendre telles des ondes mêlées au vrombissement des guêpes et des bourdons en plein travail dans les rosiers adossés au mur dont les pétales faisaient de paisibles taches blanches dans la verdure. À l'époque, le jardin portait déjà l'empreinte du passé, il avait une dignité et une plénitude que seul le temps peut apporter et c'était sûrement la raison pour laquelle elle avait caché la serre tout en bas, derrière une butte. C'était là qu'elle pouvait élargir son champ d'action, en faisant pousser des arbres et des plantes plus rares, sans que le jardin soit enlaidi par le côté industriel et provisoire de la construction. À l'automne et en hiver, on pouvait entrevoir en contrebas sa silhouette bigarrée derrière les parois miroitantes et ce n'était pas sans fierté qu'elle annonçait, faussement indifférente, que les concombres et les tomates qui trônaient sur la table ne venaient pas du magasin mais de la serre du jardin.

Grand-père, lui, ne s'occupait jamais de jardinage et quand grand-mère et papa ou Gunnar ou Alf, le frère de grand-père, discutaient plantes, fleurs et arbres, car l'intérêt pour les végétaux était grand dans la famille, il préférait feuilleter un journal et confronter les résultats du tiercé au ticket qu'il avait. Il me semblait toujours étrange qu'un homme qui travaillait avec les chiffres s'occupe aussi de chiffres pendant son temps libre au lieu, par exemple, de jardiner, bricoler ou de s'activer physiquement. Mais non, c'était des colonnes de chiffres au travail et pendant ses loisirs. Le seul autre centre d'intérêt que je lui connaissais était la politique. Il suffisait que le sujet soit abordé pour qu'immanquablement il s'anime. Il avait des positions arrêtées et son envie de discuter était si forte qu'il était content qu'on le contredise. Les rares fois où maman avait exprimé ses opinions de gauche, il avait haussé un peu le ton et s'était fait plus tranchant, mais son regard était toujours resté bienveillant. Dans ces cas-là, grand-mère le priait toujours de changer de sujet ou de se calmer. Elle était souvent ironique à son égard, le ridiculisant même parfois, mais il ripostait et, si nous étions là, elle nous faisait toujours un clin d'œil pour que nous comprenions que ce n'était pas sérieux. Elle riait facilement et aimait particulièrement raconter toutes les histoires insolites qu'elle avait vécues ou qu'on lui avait racontées. Elle se souvenait de toutes les drôleries qu'Yngve avaient dites enfant, ils étaient particulièrement proches elle et lui car il avait vécu six mois chez eux quand il était petit, et plus tard il leur avait souvent rendu visite. Elle racontait aussi ce qu'Erling avait vécu d'étonnant dans son école à Trondheim, mais sa source d'histoires la plus intarissable remontait aux années trente, lorsqu'elle avait travaillé comme chauffeur pour une vieille dame riche et probablement sénile.

Grand-mère et grand-père avaient maintenant plus de soixante-dix ans, elle était un peu plus âgée que lui, mais ils étaient encore en bonne santé et continuaient à se rendre l'hiver dans des pays ensoleillés.

Le silence avait duré un petit moment. Je m'efforçais de trouver quelque chose à dire et regardai par la fenêtre pour le rendre moins oppressant.

— Et comment ça va à l'école ? dit enfin grand-père. Est-ce que Stray a des choses intéressantes à vous dire ?

Stray était notre professeur de français. C'était un petit homme trapu, chauve et énergique d'environ soixante-dix ans et il était propriétaire de la maison voisine de celle où grand-père avait son bureau. Si j'avais bien compris, ils avaient été en conflit, peut-être de mitoyenneté, et je ne savais pas exactement s'il y avait eu procès ou pas, ni si l'affaire était close, mais en tout cas ils ne se saluaient plus depuis de nombreuses années.

— Moui. Il m'appelle « le knaus du coin ».

— Ça ne m'étonne pas. Et le vieux Nygaard ?

Je haussai les épaules.

— Avec lui ça va à peu près. Mais tu sais, il est de la vieille école. Comment le connais-tu, au fait ?

— Par Alf, vois-tu.

— Oui, bien sûr.

Grand-père alla regarder par la fenêtre, les mains dans le dos. Ce côté-là de la maison était totalement plongé dans l'obscurité, mis à part le peu de lumière qui tombait des fenêtres.

— Tu vois quelque chose ? dit grand-mère en me faisant un clin d'œil.

— Vous êtes bien logés ici, dit-il.

Au même instant, maman entra dans le séjour avec quatre tasses dans les mains. Il se tourna vers elle.

— Je disais à Karl Ove que vous êtes bien logés ici.

Maman s'arrêta comme prise au dépourvu.

— Oui, on est très contents de l'endroit, dit-elle.

Restée plantée les tasses à la main, un petit sourire aux lèvres, elle parut intimidée. Non pas qu'elle rougît ou qu'elle fût gênée, c'était plutôt qu'elle ne cachait jamais rien. Elle parlait toujours pour dire ce qu'elle pensait, jamais pour le simple fait de parler.

— La maison est très ancienne, dit-elle. Les murs portent le poids des ans, pour le meilleur et pour le pire, mais il fait bon vivre ici.

Grand-père acquiesça en continuant de regarder l'obscurité. Maman alla poser les tasses sur la table.

— Mais où est passé notre hôte ? dit grand-mère.

— Je suis là, dit papa.

Tout le monde se retourna. Devant la table dressée de la salle à manger, la tête penchée, il était visiblement en train d'examiner la bouteille de vin qu'il avait dans les mains.

Comment était-il arrivé là ?

Il n'avait fait aucun bruit. Et pourtant, s'il y avait bien une chose à laquelle je faisais vraiment attention dans la maison, c'était ses déplacements.

— Tu peux aller chercher du bois avant de partir, Karl Ove ? dit-il.

— Oui.

J'allai dans l'entrée, enfilai mes chaussures et ouvris la porte. Le vent m'assaillit mais au moins il avait cessé de neiger. Je traversai la cour pour gagner le réduit sous la grange. La lumière de l'ampoule nue brillait crûment sur les murs de pierres grossièrement taillées. Le sol était presque totalement recouvert d'écorces et de sciure de bois. Une hache était plantée dans le billot. Dans un coin gisait la tronçonneuse orange et noir que mon père avait achetée lorsque nous avions emménagé ici. Il avait voulu abattre un arbre de la propriété mais n'avait pas réussi à faire démarrer la machine. Il l'avait examinée longtemps et maudite aussi avant de téléphoner au magasin où il l'avait achetée pour se plaindre. « Qu'est-ce qui ne marche pas ? » avais-je demandé quand il revint. « Rien », avait-il répondu, « ils avaient seulement oublié de préciser quelque chose. » Je compris qu'il devait s'agir d'un dispositif de sécurité qui empêchait la mise en route par les enfants. L'essai suivant fut concluant et, après l'abattage de l'arbre, il avait passé tout l'après-midi à le tronçonner. J'avais bien vu qu'il aimait ce travail. Mais quand ce fut terminé, il n'eut plus l'occasion d'utiliser sa tronçonneuse, et depuis elle était restée par terre au même endroit. J'empilai le plus de bûches possible sur mes bras, ouvris la porte d'un coup de pied et traversai la cour en chancelant, bien conscient que j'allais les impressionner. Après avoir ôté mes chaussures, j'entrai dans le séjour à reculons, croulant presque sous le fardeau.

— Voyez-vous ça ! dit grand-mère. Tout ce bois qu'il a réussi à porter !

Je m'arrêtai devant la corbeille.

— Attends, je vais t'aider, dit papa en venant prendre les bûches du dessus pour les déposer dans la corbeille.

Il avait les lèvres pincées, le regard froid. Je me baissai et fis s'ébouler le reste des bûches.

— On a du bois pour jusqu'à l'été, dit-il.

Je me relevai, ôtai les échardes de ma chemise et me rassis pendant que papa s'accroupissait pour mettre quelques bûches dans le poêle. Il portait un costume sombre, une cravate rouge foncé, des chaussures noires et une chemise blanche qui contrastait avec le bleu de glace de ses yeux, le noir de sa barbe et le hâle de son visage. Pendant les mois d'été, il se mettait le plus possible au soleil et, en août, sa peau était généralement très bronzée, mais il me traversa l'esprit que cet hiver il avait dû aller au solarium ou alors, à force de s'exposer, son hâle était resté.

Autour des yeux, sa peau avait commencé à se fendiller, comme du cuir sec qui se craquelle en rides fines et serrées.

Il regarda sa montre.

— Gunnar ferait bien d'arriver si on veut avoir des chances de manger avant minuit, dit-il.

— C'est à cause du temps, dit grand-mère. Il est obligé de rouler lentement ce soir.

Papa se tourna vers moi.

— Il ne faut pas que tu y ailles bientôt ?

— Si, si. Mais je voudrais voir Gunnar et Tove avant de partir.

Papa soupira.

— Va t'amuser. Rien ne t'oblige à rester avec nous, tu sais.

Je me levai.

— Ta chemise est pendue au-dessus du placard, dit maman.

Je la pris et montai dans ma chambre me changer. Pantalon noir en coton, large aux cuisses et étroit aux mollets avec des poches sur les côtés, chemise blanche, blazer noir. J'enroulai la ceinture à clous que j'avais l'intention de porter et la fourrai dans mon sac car, même s'ils n'allaient pas m'interdire de la mettre, j'aurais eu droit à des remarques et je n'avais aucune envie de discuter de ça à ce moment-là. J'ajoutai mes Doc Martens noires, une chemise supplémentaire, deux paquets de Pall Mall légères, des chewing-gums et des pastilles. Quand j'eus terminé, je me postai devant la fenêtre. Il était sept heures cinq. J'aurais déjà dû être parti mais il fallait que j'attende Gunnar le plus longtemps possible car, tant qu'il n'était pas arrivé, je risquais de le croiser sur la route et, avec mes deux sacs pleins de bouteilles de bière, ce n'était pas un bon plan.

Dehors, excepté les arbres qui bougeaient dans le vent à l'orée du bois mais qu'on distinguait à peine au-delà de la lumière de la maison, tout était immobile.

S'ils n'arrivaient pas d'ici cinq minutes, il faudrait que je parte quand même. J'enfilai mes vêtements pour sortir, retournai à la fenêtre un instant pour m'efforcer d'écouter le ronronnement d'un éventuel moteur en fixant l'endroit de la route où la lumière des phares déboucherait, puis je me retournai, éteignis la lumière et descendis l'escalier.

Papa était dans la cuisine et versait de l'eau dans une grande cocotte. Il me regarda.

— Tu pars ?

J'acquiesçai.

— Passe une bonne soirée.

Arrivé en bas de la côte, où les traces du matin avaient été recouvertes par les congères, je restai figé quelques secondes en tendant l'oreille. Après m'être assuré qu'aucune voiture n'arrivait, je montai l'escarpement jusqu'au bois. Les sacs étaient bien là où je les avais déposés, couverts d'une fine couche de neige qui glissa sur le plastique tout lisse lorsque je les soulevai. Je redescendis vers la route, un sac dans chaque main, m'arrêtai pour écouter et, comme il n'y avait toujours rien, j'enjambai à grand-peine le remblai de neige et courus à petits pas vers le virage. Peu de gens habitaient par ici et l'essentiel de la circulation se faisait par la route de l'autre côté du fleuve donc, s'il arrivait une voiture, il y avait de fortes chances que ce soit Gunnar. Je montai la côte et dépassai le virage où habitait la famille de William. Leur maison était légèrement en retrait de la route, au bord du bois adossé à un raidillon qui montait vers la lande. Dans le séjour, le reflet bleu de la télévision clignotait. La maison datait des années soixante-dix et le terrain autour n'avait jamais été aménagé, il était jonché de cailloux et de rochers. Ici une balançoire abîmée et un tas de bois sous une bâche, là une carcasse de voiture et des pneus. Je ne comprenais pas qu'ils puissent vivre dans cet environnement-là. Ne voulaient-ils pas l'améliorer ? Ou ne pouvaient-ils pas ? Est-ce que ça n'avait aucune importance pour eux ? Ou bien trouvaient-ils ça beau comme c'était ? Le père était placide et gentil, la mère toujours énervée et les enfants perpétuellement habillés de vêtements trop petits ou trop grands pour eux.

Un matin, sur le chemin de l'école, j'avais vu le père et sa fille remonter le ravin pierreux en contrebas de la route, ils saignaient tous les deux du front et la petite avait un mouchoir ensanglanté autour de la tête. Je me souviens qu'ils m'avaient fait penser à des animaux car ils n'avaient pas dit un seul mot, ni appelé, se contentant d'escalader calmement la pente caillouteuse. Au fond du ravin, leur camion avait percuté un arbre. Un peu plus bas coulait le fleuve, brillant et noir. Je leur avais demandé si je pouvais les aider, le père avait répondu que ce n'était pas nécessaire, que ce n'était pas grave, et bien que le spectacle fût insolite au point qu'il était difficile de s'en détacher, j'avais ressenti l'immoralité de rester là à les regarder et j'avais continué ma route vers l'arrêt de bus. Une seule fois je m'étais autorisé à me retourner : ils traversaient la route en boitant, le père vêtu comme toujours d'un bleu de travail entourait de son bras le corps menu de la petite de onze ans.

Nous avions l'habitude de nous moquer d'elle et de

son frère William. Les mots et les idées n'étant pas leur fort, il était aisé de les énerver et de les pousser dans leurs derniers retranchements. Plus tard je compris qu'ils n'y étaient pas indifférents. C'était un jour d'été ennuyeux où Per et moi avions sonné chez William pour qu'il vienne jouer au foot, et sa mère était sortie sur la terrasse nous engueuler, moi en particulier parce que je me croyais supérieur aux autres et surtout à son fils et sa fille. Je répliquai et il s'avéra qu'elle non plus ne s'exprimait pas aisément, mais elle était moins facile à remettre à sa place que ses enfants. Pour finir, je récoltai l'admiration hilare de Per qui trouva que j'avais de l'esprit et le tout fut oublié quelques heures plus tard. Mais dans la maison du virage, on n'oubliait pas. Le père était trop gentil pour s'occuper de l'affaire mais la mère, elle, me lançait des éclairs chaque fois qu'elle me voyait. Pour moi c'était simple, ces gens-là me servaient de faire-valoir, à leurs dépens. Si William avait le malheur d'arriver à l'école avec un feu de plancher, il en entendait parler, et s'il utilisait un mot à mauvais escient, pourquoi ne pas le lui faire remarquer, après tout ? C'était à lui de mettre un terme ou de passer outre aux rires qu'il provoquait. Moi aussi j'avais mes faiblesses et n'importe qui aurait pu s'en servir contre moi. Si personne ne le faisait, c'était par manque de clairvoyance. Est-ce que j'y pouvais quelque chose ? C'était pareil pour tout le monde. À l'école, William traînait avec ceux qui fumaient sous le préau, ceux qui faisaient de la mobylette à treize ans, ceux qui commençaient à lâcher l'école à quatorze ans, ceux qui se battaient et buvaient. Eux aussi se moquaient de William mais d'une façon qu'il pouvait admettre, car dans sa bande il avait les moyens de se mesurer aux autres et de riposter. Avec nous, ceux des maisons d'en haut, c'était différent, on usait de sarcasmes, d'ironie et de commentaires assassins, et ça pouvait le rendre fou car c'était hors de sa portée. Mais il avait plus besoin de nous que nous de lui, et c'était toujours lui qui revenait. Pour moi, c'était une question de liberté. Lorsque j'emménageai ici, personne ne me connaissait, et bien qu'au fond je fusse le même qu'avant, je me permis de faire des choses que je n'avais jamais faites. Il y avait, par exemple, une vieille épicerie à côté de l'arrêt de bus où deux sœurs septuagénaires, propriétaires du lieu, servaient les clients. Elles étaient gentilles et particulièrement lentes et quand on leur demandait quelque chose se trouvant en haut des rayonnages, elles nous tournaient le dos pendant une minute ou deux, et il ne restait plus qu'à se remplir les poches de bonbons et de barres chocolatées. Sans parler des fois où on leur demandait une marchandise stockée exclusivement dans la cave. À Tromøya, jamais il ne me serait venu à l'idée de faire une chose pareille, mais ici je n'hésitais pas. Ici, non seulement je volais les vieilles dames mais j'incitais les autres enfants à en faire autant. Ils avaient un an de moins que moi et c'était à peine s'ils avaient mis les pieds hors du village, à côté d'eux je me sentais un homme du monde. Ils avaient déjà tous chapardé dans les champs de fraises mais j'introduisis un raffinement à l'aventure en leur faisant apporter bols, cuillers, crème et sucre au milieu des fraisiers.

Dans notre travail à la parqueterie, c'était à nous de remplir le tableau des tâches que nous avions effectuées pour recevoir le salaire en conséquence, et on s'aperçut qu'ils n'avaient jamais envisagé qu'on puisse abuser de la situation et tricher. Nous le faisions pourtant. Mais mon changement de comportement le plus important à cette époque-là fut lié à la découverte du pouvoir que j'avais sur les autres grâce à la maîtrise de la langue et du verbe. J'importunais, harcelais, manipulais, ironisais et jamais, pas une seule fois, il ne leur vint à l'esprit que la base sur laquelle reposait ce pouvoir était si fragile qu'un seul coup bien porté aurait pu l'anéantir. J'avais un défaut de prononciation, je ne savais pas dire les *r* ! Il aurait suffi de m'imiter pour me briser. Mais personne ne le fit.

Sauf une fois le frère de Per, de trois ans mon cadet. Nous étions Per et moi en train de parler dans l'écurie que leur père venait de construire contre le garage pour le fjording qu'il avait acheté à Marit, la petite sœur de Per et Tom. Après avoir passé la soirée dehors, nous avions atterri là, dans la tiédeur de cet endroit qui sentait le cheval et le foin, lorsque Tom, qui ne m'aimait pas, probablement parce que je lui prenais le frère qui avait toujours été là pour lui, tout à coup m'imita.

— Fod Sieya ? dit-il. Qu'est-ce que c'est Fod Sieya ?

— Tom, dit Per sur un ton de reproche.

— La Fod Sieya est une automobile, dis-je. T'en as jamais entendu parler ?

— Non, j'ai jamais entendu parler d'une voiture qui s'appelle Fod Sieya. Et en tout cas pas de Sieya.

— Tom ! dit Per.

— Oh, tu veux dire *Ford* !

— Oui, évidemment, dis-je.

— Pourquoi tu le dis pas dit alors ? Forrrrrd Sierrrrra !

— Tom, fous le camp, dit Per.

Mais comme il ne donnait pas le moindre signe de vouloir partir, il lui donna un coup de poing à l'épaule.

— Aïe ! Arrête !

— Dehors, sale gamin ! dit Per en le frappant à nouveau.

Tom disparut et nous avons continué à parler comme si de rien n'était.

Compte tenu de tout ce que je leur infligeais, il était étrange que ce fût la seule fois qu'un enfant essayât de m'attaquer sur mon point faible. Ils ne s'y aventuraient pas d'ordinaire. Ici, j'étais le roi, le roi des enfants. Mais mon pouvoir était limité. Quand arrivaient des gens du même âge que moi ou venant de plus bas dans la vallée, ça ne marchait plus. Je restais donc prudent, à cette époque-là comme aujourd'hui.

Je posai les sacs à terre un instant, ouvris ma veste et sortis mon écharpe pour la nouer autour de mon visage, puis je repris les sacs et continuai mon chemin. Le vent me soufflait aux oreilles, soulevait la neige un peu partout, la faisant tournoyer. Encore quatre kilomètres jusque chez Jan Vidar, il ne fallait pas traîner. Je commençai à courir à petites foulées, les sacs pendant au bout des bras, comme des poids. Les phares d'une voiture apparurent au loin, après le virage. On aurait dit que la lumière déchiquetait la forêt en illuminant les arbres les uns après les autres. Je m'arrêtai, mis un pied dans le fossé et y déposai doucement les sacs avant de continuer à marcher. Au moment où la voiture passa, je tournai la tête et vis au volant un vieil homme qui m'était inconnu. Je refis les vingt mètres dans l'autre sens pour aller rechercher les sacs, puis repris ma route, dépassai le virage de la maison du vieillard solitaire, et débouchai sur la plaine où j'aperçus les lumières de l'usine rendues floues par la neige abondante. Je dépassai enfin la petite ferme délabrée, plongée ce soir-là dans le noir, et j'étais sur le point d'atteindre la dernière maison avant le croisement de la grand-route quand une autre voiture apparut. Je refis la même chose que précédemment, déposai rapidement les sacs dans le fossé et continuai à marcher les mains vides. Cette fois non plus ce n'était pas Gunnar. Quand elle fut passée, je courus rechercher les bouteilles et accélérai le pas, il était déjà sept heures et demie. Je me dépêchai de descendre le bout de chemin jusqu'à la grand-route et j'y étais presque lorsque trois autres voitures arrivèrent. Je déposai les sacs encore une fois. Faites que ce soit Gunnar, pensai-je, car dès qu'il serait enfin passé je n'aurais plus besoin de m'arrêter pour cacher les bières chaque fois. Les deux premières voitures s'engagèrent sur le pont, la troisième tourna et me dépassa mais ce n'était toujours pas Gunnar. J'allai chercher les sacs et pris la grand-route, passai devant l'arrêt de bus, la vieille épicerie, le garage automobile et les vieilles habitations, tout était allumé, tout était battu par le vent et il n'y avait pas âme qui vive. Presque arrivé en haut de la longue pente douce, je vis les phares d'une nouvelle voiture passer la butte. Il n'y avait pas de fossé et je dus poser les sacs dans le talus de neige et comme ils étaient visibles, je me dépêchai de m'éloigner de quelques mètres.

Je regardai dans la voiture lorsqu'elle me dépassa et cette fois, c'était bien Gunnar. Il tourna la tête au même moment et me reconnaissant, il freina. Suivie d'une traîne de neige virevoltante et rougeoyante dans la lumière des feux arrière, la voiture ralentit doucement dans la descente et après s'être enfin arrêtée vingt mètres plus loin, elle recula aussitôt. Le moteur couina.

Arrivé à ma hauteur, il ouvrit sa portière.

— C'est toi qui te promènes par un temps pareil ! dit-il.

— Eh oui.

— Et où vas-tu comme ça ?

— À une fête.

— Monte, je t'emmène, dit-il.

— Non, ce n'est pas nécessaire. Je suis presque arrivé. Ça va aller.

— Non, non. Monte.

Je secouai la tête.

— Vous êtes déjà en retard. Il est sept heures et demie passées.

— Mais ça ne fait rien. Allez, monte ! C'est la Saint-Sylvestre tout de même, on ne va pas te laisser marcher dans le froid. On t'emmène. End of the discussion.

Je ne pouvais pas protester davantage sans que ça paraisse suspect.

— D'accord. C'est très gentil.

Il grogna.

— Monte derrière et indique-moi la route.

J'ouvris la portière et m'installai à l'arrière. Il faisait bien chaud dans la voiture. Harald, leur fils de presque trois ans, était dans son petit siège et me suivait des yeux sans rien dire.

— Salut, Harald, dis-je en lui souriant.

Assise à l'avant, Tove se tourna vers moi.

— Bonsoir, Karl Ove. Ravie de te voir.

— Bonsoir, dis-je. Et joyeuses fêtes.

— On y va, dit Gunnar. Je suppose qu'on va dans l'autre sens ?

J'acquiesçai.

On descendit la rue jusqu'à l'arrêt de bus pour faire demi-tour et on remonta. Lorsqu'on dépassa l'endroit où étaient les sacs, je ne pus me retenir de me pencher pour voir. Ils étaient bien là.

— Où vas-tu ? dit Gunnar.

— D'abord chez un camarade à Solsletta, puis à une fête à Søm.

— Je peux vous conduire jusque là-bas si tu veux.

Tove le regarda.

— Non, ce n'est pas nécessaire. D'ailleurs, on doit retrouver des copains dans le bus.

Gunnar avait dix ans de moins que mon père et travaillait en ville comme expert-comptable dans une assez grande entreprise. Il était le seul des trois fils à avoir suivi la même voie que son père, les deux autres étant professeurs. Papa au lycée de Vennesla et Erling dans un collège de Trondheim. Erling était le seul que nous appelions « oncle », il était plus relax et attachait moins d'importance au prestige que les deux autres. Enfants, nous n'avions pas beaucoup fréquenté les frères de mon père mais nous les aimions bien, ils faisaient volontiers les fous, surtout Erling mais aussi Gunnar que nous lui préférions Yngve et moi, peut-être parce qu'il était plus proche de nous en âge. Il avait les cheveux longs, jouait de la guitare et, surtout, il avait un bateau à moteur Mercury de vingt chevaux à la maison de vacances dans les environs de Mandal où il séjournait pendant de longues périodes l'été. Les camarades dont il parlait étaient pour moi entourés d'un halo de mystère, à la fois parce que mon père n'avait pas de camarades et parce que nous ne les voyions pour ainsi dire jamais car Gunnar partait en bateau les retrouver. J'imaginais leur vie comme une interminable croisière entre les îlots et les récifs, dans la journée sur des bateaux de course, leurs longs cheveux blonds au vent, leurs visages tannés et souriants, le soir jouant aux cartes et grattant leur guitare, et rejoints la nuit par des filles.

Il était marié maintenant et avait un enfant et, bien qu'il eût encore son bateau, le romantisme avait disparu. Les cheveux longs aussi. Tove, c'était le nom de sa femme, venait d'une famille d'administrateurs ruraux de la région du Trøndelag et était institutrice dans une école primaire.

— Vous avez passé un bon Noël ? dit-elle en se tournant vers moi.

— Oui, oui.

— J'ai entendu dire qu'Yngve était là, dit Gunnar.

J'acquiesçai. Yngve était son préféré, sans doute parce qu'il était le premier-né et qu'il allait souvent chez grand-père et grand-mère du temps où Gunnar y habitait encore. Mais probablement aussi parce qu'Yngve n'était pas aussi vulnérable et ne pleurait pas aussi facilement que moi quand nous étions enfants. Avec Yngve il s'amusait. C'est pour ça que j'essayais de les contrer en plaisantant beaucoup et en racontant des blagues, de façon à leur montrer que j'étais aussi insouciant de nature qu'eux, aussi prêt à rigoler qu'eux et aussi méridional qu'eux.

— Il est reparti passer quelques jours dans un chalet avec des camarades, dis-je.

— Lui, il finira par s'installer à Arendal, tu sais, dit Gunnar.

On dépassa la maison de prière, le virage encaissé où le soleil ne donnait jamais et le petit pont. Les essuie-glaces battaient le pare-brise. Le ventilateur chuintait. À côté de moi, Harald clignait des yeux.

— Chez qui faites-vous la fête ? dit Gunnar. Quelqu'un de ta classe ?

— En fait, c'est chez une fille de la classe parallèle.

— C'est vrai que tout change une fois qu'on est au lycée.

— Toi aussi, tu es allé au lycée Katedralskolen, n'est-ce pas ?

— Absolument, dit-il en tournant suffisamment la tête pour me regarder avant de reporter son attention sur la route. Il avait le visage long et étroit, comme mon père, mais le bleu de ses yeux était plus foncé, plus semblable à celui de grand-père que de grand-mère. L'arrière de la tête était volumineux, comme celui de grand-père et le mien alors que les lèvres, qu'il avait sensuelles et qui en disaient presque plus sur lui que ses yeux, étaient les mêmes que celles de papa et d'Yngve.

Nous arrivâmes dans la plaine et le faisceau des phares, qui s'était longtemps cogné aux arbres, aux rochers, aux façades des maisons et aux pentes, put enfin s'élargir.

— C'est au bout, là-bas, dis-je. Tu peux t'arrêter au magasin.

— Très bien.

Il ralentit et stoppa.

— Au revoir. Et bonne année !

— Bonne année à toi aussi, dit Gunnar.

Je claquai la portière et me dirigeai vers la maison de Jan Vidar pendant que la voiture faisait demi-tour et repartait. Quand elle ne fut plus en vue, je me mis à courir. Cette fois, on n'avait vraiment plus beaucoup de temps. Je sautai dans le fossé attenant à leur propriété, vis qu'il y avait de la lumière dans sa chambre, allai à sa fenêtre et frappai au carreau. Son visage apparut la seconde d'après et ses yeux scrutèrent l'obscurité. Je lui montrai la porte. Quand enfin il me vit, il acquiesça et je fis le tour de la maison pour entrer.

— Désolé, mais les bières sont restées à Krageboen. Il faut se dépêcher d'aller les rechercher.

— Mais qu'est-ce qu'elles font là-bas ? Pourquoi est-ce que tu ne les as pas apportées ?

— J'ai croisé mon oncle sur la route en venant et j'ai juste eu le temps de jeter les sacs dans le talus avant qu'il s'arrête. Et, putain, en plus il a insisté pour me conduire. Je n'ai pas pu refuser, il aurait trouvé ça louche.

— Oh non ! Quel manque de bol !

— Merde alors, c'est bien vrai. Allez, il faut qu'on se dépêche.

Quelques minutes plus tard, on escaladait le raidillon menant à la route. Jan Vidar avait enfoncé son bonnet jusqu'aux yeux, enroulé son écharpe autour du bas du visage et remonté le col de sa parka. On ne voyait plus que ses yeux, et encore, ses lunettes rondes à la Lennon étaient couvertes de buée quand il me regardait.

— Il n'y a plus qu'à se mettre en route, dis-je.

— Eh oui.

Pour ne pas nous épuiser tout de suite, on commença par courir lentement sur la route. Sur le plat, nous avions le vent de face et les tourbillons de neige nous enveloppaient. Les larmes coulaient de mes yeux pourtant presque fermés. Mes pieds commençaient à s'engourdir et étaient comme des bûches qui ne se pliaient plus à mes ordres.

Une voiture, qui passa quelques instants plus tard dans le virage au loin puis disparut, accentua encore le côté désespéré de notre périple.

— On marche un peu, cria Jan Vidar.

J'acquiesçai.

— Espérons que les sacs sont encore là ! dis-je.

— Quoi ?

— Les sacs ! J'espère que personne ne les a pris !

— Tu vois bien qu'il y a personne dehors !

On rit. Arrivés au bout de l'étendue plane, on se remit à courir. On monta la côte où un chemin gravillonné descendait vers cette propriété étrange aux allures de domaine en bordure du fleuve. On traversa le pont et le passage encaissé, puis on dépassa le garage délabré, la maison de prière et les petites habitations blanches des années cinquante de chaque côté de la route pour arriver enfin à l'endroit où j'avais laissé les sacs. On en prit chacun un et on repartit en sens inverse.

En repassant devant la maison de prière, on entendit une voiture derrière nous.

— On fait du stop ? dit Jan Vidar.

— Pourquoi pas ?

Un sac dans une main et le pouce de l'autre tendu vers la chaussée, on adressa un sourire à la voiture qui passait. Elle ne prit même pas la peine de nous épargner les pleins phares. On continua nos petites foulées.

— Qu'est-ce qu'on fait si personne nous prend ? dit Jan Vidar au bout d'un moment.

— On finira bien par nous prendre.

— Mais il ne passe que deux voitures par heure.

— As-tu une autre solution à proposer ?

— Je sais pas, moi. Il y a du monde chez Richard.

— Putain, mais arrête !

— Et Stig et Liv sont à Kjevik avec des amis. C'est aussi une possibilité.

— On a dit Søm, pas vrai ? Tu ne vas tout de même pas proposer maintenant des alternatives pour fêter la Saint-Sylvestre ! C'est là, tout de suite, la Saint-Sylvestre !

— Oui, et nous on est sur le bord de la route. C'est amusant peut-être ?

Derrière nous arriva encore une voiture.

— Regarde, dis-je. Encore une voiture !

Elle ne s'arrêta pas.

Quand on repassa devant chez Jan Vidar, il était huit heures et demie. J'avais les pieds gelés et je faillis proposer de laisser tomber les bières et de rentrer chez lui fêter le nouvel an avec ses parents. Un plat de poisson traditionnel, des sodas, de la glace, des gâteaux et des feux d'artifice. C'était ce qu'on avait toujours fait. Quand nos regards se croisèrent, je compris que la même chose lui traversait l'esprit.

Mais on continua, on sortit de la cité pavillonnaire et on dépassa la rue qui descendait vers l'église, puis le virage, puis le petit pâté de maisons où habitait Kåre, un gars de la classe.

— Tu crois que Kåre est de sortie ce soir ? dis-je.

— Oui, c'est sûr. Il est chez Richard.

— Raison de plus pour ne pas y aller.

Je n'avais rien contre Kåre mais rien pour non plus. Avec ses grandes oreilles décollées, ses grosses lèvres, ses cheveux filasse et son regard noir, il avait toujours l'air fâché et avait sans doute de bonnes raisons de l'être. L'été où je fis ma rentrée à l'école ici, il était à l'hôpital avec des côtes et un poignet cassés. Avec son père, ils étaient allés en ville chercher des matériaux dont des panneaux de contreplaqué qu'ils avaient posés sur la remorque sans les sangler. Lorsqu'ils arrivèrent au pont de Varodd, son père lui avait demandé d'aller s'asseoir dans la remorque pour tenir les matériaux. Les panneaux avaient été emportés par le vent et lui avec, se blessant gravement. On en avait ri tout l'automne et c'était toujours la première chose à laquelle on pensait en le voyant.

Il avait maintenant une mobylette et commençait à traîner avec les autres cyclomotoristes.

De l'autre côté du virage habitait Liv, pour qui Jan Vidar avait toujours eu un faible. Mais pas moi. Bien faite, elle avait cependant un humour et un comportement de garçon manqué qui faisaient oublier ses formes. De surcroît, un jour que j'étais assis derrière elle dans le bus, elle avait agité frénétiquement les mains devant les autres filles en disant : « Vous avez vu ses mains comme elles sont longues et répugnantes ! » Comme aucune réaction ne venait de la part des filles à qui elle s'adressait et qu'elles me fixaient, elle se retourna et rougit comme jamais en me voyant, ne laissant aucun doute sur l'identité de la personne à qui appartenaient ces mains si repoussantes.

Après la salle communale, la route descendait abruptement vers le magasin d'où partait la longue plaine de Ryensletta, au bout de laquelle se trouvait l'aéroport.

— Je crois que je vais fumer une cigarette, dis-je en montrant de la tête l'abribus en face de la salle communale. On s'arrête un peu ?

— Fume si tu veux. C'est la Saint-Sylvestre après tout.

— Et si on prenait une bière aussi ?

— Ici ? Quelle idée !

— T'es fâché ou quoi ?

— Non, pas vraiment.

— Allez ! dis-je en enlevant mon sac à dos.

Ayant sorti le briquet et le paquet de cigarettes, j'en allumai une en faisant écran au vent avec la main.

— T'en veux une ? dis-je en lui tendant le paquet.

Il secoua la tête.

Je toussai et la fumée, comme coincée dans la gorge, me donna un haut-le-cœur.

— Oh putain, dis-je.

— C'est bon ?

— Normalement je tousse pas. Mais j'ai avalé la fumée de travers. C'est pas parce que j'ai pas l'habitude.

— Sûrement pas, va. Tous les fumeurs avalent la fumée de travers et toussent. C'est bien connu. Ma mère fume depuis trente ans. À chaque fois, elle avale la fumée de travers et tousse.

— Ha, ha, ha.

Sortant du virage, une voiture troua l'obscurité. Jan Vidar fit un pas en avant et tendit le pouce. La voiture s'arrêta. Il alla jusqu'à la portière, l'ouvrit puis se tourna vers moi et me fit signe. Je jetai ma cigarette, remis mon sac sur le dos, saisi le sac de bières et avançai. Je vis Susanne descendre de la voiture. Elle se pencha pour lever la manette, avança le siège puis me regarda.

— Salut, Karl Ove.

— Salut, Susanne.

Jan Vidar était déjà en train de grimper dans la voiture. Le sac aux bouteilles tinta.

— Tu veux le mettre à l'arrière ? dit-elle.

— Non, non. Ça va aller.

Je m'assis en serrant le sac entre mes jambes. Susanne s'assit à son tour. Au volant, Terje tourna la tête et me regarda.

— Vous faites du stop un soir de Saint-Sylvestre ?

— Mouais…, dit Jan Vidar, signifiant par là que ce n'était pas à proprement parler du stop. C'est qu'on a vraiment pas eu de chance ce soir.

Terje enclencha la vitesse, fit patiner les roues comme pour leur faire rattraper l'avance prise par le moteur, et on descendit la côte menant à la plaine.

— Vous allez où, les garçons ? dit-il.

Les garçons.

Quel connard !

Lui qui se croyait bien avec ses cheveux permanentés ! Est-ce qu'il se prenait pour un dur avec sa moustache et ses frisettes ?

Maigris d'abord de vingt kilos, grandis, rase-toi la moustache et coupe-toi les cheveux ! Après tu pourras revenir.

Comment est-ce que Susanne pouvait sortir avec un type pareil ?

— On va à une fête à Søm, dis-je. Et vous, vous allez jusqu'où ?

— On va seulement jusqu'à Hamre, dit-il. À la fête de Helge. Mais on peut vous déposer au croisement de Timenes, si vous voulez.

— Super ! dit Jan Vidar. Merci beaucoup.

Je lui jetai un coup d'œil mais il regardait par la vitre et ne vit pas mon regard.

— Et qui est-ce qui va chez Helge ? dit Jan Vidar.

— La bande habituelle. Richard, Ekse, Molle, Jøgge, Hebbe, Tjådi. Et Frode, John, Jomås et Bjørn.

— Y a pas de filles ?

— Si, si, bien sûr. Tu nous prends pour des idiots ?

— Qui ça ?

— Kristin, Randi, Kathrine, Hilde… Inger, Ellen, Anne Kathrine, Rita, Vibecke… Pourquoi, t'as envie de venir ?

— On va déjà à une autre fête, dis-je avant que Jan Vidar eût le temps de dire quoi que ce soit. Et on commence à être sacrément en retard.

— Surtout si vous devez encore faire du stop.

On apercevait les lumières de l'aéroport. De l'autre côté du fleuve qu'on traversa l'instant d'après, la petite piste de ski alpin était tout éclairée et la neige paraissait orange.

— Et toi, Susanne, comment ça va dans ta section de sciences économiques ? dis-je.

— Bien, dit-elle sans se retourner. Et toi à Katedralskolen ?

— Ça se passe bien.

— Tu es dans la même classe que Molle, pas vrai ? dit Terje en me jetant un rapide coup d'œil.

— Oui, c'est exact.

— C'est la classe où il y a vingt-six filles ?

— Oui.

Il rit.

— Elles sont pas mal alors les fêtes de classe ?

D'un côté de la route le terrain de camping apparut, couvert de neige et abandonné, de l'autre la petite maison de prière, le supermarché et la station Esso. Au-dessus des toits des maisons qui s'étageaient serrées sur la lande, le ciel clignotait de feux d'artifice. Une bande d'enfants sur le parking entourait un cylindre d'où fusaient des petites boules de feu qui explosaient en myriades d'étincelles. Quelques voitures roulaient lentement sur la route parallèle à la nôtre. De l'autre côté, il y avait la plage. Sur une centaine de mètres la baie était couverte d'une couche de glace blanche. Au-delà, la mer était noire.

— Au fait, quelle heure est-il ? dit Jan Vidar.

— Neuf heures et demie, dit Terje.

— Et merde, on aura même pas le temps de se bourrer d'ici minuit.

— Faut que vous soyez rentrés à minuit ?

— Ha, ha, ha.

Quelques minutes plus tard Terje nous déposa à l'arrêt de bus du carrefour de Timenes, où on alla s'abriter avec nos sacs.

— C'était pas à huit heures dix que passait le bus ? dit Jan Vidar.

— Si, c'est bien ça. Mais peut-être qu'il a du retard ?

On rit.

— Putain ! dis-je. En tout cas, on peut se prendre une bière !

Ne sachant pas décapsuler les bouteilles avec un briquet, je le tendis à Jan Vidar. Sans un mot, il souleva les capsules des deux bouteilles et m'en donna une.

— Ah, c'est bon, dis-je en m'essuyant la bouche du revers de la main. Si on en descend encore deux ou trois de suite là maintenant, ça nous fera une bonne base pour la soirée.

— J'ai vachement froid aux pieds, dit Jan Vidar. Pas toi ?

— Si, moi aussi.

Je portai la bouteille à mes lèvres et bus aussi

longtemps que je pus. Il n'en restait qu'une goutte quand je m'arrêtai. Mon estomac s'était rempli de gaz mais quand j'essayai de roter un peu de mousse seulement remonta jusque dans ma bouche.

— Tu m'en ouvres une autre ?

— Oui, si tu veux. Mais on va pas rester ici toute la soirée.

Il décapsula une autre bouteille et me la tendit. Je la bus en fermant les yeux pour me concentrer et réussis à en avaler un peu plus de la moitié. Un rot plein de mousse s'ensuivit.

— Oh putain ! Ce truc-là, c'est pas génial à boire vite.

La route qui passait devant nous, axe principal reliant les villes du Sud, était habituellement très fréquentée, mais ça faisait déjà dix minutes qu'on y était et il n'était passé que deux voitures en direction de Lillesand.

Sous les puissants lampadaires, le vent faisait tourbillonner la neige. Les flocons montaient et descendaient par vagues, parfois lentement et amplement, parfois brusquement et en tournoyant. Jan Vidar tapait ses pieds l'un contre l'autre.

— Mais bois aussi ! dis-je.

J'avalai la moitié restante et jetai la bouteille vide dans le bois derrière l'abribus.

— Encore une, dis-je.

— Tu vas vomir. Calme-toi un peu.

— Allez, encore une. Putain, il est déjà presque dix heures !

Il décapsula une autre bouteille et me la tendit.

— Alors, qu'est-ce qu'on fait ? dit-il. C'est trop loin pour y aller à pied, le bus est déjà passé, il n'y a pas de voitures pour faire du stop et même pas un téléphone à proximité pour appeler quelqu'un.

— On est condamnés à mourir ici.

— Hé ! dit-il. Voilà un bus, c'est un bus d'Arendal !

— Tu déconnes ou quoi ? dis-je en regardant le haut de la pente. Il ne déconnait pas. Là-bas au loin, sortant du virage, on vit arriver un grand bus.

— Allez, jette ta bouteille. Et fais un beau sourire.

Il fit un signe de la main. Le bus clignota, s'arrêta et la porte s'ouvrit.

— Deux tickets pour Søm, dit Jan Vidar en tendant un billet de cent. Je regardai l'intérieur du bus plongé dans l'obscurité et complètement vide.

— Vous attendrez d'être arrivés pour boire ça, dit le chauffeur en sortant la monnaie de sa sacoche. C'est d'accord ?

— Évidemment, dit Jan Vidar.

On s'assit au milieu du bus. Jan Vidar s'adossa confortablement et appuya les pieds sur la paroi qui faisait écran à la porte centrale.

— Oh, qu'est-ce que ça fait du bien, dis-je. Il fait bien chaud.

— Hmm, dit Jan Vidar.

Je me penchai en avant pour dénouer mes lacets.

— Tu as l'adresse de là où on va ? dis-je.

— La rue s'appelle Elgstien. Je sais à peu près où c'est.

J'enlevai mes chaussures et me réchauffai les pieds entre les mains. À la petite pompe à essence automatique qui nous servait de repère à l'approche de Kristiansand quand, enfants, nous habitions à Arendal et rendions visite à nos grands-parents, je renfilai mes chaussures, renouai les lacets et fus prêt juste au moment où le bus s'arrêta devant le pont de Varodd.

— Bonne année ! cria Jan Vidar au chauffeur avant de sauter du bus pour me suivre dans la pénombre.

Bien que je sois passé par ici en voiture un nombre incalculable de fois, je n'y avais jamais posé le pied, sauf en rêve. Le pont de Varodd était un des lieux dont je rêvais le plus souvent. Parfois au pied du pont j'y voyais le pylône s'élever très haut. D'autres fois je m'avançais dessus et là, en général, la balustrade disparaissait et j'étais obligé de m'asseoir sur la chaussée et de trouver autre chose pour me tenir, parfois encore le pont se rompait tout à coup et je glissais inexorablement vers le bord. Avant le pont de Varodd, quand j'étais plus petit, c'était le pont de Tromøya qui envahissait mes rêves.

— Mon père était à l'inauguration, dis-je en faisant un signe de tête en direction du pont au moment où nous traversions la rue.

— Tant mieux pour lui.

On entra sans entrain dans la cité pavillonnaire. D'habitude, on avait une vue fantastique d'ici, on pouvait voir Kjevik et le fjord d'un côté et la mer au loin de l'autre. Mais, ce soir-là, il faisait nuit noire.

— Il y a moins de vent, non? dis-je après un moment.

— On dirait, oui, dit Jan Vidar en se tournant vers moi. Au fait, est-ce que tu sens l'effet des bières que tu as bues ?

Je secouai la tête.

— Rien du tout, c'est du gaspillage.

Au fur et à mesure que nous avancions, des maisons apparaissaient de tous les côtés. Certaines étaient plongées dans l'obscurité, d'autres pleines de gens en habits de fête. Sur l'une ou l'autre terrasse, des gens lançaient des mini-feux d'artifice. Ailleurs, je vis un attroupement d'enfants agiter des cierges magiques dans le vent. Mes pieds étaient à nouveau gelés et j'avais beau avoir replié mes doigts dans la moufle de la main qui ne portait pas le sac, ils ne se réchauffaient pas. Mais d'après Jan Vidar on était bientôt arrivés, et on s'arrêta au milieu d'un carrefour.

— La rue Elgstien, c'est par là et par là en montant et par là et par là en descendant. Tu peux choisir quel chemin prendre, dit-il.

— Les quatre rues portent le même nom ?

— Visiblement. Mais laquelle choisir ? C'est le moment de te servir de ton intuition féminine.

Féminine ? Pourquoi dit-il ça ? Est-ce qu'il pensait que j'avais quelque chose de féminin ?

— Qu'est-ce que tu veux dire par là ? Pourquoi crois-tu que j'ai de l'intuition féminine ?

— Allez, Karl Ove, on prend quel chemin ?

Je montrai la rue à droite et on commença à la remonter. On allait au numéro 13. La première maison avait le numéro 23, la deuxième le numéro 21. On était sur le bon chemin.

Quelques minutes plus tard, nous étions devant une maison des années soixante-dix, à l'aspect vétuste. L'allée n'avait pas été déneigée, et depuis longtemps, à en juger par le chapelet de traces profondes qui serpentait jusqu'à la porte.

— Comment il s'appelle déjà, celui qui organise la fête ? dis-je quand on s'arrêta devant la porte.

— Jan Ronny, dit-il en appuyant sur la sonnette.

— Jan Ronny ?

— Oui, c'est comme ça qu'il s'appelle.

La porte s'ouvrit sur celui qui devait être notre hôte. Blonds, les cheveux courts, des boutons sur le menton et les ailes du nez, il portait un bijou en or autour du cou, un jean noir, une chemise de trappeur et des socquettes blanches. Il sourit en montrant Jan Vidar du doigt.

— Jan Vidar !

— Exact, dit Jan Vidar.

— Et toi c'est... Kai Olav, dit-il en tendant le doigt vers moi.

— Karl Ove, dis-je.

— *What the fuck*. Entrez ! On est en bas !

On se déshabilla dans l'entrée et on le suivit dans l'escalier menant au salon de la cave. Ils étaient cinq assis à regarder la télé. La table basse était jonchée de bouteilles de bière, de bols de chips, de paquets de cigarettes et de tabac. Installé sur le canapé, les bras autour de sa petite amie Lene, une fille de cinquième seulement mais suffisamment jolie et sans-gêne pour qu'on oublie facilement la différence d'âge, Øyvind nous sourit en nous voyant entrer.

— Salut ! dit-il. C'est sympa d'être venus !

Il nous présenta les autres, Rune, Jens et Ellen. Rune était en troisième, Jens et Ellen en quatrième alors que Jan Ronny, le cousin d'Øyvind, suivait une formation en mécanique à l'école professionnelle. Aucun n'était en habit de fête. Pas même une chemise blanche.

— Qu'est-ce que vous regardez ? dit Jan Vidar en s'asseyant sur le canapé et en sortant une bière.

Je restai debout, adossé au mur sous la fenêtre basse complètement couverte de neige.

— Un film avec Bruce Lee, dit Øyvind. Il est presque fini. Mais on a aussi *Le Palace en folie*, un Inspecteur Harry et Jan Ronny en a d'autres. Qu'est-ce que vous voulez voir ? Nous, ça nous est égal.

Jan Vidar haussa les épaules.

— Ça m'est égal aussi. Et toi, Karl Ove ?

Je haussai les épaules.

— Vous avez un décapsuleur ? dis-je.

Øyvind se pencha en avant, prit un briquet sur la table et me le lança. Mais je ne savais pas ouvrir les bouteilles comme ça et je ne pouvais pas non plus demander à Jan Vidar de me l'ouvrir, ça faisait pédé.

Je sortis une bouteille du sac, mis le goulot entre mes dents et le plaçai de telle sorte que la capsule se cale sur la molaire, et mordis. Elle finit par céder en chuintant.

— Fais pas ça ! dit Lene.

— Pas de problème, dis-je.

Je la bus d'un seul coup et, excepté le gaz qui m'emplit l'estomac et les quelques renvois que je dus ravaler, je ne sentais toujours rien. Je ne pouvais quand même pas en redescendre une cul sec immédiatement.

J'eus mal quand la chaleur commença à revenir dans mes pieds.

— Y a quelqu'un qui a de l'alcool ? dis-je.

Ils secouèrent la tête.

— Que de la bière, malheureusement, dit Øyvind. Mais prends-en une si tu veux.

— J'en ai, merci.

Øyvind leva sa bouteille.

— Buvons et oublions ! dit-il.

— Buvons et oublions ! dirent les autres en entrechoquant leurs bouteilles. Ils rirent.

Je sortis du sac mon paquet de cigarettes et en allumai une. La Pall Mall light et toute blanche que je tenais n'était pas forte, c'était le moins qu'on puisse dire, et je regrettai de ne pas avoir acheté de Prince, mais je n'avais songé qu'à la fête d'Irene où nous irions après minuit et, là-bas, les Pall Mall light ne se distingueraient pas particulièrement des autres. D'ailleurs, c'était la marque de cigarettes d'Yngve. C'était en tout cas ce qu'il avait fumé la seule fois où je l'avais vu faire, un soir dans le jardin alors que papa et maman étaient chez Alf, l'oncle de papa.

Et puis il me fallut rouvrir une bouteille et je ne voulais pas le refaire avec les dents. Quelqu'un avait dit qu'un jour ou l'autre ça finirait mal, que tôt ou tard la dent finirait par casser. Et maintenant que j'avais montré ce que je savais faire, ça ne ferait plus trop pédé de demander à Jan Vidar.

Je m'approchai de lui et pris quelques chips dans un bol sur la table.

— Tu peux me l'ouvrir ?

Il hocha la tête, sans détourner les yeux du film.

C'était des scènes de combat avec Bruce Lee et il s'y connaissait un peu car il faisait cette année-là du kick-boxing. J'oubliais d'ailleurs systématiquement et m'étonnais chaque fois qu'il m'invitait à voir une compétition. Je refusais poliment.

Avec ma bière, je retournai à ma place, contre le mur. Personne ne disait rien. Øyvind me regarda.

— Assieds-toi, Karl Ove.

— Je suis bien là.

— À la nôtre en tout cas ! dit-il en levant sa bouteille vers la mienne, et je fis deux pas pour trinquer avec lui.

— Cul sec ! dit-il. Sa pomme d'Adam montait et descendait comme un piston.

Øyvind était extraordinairement grand et fort pour son âge et avait un corps d'adulte. En même temps très gentil, il donnait l'impression de n'être jamais concerné par ce qui se passait autour de lui, comme s'il était immunisé contre le monde extérieur. Rien ne lui posait problème, pas plus de jouer de la batterie dans notre groupe que de sortir avec Lene, même s'il ne lui parlait pas beaucoup et se contentait surtout de l'emmener chez ses amis à lui. Quant à elle, son plus grand souhait était d'être avec lui le plus souvent possible. J'avais essayé de la draguer un peu quelques mois auparavant, seulement pour tâter le terrain, et bien que j'aie deux ans de plus qu'elle elle ne montra pas le moindre intérêt. Que c'était ridicule ! Être entouré de tant de filles comme je l'étais au lycée, et vouloir l'approcher elle ? Une fille de cinquième ?

Mais elle avait une belle poitrine sous son t-shirt que je rêvais de lui ôter et je continuais d'avoir envie de sentir ses seins dans mes mains. Le fait d'être lycéen n'y changeait rien, d'autant que ni son physique ni son comportement ne laissaient deviner qu'elle n'avait que quatorze ans.

Je vidai la bouteille d'un coup. En la posant sur la table, je me dis que je ne pouvais vraiment plus continuer comme ça, mais j'en ouvris encore une autre avec les dents. J'avais l'estomac complètement ballonné. Encore un peu et la mousse me sortirait par les oreilles. Heureusement, il était déjà bientôt onze heures. On allait pouvoir partir d'ici une demi-heure et passer le reste de la soirée à l'autre fête. Autrement, je serais parti depuis longtemps.

Un certain Jens se leva, attrapa le briquet sur la table et se le mit au derrière.

— Regardez ! dit-il.

Il alluma le briquet au moment de péter et une petite boule de feu apparut derrière lui. Il rit et les autres rirent aussi.

— Mais arrête ! dit Lene.

Jan Vidar sourit et évita soigneusement mon regard. La bouteille à la main, j'allais vers la porte à l'autre bout de la pièce. Là, il y avait une petite cuisine et je m'appuyai au plan de travail. La maison était construite sur une pente et la fenêtre largement au-dessus du sol donnait sur le fond du jardin. Deux sapins bougeaient dans le vent. En contrebas, il y avait d'autres maisons. Dans la fenêtre d'une d'entre elles, je vis trois hommes et une femme parler, debout, un verre à la main. Les hommes étaient en complet noir, la femme en robe noire sans manches. J'ouvris l'autre porte de la pièce. Une douche. Au mur pendait une combinaison de plongée. C'est déjà quelque chose, pensai-je. Je refermai la porte et retournai au salon. Ils n'avaient pas bougé.

— Tu sens quelque chose ? dit Jan Vidar.

Je secouai la tête.

— Non, rien. Et toi ?

Il sourit.

— Un peu.

— Je crois qu'il faut qu'on y aille bientôt.

— Vous allez où ? dit Øyvind.

— Au carrefour là-haut. Avec tout le monde à minuit.

— Mais putain, il est que onze heures ! Et nous aussi on y va. On y va ensemble évidemment.

Il me regarda.

— Et pourquoi tu veux y aller maintenant ?

Je haussai les épaules.

— J'ai prévu de retrouver quelqu'un là-bas.

— Mais bien sûr qu'on vous attend, dit Jan Vidar.

Il était onze heures et demie lorsqu'on commença à bouger. Désert une demi-heure plus tôt, excepté quelques silhouettes çà et là, sur une terrasse ou dans une allée, ce paisible quartier résidentiel était maintenant plein de vie. Des gens en habit de fête affluaient de partout. Les femmes, un manteau sur les épaules, un verre à la main et des chaussures à talons hauts aux pieds. Les hommes, un manteau par-dessus leur complet, des chaussures vernies aux pieds et des sacs de feux d'artifice à la main. Des cierges magiques crépitant dans les mains, les enfants excités leur tournaient autour en saturant l'air de rires et de cris. Toujours chargé chacun de notre sac plastique rempli de bières, Jan Vidar et moi marchions avec ces collégiens boutonneux et habillés comme tous les jours avec lesquels nous avions passé la soirée. Mais pas vraiment à côté d'eux. J'étais à quelques mètres devant, au cas où on rencontrerait des gens du lycée que je connaissais. Je leur jetai des coups d'œil et faisais semblant de m'intéresser à l'un ou à l'autre de telle sorte que ceux qui nous regardaient ne puissent pas s'imaginer que nous étions ensemble. Et d'ailleurs nous ne l'étions pas non plus. Moi, j'étais bien habillé avec ma chemise blanche, les manches repliées car Yngve m'avait dit que c'était la mode cet automne-là, mon blazer, mon pantalon noir, mon manteau gris, mes Doc Martens aux pieds et des lanières de cuir aux poignets. J'avais les cheveux longs dans la nuque et courts, presque en brosse devant. La seule chose qui jurait, c'était le sac en plastique. Mais au moins j'en avais cruellement conscience. Et c'était bien la seule chose qui m'apparentait à cette bande douteuse qui tanguait derrière moi car des sacs remplis de bières, on en avait tous.

Perché sur une hauteur avec une vue imprenable sur toute la baie, le carrefour était un lieu naturel de rassemblement. Il y régnait un chaos complet car une masse compacte de gens, la plupart ivres, voulaient lancer des feux d'artifice. Ça crépitait et explosait partout, l'odeur de poudre prenait à la gorge, les bancs de fumée dérivaient et sous les nuages bas les feux éclataient les uns après les autres en une multitude d'étoiles bariolées. Le ciel vibrait de lumière et de bruit, il aurait pu se fendre à tout instant.

On resta un peu à l'écart du tintamarre. Øyvind, qui avait apporté des feux d'artifice, sortit un énorme cylindre, on aurait dit de la dynamite, et le posa devant lui en chancelant. Jan Vidar parlait sans arrêt comme il le faisait quand il était ivre, un éternel sourire aux lèvres. Il était en train de discuter de kick-boxing avec Rune. Ses lunettes continuaient à s'embuer mais il ne s'embêtait plus à les enlever pour les essuyer. J'étais à quelques pas d'eux et parcourus la foule du regard. Lorsque le premier cylindre explosa et qu'une lumière rouge fusa à côté de moi, je sursautai. Øyvind riait de plaisir.

— Pas mal ! On en met un autre en même temps ? s'écria-t-il en posant un deuxième cylindre à côté, sans attendre de réponse pour l'allumer. L'instant d'après, la boîte se mit à éructer des boules de feu bariolées à un rythme qui poussa Øyvind à installer le troisième cylindre avec un empressement fébrile, avant que le premier s'éteigne.

— Ha, ha, ha.

Il riait à gorge déployée.

À côté de nous, un homme en blazer bleu clair, chemise blanche et cravate rouge en cuir, bascula dans le talus de neige. Une femme arriva en courant sur ses hauts talons et le tira par le bras, pas suffisamment pour le soulever mais suffisamment pour l'inciter à se relever de lui-même. Il s'épousseta en regardant droit devant lui, non pas comme s'il venait de tomber mais comme s'il voulait tout simplement avoir une vue d'ensemble de la situation. Deux garçons étaient grimpés sur le toit de l'abribus. Ils dirigèrent chacun leur fusée vers le haut, les allumèrent et, la tête en arrière, les maintinrent pendant qu'elles chuintaient et grésillaient jusqu'à ce qu'ils finissent par les lâcher et qu'elles s'élèvent de quelques mètres et explosent avec une puissance telle que tout le monde se tourna vers eux.

— Jan Vidar, tu me l'ouvres aussi, celle-là ?

Il fit sauter la capsule de la bouteille en souriant et me la tendit. Enfin je sentais quelque chose, ce n'était ni de la joie ni de la tristesse mais plutôt une perte rapide des sensations. Je bus, allumai une cigarette et regardai l'heure. Minuit moins dix.

— Plus que dix minutes ! dis-je.

Jan Vidar hocha la tête et continua de parler à Rune. J'avais décidé d'attendre minuit passé avant de partir à la recherche d'Irene. Je savais que jusqu'à minuit les gens de sa fête resteraient ensemble, ils s'embrasseraient en se souhaitant une bonne année car ils se connaissaient depuis longtemps, étaient amis, formaient une bande, comme tous au lycée avaient leur bande, mais je n'étais pas assez proche d'eux pour me permettre de me mêler à eux à ce moment-là. Après minuit en revanche, tout se défe-rait, ils resteraient un peu pour boire avant de rentrer dans cet état légèrement désordonné et imprévu, et c'est là que je pourrais les rencontrer, leur parler, faire comme si c'était un hasard et puis rester avec eux.

Le problème c'était Jan Vidar. Voulait-il vraiment rester avec moi et avec ces gens qu'il ne connaissait pas ? Moi j'avais des choses en commun avec eux mais pas lui, et il avait l'air d'être très bien là où il était.

Je pouvais toujours lui demander. S'il ne voulait pas venir, c'était son problème, en tout cas il était hors de question que je remette les pieds dans ce putain de sous-sol.

Je l'aperçus. À une trentaine de mètres de nous, entourée de ses invités.

J'essayai de les compter mais, au-delà du cercle des intimes, il était difficile de déterminer qui faisait partie de son groupe. Ils étaient entre dix et douze, j'en étais certain. Je reconnaissais presque tous les visages, c'étaient ceux avec qui elle était pendant les récréations. Elle n'était pas vraiment jolie avec son petit double menton et ses joues un peu rondes, sans être grosses, ses yeux bleus et ses cheveux blonds. De petite taille, elle m'évoquait un canard. Mais rien de tout ça n'entrait en ligne de compte dans le jugement qu'on portait sur elle car elle était *le* centre d'attraction et c'était ça le plus important. Chaque fois qu'elle arrivait quelque part et disait quelque chose, c'était elle et ses paroles qui importaient. Elle sortait tous les week-ends, en ville ou dans des fêtes privées, ou alors elle allait dans des stations de ski ou bien encore dans une grande ville quelconque. Toujours avec sa bande. Je haïssais vraiment les bandes et, quand je l'entendais raconter par le menu tout ce qu'elle avait fait, je la haïssais aussi.

Ce soir-là, elle portait un manteau bleu foncé qui lui arrivait aux genoux. En dessous, j'aperçus une robe bleu clair et des collants couleur chair. Sur la tête, elle avait... oui, c'était probablement ça, un diadème ! Comme une connasse de princesse !

Autour de moi, le chaos ne faisait que s'amplifier. Ce n'était plus que crépitements, explosions et cris de toutes parts. Puis, comme venant d'en haut, comme si Dieu se réjouissait de la nouvelle année, les sirènes se mirent à hurler. La jubilation monta d'un cran. Je regardai ma montre. Minuit.

Jan Vidar me regarda.

— Il est minuit, s'écria-t-il. Bonne année !

Il s'avança vers moi de son pas lourd.

Putain, il n'avait tout de même pas l'intention de m'embrasser ?

Non, non et non !

Mais si, arrivé à moi, il m'entoura de ses bras et appuya sa joue contre la mienne.

— Bonne année, Karl Ove ! Meilleurs vœux !

— Bonne année.

Sa barbe de plusieurs jours me râpa la joue et il me tapa deux fois dans le dos avant de reculer d'un pas.

— Øyvind ! dit-il en se dirigeant vers lui.

Mais putain, pourquoi est-ce qu'il m'a embrassé ? Ça sert à quoi ? On ne le faisait jamais d'habitude. Ce n'était pas notre genre.

Quelle connerie alors !

— Bonne année, Karl Ove ! dit Lene.

Elle me sourit et je me penchai pour l'embrasser.

— Bonne année. Tu es jolie.

Son visage, qui jusqu'à cette seconde était mêlé à la foule et associé à ce qui se passait, se figea soudain.

— Qu'est-ce que tu dis ?

— Rien. Meilleurs vœux.

Elle sourit.

— J'ai entendu ce que tu as dit. Merci. Bonne année à toi aussi.

Lorsqu'elle s'éloigna, j'avais la trique.

Il ne manquait plus que ça !

Je bus le reste de bière. Il n'en restait plus que trois dans le sac. J'aurais dû les garder pour plus tard mais il fallait que je m'occupe, alors j'en sortis une, l'ouvris avec les dents et bus. J'allumai aussi une cigarette. C'était mon équipement, avec ça j'étais armé. La cigarette dans une main, la bière dans l'autre, que je portais à ma bouche l'une après l'autre. Cigarette, bière, cigarette, bière.

À minuit dix, je donnai une tape dans le dos de Jan Vidar en lui disant que j'allais parler à des connaissances et que je revenais bientôt. Il hocha la tête et je me frayai un chemin vers Irene. D'abord, elle ne me vit pas car elle me tournait le dos et parlait avec d'autres.

— Salut, Irene.

Comme elle ne se retournait pas, sans doute parce que ma voix ne se distinguait pas suffisamment du bruit ambiant, je me vis dans l'obligation de lui taper sur l'épaule. Ce n'était pas la bonne façon de m'adresser à elle, c'était bien trop direct. Taper sur l'épaule de quelqu'un n'est pas à proprement parler tomber dessus par hasard, mais on verrait bien.

En tout cas, elle se retourna.

— Karl Ove, qu'est-ce que tu fais là ?

— On est à une fête dans le coin et puis je t'ai aperçue et j'ai pensé te souhaiter une bonne année. Bonne année !

— Bonne année ! Tu passes une bonne soirée ?

— Absolument ! Et toi ?

— Moi aussi.

Il y eut une courte pause.

— Tu fais la fête chez toi ? dis-je.

— Oui, j'habite là-haut.

Elle indiqua la direction.

— La maison là-bas ? dis-je en hochant la tête dans la même direction.

— Non, plus loin derrière. On ne la voit pas d'ici.

— Je ne pourrais pas venir un peu avec vous ? Comme ça on pourrait parler plus longtemps, ce serait sympa.

Elle secoua la tête en plissant ironiquement le nez.

— Je ne crois pas. Tu sais, ce n'est pas une fête de classe.

— Je sais bien, mais seulement pour parler un peu ? Pas plus. Je suis à une fête pas loin d'ici.

— Eh bien, retournes-y ! On se verra à l'école, après les vacances.

Elle m'avait complètement éconduit et il n'y avait plus rien à dire.

— Bien content de t'avoir vue, dis-je. Je t'ai toujours trouvée sympa.

Et je repartis. J'avais eu du mal à prononcer la dernière phrase car ce n'était pas vrai, mais ça avait l'avantage de détourner l'attention du fait que j'avais mendié une invitation. Maintenant, elle allait croire que je voulais la draguer. Et j'aurais pu la draguer parce que j'étais soûl. Et qui ne l'était pas une nuit de nouvel an !

Sale connasse, espèce d'enculée de connasse de merde.

Quand je rejoignis Jan Vidar, il leva les yeux vers moi.

— Y aura pas de fête, dis-je. Ils ne veulent pas de nous.

— Pourquoi ? T'avais pas dit que tu les connaissais ?

— Seulement sur invitation. Et on n'est pas invités. Quelle merde alors !

Jan Vidar soupira.

— On retourne avec les autres alors, c'est bien finalement.

Bouche bée, je le fixai d'un regard vide pour qu'il comprenne à quel point je trouvais ça bien. Mais on n'avait pas le choix. On ne pouvait décemment pas appeler son père à minuit dix un soir de Saint-Sylvestre alors qu'on était convenus qu'il vienne vers deux heures du matin. C'est uniquement pour cette raison que je retraversai dans l'autre sens le quartier résidentiel de Søm, à quelques mètres du groupe de jeunes boutonneux et mal habillés ce soir de passage à l'année 1985.

À deux heures vingt du matin, la voiture du père de Jan Vidar s'arrêta devant la maison. On était prêts et on l'attendait. Étant le moins ivre des deux, c'est moi qui m'assis à l'avant, Jan Vidar, qui avait sauté partout avec un abat-jour sur la tête une heure plus tôt, prit place à l'arrière comme prévu. Heureusement il avait vomi et, après avoir bu plusieurs verres d'eau et s'être bien rafraîchi le visage, il avait été en état d'appeler son père pour lui dire où nous nous trouvions. Il n'avait pas été très bon au téléphone, expulsant le début des mots et en avalant la fin, mais il avait réussi à indiquer l'adresse, et puis nos parents ne croyaient quand même pas que nous ne touchions pas à l'alcool lors d'une soirée pareille ?

— Bonne année, les garçons ! dit le père quand nous montâmes dans la voiture. Ça s'est bien passé ?

— Oui, oui, dis-je. Y avait beaucoup de monde dehors à minuit. Quelle cohue ! Et à Tveit, c'était comment ?

— Très tranquille, dit-il en posant son bras à l'arrière de mon siège et en pivotant le haut du corps pour reculer. Et vous étiez chez qui finalement ?

— Chez quelqu'un qu'Øyvind connaît. Vous savez, le batteur de notre groupe.

— Oui, oui, dit-il en embrayant pour repartir.

Dans certains jardins, les feux d'artifice avaient fait des trous dans la neige. On voyait des couples marcher le long de la route, quelques taxis passer. Sinon tout était calme et silencieux. C'était à la fois sécurisant et agréable de traverser la nuit dans cette voiture au tableau de bord tout illuminé, à côté d'un homme sûr, aux gestes posés et que j'avais toujours apprécié. Le père de Jan Vidar était quelqu'un de bien. Il était aimable et s'intéressait à nous mais nous laissait tranquilles dès que Jan Vidar lui faisait comprendre que ça suffisait. Il nous emmenait à la pêche, nous rendait service — un jour que j'avais crevé en venant chez eux, il avait réparé mon pneu, sans rien dire, le vélo était prêt lorsque j'avais voulu repartir — et, lorsqu'ils partaient en vacances, ils m'invitaient à venir avec eux. Il demandait des nouvelles de mes parents, ce que faisait aussi la mère de Jan Vidar, et quand il me reconduisait à la maison, ce qui n'était pas rare, il prenait toujours le temps de bavarder avec papa ou maman s'ils étaient là et les invitait à venir chez eux. Qu'ils n'y soient jamais allés n'a rien à voir avec lui. Mais je savais aussi qu'il avait du caractère bien que je n'en fusse jamais témoin, et il arrivait que Jan Vidar éprouve de la haine envers lui.

— Ça y est, on est en 1985, dis-je au moment où nous prenions la E18 au niveau du pont de Varodd.

— Eh oui ! dit-il. Et toi là derrière, qu'est-ce que tu en dis ?

Jan Vidar ne répondit pas. Il n'avait rien dit non plus quand son père était descendu de voiture. Le regard fixe, il s'était contenté de s'installer à l'arrière. Je me retournai, il était immobile et fixait un point sur l'appui-tête.

— As-tu perdu la parole ? dit le père en me souriant.

Toujours rien derrière.

— Et tes parents, ils étaient chez eux ce soir ?

J'acquiesçai.

— Il y avait mes grands-parents et mon oncle. Le plat de poisson traditionnel et de l'aquavit.

— Content d'avoir passé la soirée ailleurs ?

— Oui.

La voiture prit la route de Kjevik, dépassa Hamresanden et monta vers Ryensletta. Dehors il faisait nuit noire et dedans il faisait bon, le calme régnait partout et je me disais que j'aurais pu rester dans cette voiture toute ma vie. On passa leur maison, les virages qui montent à Krageboen et redescendent vers le pont, puis on grimpa la côte. N'ayant pas été déblayée, elle était couverte d'une couche d'environ cinq centimètres de poudreuse et le père de Jan Vidar roula plus lentement dans la dernière partie du trajet. On dépassa la maison de Susann et Elise, les deux filles rentrées du Canada mais que personne n'arrivait vraiment à saisir, puis celle de William, avant de descendre à nouveau puis remonter une dernière fois vers la maison.

— Je te dépose là, ça évitera de les réveiller s'ils dorment, d'accord ?

— D'accord et merci beaucoup de m'avoir ramené. Salut, Jevis !

Jan Vidar cligna des yeux puis les ouvrit tout grands.

— Salut, oui.

— Tu veux t'asseoir devant ? dit le père.

— C'est pas la peine.

Je claquai la portière, saluai une dernière fois de la main et entendis la voiture faire demi-tour derrière moi pendant que je montais le raidillon vers la maison. « Jevis » ! Pourquoi j'avais dit ça ? Ce surnom, qui exprimait une camaraderie que je n'avais pas besoin d'exprimer puisque nous étions effectivement camarades, je ne l'avais encore jamais utilisé.

Pas de lumières aux fenêtres de la maison, ils étaient donc couchés. J'étais content, non que j'eusse quelque chose à cacher, mais je voulais la paix. Après m'être déshabillé dans le vestibule, j'allai dans le séjour. Il ne restait aucune trace des festivités. Dans la cuisine, le lave-vaisselle ronronnait doucement. Je m'assis sur le canapé et épluchai une orange. Bien que le feu se fût éteint, on sentait encore la chaleur du poêle. Maman avait raison, il faisait bon être ici. Dans son panier, le chat leva paresseusement la tête et quand nos regards se croisèrent il se leva, trottina dans ma direction et sauta sur mes genoux. Je poussai les épluchures d'orange car il détestait ça.

— Tu veux te faire caresser, hein ? Mais pas toute la nuit, tu sais. Je vais bientôt aller me coucher.

Il commença à ronronner en s'enroulant sur mes cuisses, posa lentement sa tête sur une patte et, en l'espace de quelques secondes, ses yeux fermés étaient passés du plaisir au sommeil.

— Il y en a qui ont la belle vie !

Le lendemain, je fus réveillé par la radio de la cuisine mais je restai à paresser, de toute façon il n'y avait rien de prévu ce jour-là et je me rendormis aussitôt. Quand je me réveillai la deuxième fois, il était onze heures et demie. Je m'habillai et descendis. Maman, en train de lire à la table de la cuisine, leva la tête quand j'entrai.

— Bonjour, dit-elle. Tu as passé une bonne soirée hier ?

— Oui, oui. On s'est bien amusés.

— À quelle heure es-tu rentré ?

— Vers deux heures et demie. Le père de Jan Vidar nous a ramenés.

Je m'assis, me fis une tartine de pâté de foie et réussis après plusieurs tentatives à piquer un cornichon au bout de la fourchette pour le poser dessus. Je soulevai la théière pour voir si elle était vide.

— Il y en a encore ? dit maman. Je peux en refaire.

— Il reste une petite tasse et ça me suffit. Mais il est peut-être un peu froid ?

Maman se leva.

— Reste assise, je peux le faire moi-même.

— Mais non, je suis juste à côté de la cuisinière.

Elle versa de l'eau dans la casserole, la posa sur la plaque qui commença aussitôt à crépiter.

— Alors, qu'est-ce que vous avez mangé ? demanda-t-elle.

— C'était un buffet froid. Je crois que c'est la mère de celle qui recevait qui l'avait préparé. Il y avait... tu sais, des crevettes et des légumes dans de la gelée, transparente...

— Un aspic ?

— Un aspic de crevettes, oui, c'est ça. Et puis il y avait aussi des crevettes, des crabes. Deux homards aussi, c'était peu mais tout le monde a pu en goûter un peu. Et puis du jambon et d'autres choses encore.

— C'était bien, dis donc.

— Oui, c'était bien. Et à minuit on est allés au

carrefour où tout le monde se retrouve et on a tiré des feux d'artifice. Enfin pas nous, mais les autres.

— Tu as fait de nouvelles connaissances ?

J'hésitai avant de répondre, pris une autre tranche de pain et cherchai sur la table quoi mettre dessus. Du salami et de la mayonnaise, ce serait très bien.

— Pas vraiment. Je suis surtout resté avec ceux que je connaissais.

Je la regardai.

— Où est papa ?

— Dans la grange. Il va faire un tour chez grand-mère aujourd'hui. As-tu envie d'y aller ?

— Je préfère pas. Il y avait tellement de monde hier. J'ai plutôt envie de rester seul. Peut-être que j'irai faire un tour chez Per mais ce sera tout. Et toi, qu'est-ce que tu vas faire ?

— Je ne sais pas très bien, lire, peut-être. Et puis commencer à faire ma valise, l'avion décolle de bonne heure demain.

— Ah oui, c'est vrai ! Et Yngve, quand est-ce qu'il rentre ?

— Dans quelques jours, je crois. Et il ne restera plus que papa et toi.

— Oui, dis-je en posant les yeux sur le pâté de tête. C'était pas une mauvaise idée pour la prochaine tartine. Et puis une autre au roulé d'agneau.

Une demi-heure plus tard, je sonnai chez Per. C'est le père qui m'ouvrit. Sur le point de sortir, il portait une veste militaire fourrée sur un survêtement à l'étoffe brillante, des chaussures montantes claires, et dans la main il tenait la laisse du chien. Leur vieux golden retriever se tortillait contre les jambes de son maître.

— Ah, c'est toi ! dit-il. Bonne année !

— Bonne année.

— Ils sont au salon, vas-y, entre !

Il passa à côté de moi en sifflant, sortit dans la cour et se dirigea vers le garage ouvert.

J'enlevai mes chaussures et entrai. Construite quelques années auparavant par le père lui-même, si j'avais bien compris, la maison était grande, ses espaces ouverts, avec vue sur le fleuve pratiquement dans toutes les pièces. Depuis le hall d'entrée, on avait accès à la cuisine où la mère était en train de s'affairer. Elle tourna la tête au moment où je passais, me sourit et me dit bonjour. Puis venait le séjour, Per y était installé avec son meilleur ami Trygve, son frère Tom et leur sœur Marit.

— Qu'est-ce que vous regardez ? dis-je.

— *Les Canons de Navarone,* dit Per.

— Ça fait longtemps que vous avez commencé ?

— Non, une demi-heure. On peut recommencer au début si tu veux.

— Recommencer ? dit Trygve. On va pas tout revoir depuis le début ?

— Mais Karl Ove ne l'a pas vu, dit Per. Ça va vite.

— Tu trouves ? Ça prend quand même une demi-heure, dit Trygve.

Per alla s'agenouiller devant le lecteur de cassettes.

— Tu peux pas décider tout seul, dit Tom.

— Ah bon, tu crois ? dit Per.

Il appuya sur stop puis rembobina.

Marit se leva et se dirigea vers l'escalier qui montait au premier étage.

— Préviens-moi quand vous en serez là où on s'est arrêtés, dit-elle.

Per acquiesça. Le lecteur fit quelques bruits de claquement et on entendit des sons courts et stridents, puis il se mit à rembobiner de plus en plus vite et de plus en plus bruyamment jusqu'à ce qu'il s'arrête bien avant la fin et qu'il enroule très lentement les derniers centimètres, un peu comme un avion après sa course folle dans les airs et son freinage à l'approche du sol et sur le tarmac qui roule tout doucement vers le terminal.

— Tu es resté bien sagement chez papa et maman hier soir ? dis-je en regardant Trygve.

— Oui, et toi tu es sorti et tu as bu ?

— Non, je suis sorti et j'ai picolé. Mais j'aurais mieux fait de rester chez moi. On n'avait pas vraiment d'endroit où aller alors on a traîné dehors dans la tempête avec chacun notre sac de bières, jusqu'à Søm. Mais vous allez voir, bientôt ce sera votre tour d'errer indéfiniment dans la nuit, chargés de sacs en plastique.

— Voilà, dit Per.

— Ce sera génial ! dit Trygve lorsque les premières images du film apparurent sur l'écran de télévision. Dehors régnait ce silence total uniquement possible en hiver et, malgré le temps gris, le paysage était blanc et lumineux. Je me souviens d'avoir pensé à cet instant précis que c'était là que j'avais le plus envie d'être, dans cette maison moderne posée sur une tranche de lumière au milieu de la forêt, et de pouvoir être aussi bête que je voulais.

Le lendemain, papa conduisit maman à l'aéroport. Lorsqu'il revint, le tampon entre nous avait disparu et la vie que nous avions menée tout l'automne reprit aussitôt. Il disparut dans l'appartement de la grange et je repris le chemin de chez Jan Vidar. Là on brancha nos guitares à l'ampli et on joua jusqu'à ce qu'on en ait assez, puis on alla au magasin où rien ne se passait alors on rentra voir le saut à ski à la télé, écouter quelques disques et parler des filles. Vers cinq heures, je repris le bus pour remonter chez moi. Papa sortait au moment où j'entrai et il se demandait s'il n'allait pas me descendre en ville. Je lui dis que c'était d'accord. En route, il proposa qu'on s'arrête chez grand-père et grand-mère, il supposait que j'avais faim et qu'on pourrait dîner chez eux.

Grand-mère sortit la tête par la fenêtre lorsque papa arrêta la voiture devant le garage.

— C'est vous ! dit-elle.

La minute d'après, elle nous ouvrait la porte d'entrée.

— Bonjour ! dit-elle. Quelle bonne soirée nous avons passée chez vous !

Elle me regarda.

— Et pour toi aussi, ça s'est bien passé, m'a-t-on dit ?

— Oui, oui.

— Viens me faire la bise ! C'est vrai que tu es grand maintenant, mais tu peux encore faire la bise à ta grand-mère.

Je m'inclinai et sentis la peau sèche et ridée de sa joue contre la mienne. Elle sentait bon le parfum que je lui connaissais depuis toujours.

— Vous avez mangé ? dit papa.

— On vient de finir mais je peux vous réchauffer quelque chose sans problème. Vous avez faim ?

— Oui, n'est-ce pas ? dit-il en me regardant, un petit sourire aux lèvres.

— Moi en tout cas j'ai terriblement faim.

J'avais conscience qu'ils avaient entendu « j'ai te'iblement faim ».

Nous nous déshabillâmes dans l'entrée, je rangeai mes chaussures au bas de la penderie ouverte et pendis mon anorak à un des vieux portemanteaux dorés et craquelés. Grand-mère se tenait près de l'escalier et nous regardait, le corps agité de son habituelle impatience. Elle se passa une main sur la joue, tourna légèrement la tête d'un côté et se balançait d'un pied sur l'autre. Apparemment indifférente à ses propres gestes, elle parlait en même temps à papa, lui demandait s'il y avait toujours autant de neige chez nous, quand maman était partie, quand est-ce qu'elle revenait. Oui, bien sûr, disait-elle chaque fois qu'il répondait. Bien sûr.

— Et toi, Karl Ove, dit-elle en me regardant. Quand reprends-tu l'école ?

— Dans deux jours.

— Tu es content, non ?

— Oui, ça va.

Papa jeta un rapide coup d'œil à son reflet dans le miroir. Son visage était calme mais une ombre d'insatisfaction passa dans ses yeux, ils semblaient froids et désintéressés. Il fit un pas vers grand-mère, qui se mit à monter les marches d'un pas léger et rapide. Papa la suivit de son pas lourd, et je montai derrière lui, les yeux fixés sur sa nuque couverte de cheveux noirs et épais.

— Bonjour, dit grand-père au moment où nous entrions dans la cuisine.

Il était assis à la table, les jambes écartées, bien adossé, ses bretelles noires tranchant sur sa chemise blanche boutonnée au col. Une boucle de cheveux lui barrait le visage qu'il rejeta aussitôt en arrière d'un geste de la main. À la bouche, il avait un mégot éteint.

— Comment était la route ? dit-il. Verglacée ?

— Pas trop glissante, dit papa. C'était pire le 31 décembre. Et puis aujourd'hui il n'y avait pas de circulation.

— Asseyez-vous, dit grand-mère.

— Mais il n'y a pas de place pour toi, dit papa.

— Je reste debout, dit-elle. Je vais vous réchauffer à manger et puis, vous savez, je suis assise toute la journée. Asseyez-vous !

Grand-père ralluma son mégot en tirant dessus à petites bouffées puis il expira la fumée.

Grand-mère alluma les plaques électriques de la cuisinière en pianotant sur le plan de travail et en sifflotant à travers les dents comme elle en avait l'habitude.

Il me traversa l'esprit qu'en quelque sorte papa était trop grand pour cette tablée. Pas physiquement, bien sûr, il y avait assez de place pour lui, mais c'était plutôt qu'il ne cadrait pas avec le lieu. Quelque chose en lui ou émanant de lui restait sur son quant-à-soi. Il sortit une cigarette et l'alluma.

Aurait-il été plus à sa place si nous avions dîné dans la salle à manger ?

Oui, sûrement, ça aurait mieux convenu.

— Ça y est ! On est en 1985, dis-je pour rompre le silence qui durait depuis plusieurs secondes déjà.

— C'est vrai, ma foi, dit grand-mère.

— Qu'est-ce que tu as fait de ton frère ? dit grand-père. Il est déjà rentré à Bergen ?

— Non, il est encore à Arendal.

— Eh oui, vois-tu, il est vraiment devenu « arendalien ».

— Mais non, il ne va plus très souvent là-bas, dit grand-mère. Lui qui nous faisait tant rire quand il était petit.

Elle me regarda.

— Mais toi tu es là !

— Qu'est-ce qu'il étudie maintenant ? dit grand-père.

— C'est pas les sciences politiques ? dit papa en me regardant.

— Non. Il a commencé des études sur les médias.

— Tu ne sais même pas ce que ton fils étudie ? dit grand-père en souriant.

— Si, si, je sais bien, dit papa. Il écrasa sa cigarette

à moitié fumée et se tourna vers grand-mère. Je crois qu'on peut manger maintenant, maman, ça n'a pas besoin d'être brûlant, tu sais. Tu ne crois pas que c'est assez chaud ?

— Sûrement, dit-elle en attrapant deux assiettes dans le placard qu'elle posa devant nous.

Elle sortit les couverts du tiroir et les mis à côté des assiettes.

— Je fais ça simplement aujourd'hui, dit-elle en prenant l'assiette de papa pour y déposer des pommes de terre, des petits pois cuisinés, des boulettes de viande et de la sauce.

— C'est très bien, dit papa au moment où elle reposait l'assiette devant lui et attrapait la mienne.

Les deux seules personnes capables de manger aussi vite que moi, c'étaient Yngve et papa, et quelques minutes après que grand-mère nous eut servis nos assiettes étaient vides. Papa se redressa pour s'adosser à sa chaise et alluma une autre cigarette, grand-mère versa du café dans une tasse et la lui tendit, je me levai et allai dans le séjour admirer la vue sur la ville scintillant de milliers de lumières. La neige grise, presque noire, s'amoncelait sur les murs des entrepôts le long du quai et la lumière des lampadaires s'étirait en tremblotant sur la surface noire et brillante de l'eau.

Pendant un instant je fus envahi par la sensation du contraste entre le blanc de la neige et le noir de l'eau. La blancheur de la neige a la capacité de gommer tous les détails autour d'un étang ou d'un ruisseau de la forêt, elle rend la différence entre le paysage et l'eau absolue et l'eau devient un corps profondément étranger, un trou noir dans le monde.

La porte coulissante qui séparait ce salon-ci de l'autre, surélevé de deux marches, était à moitié ouverte. Je la passai sans raison particulière, sans doute ne tenais-je pas en place. C'était le beau salon, celui des grandes occasions, et on n'avait jamais eu le droit d'y aller seul.

Un piano était adossé à l'un des murs et, au-dessus de lui, étaient accrochés deux tableaux représentant des scènes de l'Ancien Testament. Sur le piano trônaient les photos des trois fils de la maison, papa, Erling et Gunnar en habit de bacheliers. C'était chaque fois aussi bizarre de voir papa sans barbe. Souriant, il portait sa coiffe d'étudiant bien en arrière, sur la nuque. Il rayonnait.

Au milieu de la pièce, deux canapés entouraient une table. Au fond, la cheminée maçonnée en blanc, deux imposants canapés en cuir noir et un meuble en encoignure orné de motifs floraux peints.

— Karl Ove ? appela papa depuis la cuisine.

Je fis rapidement les quatre pas nécessaires pour revenir dans le salon de tous les jours et répondis.

— On y va ?

— Oui.

Quand j'entrai dans la cuisine, il s'était levé.

— Au revoir, dis-je. À bientôt.

— Au revoir, dit grand-père.

Grand-mère nous accompagna jusqu'au bas de l'escalier comme d'habitude.

— Ah oui, c'est vrai, dit papa pendant qu'on s'habillait dans l'entrée. J'ai quelque chose pour toi.

Il sortit. La portière de la voiture fut ouverte puis refermée. Il revint un paquet à la main et le lui tendit.

— Joyeux anniversaire, maman.

— Ce n'était pas nécessaire. Je n'ai pas besoin de cadeau !

— Si. Ouvre-le !

Je ne savais pas où me mettre. Quelque chose d'intime se déroulait devant moi, que je n'avais encore jamais vu et dont je n'imaginais pas l'existence.

Grand-mère se retrouva avec une nappe dans les mains.

— Oh, que c'est beau !

— Je pensais qu'elle irait avec le papier peint, tu vois ?

— Très joli.

— Bien, dit papa, sur un ton qui mettait fin à toute discussion. On y va alors.

On monta dans la voiture, papa démarra, et une cascade de lumière s'abattit sur la porte du garage. Grand-mère nous dit au revoir de la main depuis le perron pendant que nous descendions la petite pente à reculons. Comme toujours, elle ferma la porte au moment où nous fîmes demi-tour, et quand la voiture se dirigea vers la grand-route elle avait disparu.

Les jours suivants, je me pris à repenser à l'épisode chez mes grands-parents, et chaque fois j'avais le même sentiment d'avoir été témoin de quelque chose que je n'aurais pas dû voir. Mais il y eut tellement d'événements ces semaines-là que mon esprit fut occupé par autre chose que papa et grand-mère. Lors de la première heure de cours de la nouvelle année, Siv distribua à tous les élèves de la classe une invitation à une fête qu'elle organisait le samedi suivant. C'était une bonne nouvelle car une fête avec toute la classe était une fête où j'avais pleinement le droit d'être, où personne ne pouvait m'accuser de m'incruster et où la confiance que j'avais dans mes camarades me permettait d'être l'un des leurs tout en me rapprochant de celui que j'étais vraiment. Bref, je pouvais boire, danser, rire et peut-être même embrasser quelqu'un dans un coin. D'un autre côté, les fêtes de classe avaient moins de prestige que les autres, précisément pour la raison qu'on n'y était pas invité en fonction de ce qu'on était mais de la classe où on était, en l'occurrence la seconde B. Pour autant, rien n'entama mon enthousiasme. Une fête n'était pas qu'une partie de plaisir, mais c'était aussi du plaisir. Le problème de l'approvisionnement en boissons alcoolisées était le même qu'à la Saint-Sylvestre et je me demandais si je n'allais pas redemander à Tom, mais j'arrivai rapidement à la conclusion que la meilleure solution était de prendre le risque moi-même. Je n'avais que seize ans mais je faisais plus vieux et, si j'arrivais à me comporter comme si de rien n'était, il ne viendrait probablement à l'idée de personne de m'empêcher d'acheter de l'alcool. Et même si c'était le cas, ce serait tout au plus gênant, j'aurais toujours la possibilité de demander à Tom. Le mercredi donc, j'allai au supermarché, mis douze bières dans le panier ainsi que du pain et des tomates pour faire plus vrai, fis la queue à la caisse, les posai sur le tapis, tendis l'argent à la caissière, qui s'en saisit sans même me regarder, et filai chez moi, fébrile, un sac plastique tintant dans chaque main.

En rentrant de l'école le vendredi après-midi, je vis que papa était passé à l'appartement, il y avait un mot sur la table.

Karl Ove —

Pars en formation continue ce week-end. Rentre dimanche soir. Ai mis des crevettes au réfrigérateur et du pain frais dans la bannette. Bon appétit !

Papa

Sur le mot, il y avait un billet de cinq cents couronnes.

C'était parfait !

Les crevettes étaient ce que je préférais par-dessus tout et je les mangeai le soir même en regardant la télé, après je fis un tour en ville en écoutant *Lust for Life* d'Iggy Pop puis un des albums tardifs de Roxy Music, mon walkman sur les oreilles. Entre moi et l'extérieur s'installait alors une distance que j'aimais bien et, quand je voyais tous ces gens ivres agglutinés devant les bars, ils étaient comme dans une autre dimension. C'était la même chose avec les véhicules qui passaient, les conducteurs qui montaient et descendaient de leur voiture aux stations-service, les employés qui souriaient derrière leur comptoir et bougeaient mécaniquement, les hommes qui promenaient leurs chiens.

Le lendemain matin, je passai chez grand-mère et grand-père et mangeai des pains au lait, puis j'allai en ville acheter trois disques et un grand sac de bonbons, quelques revues de musique et un livre de poche de Jean Genet, *Journal du voleur*. Je bus deux bières devant le match de foot du samedi après-midi, une autre en m'habillant après la douche et encore une en fumant la dernière cigarette avant de partir.

J'avais donné rendez-vous à mon ami Bassen à Rundingen à sept heures et je le vis qui souriait lorsque je remontai la rue d'un pas lent, mon éternel sac en plastique à la main. Lui, il portait ses bières dans un sac à dos et, quand je m'en aperçus, je faillis me taper la main sur le front. Mais bien sûr ! C'était comme ça qu'il fallait faire !

Prenant la rue Kuholmsveien, on passa devant la maison de mes grands-parents, puis on monta la côte pour entrer dans le quartier résidentiel autour du stade où habitait Siv.

Après avoir cherché un peu, on trouva le bon numéro et on sonna à la porte. C'est Siv qui nous ouvrit en poussant un cri perçant.

Avant même de me réveiller reposait en moi la certitude que quelque chose de bien s'était passé. C'était comme si une main avait plongé au fond de ma conscience et que, voyant les images défiler au-dessus de moi, je l'agrippais et qu'elle m'élevait lentement à la conscience jusqu'à ce que j'ouvre les yeux.

Où étais-je ?

Ah oui, dans le salon de l'appartement en ville, allongé sur le canapé, tout habillé.

Je m'assis en soutenant ma tête qui cognait.

Ma chemise sentait le parfum.

Un parfum lourd et exotique.

Monica ! J'avais embrassé Monica. On avait dansé puis on s'était mis à l'écart sous un escalier. Je l'avais embrassée et elle m'avait embrassé.

Non, ce n'était pas ça !

J'allai dans la cuisine me servir un verre d'eau que je bus d'une traite.

Non, ce n'était pas ça !

C'était quelque chose de fantastique. Une lumière s'était allumée en moi mais ce n'était pas Monica. C'était autre chose.

Mais quoi ?

Tout cet alcool dans mon corps avait causé un déséquilibre que je savais redresser avec un hamburger, des frites, des saucisses. Et beaucoup de Coca. C'était ça qu'il me fallait et tout de suite.

J'allai dans l'entrée me regarder dans le miroir et me passai la main dans les cheveux. Ce n'était pas si terrible que ça, j'avais juste les yeux un peu rouges mais je pouvais me montrer.

Je nouai mes lacets, attrapai mon anorak et l'enfilai.

Mais qu'est-ce que j'avais là ?

Un badge ?

Et qu'y avait-il d'écrit dessus ? « Sourire ! »

Ah, c'était ça !

C'était ça la chose fantastique !

Hanne ! J'avais parlé avec Hanne pendant toute une heure avant de rentrer.

C'était ça !

On avait parlé longtemps. Elle était gaie et avait ri de bon cœur, sans avoir rien bu. Moi si, et ça m'avait permis d'être à son niveau de légèreté et de gaieté. Et puis on avait dansé.

Oh, on avait dansé sur la musique de *Frankie Goes to Hollywood*, de *The Power of Love*.

The POWER of LO-OVE !

Et Hanne, Hanne.

La sentir tout contre moi. Se parler presque aussi près l'un de l'autre. Son rire. Ses yeux verts. Son petit nez.

Juste avant de partir, elle avait épinglé ce badge sur ma veste.

Voilà ce qui s'était passé. C'était peu mais c'était fantastique.

Je boutonnai ma veste et sortis. Le ciel nuageux était bas et un vent froid balayait les rues jusqu'à la mer. Tout était gris et blanc, froid et dur. Mais en moi ça rayonnait et, en longeant le fleuve en direction du snack, *The POWER of LO-OVE* résonnait en moi encore et encore.

Que s'était-il passé au juste ?

Hanne était toujours la même, elle n'avait pas changé depuis le début de l'année scolaire. Je l'avais toujours bien aimée, sans rien éprouver de particulier pour elle.

Et maintenant !

C'était comme si la foudre m'avait frappé et que le bonheur traversait mes circuits nerveux à intervalle régulier, faisant trembler le cœur et scintiller l'âme. Et tout à coup, attendre jusqu'à lundi que l'école reprenne me parut impossible.

Et si j'appelais ?

Et si je l'invitais à sortir ?

Sans réfléchir, je me commandai un cheeseburger au bacon, des frites et un grand Coca. Elle m'avait dit qu'elle sortait avec un garçon de terminale du lycée de Vågsbygd et qu'ils étaient ensemble depuis longtemps. Mais pourtant la façon qu'elle avait eue de me regarder, la proximité qui avait surgi subitement entre nous, ça ne pouvait pas être insignifiant, ça voulait forcément dire quelque chose. Elle s'intéressait à moi et voulait s'approcher de moi. C'était certain.

Lundi, je la reverrai ! Vivement lundi !

Mais putain, qu'est-ce que j'allais bien pouvoir faire d'ici là ?

Il y avait encore vingt-quatre heures à attendre !

Elle sourit quand elle me vit. Je lui souris aussi.

— Tu n'as pas enlevé le badge ! dit-elle.

— Non, et je pense à toi chaque fois que je le vois.

Elle baissa les yeux en triturant un bouton de sa veste.

— Tu étais vraiment soûl, dit-elle en me regardant à nouveau.

— Ça tu peux le dire. Et pour être honnête, je ne me souviens pas de grand-chose.

— Tu ne te rappelles pas la soirée ?

— Si, si, si ! Je me souviens de *Frankie Goes to Hollywood*, par exemple…

À l'autre bout du couloir apparut Tønnessen, notre jeune professeur de géographie barbu, qui parlait le dialecte de Mandal. C'était aussi notre professeur principal.

— Alors les enfants, vous avez passé un bon week-end ? dit-il en nous ouvrant la porte.

— On a fait la fête avec toute la classe, lui dit-elle avec le sourire.

Et quel sourire !

— Ah bon ? Et je n'étais pas invité ? dit-il sans attendre de réponse, car il ne la regarda pas et traversa rapidement la salle pour déposer sa petite pile de livres sur son bureau.

Je n'arrivais pas à me concentrer sur le cours car, malgré sa présence dans la même pièce que moi, je ne pensais qu'à elle. Enfin, penser... C'était plutôt que je débordais d'émotions qui ne laissaient aucune place à d'autres pensées. Et il en fut ainsi tout l'hiver et tout le printemps. J'étais amoureux. Ce n'était pas qu'une amourette, plutôt un grand amour comme on n'en rencontre que trois ou quatre fois dans la vie. Pour moi, c'était le premier et, parce que tout était nouveau, peut-être le plus grand. Tout était centré sur Hanne et je m'éveillais le matin en me réjouissant d'aller à l'école parce qu'elle y serait aussi. Était-elle malade ou en voyage qu'aussitôt plus rien n'avait d'importance pour moi et il ne me restait plus alors qu'à subir le reste de la journée. Et pour quoi tout ça ? Qu'est-ce que j'attendais au juste ? Sûrement pas les étreintes brûlantes ni les baisers profonds, car il n'était pas question de ça entre nous. Non, ce que j'attendais et ce pour quoi je vivais, c'était sa main frôlant mon épaule, c'était son sourire éclairant son visage lorsqu'elle me regardait ou que je disais quelque chose de drôle, c'était l'accolade quand on se rencontrait en amis après l'école, ces instants où je l'entourais de mes bras et sentais sa joue contre la mienne, son odeur, le shampoing qu'elle avait l'habitude d'utiliser, son léger parfum de pomme. Elle était attirée par moi, je le savais, mais elle était tellement cernée de limites strictes qu'il était hors de question que nous sortions ensemble. Ou alors peut-être qu'elle était simplement flattée par l'attention que je lui portais et voulait s'en amuser. Quoi qu'il en fût, j'espérais. Et le soir, dans ma chambre d'étudiant, tout ce qu'elle avait dit et fait dans la journée était sujet à une interprétation qui me plongeait dans le plus profond des malheurs ou bien m'élevait vers les plus hautes sphères du bonheur. L'entre-deux n'existait pas.

Pendant les cours, je me mis à lui lancer des petits mots, des saluts, des petits commentaires que souvent j'avais préparés la veille au soir. Elle y répondait et, après avoir lu ce qu'elle avait écrit, je lui renvoyais une réponse en suivant attentivement le moment où elle la lirait. Si elle coupait court à une ouverture que je faisais dans telle ou telle direction, je voyais tout en noir, mais si au contraire elle allait dans le même sens, tout battait et rutilait en moi comme dans une horloge. Au bout d'un moment, les petits papiers furent remplacés par un cahier de brouillon qui faisait la navette entre nous, mais pas plus de deux ou trois fois au cours de la journée car je ne voulais pas qu'elle se lasse. Je lui proposais souvent de venir avec moi au cinéma ou au café, mais elle répondait invariablement *tu sais bien que je ne peux pas*.

Pendant les récréations, nous discutions un peu politique mais surtout religion et, parce qu'elle était chrétienne pratiquante et moi un antichrétien convaincu, elle transmettait mes arguments au jeune responsable de sa communauté religieuse puis revenait avec ses réponses à lui. Celui avec qui elle sortait appartenait à la même communauté et, si je ne menaçais pas directement leur relation, je représentais à tout le moins un contraste certain. Prudemment et imperceptiblement, nos brèves rencontres, pas même quotidiennes lors des récréations, s'élargirent à l'espace extrascolaire. Nous étions amis, camarades, ne pouvait-on pas de temps en temps prendre un café ensemble ? Aller à l'arrêt de bus ensemble ?

Je ne vivais que pour ça. Les petits regards, les petits sourires, les petits contacts physiques. Et surtout son rire ! Quand c'était moi qui la faisais rire !

C'était ma raison de vivre mais je voulais plus, beaucoup, beaucoup plus. Je voulais la voir tout le temps, être avec elle tout le temps, être invité chez elle, rencontrer ses parents, sortir avec ses amis, partir en vacances avec elle, l'emmener chez moi...

Tu sais bien que je ne peux pas.

On associait facilement cinéma et relations amoureuses, mais il y avait aussi d'autres endroits plus neutres pour sortir. C'est ainsi qu'au début de février j'invitai Hanne à une réunion politique pour jeunes dans le centre-ville, dont j'avais vu l'affiche à l'école. Un matin, je lui écrivis pour lui demander si elle voulait venir. Lorsqu'elle lut le message, elle me regarda sans sourire, écrivit une réponse et renvoya le cahier. Je l'ouvris et lus : « Oui ! »

Elle avait dit oui !

Oui ! Oui ! Oui !

Je l'attendais assis sur le canapé lorsqu'elle frappa à la porte à six heures.

— Salut ! dis-je. Tu veux entrer pendant que je m'habille ?

— Je veux bien.

Elle avait les joues rouges à cause du froid. Elle portait un bonnet blanc enfoncé jusqu'aux yeux et une grande écharpe blanche enroulée autour du cou.

— C'est ici que tu habites ?

— Oui, dis-je en ouvrant la porte du salon. Là, c'est le salon. Derrière, il y a la cuisine et une chambre en haut. En fait, là, c'est le bureau de mon grand-père, dis-je en montrant de la tête la porte d'en face.

— Tu ne te sens pas seul ici ?

— Non, non, pas du tout. J'aime être seul. Et puis je suis très souvent à Tveit.

J'enfilai mon anorak toujours décoré de son badge, une écharpe et des chaussures.

— Je vais rapidement aux toilettes et on y va, dis-je.

Je refermai la porte des toilettes derrière moi. Elle commença à chantonner. On entendait tout ici, peut-être voulait-elle couvrir les bruits que je faisais, peut-être voulait-elle seulement chanter.

Je levai le couvercle des toilettes et sortis mon tuyau.

Au même moment, je compris que je n'arriverais jamais à pisser tant qu'elle serait là. On entendait tout et le couloir était si petit. Elle entendait même que je n'y arrivais pas.

Merde alors.

Je me forçais le plus possible.

Pas une seule goutte ne vint.

Elle chantait toujours en faisant les cent pas.

Qu'est-ce qu'elle allait croire ?

Une minute plus tard, j'abandonnai, ouvris le robinet et laissai l'eau couler à flots quelques secondes pour qu'il se soit au moins passé quelque chose là-dedans. Je refermai le robinet, ouvris la porte et sortis. Elle était gênée et regardait par terre.

— On y va, dis-je.

Les rues étaient sombres et il y avait du vent, comme souvent l'hiver dans cette ville. On ne parla pas beaucoup en marchant. Un peu de l'école, des camarades, de Bassen, Molle, Siv, Tone, Anne. Pour une raison quelconque, elle se mit à parler de son père qu'elle trouvait formidable et dit qu'il n'était pas chrétien pratiquant. J'en fus étonné. L'était-elle devenue d'elle-même ? Elle dit aussi que je l'aurais bien aimé. Au conditionnel ? pensai-je. Oui, il a l'air bien, laconique, dis-je. Que veut dire laconique ? dit-elle en me regardant de ses yeux verts. Chaque fois qu'elle me regardait ainsi j'étais sur le point d'éclater en mille morceaux. J'aurais pu casser toutes les vitres autour de nous et jeter tous les passants à terre pour leur sauter dessus jusqu'à ce qu'ils rendent l'âme, tellement ces yeux-là me remplissaient de force. J'aurais pu aussi l'attraper par la taille et descendre la rue en valsant avec elle, jeter des fleurs à tout le monde et chanter à gorge déployée. Laconique ? dis-je. C'est difficile à expliquer. Ça veut dire impassible et objectif, peut-être exagérément objectif. Une sorte de distanciation. Mais je crois qu'on est arrivés. C'était quelque part dans la rue Dronningen. Oui, c'était bien là, il y avait des affiches sur la porte.

On entra.

Dans la salle à l'étage, il y avait beaucoup de chaises, un pupitre d'orateur au fond avec un rétroprojecteur à côté. Une poignée de jeunes, peut-être une douzaine.

Sur une table sous la fenêtre, un grand thermos, un bol de biscuits et une pile impressionnante de tasses en plastique blanches.

— Tu veux un café ? dis-je.

Elle secoua la tête en souriant.

— Un gâteau peut-être ?

Je me servis du café, pris quelques biscuits et on alla s'asseoir au fond. Il arriva encore cinq ou six personnes et la réunion commença. Organisée par l'Union de la Jeunesse travailliste en vue de recruter des membres, la réunion abordait la politique de l'organisation, le rôle des jeunes dans la politique en général, l'importance de s'engager, tout ce qu'on arrivait finalement à réaliser et, comme un bonus, ce qu'on pouvait en retirer personnellement.

Si Hanne n'avait pas été assise à côté de moi, les jambes croisées, si proche que je me consumais intérieurement, je serais parti. J'avais imaginé autre chose, une réunion plus populaire, une salle pleine et enfumée, traversée de rires tonitruants, de brillants orateurs.

Un genre de petite fête à la Mykle finalement, dans l'esprit Mykle, celui d'hommes et de femmes jeunes qui voulaient réellement quelque chose, qui brûlaient d'enthousiasme pour le socialisme, ce mot magique des années cinquante. Mais pas ces garçons ennuyeux, vêtus de pull-overs fades et de pantalons horribles, occupés à parler de choses ennuyeuses et dénuées d'esprit à un petit groupe de garçons et de filles leur ressemblant.

Est-ce qu'on s'intéresse à la politique quand on brûle d'un feu intérieur ?

Est-ce qu'on s'intéresse à la politique quand on brûle d'envie de vivre ? d'envie de ce qui est vivant ?

Pas moi, en tout cas.

Après les trois interventions, il y aurait une pause et ensuite des ateliers et des discussions en groupes, nous dit-on. À la pause, je demandai à Hanne si on pouvait partir. Elle voulait bien et il nous fallut ressortir dans le froid du soir. Pendant la réunion, elle avait mis son anorak sur le dossier de la chaise et son gros pull en laine faisait des bosses qui me firent déglutir sans arrêt, elle était si près de moi, si peu nous séparait.

Sur le chemin du retour, je lui dis ce que je pensais de la politique. Elle dit que j'avais une opinion sur tout, comment est-ce que j'avais eu le temps d'étudier tout ça de près ? Elle-même ne savait pas si elle avait une opinion sur quoi que ce soit. Je dis que moi non plus je ne savais pas grand-chose. Mais toi, tu es anarchiste ! avait-elle dit. D'où lui venait cette idée ? Je sais à peine ce qu'est un anarchiste. Et toi, tu es chrétienne pratiquante, dis-je. Pourquoi ? Tes parents ne le sont pas. Et ta sœur non plus. Il n'y a que toi et tu as l'ait très convaincue. Oui, dit-elle, tu as raison mais toi, on a l'impression que tu réfléchis beaucoup. Tu devrais vivre davantage. J'essaie, dis-je.

On s'arrêta devant l'appartement.
— Où est-ce que tu prends le bus ? dis-je.
— Là-bas, dit-elle en montrant la direction.
— Tu veux que je t'accompagne ?
Elle secoua la tête.
— J'y vais seule. J'ai mon walkman.
— OK.
— Merci pour cette bonne soirée.
— Il n'y a vraiment pas de quoi me remercier.
Elle sourit, se mit sur la pointe des pieds et m'embrassa sur la bouche. Je la serrai fort contre moi, elle répondit à mon étreinte avant de se dégager. Nous nous regardâmes un instant et elle s'en alla.

Ce soir-là, je ne pus rester tranquille, tournant en rond dans l'appartement, faisant les cent pas dans ma chambre, montant et descendant l'escalier, allant d'une pièce à l'autre. J'avais le sentiment d'être plus grand que le monde, comme s'il était tout entier en moi et qu'il n'y avait plus rien à conquérir. L'humanité entière était petite, l'Histoire était petite, la terre entière était petite, oui, même l'univers qu'on disait infini était petit, et moi j'étais plus grand que tout. C'était un sentiment extraordinaire mais qui me laissait sans repos car le plus important, c'était l'aspiration à quelque chose, ce qui allait advenir, ce que j'allais faire et pas ce que je faisais ou avais fait.

Comment consumer tout ce que j'avais en moi à ce moment-là ?

Je m'obligeai à me coucher et m'imposai de rester immobile, sans bouger le moindre muscle jusqu'à ce que le sommeil vienne. Étrangement, il arriva quelques minutes plus tard seulement, me surprenant comme un chasseur surprend sa proie innocente, et je n'aurais sans doute rien remarqué sans le sursaut de mon pied gauche qui me rappela à mes pensées totalement farfelues : j'étais sur le pont d'un bateau et voyais malgré ma position impossible une énorme baleine nager vers les fonds marins. Je compris que c'était le début d'un rêve, que le rêve lui-même m'entraînait en lui en me métamorphosant en un de ses éléments car au moment de mon sursaut j'étais un rêve, le rêve c'était moi.

Je refermai les yeux.

Ne pas bouger, ne pas bouger, ne pas bouger...

Le lendemain était un samedi et, le matin, il y avait entraînement avec l'équipe senior.

Ils étaient nombreux ceux qui ne comprenaient pas pourquoi je jouais dans cette équipe car c'était vrai que je n'étais pas bon et qu'il y en avait au moins six, sept ou peut-être huit dans l'équipe junior qui étaient meilleurs que moi. Et pourtant, avec Bjørn, nous fûmes les seuls à passer dans l'équipe supérieure cet hiver-là.

Moi je savais pourquoi.

Les seniors avaient changé d'entraîneur, et il avait voulu évaluer tous les juniors en nous donnant à chacun la possibilité de nous entraîner une semaine avec eux. C'étaient trois occasions de montrer ce qu'on valait. J'avais beaucoup couru cet automne-là et j'étais dans une telle forme que j'avais été sélectionné pour représenter l'école au quinze cents mètres, alors que je n'avais jamais fait d'athlétisme auparavant. Quand ce fut mon tour de m'entraîner avec les seniors et que j'arrivai sur le terrain couvert de neige aux abords de Kjøyta, j'avais bien conscience que ma seule chance était la course. À chaque longueur de terrain, je me donnais à fond et c'était moi le premier. Et quand on commença à jouer, je fis de même, je courus et courus, à toutes les occasions, tout le temps et comme un fou. Après trois entraînements aussi intenses, j'étais sûr d'avoir réussi et ne fus pas étonné d'apprendre que je passais dans l'équipe supérieure. Mais l'équipe junior, elle, fut très surprise. Et ensuite, chaque fois que je réceptionnais mal le ballon ou que je faisais une mauvaise passe, je les entendais me dire : putain, mais qu'est-ce que tu fous dans l'équipe senior ? Pourquoi est-ce que c'est toi qu'ils ont choisi ?

Moi je savais pourquoi, c'était parce que j'avais couru.

Il suffisait de courir.

Après l'entraînement, au moment de nous rhabiller, où comme d'habitude ils s'étaient moqués de ma ceinture à clous, j'avais demandé à Tom de me ramener à Sannes. Après m'avoir déposé aux boîtes aux lettres, il avait fait demi-tour et disparu pendant que je montais le raidillon vers la maison. Le soleil était bas dans le ciel clair et bleu, et partout la neige scintillait.

Je n'avais pas prévenu que je venais et ne savais même pas si papa était à la maison.

Je baissai la clenche avec précaution. La porte n'était pas verrouillée.

De la musique venait du salon, elle était forte et remplissait toute la maison. Je reconnus Arja Saijonmaa, *Jag vill tacka livet*.

— Ohé ? dis-je.

J'ôtai mes chaussures et mes vêtements en me disant que la musique était tellement forte qu'il ne pouvait pas m'entendre.

Ne souhaitant pas le surprendre, j'appelai à nouveau dans le couloir. Pas de réponse.

J'allai dans le salon.

Il était là, sur le canapé, les yeux fermés. Sa tête se balançait d'avant en arrière au rythme de la musique. Ses joues étaient baignées de larmes.

Sans bruit, je reculai jusqu'au vestibule et, avant que la musique ne fasse une pause, je me rhabillai et sortis aussi vite que je pus.

Malgré mon chargement, je courus jusqu'à l'arrêt de bus et j'eus la chance de n'attendre que très peu de temps. Les quatre ou cinq minutes que dura le trajet jusqu'à Solsletta, je les passai à me demander si j'allais m'arrêter chez Jan Vidar ou si je continuais jusqu'en ville. Mais comme je n'avais pas envie d'être seul, la réponse vint d'elle-même. Je voulais être avec quelqu'un, parler à quelqu'un, penser à autre chose et chez Jan Vidar, où ses parents m'accueillaient toujours avec gentillesse, ce serait possible.

Il était parti avec son père à Kjevik et devait rentrer bientôt, dit la mère. Elle me proposa d'entrer et de m'installer au salon en attendant. J'acceptai. Et je restai là à lire le journal devant une tasse de café et une tartine jusqu'à ce que Jan Vidar et son père reviennent, une heure plus tard.

Quand je retournai à Sannes ce soir-là, mon père n'y était plus et j'en fus soulagé. Dans la maison, non seulement c'était sale et inhospitalier — ce que la lumière du soleil avait su cacher plus tôt car je n'avais rien remarqué quand j'étais passé —, mais en plus je découvris que l'eau avait gelé dans les tuyaux, et sans doute depuis un moment à en juger par le système de seaux remplis de neige en train de fondre. Il en avait mis dans les toilettes pour lui servir de chasse d'eau et à côté de la cuisinière pour se faire à manger.

Non, décidément, je ne voulais pas rester là. Pas dormir tout seul là-haut dans ma chambre, pas dans une maison vide en désordre et sans eau, au milieu de la forêt.

Lui, s'il voulait, mais pas moi.

Où était-il d'ailleurs ?

Je haussai les épaules bien que je fusse seul, me rhabillai et sortis reprendre le bus dans un paysage comme hypnotisé sous la lumière de la lune.

Après notre baiser devant l'appartement, Hanne s'était un peu rétractée, elle ne répondait plus immédiatement à mes petits mots et nous ne passions plus spontanément nos récréations ensemble à bavarder. Mais son comportement semblait dépourvu de logique, de système, et un jour, tout à coup, elle accepta une de mes propositions et voulut bien m'accompagner au cinéma ce soir-là. Nous avions rendez-vous à sept heures dans le hall.

Lorsqu'elle arriva et me chercha du regard, j'eus un avant-goût de ce que ce serait de sortir avec elle. Tous les jours auraient été semblables à celui-ci.

— Salut, dit-elle. Tu as attendu longtemps ?

Je secouai la tête. Je savais qu'en venant là elle allait au bout de ses limites et qu'il me fallait atténuer tout ce qui pouvait lui rappeler que ce que nous étions en train de faire était l'apanage des couples. Il ne fallait pour rien au monde lui faire regretter d'être là avec moi. Qu'elle n'ait surtout pas besoin de vérifier, l'air inquiet, s'il y avait des gens qu'elle connaissait. Pas de bras passé autour de ses épaules, pas de main dans la sienne.

C'était moi qui avais proposé le film français qui passait dans la plus petite salle. Il s'appelait *37°2 le matin*, Yngve l'avait vu et était très enthousiaste. Maintenant qu'il passait ici, il fallait absolument que je le voie. Le cinéma de qualité était chose rare, d'habitude on ne passait que des films américains.

On s'installa en ôtant nos manteaux. N'était-elle pas un peu tendue ? Comme si, au fond, elle était là à contrecœur ?

J'avais les mains moites. Toutes mes forces se diluaient dans mon corps, y sombraient, disparaissaient. J'étais totalement impuissant.

Le film commença.

Un couple baisait.

Oh non ! Non, non, non !

Je n'osais pas la regarder mais je me doutais que c'était la même chose pour elle, qu'elle n'osait pas me regarder. Elle tenait fermement les accoudoirs en attendant que la scène se termine.

Mais ça n'en finissait pas. Ils n'arrêtaient pas de baiser sur l'écran.

Merde alors !

Merde, merde, merde.

J'y pensai pendant tout le reste du film, me doutant que Hanne y pensait probablement aussi. À la fin de la séance, je ne voulais plus que rentrer chez moi.

Hanne prenant un bus et moi allant dans la direction opposée, c'était aussi la solution la plus naturelle.

— Tu as aimé ? dis-je en m'arrêtant devant la gare routière.

— Oui, oui, c'était un bon film.

— Oui, il est pas mal. Bien français en tout cas !

Au lycée, nous avions tous les deux français en option.

— Tu comprenais ce qu'ils disaient, je veux dire, sans lire les sous-titres ? dis-je.

— Un petit peu.

Silence.

— Bon, je crois que je vais rentrer. Merci pour cette soirée ! dis-je.

— Au revoir ! À demain.

Je me retournai pour voir si elle se retournait, mais non.

Je l'aimais. Il n'y avait rien entre nous et elle ne voulait pas sortir avec moi mais je l'aimais. Je ne pensais qu'à ça. Même quand je jouais au foot, unique moment où j'étais complètement dispensé de réflexion, où seule la présence physique comptait, même là elle surgissait. Elle aurait dû être là à me regarder, pensai-je, ça l'aurait étonnée. Chaque fois qu'il m'arrivait quelque chose de bien, à chacun de mes bons mots ou quand je récoltais le rire des autres, je me disais que Hanne aurait dû être là. Elle aurait dû voir Mefisto, notre chat. Notre maison et son atmosphère. Parler avec maman. Admirer le fleuve dehors. Et mes disques, elle aurait dû les écouter, tous ! Mais notre relation ne prenait pas du tout ce chemin-là. Elle ne voulait pas entrer dans mon univers alors que moi je voulais entrer dans le sien. Parfois, je me disais que ça ne se ferait jamais, parfois, au contraire, qu'un événement viendrait tout bouleverser. Je la regardais tout le temps, sans l'observer ni l'examiner, il ne s'agissait pas de cela, non, mais un coup d'œil par-ci par-là, c'était suffisant. L'espoir revenait chaque fois que je la voyais.

Et c'est en plein milieu de cette tempête intérieure qu'arriva le printemps.

Peu de choses sont plus difficiles à imaginer que la métamorphose en quelques mois d'un paysage froid, engourdi de neige, inanimé et si intrinsèquement silencieux, en un site vert, luxuriant et chaud, vibrant de toute sorte de vie, depuis les oiseaux qui volent et chantent dans les arbres jusqu'aux nuées d'insectes en suspens çà et là. Rien dans le paysage hivernal n'annonce le parfum de bruyère et de mousse chauffées au soleil, les arbres gorgés de sève et les lacs libérés qui le rempliront à la belle saison. Rien non plus n'annonce le sentiment de liberté qui peut s'emparer de nous quand les seules taches blanches qui restent à voir sont celles des nuages qui glissent dans le bleu du ciel et le bleu du fleuve à la brillance absolue, coulant lentement vers la mer, uniquement interrompue çà et là par les rochers, les rapides et les baigneurs. Mais ce n'est pas encore là, ça n'existe pas, pour le moment tout est blancheur et silence, et s'il est rompu, c'est par le souffle d'un vent glacial ou le cri d'un corbeau solitaire. Mais ça vient... Ça approche... Un soir de mars, la neige se transforme en pluie et les congères s'affaissent. Un matin d'avril, les bourgeons apparaissent aux arbres et l'herbe jaunie prend un reflet vert. Les jonquilles, les anémones des bois et les hépatiques sortent de terre. Et puis tout à coup, dans les pentes, l'air chaud vibre entre les arbres. Sur les coteaux ensoleillés, les feuilles éclosent et les cerisiers fleurissent çà et là. Quand on a seize ans, tout cela impressionne, tout cela laisse des traces car c'est le premier printemps qu'on vit vraiment comme un printemps, dans toute sa sensualité, et c'est en même temps le dernier, en comparaison tous les autres printemps à venir seront plus pâles. Et si en plus on est amoureux, alors là... il ne reste qu'à supporter. Supporter toute la joie, toute la beauté, tout l'avenir qu'il y a en toute chose. Un jour en rentrant de l'école, un tas de neige fondu sur l'asphalte me fit l'effet d'un poinçon qu'on m'aurait planté dans le cœur. J'aperçus quelques caisses de fruits qu'on avait sorties sous l'auvent d'un magasin, un peu plus loin clopinait une corneille, je tournais la tête vers le ciel, c'était si beau. En traversant le quartier résidentiel, une averse me surprit et j'eus les larmes aux yeux. Mais en même temps je continuais à faire ce que j'avais toujours fait, aller à l'école, jouer au foot, traîner avec Jan Vidar, lire des livres, écouter des disques et voir papa de temps en temps. C'était parfois par hasard, comme la fois où je le croisai au supermarché et que j'eus l'impression qu'il était gêné par le fait d'être vu à cet endroit ou peut-être réagit-il au côté artificiel de la situation, au fait que nous poussions chacun notre chariot sans s'occuper de l'autre et qu'après nous partions chacun de notre côté. Ou encore ce matin où je montais la côte vers la maison et qu'il la descendait en voiture avec sa collègue à côté de lui et où je vis qu'elle avait les cheveux complètement gris bien qu'elle fût encore jeune. Mais la plupart du temps, nos rencontres étaient prévues : soit il passait à l'appartement et nous allions dîner ensemble chez grand-père et grand-mère, soit je venais à la maison. Dans ces cas-là d'ailleurs, il m'évitait le plus possible. Il m'avait lâché, semblait-il, mais pas complètement, il pouvait encore mordre comme le jour où je m'étais fait percer les oreilles et qu'en nous croisant dans le couloir il m'avait dit que j'avais l'air idiot, qu'il ne comprenait pas pourquoi je voulais avoir l'air idiot et qu'il avait honte d'être mon père.

Un jour de mars, tôt dans la matinée, j'entendis une voiture se garer devant l'appartement. Je descendis regarder par la fenêtre, c'était papa, il avait un sac à la main et l'air content. Je remontai en vitesse dans ma chambre, ne voulant pas jouer les curieux, ceux qui ont les yeux rivés au carreau. Je l'entendis faire du bruit dans la cuisine et je mis une cassette des Doors que Jan Vidar m'avait prêtée et que je voulais écouter après avoir lu *Beatles* de Saaby Christensen. Je pris le tas d'articles que j'avais rassemblés sur l'affaire Treholt car j'étais sûr que ce thème-là tomberait à l'examen, et les lisais quand j'entendis ses pas dans l'escalier. Je me tournai vers la porte quand il entra. Dans la main, il tenait un papier qui ressemblait à une liste de courses.

— Tu peux aller faire un tour au magasin pour moi ? dit-il.

— Oui, je peux.

— Qu'est-ce que tu lis ?

— Rien de particulier, c'est pour le cours de norvégien.

Je me levai. La fenêtre était ouverte et les rayons de soleil inondaient le sol, on entendait les oiseaux gazouiller dans le vieux pommier tout près. Papa me tendit la liste.

— Ta mère et moi avons décidé de divorcer, dit-il.

— Ah bon ?

— Oui, mais tu n'en pâtiras pas. Tu ne verras pas de différence. Tu es presque adulte, et puis, dans deux ans, tu déménageras.

— Oui, c'est vrai.

— OK ?

— OK.

— J'ai oublié les pommes de terre sur la liste. Et peut-être quelque chose pour le dessert ? Non, finalement non. Voilà l'argent.

Il me tendit un billet de cinq cents que je fourrai dans ma poche. Je descendis l'escalier, sortis et longeai le fleuve jusqu'au supermarché. Je déambulai dans les allées en remplissant le panier de marchandises sans que rien de ce que papa avait dit ne parvînt à prendre le dessus sur ce que j'étais en train de faire. Ils allaient divorcer, eh bien qu'ils divorcent ! Peut-être que j'aurais réagi différemment si j'avais eu sept ou huit ans, pensai-je, peut-être que ça aurait eu vraiment de l'importance mais maintenant, ça n'en avait aucune, j'avais ma propre vie.

Je lui donnai les marchandises et il prépara le dîner que nous mangeâmes sans beaucoup parler.

Puis il repartit.

J'étais bien content. Ce soir-là Hanne chantait dans

une église et elle m'avait demandé si je voulais venir l'écouter. Bien sûr que je voulais. Son petit ami étant là, je ne me montrai pas, mais quand je la vis si pure et si belle, elle était mienne et personne ne pouvait rivaliser avec les sentiments que je nourrissais pour elle. Dehors, la poussière recouvrait les rues et des restes de neige stagnaient encore dans les creux et sur les bas-côtés toujours à l'ombre de la route. Elle chantait et j'étais heureux.

En rentrant, je descendis du bus à la gare routière pour terminer le trajet à pied par le centre-ville mais ma fébrilité ne diminua pas pour autant, les sentiments qui m'habitaient étaient si forts et si nombreux que je ne parvenais pas vraiment à les gérer. Arrivé chez moi, je m'étendis sur mon lit et pleurai. Ce n'était ni du désespoir, ni de la tristesse, ni de la colère, simplement de la joie.

Le lendemain, nous étions elle et moi seuls dans la classe, les autres étaient déjà sortis et nous traînions tous les deux. Peut-être voulait-elle savoir ce que je pensais de son concert. Je lui dis qu'elle avait chanté merveilleusement bien, qu'elle était formidable. Elle était en train de ranger ses affaires et son visage s'illumina. Puis Nils arriva. Je n'appréciai pas sa présence, elle fit comme une ombre sur nous. On avait français ensemble. Il était différent des autres garçons de seconde, traînait souvent avec des gens beaucoup plus âgés que lui dans les bars de la ville, libre dans sa façon de penser et de vivre. Il riait beaucoup, plaisantait avec tout le monde, moi compris. Mais avec lui je me sentais toujours inférieur, ne sachant quoi dire ou quoi regarder. Il entama la conversation avec Hanne, tournant autour d'elle, la regardant dans les yeux, riant, s'approchant encore, se tenant soudain tout près d'elle. Je ne m'attendais pas à autre chose de sa part mais ce qui me révolta, ce fut sa réaction à elle. Elle ne le repoussa pas, même pas en plaisantant et, malgré ma présence, elle s'ouvrit à lui, rit avec lui, le regarda dans les yeux et, assise sur le bureau, elle écarta les genoux et il put s'approcher encore plus. Comme s'il l'avait ensorcelée. L'espace d'un instant tendu et inquiétant, il planta son regard dans le sien et rit de son rire malfaisant. Il finit par reculer en faisant un commentaire consternant, leva la main pour me saluer et disparut. Fou de jalousie, je regardai Hanne qui avait repris son rangement mais pas comme si de rien n'était, elle était dans ses pensées mais d'une tout autre façon.

Que s'était-il passé ? Ma belle et blonde Hanne, enjouée, gaie et qui posait toujours des questions d'un air étonné, parfois naïf, quelle métamorphose avait-elle subie ? De quoi avais-je été le témoin ? Ce côté obscur, insondable, voire violent, est-ce qu'elle le portait en elle ? Elle y avait cédé, ne serait-ce que l'espace d'une seconde. À cet instant précis, je n'étais plus rien. Réduit à néant. Moi et tous mes petits mots pour elle, mes discussions avec elle, mes modestes espoirs et mes envies bon enfant. Je n'étais rien qu'un cri dans la cour de l'école, un caillou dans un éboulis, un coup de klaxon.

Et moi, est-ce que je pouvais faire la même chose ? Est-ce que j'étais capable de la pousser aussi loin ?

Est-ce que j'étais capable de pousser *quiconque* aussi loin ?

Non.

Pour Hanne, je n'étais rien et le resterais.

Pour moi, elle était tout.

Essayant de minimiser l'importance de ce que j'avais vu, je continuais exactement comme avant, lui laissant croire que je me contentais de la situation.

Mais je savais bien que ce n'était pas le cas, j'en étais absolument certain. J'espérais seulement qu'elle n'en sache rien. Mais dans quel monde est-ce que je vivais ? À quelles chimères est-ce que je croyais ?

Deux jours plus tard, c'était les vacances de Pâques et maman rentra.

Papa m'avait présenté le divorce comme une affaire réglée et définitive. Mais quand maman arriva, je compris qu'il n'en était pas de même pour elle. Elle alla directement à la maison, où il l'attendait, et ils y restèrent deux jours pendant que j'errais en ville pour passer le temps.

Le vendredi, elle gara sa voiture devant l'appartement et je vis par la fenêtre qu'elle avait un énorme bleu autour de l'œil. J'ouvris la porte.

— Qu'est-ce qui s'est passé ? dis-je.

— Ce n'est pas ce que tu penses. Je suis tombée. Je me suis évanouie, comme ça m'arrive de temps en temps, et j'ai heurté le bord de la table d'en haut. Tu sais, la table en verre.

— Je ne te crois pas.

— Mais c'est vrai, je suis tombée dans les pommes. C'est tout.

Je reculai d'un pas et elle entra.

— Vous êtes divorcés maintenant ?

Elle posa sa valise par terre et accrocha son manteau de couleur claire au crochet.

— Oui, c'est fait.

— Tu es désolée ?

— Désolée ?

Elle me regarda sincèrement étonnée, comme si cette possibilité ne lui était pas venue à l'esprit.

— Je n'en sais rien. Triste, peut-être. Et pour toi, c'est comment ?

— Bien. Pourvu que je n'habite pas avec papa.

— On a parlé de ça aussi. Mais d'abord j'ai vraiment envie d'un café.

Je la suivis dans la cuisine, la regardai remplir la cafetière d'eau, s'asseoir avec son sac sur les genoux, trouver ses cigarettes et en allumer une, visiblement elle s'était mise à fumer des Barclay à Bergen.

Elle me regarda.

— Je vais revenir à la maison et nous y habiterons toi et moi. Papa habitera ici. Il va sûrement falloir que je lui rachète sa part, je ne sais pas comment je vais y arriver mais je trouverai bien une solution.

— Oui. D'accord.

— Et toi, dit-elle, comment vas-tu ? Je suis si contente de te voir, tu sais.

— Moi aussi. Tu imagines, je ne t'ai pas vue depuis Noël ! Et il s'est passé tellement de choses depuis !

— Ah bon ?

Elle se leva pour prendre un cendrier dans le placard et en profita pour sortir le paquet de café et le mettre sur le plan de travail pendant que l'eau commençait à bruire faiblement, un peu comme une mer dont on s'approche.

— Oui !

— Des choses bien, on dirait, dit-elle en souriant.

— Oui. Je suis amoureux. Tout simplement.

— C'est formidable. Je sais qui c'est ?

— Qui ça pourrait être que tu connaisses ? Non, c'est une fille de la classe. C'est peut-être un peu banal mais c'est comme ça. Ça ne se décide pas.

— Non, c'est vrai. Comment s'appelle-t-elle ?

— Hanne.

— Hanne, dit-elle en me regardant avec un petit sourire. Quand est-ce que je la rencontre ?

— C'est ça le problème. On ne sort pas ensemble. Elle a quelqu'un d'autre.

— Effectivement, ce n'est pas simple.

— Non.

Elle soupira.

— Non, ce n'est pas toujours simple. Mais tu as bonne mine et l'air content.

— Je n'ai jamais été aussi content. Jamais.

Sans raison, j'eus les larmes aux yeux en disant cela, comme ça m'arrivait quand je disais quelque chose qui me touchait, mais là, elles coulèrent franchement.

Je souris.

— Ce sont des larmes de joie, dis-je en hoquetant. Mais elles coulaient si fort que je finis par me tourner. Heureusement, à ce moment précis, l'eau siffla et je pus enlever la bouilloire de la plaque, y verser le café, refermer le couvercle, la taper deux ou trois fois sur la cuisinière et sortir deux tasses.

Quand je les posai sur la table, tout était redevenu normal.

*

Quelques mois plus tard, un soir de la fin du mois de juillet, je descendais du dernier bus à l'arrêt près de la cascade. Un sac de marin sur l'épaule, je rentrais d'un camp d'entraînement de foot au Danemark, suivi immédiatement d'une fête de classe sur une île de la côte. J'étais heureux. Il était dix heures et demie passées, tout ce qu'il y avait de nuit à ce moment-là de l'année était déjà tombé et couvrait le paysage d'un voile gris. La cascade grondait sous mes pieds et je grimpais la côte bordée d'un muret. En bas, le pré dévalait vers la rangée d'arbres qui longeait la rive du fleuve. En haut, ouverte sur la route, on voyait la grange en ruine de la vieille ferme dont les lumières étaient éteintes. Après le virage, dans la maison suivante, le vieil homme était en train de regarder la télévision. Sur la route de l'autre côté du fleuve, un gros camion passa, son bruit me parvint avec un décalage et, quand il accéléra dans la montée, je n'entendis le changement de vitesse que lorsqu'il arriva en haut. Au-dessus des cimes, dans la pâleur du ciel, virevoltaient deux chauves-souris, et je me mis à penser au blaireau que je rencontrais souvent quand je rentrais par le dernier bus. Lui descendait le lit du ruisseau, moi je le remontais. Par sécurité, j'avais toujours une pierre dans chaque main. Parfois aussi, je le rencontrais sur la route, alors il s'arrêtait, me regardait et repartait dans l'autre sens en trottinant de son pas caractéristique.

Je fis une halte, posai mon sac, mis un pied sur le muret et m'allumai une cigarette. Je n'avais pas vraiment envie de rentrer et retardais encore mon arrivée de quelques minutes. Maman, avec qui j'avais habité ici depuis le printemps, était maintenant à Sørbøvåg. Elle n'avait pas encore racheté la part de mon père qui, comme c'était son droit, devait vivre ici avec Unni, sa nouvelle compagne, jusqu'à la rentrée scolaire.

Un gros avion passa au-dessus de la forêt, il virait légèrement et s'était complètement redressé quand il passa au-dessus de moi quelques secondes plus tard, les lampes à la pointe des ailes clignotaient et le train d'atterrissage sortit. Je le suivis des yeux jusqu'à ce qu'il disparaisse et qu'il n'en reste qu'un grondement toujours plus faible qui disparut aussi juste avant de toucher terre à Kjevik. J'aimais les avions, je les avais toujours aimés. Même après avoir habité trois ans sous leur trajectoire d'atterrissage, je les regardais toujours avec bonheur.

Le fleuve scintillait dans la demi-pénombre de l'été. La fumée de ma cigarette ne s'élevait pas mais dérivait à l'horizontale, formant une plaque. Pas le moindre souffle de vent. Et maintenant que le grondement de l'avion avait disparu, pas le moindre bruit non plus. Si, celui des chauves-souris, plus ou moins fort selon l'endroit où elles volaient.

J'éteignis ma cigarette sur ma langue avant de la jeter dans le fossé, mis mon sac à l'épaule et continuai ma route. Il y avait de la lumière chez William. Passé le virage, le feuillage des arbres était si dense qu'on ne voyait plus le ciel. Le coassement des grenouilles ou des crapauds montait de la zone marécageuse entre la route et le fleuve. Et puis je perçus un mouvement au bas de la côte. C'était le blaireau. Il ne m'avait pas vu et trottinait sur l'asphalte. Je fis quelques pas pour traverser la route et lui laisser le passage, mais il m'aperçut et s'arrêta. Oh qu'il était beau avec son museau rayé blanc et noir, à la mode ! Il avait le pelage gris, les yeux jaunes et rusés. J'achevai mon déplacement en me postant dans le fossé après avoir enjambé le muret. Le blaireau me regarda en feulant. Visiblement, il évaluait la situation, car les fois précédentes il avait immédiatement tourné les talons. Là, pour mon plus grand bonheur, il reprit son trottinement vers le haut de la pente. Ce n'est que quand je retournai sur la chaussée que je perçus vaguement de la musique, mais elle était sûrement là depuis le début.

Venait-elle de chez nous ?

Je me dépêchai de descendre la pente qui restait et de monter le raidillon menant à la maison, elle était tout illuminée. Si, si, c'était bien de là que venait la musique, elle sortait probablement par la porte du salon ouverte, pensai-je, et je compris qu'il y avait une fête car dans la lumière grise de la nuit d'été des silhouettes sombres et mystérieuses glissaient sur la pelouse. Habituellement, je coupais en suivant le ruisseau pour atteindre la maison par son flanc ouest mais, la propriété étant pleine d'étrangers, je ne voulais pas surgir brusquement de la forêt et fis donc le tour par la route.

L'allée était encombrée de voitures à moitié garées dans le champ, il y en avait à côté de la grange et aussi dans la cour. Je fis une halte en haut du raidillon pour me reprendre un peu. Un homme en chemise blanche traversa la cour sans me voir. Il y avait du brouhaha dans le jardin, derrière la maison. Par la fenêtre de la cuisine, je vis deux femmes et un homme qui riaient en buvant du vin assis à la table.

Je me dirigeai vers la porte d'entrée en respirant profondément. Dans le jardin, à l'orée de la forêt, on avait dressé une longue table. Elle était couverte d'une nappe blanche qui luisait dans la pénombre sous les arbres. Six ou sept personnes y étaient attablées, dont papa. Il m'aperçut et, quand nos regards se rencontrèrent, il se leva en me faisant un signe de la main. Je posai mon sac près de la porte et le rejoignis. Jamais auparavant je ne l'avais vu ainsi. Il portait une ample chemise blanche ornée de broderies le long du col en V, un jean bleu et des chaussures en cuir clair. Son visage, très bruni par le soleil, avait quelque chose de resplendissant. Ses yeux brillaient.

— Te voilà, Karl Ove, dit-il en posant sa main sur mon épaule. On pensait que tu viendrais plus tôt. C'est la fête ici comme tu vois. Mais tu peux rester un peu. Viens t'asseoir !

Je lui obéis et m'assis à la table, le dos à la maison. Unni était la seule personne que j'avais déjà vue, elle aussi portait une de ces chemises blanches.

— Bonsoir, Unni, dis-je.

Elle me sourit chaleureusement.

— Voici Karl Ove, mon plus jeune fils, dit papa en s'asseyant à l'autre bout de la table à côté d'elle. — Je fis un signe de tête aux autres. — Et voici ma cousine Bodil, Karl Ove, dit-il.

Je n'avais jamais entendu parler d'une cousine s'appelant Bodil et la regardais visiblement étonné car elle me dit en souriant :

— Enfants, ton père et moi, nous étions souvent ensemble.

— Adolescents aussi, dit-il. — Il alluma une cigarette, inhala la fumée et l'expira l'air satisfait. — Et voici Reidar, Ellen, Martha, Erling et Åge, tous des collègues à moi.

— Bonsoir, dis-je.

La table était couverte de verres, de bouteilles, de plats et d'assiettes. Deux grands saladiers débordant de carapaces de crevettes roses ne laissaient aucun doute sur ce qu'ils avaient mangé. Celui que mon père avait nommé en dernier, Åge, un homme d'une quarantaine d'années portant de grandes lunettes à monture fine, sirotait une bière en me regardant. En reposant son verre, il dit :

— Alors il paraît que tu étais à un camp d'entraînement de foot ?

J'acquiesçai.

— Au Danemark, dis-je.

— Où au Danemark ?

— Nykøbing.

— À Mors ?

— Oui, je crois bien. C'était sur une île dans le Limfjord.

Il regarda autour de lui en souriant.

— Mais c'est de là que vient Aksel Sandemose ! Puis il me fixa de nouveau. Et sais-tu quelle loi il a écrite, inspirée de la ville où tu étais ?

Mais à quoi s'amusait-il ? On était à l'école ou quoi ?

— Oui, dis-je en baissant les yeux. Je refusais de prononcer le mot. Je ne voulais pas lui donner.

— Et c'est ?

Le regard que je lui jetai alors était aussi frondeur que timide.

— *La loi de Jante.*

— Exactement !

— Vous avez passé un bon moment là-bas ? dit papa.

— Oui, oui. Les terrains étaient bons et c'est une belle ville.

Nykøbing : j'avais passé toute une soirée et une partie de la nuit avec une fille que j'avais rencontrée, complètement folle de moi. Mes coéquipiers étaient rentrés plus tôt et il ne restait que nous deux. Plus soûl que d'habitude, j'étais rentré à l'école où nous étions logés en faisant une halte devant une maison en ville. Je ne me souvenais d'aucun détail, ni d'avoir quitté la fille ni d'être arrivé jusque-là, mais là, devant cette porte, c'était comme si j'avais repris conscience, je saisis le mégot que j'avais aux lèvres, poussai le battant de la fente par où passe le courrier et le laissai tomber tout allumé par terre dans l'entrée de la maison. Puis tout redevint flou mais je réussis, sans savoir comment, à regagner l'école et à me coucher. Trois heures plus tard, je fus réveillé pour le petit déjeuner et l'entraînement. Nous étions en train de bavarder sous les très grands arbres qui bordaient le terrain quand soudainement me revint la cigarette jetée dans la maison. Les sangs glacés jusqu'aux os, je me levai pour tirer dans le ballon et courir après. Et si ça avait commencé à brûler ? Et si des gens étaient morts dans l'incendie ? Qu'est-ce que ça faisait de moi ?

J'étais parvenu à refouler mon acte pendant tout ce temps mais là, autour de cette table, le soir de mon retour, l'angoisse me revint.

— Dans quelle équipe joues-tu, Karl Ove ? dit quelqu'un.
— Celle de Tveit.
— Et dans quelle division êtes-vous ?
— Je joue chez les juniors mais les seniors sont en cinquième division.
— Ce n'est pas tout à fait comme l'équipe de Start, dit-il. À son dialecte, je compris qu'il était de Vennesla et donc facile à contre-attaquer.
— Non, plutôt comme celle de Vindbjart.
Ils rirent tous et je baissai les yeux. J'avais l'impression d'avoir accaparé l'attention mais, lorsque je glissai un regard vers papa l'instant d'après, il me souriait.
Ses yeux étincelaient même.
— Tu ne veux pas boire une bière, Karl Ove ? dit-il.
J'acquiesçai.
— Je veux bien.
Il jeta un regard circulaire sur la table.
— Il n'y en a plus là mais sers-toi dans la cuisine, il y en a une caisse.
En marchant vers la porte, je croisai un homme et une femme qui sortaient enlacés. Vêtue d'une robe d'été blanche, la femme avait la peau bronzée, les seins lourds, le ventre rond et les hanches pleines. Son visage était comme saturé, son regard doux. L'homme portait une chemise bleu clair et un pantalon blanc, il était mince bien qu'il eût un peu de ventre. Malgré son sourire et son regard enivré et mobile, c'est le côté figé de ses traits que je remarquai. Il n'y restait que les traces de cette mobilité, comme le lit d'un fleuve asséché.
— Salut, dit-elle, c'est toi le fils ?
— Oui, salut.
— Je suis une collègue de ton père.
— J'en suis ravi, dis-je sans avoir, heureusement,

besoin d'en dire plus car ils continuaient déjà leur chemin.

Lorsque je fus dans l'entrée, la porte de la salle de bains s'ouvrit sur une petite femme trapue et brune qui portait des lunettes. Son regard m'effleura à peine et elle baissa les yeux en passant à côté de moi. Je reniflai discrètement son parfum dans son sillage. Il était frais et floral. Quand j'entrai dans la cuisine la seconde suivante, les trois personnes que j'avais vues par la fenêtre en arrivant s'y trouvaient toujours. L'homme, lui aussi autour de la quarantaine, murmurait quelque chose à l'oreille de la femme à sa droite. Elle sourit mais d'un sourire poli. L'autre femme fouillait dans son sac qu'elle avait sur les genoux. Elle leva les yeux vers moi en posant un paquet de cigarettes inentamé sur la table.

— Salut, dis-je, je viens chercher une bière.

Il y en avait deux caisses pleines le long du mur, à côté de la porte. J'en pris une de la première caisse.

— Est-ce que quelqu'un à un décapsuleur ?

L'homme se redressa, tapa sur ses cuisses.

— J'ai un briquet, dit-il. Tiens !

Il avança le bras, d'abord lentement pour que je puisse me préparer à ce qui allait venir, et d'un seul coup le briquet traversa la pièce et vint frapper l'encadrement de la porte puis il tomba à terre en tintant. Sans cette circonstance, je ne sais pas comment je me serais sorti d'embarras car je ne voulais pas d'une quelconque tutelle en lui demandant de m'ouvrir la bouteille mais là, puisque c'était lui qui avait pris l'initiative et qu'il avait échoué, la situation s'était renversée.

— Je ne sais pas décapsuler avec un briquet mais peut-être que vous pouvez le faire pour moi ?

Je ramassai le briquet et lui tendis avec la bouteille. Il portait des lunettes rondes. Son crâne, chauve sur le devant et couvert sur la nuque d'une ondulation de cheveux si haute qu'on aurait dit une vague au bord d'une plage infinie et imprenable, lui donnait un côté désespéré.

C'est en tout cas l'impression qu'il me fit. Ses doigts qui enserraient le briquet étaient poilus et à son poignet pendait une montre avec un bracelet en argent.

La capsule céda en faisant un petit pop.

— Voilà, dit-il en me tendant la bouteille.

Je le remerciai et allai dans le séjour où dansaient quatre à cinq personnes puis je sortis par la porte donnant sur le jardin. Un petit groupe était rassemblé devant la hampe, chacun un verre à la main, ils regardaient la vallée en bavardant.

La bière était particulièrement bonne. Au Danemark, j'avais bu tous les soirs, la soirée et la nuit précédente aussi, et il m'en faudrait beaucoup pour être ivre. Mais je ne voulais pas. Ivre, j'aurais glissé dans leur monde, il m'aurait complètement absorbé et je n'aurais plus senti la différence, j'aurais peut-être même commencé à désirer les femmes de ce monde-là. Et c'était bien la dernière chose que je souhaitais.

Je contemplais le paysage. Le fleuve formait un méandre autour de la langue de terre herbeuse où nous jouions au foot et coulait entre les grands feuillus qui bordaient sa rive en jetant des reflets noirs sur l'eau grise et scintillante. De l'autre côté, les collines qui ondoyaient jusqu'à la mer étaient plongées dans l'obscurité de sorte que les lumières des grappes de maisons entre le fleuve et les coteaux brillaient encore plus nettement, et dans le ciel, tirant sur le gris en bas et sur le bleu en haut, on voyait à peine les étoiles.

Le groupe à côté de la hampe se mit à rire. Ils n'étaient qu'à quelques mètres de moi mais les traits de leurs visages restaient vagues. L'homme avec un peu de ventre arriva du coin de la maison, on aurait dit qu'il glissait. C'est là qu'avait été prise la photo de ma confirmation, devant la hampe, entre papa et maman. Je bus une autre gorgée et marchai vers l'autre bout du jardin, où il n'y avait visiblement personne. Je m'assis là, contre le bouleau, les jambes croisées. La musique était plus lointaine, les voix et les rires aussi, et les mouvements là-bas encore moins distincts. Comme des fantômes dans la nuit, ils se déplaçaient autour de la maison éclairée. Je pensai à Hanne. C'était comme si elle avait une place en moi, comme si elle existait en tant que lieu où je voulais être tout le temps, et je ressentais la possibilité de m'y rendre à mon gré comme une grâce. À la fête de classe la nuit précédente, on avait parlé, sur les rochers devant la mer. Il ne s'était rien passé, c'était ça justement. Seulement Hanne, les rochers, les îlots qui affleuraient, la mer. Nous avions dansé, joué, descendu l'escalier du ponton et nous étions baignés dans la nuit. Ça avait été des moments extraordinaires et ce côté extraordinaire était inaltérable. Il m'avait habité toute la journée et m'habitait encore ce soir-là. J'étais immortel. Je me levai, conscient de ma puissance jusque dans la moindre cellule de mon corps. Je portai un t-shirt gris, un pantalon trois quarts vert kaki et des baskets Adidas blanches, c'était tout mais c'était suffisant. Je n'étais pas très musclé mais mince, souple et beau comme un dieu.

Et si je l'appelais ?

Elle avait dit qu'elle serait chez elle ce soir.

Mais il était presque minuit et, si ça ne la gênait pas d'être réveillée à cette heure tardive, il en serait sûrement autrement de sa famille.

Et si la maison avait brûlé ? Et si quelqu'un était mort dans l'incendie ?

Merde ! Merde !

Je me mis à marcher sur la pelouse en essayant de refouler ces pensées, mon regard glissa sur la haie, sur la maison, sur le toit et sur les grands bosquets de lilas au bout de la pelouse dont on sentait jusqu'à la route le lourd parfum qui émanait des fleurs violettes. Je bus la dernière gorgée en avançant et aperçus des femmes aux joues rouges assises sur les marches, les genoux serrés, tenant leur cigarette au bout des doigts. C'était celles de la table et je leur souris rapidement en passant à côté d'elles. J'entrai dans le séjour puis dans la cuisine maintenant désertée, pris une autre bouteille et montai dans ma chambre où je m'assis devant la fenêtre et rejetai la tête en arrière en fermant les yeux.

Bien.

Les haut-parleurs du séjour se trouvaient juste en dessous de moi et la maison était si sonore que j'entendais chaque son distinctement.

Quelle musique était-ce ?

Agnetha Fältskog. Le grand succès de l'été précédent. Comment s'appelait-il déjà ?

Il y avait quelque chose de dégradant dans les vêtements que papa portait ce soir-là. Cette espèce de tunique blanche ou chemise, peu importe. Aussi loin que je me souvenais, il avait toujours porté des vêtements simples, corrects, assez conventionnels. Sa garde-robe était composée de chemises, de costumes, de blazers, beaucoup en tweed, de pantalons en synthétique, en velours et en coton, de pull-overs en laine ou en lambswool. Plutôt le genre professeur certifié traditionnel, sans être vieillot, que le baba cool moderne. Mais la différence ne se situait pas là. Elle était entre indulgence et intransigeance, entre abolition des distances et maintien de celles-ci. C'était une question de valeurs. En arborant soudain des camisoles folkloriques brodées, des chemises à ruches, que je lui avais vu porter au début de l'été, et des chaussures en cuir informes bonnes pour un Sámi, une énorme contradiction apparaissait entre celui qu'il était, et que je savais pertinemment qu'il était, et celui qu'il voulait paraître. Moi j'étais pour l'indulgence, contre la guerre, l'autorité, la hiérarchie et toute forme de dureté, je ne voulais rien apprendre par cœur à l'école en pensant que mon intellect se développerait plus organiquement ; bien à gauche politiquement, j'étais révolté par l'injuste répartition des richesses mondiales, je voulais que chacun ait sa part du gâteau et les ennemis s'appelaient capitalisme et puissance de l'argent. J'étais persuadé que tous les hommes avaient la même valeur et que les qualités d'un être humain étaient plus importantes que son apparence. En d'autres termes, j'étais pour la profondeur et contre le superficiel, pour le bien et contre le mal, pour la douceur et contre la dureté. N'aurais-je pas dû être content que mon père bascule du côté des doux ? Non, car leur apparence, leurs lunettes rondes, leurs pantalons de velours, leurs chaussures épousant la forme du pied et leurs pull-overs tricotés, je les méprisais et puis, parallèlement à cet idéal politique, je nourrissais aussi d'autres idéaux, liés à la musique, où le fait de soigner son apparence et d'être habillé de façon cool revêtait une grande importance, ce phénomène étant à son tour intimement lié à l'époque dans laquelle nous vivions. C'était cette musique qu'on exprimait par notre habillement, pas celle des hit-parades, des couleurs pastel et des cheveux gominés car ça, c'en était le côté commercial avec tout ce qu'il a de superficiel et de distrayant, non, au contraire, une musique innovante mais ancrée dans la tradition, profonde mais élégante, intelligente mais simple, exigeante mais vraie, une musique qui ne s'adressait pas à tous, qui ne se vendait pas beaucoup mais qui pourtant exprimait les expériences d'une génération, de ma génération. Oh, la modernité ! J'étais du côté de la modernité. Et pour moi, celui qui représentait le mieux cet idéal était Ian McCulloch du groupe Echo & the Bunnymen avec ses manteaux, ses vestes militaires, ses baskets et ses lunettes noires. Bien loin des chemises brodées et des chaussures sámi de mon père. En même temps, ce ne pouvait pas être ça car papa appartenait bel et bien à une autre génération et il eût été proprement cauchemardesque de le voir s'habiller comme Ian McCulloch, écouter du rock indépendant britannique, s'intéresser à ce qui se passait sur la scène américaine, reconnaître le premier album des REM ou de Green on Red et peut-être, pour finir, adopter la cravate américaine. Mais le plus important restait que la chemise brodée et les chaussures sámi, ce n'était pas lui, qu'il dérapait vers quelque chose d'informe et d'incertain, presque de féminin, comme s'il avait perdu la maîtrise de soi. Même la dureté de son ton avait disparu.

Face à la fenêtre, j'ouvris les yeux et me tournai de façon à voir la table à l'orée du bois. Ils n'étaient plus que quatre. Papa, Unni, celle qu'il avait appelée Bodil et un autre. Derrière le bosquet de lilas, à l'abri des regards mais pas du mien, un homme était en train de pisser en regardant vers le fleuve.

Papa leva les yeux vers la fenêtre. Mon cœur battit plus vite mais je ne bougeai pas car s'il me voyait vraiment, ce dont je n'étais pas certain, c'eût été avouer que j'espionnais. Je préférai attendre quelques instants pour être sûr qu'il vît que je l'avais vu me regarder puis me retirai pour aller m'asseoir à mon bureau.

C'était impossible de regarder papa à son insu, il

s'en apercevait toujours, il remarquait tout, depuis toujours.

Je bus quelques gorgées de bière. J'avais très envie d'une cigarette. Il ne m'avait jamais vu fumer et peut-être que ce serait sujet à discussion. D'un autre côté, ne m'avait-il pas lui-même invité à prendre une bière ?

Sur ce bureau, orange comme le lit et l'armoire de mon ancienne chambre et qui était le mien du plus loin que je me souvienne, il n'y avait rien d'autre que mon casier à cassettes. J'avais tout rangé à la fin de l'année scolaire et depuis je n'avais remis les pieds dans ma chambre que pour y dormir. Je posai la bouteille et fis tourner le casier en lisant les titres libellés par moi en grandes lettres enfantines. BOWIE — HUNKY DORY. LED ZEPPELIN — I. TALKING HEADS — 77. THE CHAMELEONS — SCRIPT OF THE BRIDGE. THE THE — SOUL MINING. THE STRANGLERS — RATUS NORVEGICUS. THE POLICE — OUTLANDOS D'AMOUR. TALKING HEADS — REMAIN IN LIGHT. BOWIE — SCARY MONSTERS (AND SUPER CREEKS). ENO BYRNE — MY LIFE IN THE BUSH OF GHOST. U2 — OCTOBER. THE BEATLES — RUBBER SOUL. SIMPLE MINDS — NEW GOLD DREAM.

Je me levai, pris la guitare adossée au petit ampli Roland-Cube et jouai quelques accords, puis je la reposai et regardai une nouvelle fois dans le jardin. Ils étaient toujours là sous les arbres, dans l'obscurité que les deux lampes à huile ne supprimaient pas mais adoucissaient néanmoins, et c'était tout juste si leurs visages accrochaient la lumière. Leur teint était sombre, presque cuivré.

Bodil devait être la fille de l'autre frère de mon grand-père que je n'avais jamais vu. Pour une raison qui m'était inconnue, la famille l'avait rejeté il y avait fort longtemps. Moi-même, je n'en avais entendu parler par hasard que deux ans auparavant, à l'occasion d'un mariage dans la famille. Maman avait dit qu'il y était présent et qu'il avait fait un discours enflammé. Il était prédicateur laïc dans une communauté pentecôtiste en ville. Et mécanicien. Tout chez lui était différent de ses frères, jusqu'à son nom. Lorsqu'ils avaient décidé, au moment de leur entrée dans l'enseignement supérieur et en accord avec leur auguste mère, de changer de nom pour passer de Pedersen, très répandu, à Knausgaard, moins commun, lui, il avait refusé. Peut-être était-ce la raison de la rupture ?

Je sortis de ma chambre. Arrivé au bas de l'escalier, je vis papa dans la pièce aux armoires où la lumière était éteinte, il me regardait.

— Te voilà, dit-il, tu ne veux pas te joindre à nous ?

— Si, si. Bien sûr. J'ai juste fait un petit tour pour voir.

— C'est une belle fête.

Il tourna légèrement la tête et se lissa les cheveux pour les remettre en place. Ce geste qu'il avait toujours fait prit à cet instant, et à cause de cette chemise et de ce pantalon si profondément incongrus, une tournure féminine. Comme si la façon correcte et conventionnelle qu'il avait toujours eue de s'habiller s'était emparée de ce geste et l'avait neutralisé jusqu'à maintenant.

— Tout va bien, Karl Ove ?

— Oui, oui. Pas de problème. Je vais m'installer dehors.

Un souffle de vent traversa l'air au moment où je sortis. À l'orée du bois, les feuilles des arbres remuèrent à peine, presque contraintes, comme émergeant d'un profond sommeil.

Peut-être était-ce tout simplement parce qu'il était ivre, pensai-je. Mais à ça non plus je n'étais pas habitué. Mon père n'avait jamais bu. La première fois que je le vis enivré, c'était deux mois plus tôt, un soir que je leur avais rendu visite à lui et Unni dans l'appartement d'Elvegaten et qu'ils m'avaient servi de la fondue, ce qu'avant non plus il n'aurait pu imaginer manger chez lui un vendredi soir. Ils avaient commencé à boire avant que j'arrive et, bien qu'il fût l'amabilité même, j'étais sur mes gardes, non pas que j'eusse peur mais je n'arrivais plus à le décoder. C'était comme si toutes les connaissances que j'avais acquises sur lui depuis l'enfance, et qui m'avaient permis d'être prêt à toutes les éventualités, n'étaient plus valables. Qu'est-ce qui était valable alors ?

En me retournant pour continuer vers la table, mon regard croisa celui d'Unni, elle me sourit et je lui souris aussi. Le vent souffla de nouveau, plus fort cette fois. Les feuilles des buissons devant les marches de la grange bruissèrent et les plus petites branches des arbres au-dessus de la table se balancèrent de haut en bas.

— Ça va ? dit Unni quand j'arrivai près d'eux.

— Oui, oui, mais je suis fatigué, je crois que je vais aller me coucher bientôt.

— Et tu arriveras à dormir avec tout ce vacarme ?

— Ce n'est pas vraiment du vacarme !

— Tu sais que ton père nous a dit beaucoup de bien de toi, ce soir, dit Bodil en se penchant au-dessus de la table.

Je ne savais pas quoi répondre et souris prudemment.

— N'est-ce pas, Unni ?

Unni acquiesça. Elle avait les cheveux longs et tout gris bien qu'elle n'eût qu'une trentaine d'années. Papa avait été son conseiller pédagogique quand elle faisait son stage pratique pour devenir professeur des écoles. Elle portait un pantalon large vert et une espèce de chemise comme lui. À son cou pendait un collier de perles en bois.

— Nous avons lu une de tes rédactions ce printemps, dit-elle. Tu ne le savais pas, peut-être ? J'espère que tu n'es pas fâché que je l'aie lue. Il était si fier de toi, tu sais.

Oh c'était déplorable ! Putain, pourquoi se mêlait-elle de mes rédactions ?

Mais j'étais flatté aussi, bien sûr.

— Tu ressembles à ton grand-père, Karl Ove, dit Bodil.

— À grand-père ?

— Oui, tu as la même forme de tête, la même bouche.

— Et toi, tu es la cousine de papa ?

— Oui. Il faudra venir nous voir un jour. Nous habitons aussi à Kristiansand, tu sais !

Je ne le savais pas. Avant de venir ici ce soir-là, je ne savais même pas qu'elle existait. J'aurais dû le lui dire mais ne le fis pas. À la place, je lui répondis que c'était une bonne idée et lui demandai ce qu'elle faisait dans la vie et si elle avait des enfants. Elle répondait à mes questions lorsque papa revint. Il s'assit et l'écouta en la regardant comme pour entrer dans la conversation, mais il se renversa en arrière aussitôt après, faisant reposer un pied sur son genou, et alluma une cigarette.

Je me levai.

— Tu pars dès que j'arrive ? dit-il. Je te fais fuir ?

— Non, non, je vais juste chercher quelque chose.

J'ouvris mon sac resté sur le perron, sortis mes cigarettes, en mis une à mes lèvres, m'arrêtai un instant pour l'allumer de façon à l'avoir déjà commencée au moment de me rasseoir. Papa ne dit rien. Je vis qu'il avait l'intention de faire une remarque car une moue de réprobation passa sur sa bouche mais, après un coup d'œil mauvais, elle disparut complètement, comme s'il s'était dit à lui-même qu'il n'était plus comme ça.

C'était du moins mon impression.

— À nous ! dit papa en levant son verre de vin rouge dans notre direction. Puis il regarda Bodil et ajouta : À Helene.

— À Helene, dit Bodil.

Ils burent en se regardant dans les yeux.

Mais qui donc était cette Helene ?

— Tu n'as rien pour trinquer, Karl Ove ? dit papa.

Je secouai la tête.

— Prends ce verre-là, il est propre, n'est-ce pas, Unni ?

Elle acquiesça. Il souleva la bouteille de vin blanc et remplit le verre. On trinqua à nouveau.

— C'est qui Helene ? dis-je en les regardant.

— Helene était ma sœur, dit Bodil, elle est morte.

— Helene était... nous étions proches autrefois. Nous étions tout le temps ensemble, dit papa, jusqu'à l'adolescence, puis elle est tombée malade.

Je bus une autre gorgée. De derrière la maison arriva le couple que j'avais vu plus tôt. La femme ronde à la robe blanche et l'homme au petit ventre. Derrière eux, il y avait deux hommes parmi lesquels je reconnus celui de la cuisine.

— C'est là que vous êtes, dit l'homme au petit ventre, on vous cherchait. Je trouve que tu ne t'occupes pas beaucoup de tes invités. Il posa la main sur l'épaule de papa. C'est toi qu'on veut voir quand on vient jusqu'ici.

— C'est ma sœur, me dit Bodil tout bas. Elisabeth. Et son mari, Frank. Ils habitent à Ryen, près du fleuve. Il est agent immobilier.

Tous ces gens que papa connaissait, est-ce qu'ils avaient gravité autour de nous depuis toujours ?

Ils s'assirent à la table qui s'anima aussitôt. Et dans ces visages, au début sans signification ni consistance, je n'avais vu que l'âge et l'espèce, un peu comme des animaux, comme un bestiaire de quadragénaires avec son cortège de regards éteints, de lèvres pincées, de poitrines affaissées, de ventres tremblotants, de rides et de bourrelets. Maintenant j'y voyais des individus car j'étais de leur famille, le sang qui coulait dans nos veines était le même, et soudain ce qu'ils étaient eut de l'importance.

— On était en train de parler d'Helene, dit papa.

— Helene, oui, dit celui qui s'appelait Frank. Je ne l'ai jamais rencontrée mais j'ai beaucoup entendu parler d'elle. C'est bien triste.

— J'étais à ses côtés quand elle est morte, dit papa.

Je le dévisageai. Qu'est-ce qui se passait ?

— Je l'estimais beaucoup. Vraiment beaucoup.

— Elle était d'une beauté inimaginable, me dit Bodil toujours tout bas.

— Et puis elle est morte, dit papa. Oh !

Pleurait-il ?

Oui, il pleurait. Il avait les coudes sur la table et les mains croisées devant la poitrine, des larmes coulaient sur son visage.

— Et c'était le printemps. C'est au printemps qu'elle est morte. Tout était en fleurs. Ohh. Ohh.

Frank baissa les yeux et tourna son verre dans ses mains. Unni posa la main sur le bras de papa. Bodil les regarda.

— Tu étais tellement proche d'elle, toi, dit-elle. Tu étais ce qu'elle avait de plus cher au monde.

— Oh. Oh, dit mon père en fermant les yeux et en mettant la tête dans ses mains.

Un coup de vent passa dans le jardin. Les pans de la nappe se soulevèrent. Une serviette s'envola sur la pelouse. Ça bruissait dans les feuilles au-dessus de nous. Je levai mon verre et bus, frémis quand le goût acide remplit ma bouche et reconnus cette sensation de clarté et de pureté qui apparaissait chaque fois que l'ivresse approchait sans être encore là, ainsi que l'envie de la chasser qui suivait toujours.

SECONDE PARTIE

Après avoir travaillé quelques mois à ce que j'espérais être mon deuxième roman, dans un local en sous-sol de Åkeshov, une des nombreuses banlieues de Stockholm, où le métro passait à quelques mètres seulement de ma fenêtre de sorte que chaque soir, à la nuit tombante, je voyais les wagons passer comme une suite de carrés de lumière à travers la forêt, je trouvai un bureau à louer dans le centre-ville. Il appartenait à un ami de Linda et était exactement ce dont j'avais besoin. C'était un studio avec une kitchenette, une petite douche, un canapé, un bureau et des étagères. Je déménageai ma pile de livres et mon ordinateur entre Noël et le jour de l'an et me mis au travail le premier jour ouvrable de la nouvelle année. En fait, ce drôle de roman de cent trente pages était terminé, et racontait l'histoire d'un père et de ses deux fils partis à la pêche aux crabes une nuit d'été, ensuite il glissait vers un essai sur les anges avant de revenir au récit de quelques jours de la vie d'un des fils sur une île où il vivait seul, écrivait et se blessait.

La maison d'édition était prête à le publier et c'était très tentant mais aussi très angoissant. Surtout depuis que j'avais fait lire mon livre à Thure Erik et qu'il m'avait appelé un soir. Il avait parlé d'une voix étrange en choisissant des mots étranges aussi, comme s'il avait bu un peu pour réussir à me dire une chose très simple : ça n'allait pas du tout, ce n'était absolument pas un roman. Il faut raconter, Karl Ove ! Raconter ! m'avait-il dit plusieurs fois. Je savais qu'il avait raison et c'est ce que j'avais commencé à faire ce premier jour ouvré de 2004, assis à mon nouveau bureau en train de regarder l'écran vierge. Après avoir essayé pendant une demi-heure, je me redressai et laissai mon regard s'attarder sur l'affiche d'une exposition de Peter Greenaway que j'avais vue à Barcelone avec Tonje il y avait longtemps, dans ma vie antérieure. Elle était composée de quatre images, l'une représentait ce que je crus longtemps être un chérubin en train de pisser, l'autre une aile d'oiseau, l'autre encore un pilote des années vingt et la dernière, la main d'un cadavre. Puis je regardai par la fenêtre. Au-dessus de l'hôpital de l'autre côté de la rue, le ciel était clair et bleu. Le soleil bas faisait briller les vitres, les pancartes, les rampes, les carrosseries de voiture. La vapeur qui s'élevait des passants donnait l'impression qu'ils se consumaient. Tous bien enveloppés dans leurs vêtements. Bonnets, écharpes, moufles, vestes épaisses. Leurs mouvements étaient précipités, leurs visages fermés. Puis mon regard se posa sur le sol de la pièce. C'était un parquet relativement neuf et sa teinte marron-rouge n'avait rien à voir avec le style fin de siècle de l'appartement. Tout à coup, à environ deux mètres de ma chaise, je vis que les nœuds et les cernes du bois formaient l'image du Christ avec sa couronne d'épines.

Je constatai le fait sans y accorder plus d'attention car ce genre d'images créées par les irrégularités du sol, des murs, des portes et des plinthes — ici une tache d'humidité sur le plafond ressemble à un chien qui court, là une couche de peinture usée sur un seuil de porte ressemble à une vallée enneigée devant une chaîne de montagnes par-dessus laquelle des nuages ont l'air d'avancer —, ces images donc se trouvent partout, mais celle-ci dut déclencher quelque chose en moi car lorsque, dix minutes plus tard, je me levai pour aller remplir la bouilloire, il me revint soudain le souvenir de ce qui s'était passé il y avait très longtemps, au plus profond de mon enfance, un soir que j'avais vu au journal télévisé une image semblable dans la mer, lors de la disparition d'un chalutier. Pendant la seconde que je mis pour remplir la bouilloire, je revis notre salon d'alors, la télévision plaquée en teck, les taches de neige que je voyais luire çà et là sur le coteau à la tombée du jour, la mer sur l'écran de télévision, le visage qui y apparut soudain. Avec les images revint aussi l'ambiance d'alors, le printemps, la cité pavillonnaire, les années soixante-dix, notre vie de famille à cette époque-là. Et une nostalgie presque sauvage s'empara de moi.

À cet instant précis, le téléphone sonna. Je sursautai. Qui pouvait bien avoir mon numéro ?

Il sonna cinq fois avant de s'arrêter. Le sifflement de la bouilloire s'amplifiait et je pensai, comme souvent autrefois, qu'on aurait dit que quelque chose approchait.

J'ouvris la boîte à café, en mis deux cuillerées dans la tasse et versai l'eau dessus, qui s'éleva noire et brûlante le long des parois de la tasse, ensuite je m'habillai. Avant de sortir, je me remis dans la position pour revoir le visage sur le parquet. C'était vraiment le Christ. Le visage était à demi tourné, comme en douleurs, le regard baissé, la couronne d'épines sur la tête.

Le plus saisissant n'était pas la présence de cette figure, ni même que j'avais vu un visage dans la mer au milieu des années soixante-dix, mais que j'avais tout oublié et que ça me revienne soudain. À l'exception de quelques événements ponctuels dont Yngve et moi avions parlé si souvent qu'ils avaient pris une dimension mythique, je n'avais pratiquement aucun souvenir d'enfance. Ou, plus précisément, je ne me rappelais pas les événements de ce temps-là mais je me souvenais des lieux où ils s'étaient déroulés.

Je sortis dans la rue, ma tasse à la main. Un léger trouble m'envahit à la vue de cet objet dont la place était à l'intérieur, dehors, il avait un côté nu et impudique, et en traversant la rue je pris la décision d'acheter un café au 7-Eleven et d'utiliser désormais la tasse en carton prévue à cet effet. Je marchai vers les bancs longeant l'hôpital, m'assis sur les barres couvertes de glace, allumai une cigarette et regardai la rue. Le café avait déjà commencé à tiédir. Ce matin-là, le thermomètre à la fenêtre de ma cuisine avait indiqué moins vingt degrés et, même si le soleil brillait, il ne pouvait guère faire plus chaud. Moins quinze peut-être.

Je sortis mon portable pour voir si quelqu'un avait appelé. Mais pas n'importe qui : nous attendions un enfant dans une semaine, et j'étais préparé à ce que Linda appelle à tout moment pour dire que le travail avait commencé.

Au carrefour, en haut de la pente douce, les feux se mirent à faire tic-tac et, aussitôt après, la rue se vida de ses voitures. De l'entrée de l'hôpital en contrebas sortirent deux femmes d'âge moyen qui allumèrent chacune une cigarette. Habillées d'une blouse blanche, les bras collés le long du corps, elles sautaient d'un pied sur l'autre pour se réchauffer. Je me dis qu'elles ressemblaient à d'étranges palmipèdes. Puis le tic-tac s'arrêta et les voitures sortirent de l'ombre en haut de la côte pour dévaler la chaussée ensoleillée comme une meute de chiens hurlante. Les pneus à clous martelaient l'asphalte. Je rangeai mon portable et serrai la tasse entre mes mains. La fumée qui s'en échappait s'élevait lentement en se mêlant à celle qui sortait de ma bouche. Dans la cour de l'école, coincée entre deux immeubles à vingt mètres de mon bureau, se turent soudain les cris des enfants que je n'avais pas remarqués auparavant. La sonnerie avait retenti. Les bruits d'ici étaient nouveaux et inconnus, y compris leur rythme, mais ils me deviendraient bientôt si familiers qu'ils disparaîtraient à nouveau. Ce qu'on ne connaît pas assez n'existe pas et ce qu'on connaît trop n'existe pas non plus. Écrire, c'est sortir ce qui existe de l'ombre de la connaissance. C'est ça l'essentiel de l'écriture. Pas ce que s'y passe ni quelles histoires s'y déroulent, mais le *y* en soi. Ce *y* est le lieu et le but de l'écriture. Mais comment l'atteindre ?

C'était la question que je me posais dans ce quartier de Stockholm, dehors, en train de boire un café, les muscles contractés par le froid et la fumée de ma cigarette se dissipant dans l'immensité de l'air au-dessus de moi.

Parce qu'ils revenaient à intervalles réguliers, les cris de la cour d'école comptaient parmi les nombreux bruits qui rythmaient quotidiennement le quartier, depuis le matin quand les rues commençaient à s'engorger et jusqu'au soir quand la circulation s'amenuisait. Vers six heures et demie, les artisans avec leurs chaussures de chantier, leurs mains larges couleur de poussière, leur mètre planté dans leur poche de pantalon et leur portable sonnant continuellement, se retrouvaient dans les cafés et pâtisseries pour prendre un petit déjeuner. L'heure suivante, les rues se remplissaient d'hommes et de femmes difficiles à situer, dont l'allure souple et les vêtements stylés révélaient seulement qu'ils passaient leurs journées dans un bureau quelconque et qu'ils pouvaient être avocats ou journalistes de télévision, architectes ou rédacteurs publicitaires ou encore agents d'assurance. Puis arrivaient les infirmières et les aides-soignantes, pour la plupart des femmes d'âge mûr, mais il y avait parfois aussi un jeune homme, que les bus déposaient devant l'hôpital en groupes de plus en plus importants jusqu'à huit heures, et qui diminuaient ensuite jusqu'à ce qu'il n'y ait plus qu'un retraité ou deux qui descende sur le trottoir avec son cabas à roulettes dans ces heures calmes de la matinée où les mères et pères seuls commençaient à se montrer avec leur poussette et où la circulation dans la rue se composait essentiellement de camionnettes, de pick-up, de camions, de bus et de taxis.

À ce moment-là de la journée lorsque le soleil flamboyait dans les fenêtres en face de mon bureau et qu'on n'entendait plus, ou très rarement, de pas dans la cage d'escalier, il arrivait que des groupes d'enfants d'école maternelle en sortie passent devant chez moi, à peine plus grands que des moutons, tous affublés de la même chasuble réfléchissante, souvent sérieux, comme ensorcelés par le caractère merveilleux de l'expédition, alors que le sérieux du personnel, qui les dominait en taille comme des bergers, semblait confiner à l'ennui. C'est aussi à ce moment-là que les bruits des travaux en cours dans le voisinage disposaient de suffisamment d'espace acoustique pour qu'on en prenne conscience, que ce soit dans le parc où on débarrassait à l'aspirateur la pelouse des feuilles mortes ou taillait un arbre, ou bien que ce soit dans la rue où on raclait l'asphalte d'un tronçon de chaussée ou rénovait entièrement un immeuble. Puis tout à coup déferlait dans les rues une vague de fonctionnaires et d'hommes d'affaires qui remplissaient tous les restaurants de fond en comble : c'était l'heure du déjeuner. Quand la vague se retirait tout aussi soudainement, elle laissait derrière elle un vide qui ressemblait certes à celui de la matinée mais qui avait aussi son caractère particulier car le modèle se répétait mais en sens inverse : les élèves qui passaient alors devant ma fenêtre rentraient chez eux en petits groupes et avaient tous un côté décontracté et turbulent alors que le matin, en route vers l'école, ils étaient encore dans le silence du sommeil et dans la prudence innée envers ce qui n'a pas encore commencé. Le soleil brillait maintenant à ma fenêtre, et dans le couloir on commençait à entendre des pas lourds. À l'arrêt de bus devant l'entrée principale de l'hôpital, le groupe de gens qui attendaient grossissait à vue d'œil. Dans la rue, les voitures particulières se multipliaient et, sur le trottoir menant aux tours, le nombre des passants augmentait. Cette activité grandissante culminait vers cinq heures, ensuite le quartier était paisible jusqu'à ce que la vie nocturne commence, vers neuf heures, avec ses bandes de jeunes hommes tapageurs et de jeunes femmes riant fort, et il retrouvait son calme quand elle prenait fin vers trois heures du matin. Vers six heures, les bus recommençaient leur ronde, la circulation se faisait plus dense et les gens affluaient des portails et des escaliers, un nouveau jour était en marche.

Ici la vie se déroulait selon un schéma si strict qu'on aurait pu aussi bien l'appréhender géométriquement que biologiquement. Il était pratiquement impensable que cette vie-là fût apparentée à l'effervescence, la sauvagerie et le chaos qu'on pouvait observer dans d'autres espèces, comme dans les foisonnantes myriades de têtards, d'alevins ou d'œufs d'insectes où la vie semblait sortir en rampant d'un puits sans fond. Pourtant cette parenté est bien là. Le chaos et l'imprévisible sont à la fois la condition *sine qua non* de la vie et sa ruine, l'un n'existant pas sans l'autre et, bien que la plupart de nos efforts soient une tentative pour maintenir la ruine à distance, il ne faut pas plus qu'un court instant de résignation avant de vouloir vivre dans sa lumière et pas dans son ombre, comme maintenant. Le chaos est une sorte de gravitation qui est peut-être à l'origine de l'alternance entre développement et déclin des civilisations qu'on constate dans l'Histoire. Le plus frappant étant qu'en quelque sorte les extrêmes se ressemblent, car que ce soit dans le chaos foisonnant ou dans la stricte régulation, le vivant n'est rien et la vie est tout. Le cœur se soucie aussi peu de la vie pour laquelle il bat que la ville se soucie de ceux qui remplissent ses différentes fonctions. Lorsque, dans cent cinquante ans environ, tous ceux qui peuplaient la ville ce jour-là seront morts, l'activité humaine continuera à se tisser selon les mêmes modèles. Seuls les visages des gens seront nouveaux, et encore, pas tant que ça car ils nous ressembleront beaucoup.

Je jetai mon mégot par terre et bus la dernière goutte de mon café déjà froid.

J'observais la vie et pensais à la mort.

Je me levai, frottai mes mains sur mes cuisses et allai jusqu'au feu. Les voitures passaient suivies d'une traîne virevoltante de neige. Un énorme camion descendait la rue dans le cliquetis de ses chaînes, il freinait par à-coups et parvint à s'arrêter devant le passage piéton juste au moment où le feu passa au rouge. J'avais toujours une pointe de mauvaise conscience chaque fois qu'un véhicule s'arrêtait à cause de moi, une sorte de déséquilibre s'installait et j'avais le sentiment de leur devoir quelque chose. Plus le véhicule était grand, plus mon obligation envers eux l'était aussi, et c'est pour cette raison qu'en traversant j'essayai d'apercevoir le chauffeur de façon à pouvoir lui adresser un signe de tête et redresser ainsi l'équilibre. Or son regard suivait sa main levée pour attraper quelque chose dans l'habitacle, peut-être une carte car le camion était polonais, donc il ne me vit pas et c'était aussi bien, le freinage n'avait pas dû le gêner notablement. Je m'arrêtai au portail, composai le digicode et ouvris. Je sortis ma clé en montant les quelques marches menant au rez-de-chaussée où se trouvait mon bureau. Entendant la machinerie de l'ascenseur, j'ouvris la porte, entrai et refermai derrière moi le plus vite possible.

La chaleur soudaine fit picoter la peau de mes mains et de mon visage. Dehors passa encore une ambulance toute sirène dehors. Je remis de l'eau à chauffer pour un café et en attendant que l'eau boue, je relus en diagonale ce que j'avais écrit jusque-là. Dans les larges rayons de lumière obliques, la poussière en suspens s'agitait au gré du moindre déplacement d'air. Le voisin de l'appartement d'à côté s'était mis à jouer du piano. La bouilloire chuinta. Ce que j'avais écrit n'était pas bon. Ce n'était pas mauvais mais ce n'était pas bon non plus. Je me levai, ouvris la boîte à café, en mis deux cuillerées dans la tasse et versai l'eau qui s'éleva noire et brûlante le long des parois de la tasse.

Le téléphone sonna.

Je posai la tasse sur le bureau et laissai sonner deux fois avant de répondre.

— Allô ? dis-je.

— Salut, c'est moi.

— Salut.

— Je voulais juste savoir comment ça va dans ton nouveau bureau ?

Elle avait l'air contente.

— Je n'en sais rien. Je ne suis là que depuis quelques heures, comme tu le sais.

Silence.

— Tu rentres bientôt ?

— Ne m'embête pas avec ça, veux-tu. Je rentrerai quand je rentrerai.

Elle ne répondit pas.

— Est-ce que j'achète quelque chose en rentrant ? dis-je au bout d'un moment.

— Non, j'ai fait les courses.

— Bien, à tout à l'heure.

— D'accord, salut. Ah, si, du cacao !

— Du cacao. Autre chose ?

— Non, c'est tout.

— OK. Salut.

— Salut.

Après avoir raccroché, je restai un long moment plongé non pas dans mes pensées ou dans ce que je ressentais mais dans une sorte d'atmosphère, comme celle que peut avoir une pièce vide. Lorsque, inconsciemment, je levai ma tasse pour boire une gorgée, le café était tiède. Je bougeai la souris pour supprimer l'écran de veille et voir quelle heure il était. Trois heures moins six. Puis je relus mon texte encore une fois, le coupai et le mis dans mes brouillons. J'avais travaillé à un roman pendant cinq ans et ce qui sortirait cette fois-ci ne pouvait pas être médiocre, or ça c'était insuffisant. En même temps, je savais que la clé était dans ce texte-là, il avait quelque chose en lui que je voulais exploiter. J'avais le sentiment que tout ce que je voulais se trouvait là mais dans une forme trop comprimée. Je trouvais particulièrement essentielle la petite idée à l'origine du texte : une action qui se déroulait dans les années 1880 mais avec des personnages et des accessoires des années 1980. J'avais essayé pendant plusieurs années d'écrire sur mon père mais sans y parvenir, sans doute le sujet m'était-il trop proche et je peinais à lui imposer une forme, ce fondement même de la littérature. Et son unique loi : tout doit se plier à la forme. Qu'un autre constituant de la littérature, comme le style, l'intrigue ou la thématique, prenne le dessus sur la forme, et le résultat est médiocre. C'est pour cette raison que les auteurs au style puissant écrivent aussi souvent des livres médiocres, tout comme les auteurs à forte thématique. Il faut que la puissance du style et de la thématique se décompose pour que la littérature apparaisse.

C'est cette décomposition en soi qu'on appelle « écrire ». Dans l'acte d'écrire, il y a plus de destruction que de création. Et personne ne le savait mieux que Rimbaud, dont le plus saisissant ne fut pas qu'il le comprenne à un âge si remarquablement jeune mais qu'il l'applique aussi à sa vie. Pour lui, tout était liberté, dans l'écriture comme dans la vie, et c'est parce qu'il mettait la liberté au-dessus de tout qu'il a pu ou même dû renoncer à l'écriture car elle aussi était devenue un assujettissement qu'il fallait détruire. Liberté égale destruction plus mouvement. Un autre écrivain à le savoir fut Aksel Sandemose, mais il ne réussit à appliquer le mouvement que dans sa littérature, pas dans sa vie. Il était dans la destruction et en resta tragiquement là. Rimbaud, lui, partit pour l'Afrique.

Impulsivement, je levai les yeux et croisai le regard d'une femme assise dans un bus juste devant ma fenêtre. Le jour déclinait et la seule source de lumière de la pièce, qui devait attirer l'attention dehors comme un papillon de nuit, était la lampe du bureau. Lorsqu'elle vit que je la regardais, elle détourna les yeux. Je me levai, débloquai les stores et les fermai au moment où le bus se remit en route. De toute façon, il était temps de rentrer à la maison. J'avais dit « bientôt » il y avait déjà une heure.

Elle s'était fait une joie de m'appeler.

Je fus traversé par une décharge de contrariété. Comment avais-je pu répondre à son inquiétude et à son attente par de l'irritation ?

Je restais immobile au milieu de la pièce comme si la douleur qui se propageait dans mon corps allait disparaître d'elle-même. Mais ce n'était jamais le cas. Seule l'action avait le pouvoir de la désagréger. Il faut que je me rattrape. À elle seule l'idée me soulageait, car non seulement elle contenait une promesse de réconciliation mais elle impliquait aussi un côté pratique, que pouvais-je faire pour me rattraper ? J'éteignis l'ordinateur, le mis dans la sacoche, rinçai la tasse et la mis dans l'évier, débranchai la prise abîmée, éteignis la lampe et m'habillai dans la lumière lunaire de la rue que filtraient les rainures des stores, tout en ayant constamment en tête l'image d'elle dans notre grand appartement.

Le froid me mordit au visage lorsque je sortis dans la rue. Je mis la capuche de ma parka par-dessus mon bonnet, me penchai en avant pour me protéger des petites particules de neige qui virevoltaient et me mis en route. Dans mes bons jours, j'avais l'habitude de prendre la rue Tegnérgatan jusqu'à la Drottninggatan que je suivais jusqu'au quartier de Högtorg. Là, je montais la côte jusqu'à l'église Johanneskirken puis redescendais vers la Regeringsgatan où se trouvait notre appartement. Cet itinéraire très fréquenté était jalonné de boutiques, centres commerciaux, cafés, restaurants et cinémas. Ces rues-là débordaient pour ainsi dire de gens de toute forme et de tout style. Dans les vitrines rutilantes s'étalaient les marchandises les plus variées et, à l'intérieur, les escalators tournaient comme les rouages de machines énormes et mystérieuses, les ascenseurs montaient et descendaient, sur les écrans de télévision on voyait de beaux individus se déplacer comme des fantômes et devant les centaines de caisses des files d'attente s'allongeaient et diminuaient puis s'allongeaient encore et diminuaient encore selon un modèle aussi indéterminable que les formations nuageuses au-dessus de la ville. Dans mes bons jours, j'aimais ça. Et ce flot humain, ces visages plus ou moins beaux dont les yeux exprimaient tous un état d'esprit différent, pouvait alors déferler sur moi. Dans les jours moins fastes en revanche, le même scénario faisait l'effet inverse et, si je pouvais, je choisissais un autre chemin, moins exposé. La plupart du temps, je longeais la Rådmannsgatan, puis descendais la Holländergatan jusqu'à la Tegnérgatan où je traversais la rue Sveavägen et suivais la Döbelngatan jusqu'à l'église Johanneskirken. Sur ce trajet-là, il y avait surtout des résidences. La plupart des gens que je croisais étaient de ceux qui se hâtent seuls à travers les rues et les quelques magasins et restaurants, de ceux qu'on fréquente rarement, des auto-écoles à la vitrine voilée de saleté, des brocantes avec leurs bacs de bandes dessinées et de trente-trois tours dehors, des pressings, un salon de coiffure, un restaurant chinois et quelques pubs défraîchis.

Ce jour-là était un jour moins faste. La tête penchée en avant pour éviter les rafales de neige, je marchais dans les rues qui ressemblaient à des vallées, coincées entre les hauts murs des vieux immeubles aux toits enneigés. Je regardais ici et là les vitrines devant lesquelles je passais : le hall vide d'un petit hôtel avec son aquarium aux parois vertes où nageaient des poissons rouges ; les affiches de publicité d'une entreprise fabriquant des pancartes, des brochures, des autocollants, des stands en carton ; les trois coiffeurs noirs qui coupaient les cheveux de leurs trois clients noirs dans le salon de coiffure africain, l'un d'eux tourna légèrement la tête pour voir les deux jeunes assis dans l'escalier en train de rire et le coiffeur lui remit la tête en place, non sans impatience.

De l'autre côté de la rue se trouvait le parc de l'Observatoire. Les arbres y poussaient en haut de la colline et, comme la faible lumière provenant des alignements de maisons se répandait en dessous de leur feuillage, on aurait dit qu'il faisait écran à l'obscurité. Il était si dense que même les lumières de l'observatoire, construit en haut du parc au XVIIIe siècle, à l'apogée de la ville, étaient invisibles. On y avait ouvert un café et la première fois que j'y étais allé, j'avais été frappé de constater que le XVIIIe siècle était beaucoup plus proche de nous ici qu'en Norvège et c'était peut-être encore plus flagrant à la campagne, où une ferme datant des années 1720 est considérée comme vraiment très ancienne alors que les somptueux édifices de la même époque à Stockholm ont presque l'air contemporains. Je me souviens que Borghild, la sœur de ma grand-mère maternelle, raconta un jour que nous étions sur la terrasse de sa petite maison, à l'endroit même d'où la famille était originaire, qu'il y avait eu là des maisons du XVIe siècle jusque dans les années soixante et qu'elles avaient été détruites pour faire place à des constructions plus modernes. J'avais trouvé ça sensationnel comparé aux édifices de la même époque que je voyais tous les jours ici. Peut-être était-ce dû à la proximité avec ma famille, donc avec moi. Peut-être que le passé de Jølster me concernait d'une tout autre façon que celui de Stockholm. Je me disais que c'était probablement l'explication, en fermant les yeux quelques secondes pour effacer le sentiment d'être idiot, né de cette association d'idées puisqu'elle reposait indéniablement sur une illusion. Je n'avais pas d'histoire et m'en créais une, à peu près comme le ferait un parti nazi de banlieue.

Je continuai à descendre la rue et tournai dans la Holländergatan. Vide et encadrée de ses deux files de voitures immobiles et couvertes de neige, coincée entre deux rues parmi les plus importantes de la ville, Sveavägen et Drottninggatan, elle était la rue secondaire par excellence. Je fis passer ma sacoche dans la main gauche pendant qu'avec les doigts de la droite j'attrapais ma capuche et la secouais pour enlever la neige qui s'y était amoncelée et baissais un peu la tête pour ne pas me cogner à l'échafaudage en travers du trottoir. Tout en haut, des bâches claquaient au vent. Lorsque je sortis de cette espèce de tunnel, un homme surgit devant moi d'une façon telle que je dus m'arrêter.

— Il faut changer de trottoir, dit-il. Ça brûle là-dedans et, selon moi, il y a un risque d'explosion.

Il mit son portable à l'oreille puis l'enleva.

— C'est sérieux, dit-il. Traversez.

— Où est-ce que ça brûle ?

— Là, dit-il en montrant une fenêtre dix mètres plus loin.

Sa partie supérieure était ouverte et de la fumée s'en échappait. J'allai en diagonale au milieu de la rue de façon à mieux voir en même temps que je m'éloignais, au moins un peu, comme il le souhaitait. À l'intérieur, la pièce était éclairée par deux projecteurs et remplie de matériel et de câbles, de pots de peinture, de boîtes à outils, d'une perceuse, de rouleaux de matériaux d'isolation, d'escabeaux. La fumée se faufilait entre tout ça, lentement et comme prudemment.

— Avez-vous appelé les pompiers ? dis-je.

Il acquiesça.

— Ils arrivent.

Il remit son portable à l'oreille pour l'enlever l'instant d'après.

Je voyais la fumée prendre d'autres formes et remplir petit à petit la pièce pendant que l'homme faisait frénétiquement les cent pas sur le trottoir.

— Je ne vois aucune flamme, dis-je. Et vous ?

— C'est un feu qui couve.

Je restai là encore quelques minutes mais comme j'avais froid, et que plus rien ne se passait, je repris mon chemin vers l'appartement. En attendant pour traverser la rue au feu de Sveavägen, j'entendis les sirènes des premiers camions de pompiers qui apparurent aussitôt en haut de la côte. Les gens se retournaient. La lenteur avec laquelle les gros camions descendaient la pente formait un contraste surprenant avec la précipitation qu'on associe aux sirènes. À ce moment-là, le feu passa au vert, je traversai la rue et entrai dans le supermarché, en face.

Cette nuit-là, je ne pus dormir. Habituellement, je m'endormais en l'espace de quelques minutes, indépendamment de l'intensité de la journée écoulée ou de l'inquiétude que pouvait susciter le lendemain, et à l'exception des périodes où j'étais somnambule, je dormais toujours profondément toute la nuit. Mais ce soir-là, dès que je posai la tête sur l'oreiller et fermai les yeux, je compris que le sommeil ne viendrait pas. Complètement éveillé, j'entendais les bruits de la ville, plus ou moins forts selon les déplacements des gens dehors et ceux des appartements au-dessus et en dessous de nous, qui s'estompèrent petit à petit jusqu'à ce qu'il ne reste que le chuintement de la ventilation, en même temps que mes pensées partaient dans tous les sens. Linda dormait à côté de moi. Je savais que l'enfant qu'elle portait affectait aussi ses rêves, dans lesquels il était anormalement souvent question d'eau : d'énormes vagues qui déferlaient sur des plages lointaines où elle se promenait ; de l'eau qui inondait l'appartement parfois jusqu'au plafond et qui dégoulinait des murs ou remontait par les siphons et les toilettes ; des lacs nouveaux qui apparaissaient en ville, par exemple devant la gare où l'enfant se trouvait dans un coffre de consigne qu'elle ne pouvait atteindre, ou bien alors il disparaissait pendant qu'elle était là, encombrée de bagages. Il arrivait aussi que dans ses rêves l'enfant qu'elle mettait au monde ait le visage d'un adulte, ou bien qu'il n'existe pas et que pendant l'accouchement il ne sorte d'elle rien d'autre que de l'eau.

Et mes rêves à moi, comment étaient-ils ?

Pas une seule fois je n'avais rêvé de l'enfant. Parfois ça me donnait mauvaise conscience car si on considérait, comme j'avais tendance à le faire, le côté irraisonné de la conscience comme plus vrai que le côté raisonné, il était manifeste qu'attendre un enfant ne revêtait pas une importance particulière pour moi. Mais d'un autre côté, rien n'était particulièrement important. Je n'avais pratiquement jamais rêvé de ce que j'avais vécu après mes vingt ans. Dans mes rêves, c'était comme si je n'avais pas grandi, je restais entouré des gens et des lieux de mon enfance et, même si les événements qui s'y déroulaient étaient différents chaque nuit, ils me remplissaient toujours du même sentiment d'humiliation. Souvent, ce sentiment me restait chevillé au corps plusieurs heures encore après m'être réveillé. En même temps, une fois éveillé, j'arrivais à peine à me remémorer mon enfance, et le peu dont je me souvenais n'évoquait plus rien en moi, créant une sorte de symétrie entre le passé et le présent, un étrange système où la mémoire était liée à la nuit et au rêve et le jour à la conscience et l'oubli.

Pourtant, seulement quelques années auparavant, les choses avaient été différentes. Jusqu'à ce que je déménage à Stockholm, j'avais le sentiment qu'il y avait une continuité dans ma vie, qu'elle se déroulait sans interruption depuis mon enfance, continuellement tissée de liens nouveaux selon un système complexe et astucieux dans lequel tout ce que je voyais pouvait évoquer en moi un souvenir qui déclenchait des petites bouffées d'émotion dont l'origine m'était connue ou inconnue. Les gens que je rencontrais venaient de villes où j'avais été, ils connaissaient des gens que j'avais déjà rencontrés, c'était une toile aux mailles serrées. Après mon installation à Stockholm, ces poussées de souvenirs se firent plus rares et un jour elles disparurent complètement. J'étais toujours capable de me les remémorer mais ils n'évoquaient plus rien en moi. Aucune nostalgie, aucune envie de retour en arrière, rien. Seulement le souvenir lui-même, étrangement teinté d'une sorte d'aversion envers tout ce qui y touchait.

Cette réflexion me fit ouvrir les yeux. J'étais allongé, immobile, et regardais dans la pénombre la lampe en papier de riz qui pendait au plafond comme une lune miniature. Il n'y avait vraiment rien à regretter car la nostalgie est non seulement éhontée mais traître aussi. Comment est-ce qu'on sort de la nostalgie de son enfance, de sa jeunesse quand on a vingt ans passés ? Ça ressemblait à une maladie.

Je me tournai et regardai Linda. Elle était allongée sur le côté, le visage vers moi. Son ventre était si gros qu'il devenait difficile de le relier au reste du corps, bien que celui-ci aussi eût enflé. Pas plus tard que la veille, elle avait ri de la taille de ses cuisses devant le miroir.

L'enfant avait la tête en bas, contre le bassin, et resterait dans cette position jusqu'à la naissance. À la maternité, ils avaient dit qu'il était tout à fait normal qu'il ne bouge plus pendant de longs moments. Son cœur battait. Bientôt, quand il penserait qu'il était temps, et en accord avec le corps dans lequel il était maintenant à l'étroit, il déclencherait lui-même l'accouchement.

Je me levai doucement pour aller dans la cuisine boire un verre d'eau. Par la fenêtre, je voyais des groupes de personnes âgées qui bavardaient à l'entrée de la salle de concerts de Nalen. Une fois par mois, on y organisait des soirées dansantes pour eux et ils arrivaient par vagues serrées, ces hommes et ces femmes entre soixante et quatre-vingts ans, tous dans leurs plus beaux vêtements. En les voyant enthousiastes et contents dans la file d'attente, je pouvais avoir mal jusqu'au tréfonds de l'âme. L'un d'eux en particulier m'avait fait impression lorsqu'il apparut la première fois, légèrement chancelant, au carrefour de la rue David Bagare un soir de septembre, vêtu d'un costume jaune clair, de baskets blanches et d'un chapeau de paille. Mais ce n'était pas tant ses vêtements qui le distinguaient des autres que ce qu'il dégageait, car autant je trouvais que les autres formaient un bon groupe d'hommes âgés sortant en compagnie de leur épouse pour passer un moment agréable, tellement semblables les uns aux autres qu'on les oubliait dès qu'on regardait ailleurs, autant lui était seul, même quand il parlait à quelqu'un. Et le plus frappant, c'était la volonté qui émanait de lui, unique dans cette assemblée. Lorsqu'il se faufila rapidement dans la foule du hall d'entrée, je compris tout à coup qu'il cherchait quelque chose qu'il ne trouverait pas là, ni probablement ailleurs. Le temps lui échappait et, avec lui, le monde.

Dehors, un taxi s'arrêta sur le trottoir. Le groupe le plus proche ferma les parapluies et les secoua gaiement pour ôter la neige avant de monter dans le véhicule. Le gyrophare allumé mais sans la sirène, une voiture de police déboucha tout en bas de la rue, son silence était de mauvais augure. Elle était suivie d'une deuxième voiture. Elles passèrent en ralentissant et, lorsque je les entendis s'arrêter un pâté de maisons plus loin, je posai mon verre et allai à la fenêtre de la chambre. Les deux voitures s'étaient garées l'une derrière l'autre tout contre la boutique US VIDEO. La première était une voiture ordinaire et la seconde une fourgonnette dont quelqu'un était en train de refermer la portière arrière au moment où je recommençai à observer la scène. Six policiers coururent vers la porte du bâtiment et s'y engouffrèrent, deux autres restèrent en faction devant la voiture de patrouille. Un homme d'une cinquantaine d'années passa sans même jeter un coup d'œil aux policiers. Je le soupçonnai d'avoir voulu entrer et d'avoir pris peur en voyant les policiers devant la boutique. Vingt-quatre heures sur vingt-quatre, un flot régulier d'hommes entrait et sortait de l'US VIDEO et, après avoir vécu presque un an ici, je savais dire dans neuf cas sur dix qui avait l'intention d'entrer ou de passer seulement. Ils avaient presque tous le même langage corporel. Ils marchaient normalement et, quand ils ouvraient la porte, c'était d'un mouvement qui se voulait dans le prolongement du précédent mais ils étaient si attentifs à ne pas regarder autour d'eux que c'était leur effort criant pour avoir l'air normal qu'on remarquait. Aussi bien quand ils entraient à la sauvette que quand ils ressortaient. Là, la porte s'ouvrait et, sans faire de pause, ils se coulaient sur le trottoir avec une contenance censée donner l'impression qu'ils marchaient depuis un certain temps. Ils étaient de tous âges, de seize à soixante-dix ans passés, et de toutes conditions sociales. Certains semblaient faire le déplacement exprès, d'autres y passaient en rentrant du travail ou très tôt le matin après être sortis toute la nuit. Personnellement, je n'y étais pas allé mais je savais bien comment c'était : le long escalier qui descend, la boutique dans la semi-obscurité avec le comptoir où on payait, l'alignement des cabines peintes en noir avec leur écran, la grande quantité de films parmi lesquels on pouvait choisir selon ses préférences sexuelles, la chaise en skaï noir et les rouleaux de papier hygiénique posés à côté.

August Strindberg prétendit un jour dans sa gravité profonde et perturbée que les étoiles étaient des trous dans un mur. J'y pensais parfois en voyant ce flux incessant d'individus qui allaient s'asseoir dans l'obscurité des cabines pour se masturber en regardant leur écran lumineux. Je pensais qu'ils étaient fermés au monde extérieur et qu'une des rares ouvertures sur lui était ces carrés lumineux. Ils ne parlaient jamais de ce qu'ils voyaient à personne, c'était indicible, incompatible avec tout ce qu'une vie ordinaire implique, et la plupart d'entre eux étaient des hommes ordinaires. Mais l'indicible n'était pas circonscrit au monde d'en haut, en bas aussi ils en étaient empreints, au moins à en juger par leur comportement : ils ne se parlaient pas, ne se regardaient pas, suivaient leur circuit de solipsistes entre l'escalier, les rayonnages de films, le comptoir, la cabine et encore l'escalier. Par ailleurs, ils ne pouvaient pas ignorer le côté fondamentalement ridicule de la chose, cet alignement d'hommes assis chacun dans sa cabine, le pantalon baissé jusqu'aux genoux, grognant et gémissant, tirant sur leur membre pendant qu'ils regardaient des films où des femmes avaient des relations sexuelles avec des chevaux ou des chiens, ou des hommes avec des quantités d'autres hommes. Mais ils ne pouvaient pas non plus en tenir compte puisque le vrai rire et le vrai désir sont incompatibles et c'était le désir qui les avait poussés jusqu'ici. Mais pourquoi ici ? Tous les films qu'on leur proposait dans la cave étaient aussi sur le net et ils auraient pu les regarder dans la solitude la plus complète et sans risque d'être vu. Donc il devait forcément y avoir quelque chose dans la situation innommable qu'ils recherchaient : soit le côté vil, vulgaire et obscène, soit le côté dissimulé. Je ne savais pas, pour moi c'était un terrain inconnu, mais je ne pouvais m'empêcher d'y penser chaque fois que je voyais des hommes y aller.

Il n'était pas inhabituel que la police vienne, mais c'était le plus souvent à cause des manifestations qui avaient lieu régulièrement à cet endroit-là. Mécontents que le magasin ne soit pas inquiété, les manifestants ne pouvaient rien faire d'autre qu'être présents avec leurs banderoles, crier leurs slogans et siffler chaque fois que quelqu'un entrait ou sortait, sous la surveillance étroite des policiers postés côte à côte et munis de boucliers, de casques et de matraques.

— Qu'est-ce qui se passe ? demanda Linda derrière moi.

Je me retournai.

— Tu es réveillée ?

— À peine, dit-elle.

— Moi, je n'arrive pas à dormir et puis il y a des voitures de police dehors. Mais rendors-toi.

Elle referma les yeux. Dans la rue, la porte s'ouvrit et deux policiers apparurent. Et derrière eux encore deux autres. Ils tenaient un homme si serré entre eux qu'il ne touchait pas le sol. C'était brutal mais visiblement nécessaire car l'homme avait le pantalon baissé. En sortant ils le lâchèrent et il tomba à genoux. Deux autres policiers sortirent derrière eux. L'homme se releva et remonta son pantalon. Un des policiers lui mit les menottes aux mains, dans le dos, un autre le mena dans la voiture. Au moment où les autres policiers commencèrent à remonter dans les véhicules, deux de ceux qui travaillaient là sortirent. Les mains dans les poches, ils regardèrent les voitures démarrer, descendre la rue et disparaître pendant que leurs cheveux blanchissaient lentement à cause de la neige qui tombait.

J'allai au salon. Au niveau des fenêtres, les lampadaires pendus aux câbles au-dessus de la rue éclairaient faiblement les murs et le sol. Je regardai un moment la télé sans cesser de penser que ça risquait d'inquiéter Linda si elle se réveillait et entrait dans la pièce. Toute anomalie et tout ce qui suggérait le flottement pouvaient lui rappeler les périodes maniaco-dépressives que son père avait connues quand elle était enfant. J'éteignis la télé, pris un des livres d'art sur l'étagère au-dessus du canapé et le feuilletai. C'était un livre sur Constable que je venais d'acheter. Surtout des esquisses à l'huile, des études de nuages, de paysages et de mer.

Il suffisait que mon regard se pose sur ces pages pour que mes yeux se brouillent de larmes tellement certaines images me remplissaient d'aspirations. D'autres me laissaient indifférent. C'était là mon seul critère en matière de beaux-arts, l'émotion qu'ils suscitaient. Le sentiment d'infini. Le sentiment de beauté. Le sentiment de présence. Tous concentrés dans des instants si foudroyants qu'ils étaient parfois difficiles à vivre. Et tous complètement inexplicables. Car en examinant la peinture qui m'avait fait la plus forte impression, une esquisse à l'huile d'une formation de nuages du 6 septembre 1822, je n'y trouvais rien qui pût expliquer la force de ces émotions. Tout en haut, un pan de ciel bleu. En dessous, un pan de brume blanchâtre. Puis les nuages qui ballonnent. Blancs là où les rayons du soleil les atteignaient, vert clair dans les parties légèrement à l'ombre et vert profond, presque noirs, là où ils étaient les plus lourds et les plus éloignés du soleil. Du bleu, du blanc, du turquoise, du vert et du vert tirant sur le noir. C'était tout. Dans le commentaire, on disait que Constable l'avait peint à Hampstead *at noon* et qu'un certain Wilcox avait douté de l'exactitude de la date vu qu'une autre esquisse faite le même jour entre 12 et 13 heures montrait un ciel autrement pluvieux, argument que les rapports météorologiques de la région de Londres réfutèrent puisque la couche de nuages de ce jour-là pouvait tout à fait correspondre aux deux tableaux.

Ayant autrefois étudié l'histoire de l'art, j'avais l'habitude de décrire et d'analyser l'art. Mais je n'avais jamais écrit quoi que ce fût sur la seule chose qui soit importante : le ressenti de l'art. Pas seulement parce que je ne pouvais pas mais aussi parce que les émotions que les tableaux soulevaient en moi allaient à l'encontre de tout ce que j'avais appris sur ce qu'était l'art et à quoi il servait. Donc je le gardais pour moi. Déambulant à la Nationalgalleriet de Stockholm ou à la Nasjionalgalleriet d'Oslo ou à la National Gallery de Londres, je regardais. J'étais libre, je n'avais nul besoin de justifier mes émotions, de répondre à qui que ce soit, d'argumenter quoi que ce soit. Libre certes mais pas en paix, car ces tableaux censés être idylliques, comme les paysages archaïques de Claude, me laissaient toujours tourmenté. Le côté inexhaustible qu'ils avaient au plus profond d'eux suscitait en moi une sorte d'avidité. Je ne peux l'exprimer autrement. Une avidité à être dans cet inexhaustible. Il en était ainsi cette nuit-là. Je feuilletai le livre sur Constable presque une heure durant en revenant toujours au tableau des nuages tirant sur le vert qui chaque fois me déchirait. C'était comme si deux façons d'observer allaient et venaient dans ma conscience, l'une avec ses réflexions et ses raisonnements, l'autre avec ses sentiments et ses impressions, et, bien que côte à côte, elles excluaient l'éclairage qu'elles apportaient l'une et l'autre. C'était une peinture magnifique, elle me remplissait de tous les sentiments que suscitent les peintures magnifiques mais quand je voulais expliquer pourquoi, en quoi elle était magnifique, je n'y parvenais pas. Le tableau me faisait vaciller intérieurement, mais dans quel dessein ? Le tableau me remplissait d'aspirations, mais à quoi ? Des nuages, il y en avait pléthore, des couleurs et des instants particuliers du passé aussi. Même la combinaison des trois était courante. L'art de notre époque, celui qui logiquement aurait dû me correspondre, n'accordait pas de valeur aux sentiments générés par une œuvre d'art. Les sentiments étaient subalternes, voire un sous-produit indésirable, une sorte de déchet ou, dans le meilleur des cas, un matériau manipulable. De même, les tableaux représentant la réalité à la façon des naturalistes n'avaient aucune valeur, ils étaient considérés comme naïfs et d'une époque complètement révolue. Qu'est-ce qui faisait encore sens alors ? Pourtant, chaque fois que mon regard se posait sur la peinture, tous les raisonnements disparaissaient dans la vague de puissance et de beauté qui me soulevait. *Oui, oui, oui,* entendais-je alors. *C'est bien ça. C'est là qu'il faut aller.* Mais à quoi est-ce que j'acquiesçais ? Où fallait-il que j'aille ?

Il était quatre heures. C'était encore la nuit. Je ne pouvais pas aller au bureau la nuit. Mais quatre heures et demie, n'était-ce pas déjà le matin ?

Je me levai, allai à la cuisine et mis une assiette de spaghettis et de boulettes de viande au four à micro-ondes car je n'avais pas mangé depuis le déjeuner de la veille. J'allai à la salle de bains et me douchai, surtout pour passer le temps que prendrait le plat à se réchauffer, m'habillai, pris une fourchette et un couteau, remplis mon verre d'eau, sortis l'assiette du four et m'assis pour manger.

Dans les rues dehors, il n'y avait aucun bruit. Entre quatre et cinq heures du matin, c'était le seul moment où cette ville dormait. Dans ma vie antérieure, les douze années où j'avais vécu à Bergen, j'avais l'habitude d'être debout la nuit, dans la mesure du possible. Je n'analysais jamais ce penchant, j'aimais ça et m'y adonnais, tout simplement. C'était parti d'une conviction que j'avais quand j'étais lycéen, selon laquelle la nuit était liée en quelque sorte à la liberté. Non pas la nuit en soi mais en opposition à la journée de huit heures que moi et quelques autres considérions comme bourgeoise et conformiste. Nous voulions être libres, donc nous étions debout la nuit. Si j'ai continué à le faire, c'était moins pour une question de liberté que pour assouvir un besoin grandissant de solitude. Je comprenais maintenant que j'avais ça en commun avec mon père. Dans la maison de Sannes, il avait tout un appartement à sa disposition et il y passait pour ainsi dire chaque soirée. C'était sa nuit à lui.

Je rinçai l'assiette sous le robinet, la mis dans le lave-vaisselle et allai dans la chambre. Linda ouvrit les yeux au moment où je m'arrêtais devant le lit.

— Tu as le sommeil vraiment léger.

— Quelle heure est-il ?

— Quatre heures et demie.

— Tu n'as pas dormi ?

Je secouai la tête.

— Je vais faire un tour au bureau, ça t'ennuie ?

Elle se releva un peu.

— *Maintenant ?*

— Je n'arrive pas à dormir, de toute façon. C'est aussi bien que je travaille.

— S'il te plaît..., dit-elle. Viens te coucher.

— Entends-tu ce que je te dis ?

— Mais je n'aime pas dormir toute seule ici. Tu pourras aller au bureau demain matin, non ?

— Mais on est déjà demain matin.

— Non, on est en pleine nuit. Et en plus tu sais bien que je peux accoucher à n'importe quel moment. Peut-être même dans une heure.

— Salut, dis-je en fermant la porte.

Dans le couloir, j'enfilai mes vêtements, attrapai ma sacoche et sortis. L'air froid remontait du trottoir enneigé. Du bas de la rue arrivait un chasse-neige. Sa lourde lame en métal grondait sur l'asphalte. Il fallait toujours qu'elle me retienne. Pourquoi était-ce si important que je sois là quand elle dormait et n'avait pas conscience de ma présence ?

Le ciel était noir et lourd au-dessus des toits mais il ne neigeait plus. Je me mis en route. Le chasse-neige passa, ronflant du moteur, cliquetant des chaînes et raclant de la lame. Un petit enfer acoustique. Je tournai au coin de la rue David Bagare, vide et silencieuse, puis montai vers la Malmskillnadsgatan, où les lettres du restaurant KGB accrochaient le regard. Je stoppai devant la porte de la maison de retraite. C'était vrai ce qu'elle avait dit. L'accouchement pouvait commencer n'importe quand. Et elle n'aimait pas être seule. Alors qu'est-ce que je faisais là ? Qu'est-ce que j'allais faire au bureau à quatre heures et demie du matin ? Écrire ? Réussir aujourd'hui ce que je n'avais pas réussi les cinq années précédentes ?

Quel idiot j'étais. Il s'agissait de notre enfant, de mon enfant, il n'y avait aucune raison qu'elle soit la seule concernée.

Je fis demi-tour. Lorsque je posai ma sacoche dans

le couloir et commençai à me déshabiller, j'entendis sa voix depuis la chambre.

— C'est toi, Karl Ove ?

— Oui, dis-je en allant vers elle.

Elle me regarda, interloquée.

— Tu as raison. Je n'ai pas réfléchi. Excuse-moi d'être parti.

— C'est à moi de m'excuser. Bien sûr que tu peux aller travailler !

— J'irai plus tard.

— Mais je ne veux pas te retenir. Tout se passera bien ici, je te le promets. Vas-y. Je t'appellerai s'il y a quelque chose.

— Non, dis-je en m'allongeant à côté d'elle.

— Mais Karl Ove..., dit-elle en souriant.

J'aimais bien qu'elle m'appelle par mon nom, j'avais toujours aimé ça.

— Maintenant tu penses comme moi et moi comme toi. Mais je sais bien qu'en fait tu penses le contraire.

— Ça devient trop compliqué pour moi, dis-je. Et si on dormait, tout simplement ? Et on petit-déjeunera ensemble avant que je parte ?

— Volontiers, dit-elle en se calant tout contre moi.

Elle dégageait la chaleur d'un poêle. Je lui passai la main dans les cheveux et l'embrassai doucement sur la bouche. Elle ferma les yeux et reposa sa tête sur l'oreiller.

— Que dis-tu ?

Elle ne répondit pas mais prit ma main et la posa sur son ventre.

— Là ! dit-elle. Tu as senti ?

Sa peau tendue fit soudain une bosse dans ma main.

— Oh, dis-je en levant ma main pour voir.

Ce qui avait fait une bosse à la surface du ventre, que ce fût un genou ou un pied, un coude ou un poing, se déplaçait maintenant. On aurait dit que quelque chose bougeait juste au-dessous de la surface d'une eau habituellement calme. Puis ça disparut.

— Elle est impatiente, dit Linda. Je le sens.

— C'était son pied ?

— Mm.

— On aurait dit qu'elle essayait de voir si elle pouvait sortir par là, dis-je.

Linda sourit.

— Ça fait mal ?

Elle secoua la tête.

— Je le sens bien mais ça ne fait pas mal. C'est seulement bizarre.

— Je veux bien te croire.

Je me calai tout contre elle et reposai ma main sur son ventre. On entendit claquer le clapet de la fente à courrier dans le hall. Un camion passa dans la rue, il devait être gros, les vitres tremblèrent. Je fermai les yeux. Lorsque les pensées et les images de ma conscience partirent rapidement dans des directions que je ne maîtrisais pas et que je me sentis les observer comme une sorte de chien de berger paresseux, je compris que le sommeil était tout près. Il ne restait plus qu'à tomber dedans.

Je fus réveillé par le bruit que Linda faisait dans la cuisine. À l'horloge de la cheminée, il était onze heures moins cinq. La journée était fichue.

J'enfilai mes vêtements et allai dans la cuisine. La petite cafetière grésillait sur la plaque. Tout était prêt sur la table. Il y avait deux tranches de pain grillées sur une assiette et, dans le grille-pain à côté, deux autres remontaient.

— As-tu bien dormi ? dit Linda.

— Oh oui, dis-je en m'asseyant.

Le beurre que j'étalai sur la tartine fondit aussitôt

et remplit les petits trous à la surface. Linda ôta la cafetière de la plaque qu'elle éteignit. La taille de son ventre faisait qu'elle avait toujours l'air penchée en arrière et, quand elle faisait quelque chose avec ses mains, on aurait dit que c'était de l'autre côté d'un mur invisible.

Dehors, le ciel était gris mais la neige avait dû rester sur les toits car il faisait plus clair que d'habitude dans la pièce.

Elle versa du café dans les deux tasses qu'elle avait sorties et en posa une devant moi. Elle avait le visage enflé.

— Ton état a empiré ?

Elle acquiesça.

— J'ai le nez complètement bouché. Et un peu de fièvre.

Elle s'assit lourdement et versa du lait dans le café.

— Comme par hasard, dit-elle. C'est maintenant que je tombe malade. Au moment où j'ai besoin de toutes mes forces.

— Peut-être que l'accouchement attendra, que le corps ne le déclenchera pas avant d'être guéri.

Elle planta son regard dans le mien. J'avalai le dernier morceau et me versai du jus de fruits. Si j'avais appris une chose ces derniers mois, c'était bien que tout ce qu'on disait sur l'humeur changeante et imprévisible des femmes enceintes était exact.

— Tu ne comprends pas que c'est une véritable catastrophe ? dit-elle.

Mon regard croisa le sien, je bus une gorgée de jus de fruits.

— Si, si, bien sûr. Mais ça va s'arranger. Tout s'arrange.

— Bien sûr que tout s'arrange mais il ne s'agit pas de ça. Je ne veux pas être malade et faible pour accoucher, voilà de quoi il s'agit.

— Je comprends bien. Mais ça n'arrivera pas. Il reste encore quelques jours.

Nous continuâmes à manger en silence.

Puis elle me regarda à nouveau. Elle avait des yeux magnifiques. Ils étaient gris-vert et de temps en temps, souvent quand elle était fatiguée, elle louchait légèrement. Sur la photo d'un recueil de poèmes qu'elle avait publié, elle louchait, et cette fragilité, contrecarrée par l'aplomb qu'elle dégageait par ailleurs, mais pas abolie, m'avait complètement fasciné.

— Excuse-moi. Je suis un peu nerveuse.

— Ne te tracasse pas, tu es tellement bien préparée.

Et c'était la vérité. Elle s'était entièrement consacrée à ce qui allait se produire, elle avait lu des tas de livres, acheté une cassette de méditation qu'elle écoutait le soir, où une voix hypnotique répétait que la douleur n'était pas dangereuse, que la douleur était normale, que la douleur n'était pas dangereuse, que la douleur était normale, et ensemble nous avions suivi un cours de préparation à l'accouchement et visité la maternité où il aurait lieu. Avant chaque rendez-vous chez la sage-femme, elle avait préparé des questions écrites, et chaque courbe et mensuration qu'on lui donnait, elle les reportait tout aussi consciencieusement dans un journal. Comme on l'en avait priée, elle avait renvoyé à la maternité un formulaire avec ses souhaits, elle y précisait qu'elle était inquiète et avait besoin d'encouragement mais qu'en même temps elle était forte et voulait accoucher sans anesthésie.

Ça me fendait le cœur car nous avions vu la maternité. Malgré leurs efforts pour créer un cadre familier, avec des canapés, des tapis, des reproductions aux murs et un lecteur de CD dans la pièce où l'accouchement aurait lieu, en plus d'une télé et d'une cuisine où on pouvait préparer ses propres repas et d'une chambre avec salle de bains dont on disposait après la naissance, il restait toujours le fait qu'une autre femme venait d'accoucher dans cette même pièce. Certes elle avait été nettoyée à toute vitesse, les draps avaient été changés et on avait mis des serviettes propres, mais ça s'était répété tellement de fois qu'il y flottait malgré tout une odeur métallique de sang et de viscères. De même que la chambre toute propre dont nous devions disposer pendant vingt-quatre heures après la naissance venait d'être occupée par un autre couple avec un nouveau-né, et ce qui nous paraissait à nous bouleversant et nouveau n'était qu'une éternelle répétition pour ceux qui travaillaient là. Ayant toujours la responsabilité de plusieurs naissances à la fois, les sages-femmes entraient et sortaient constamment des salles où des femmes hurlaient et criaient, beuglaient et gémissaient selon la phase de l'accouchement dans laquelle elles se trouvaient. Ça n'arrêtait jamais, de jour comme de nuit, année après année, et s'il y avait bien une chose qu'ils étaient incapables de faire, c'était de s'occuper de quelqu'un avec l'enthousiasme que Linda attendait et qu'elle avait exprimé dans sa lettre.

Elle regarda par la fenêtre et je suivis son regard. Sur le toit du bâtiment d'en face, à une dizaine de mètres de nous, un homme déblayait la neige, il avait une corde autour de la taille.

— Ils sont fous dans ce pays, dis-je.

— C'est pas comme ça en Norvège ?

— Non, tu es folle ?

L'année avant que j'arrive ici, un garçon avait été tué par un morceau de glace tombé d'un toit. Depuis, tous les toits étaient déblayés, d'une façon horriblement systématique, pratiquement dès que la neige tombait, et quand le redoux arrivait tous les trottoirs étaient barrés de rubans rouges et blancs pendant une semaine. Le chaos partout.

— En tout cas cet affolement maintient l'emploi, dis-je en avalant goulûment ma tartine.

Je me levai et bus la dernière gorgée de café debout.

— J'y vais.

— D'accord. Est-ce que tu pourrais louer des vidéos en rentrant ?

Je reposai la tasse sur la table et m'essuyai la bouche du revers de la main.

— Bien sûr. N'importe quoi ?

— Oui, tu peux choisir.

Je me brossai les dents dans la salle de bains. Lorsque j'allai dans l'entrée pour m'habiller, Linda me suivit.

— Qu'est-ce que tu vas faire aujourd'hui ? dis-je, en sortant d'une main mon manteau de la penderie et en enroulant de l'autre mon écharpe autour du cou.

— Je n'en sais rien. Faire une promenade dans le parc, peut-être. Prendre un bain.

— Tu vas pouvoir ?

— Oui, je vais y arriver.

Je me penchai pour nouer mes lacets pendant qu'elle trônait au-dessus de moi un bras derrière le dos.

— Bien, dis-je en enfonçant solidement mon bonnet et en attrapant ma sacoche. Cette fois, j'y vais.

— D'accord.

— Appelle-moi s'il se passe quelque chose.

— Compte sur moi.

Nous nous embrassâmes et je refermai la porte derrière moi. Sur le palier, l'ascenseur montait et j'entraperçus la voisine du dessus, le visage penché vers le miroir. Elle était avocate et portait la plupart du temps des pantalons noirs ou des jupes noires qui lui arrivaient jusqu'au genou, elle saluait brièvement, la bouche toujours pincée, et il émanait d'elle de l'animosité, en tout cas à mon égard. Par moments, elle hébergeait son frère, un homme maigre, fébrile, aux yeux sombres et à l'air dur, mais un bel homme qu'une amie de Linda avait remarqué et dont elle était tombée amoureuse. Ils avaient une forme de relation qui semblait fondée sur le mépris qu'il avait pour elle et l'adoration qu'elle avait pour lui. Il paraissait gêné d'habiter le même immeuble que Linda et avait eu l'air traqué les fois où nous avions échangé quelques mots. Je supposai que c'était lié au fait que j'en savais plus sur lui que lui sur moi mais il n'était pas impossible qu'il y eût d'autres raisons, par exemple le fait qu'il était le prototype même du drogué. Je n'en savais rien et connaissais si peu ce monde-là que j'étais véritablement aussi naïf que le prétendait Geir, mon seul véritable ami à Stockholm, qui me comparait sans cesse au personnage dupé des *Tricheurs* du Caravage.

Arrivé en bas, je décidai de fumer une cigarette avant de continuer et pris le couloir qui longeait la buanderie puis menait à l'arrière-cour où je posai ma sacoche par terre, m'appuyai au mur et contemplai le ciel. S'échappant de la bouche d'aération juste au-dessus de moi, l'air sentait le linge chaud et propre. C'était tout juste si on entendait le couinement d'un essorage, si étrangement impétueux comparé à la nonchalance des nuages gris qui passaient tout là-haut. Derrière eux, on apercevait çà et là le ciel bleu comme si le jour était une plaque sur laquelle ils glissaient.

J'allais jusqu'au grillage séparant la cour de celle du jardin d'enfants, vide à cette heure-là puisque les enfants étaient en train de manger. Je m'y accoudai et fumai en regardant les deux tours qui surplombaient la Kongsgatan. Construite dans une sorte de style néobaroque, elles témoignaient des années vingt et ça m'emplit de nostalgie comme souvent. La nuit, les tours étaient éclairées par des projecteurs et, alors que la lumière du jour dissociait les détails et qu'on pouvait distinguer entre le matériau des murs et celui des fenêtres, entre les statues dorées et les plaques de cuivre oxydées, la lumière artificielle, elle, les associait. Peut-être était-ce la lumière en soi, peut-être le lien que la lumière créait avec l'environnement, toujours est-il que, la nuit, c'était comme si les statues « parlaient ». Non pas qu'elles s'animaient, elles étaient toujours aussi mortes, mais c'était plutôt comme si l'expression de la mort changeait, et s'intensifiait en quelque sorte. Le jour, elles n'étaient rien, et la nuit, c'était ce rien qu'elles exprimaient. Ou alors c'était parce que la journée foisonnait de choses qui diluaient la concentration. Toutes les voitures dans les rues, les gens sur les trottoirs, dans les escaliers et aux fenêtres, les hélicoptères qui passaient dans le ciel comme des libellules, les enfants qui pouvaient sortir à tout moment en courant, marcher à quatre pattes dans la boue ou la neige, faire du tricycle, glisser sur le grand toboggan au milieu de la cour, grimper sur le pont du « bateau » tout équipé à côté, jouer dans le bac à sable ou dans la petite « maison », lancer des ballons ou simplement courir, le tout accompagné de cris tels que la cour résonnait d'une cacophonie digne d'une colonie d'oiseaux de mer, du matin jusqu'au début de l'après-midi, seulement interrompue comme maintenant, par le calme des repas. Il était pratiquement impossible d'être dehors à ces moments-là, non pas à cause du bruit que je remarquais rarement mais parce que les enfants avaient tendance à s'agglutiner autour de moi. Plusieurs fois, ils s'étaient mis à quatre ou cinq à escalader le grillage qui séparait la cour en deux et, pendus là, ils m'avaient abreuvé de questions, ou alors ils s'amusaient à franchir la ligne de séparation pour passer à côté de moi en courant à toute vitesse et en riant à gorge déployée. Le plus prompt d'entre eux était aussi celui qu'on venait chercher en dernier le plus souvent. Les fois où je rentrais par ce chemin-là, il n'était pas rare que je le voie farfouiller dans le sable ou se pendre au grillage près de la sortie, seul ou avec un compagnon d'infortune. Alors je le saluais et, s'il n'y avait personne dans les parages, je lui faisais un signe en portant deux doigts à la tempe et peut-être même en soulevant mon « chapeau ». Pas tant pour lui car il me lançait chaque fois un regard aussi bourru, que pour moi.

Parfois, je m'imaginais qu'on pouvait se débarrasser des bons sentiments comme du cartilage sur les ligaments du genou abîmé d'un sportif, quelle délivrance ce devait être. Fini le sentimentalisme, l'empathie, la compassion…

Un cri retentit.

AAAAAAAAAAAAAAAAAAA

Je sursautai. Bien que le cri se fît souvent entendre, je ne m'y habituais pas. Il provenait des appartements d'une maison de retraite située dans le bâtiment en face du jardin d'enfants. J'imaginais quelqu'un immobile dans son lit et complètement déconnecté du monde extérieur car ses cris résonnaient à n'importe quelle heure du jour et de la nuit. En dehors de ça et d'un homme qui avait l'habitude de fumer sur le balcon et d'être pris de quintes de toux accompagnées de râles de mourant qui pouvaient durer plusieurs minutes, la maison de retraite était refermée sur elle-même. En allant au bureau, il arrivait que j'aperçoive quelques soignants aux fenêtres de leur salle de repos de l'autre côté du bâtiment et, de temps en temps, je voyais des patients dans la rue, parfois errant seuls, parfois raccompagnés par la police. Mais en règle générale je n'accordais pas une pensée à ce lieu.

Comme il criait !

Tous les rideaux étaient tirés, y compris ceux de la porte entrouverte du balcon d'où venait le bruit. Je l'observai un moment, puis me retournai vers le portail. Par la fenêtre de la buanderie, je vis le voisin du dessous plier un drap blanc. J'attrapai ma sacoche et traversai le petit corridor semblable à une grotte et où se trouvaient les poubelles, j'ouvris la grille et sortis dans la rue, me dépêchai de monter la rue vers KGB et de descendre l'escalier vers la Tunnelgatan.

Vingt minutes plus tard, je refermai la porte du bureau derrière moi. Je pendis manteau et écharpe au crochet, mis mes chaussures sur le paillasson, me fis une tasse de café, branchai l'ordinateur et fixai la page de titre en buvant jusqu'à ce que l'écran de veille s'enclenche et se couvre de myriades de points lumineux.

Il s'intitulait *L'Amérique dans l'âme*. Et presque tout dans la pièce m'évoquait ce texte : sur le mur derrière moi, la reproduction du célèbre tableau de William Blake représentant Newton dans un univers quasi sous-marin ; à côté, les deux dessins sous verre de l'expédition Churchill au XVIIIe siècle achetés à Londres, l'un représentant une baleine morte, l'autre un scarabée disséqué, dessinés tous les deux à différents stades ; sur l'autre mur, *Ambiance de nuit* de Peder Balke, dans les tons verts et noirs, puis l'affiche de Greenaway et la carte de Mars que j'avais trouvée dans un vieux numéro de *National Geographic* et enfin, à côté, les deux photographies en noir et blanc de Thomas Wågström, l'une d'une robe d'enfant incandescente, l'autre d'un lac noir où les yeux d'une loutre affleurent à la surface. Sur mon bureau, les miniatures d'un dauphin et d'un casque, tous deux en métal vert, que j'avais achetées en Crète. Et les livres : Paracelse, Basile de Césarée, Lucrèce, Thomas Browne, Olof Rudbeck, saint Augustin, Thomas d'Aquin, Albertus Seba, Werner Heisenberg, Raymond Russell et la Bible, naturellement, en plus d'ouvrages sur le romantisme national et sur les cabinets de curiosités, sur l'Atlantide, sur Albrecht Dürer et sur Max Ernst, sur le baroque et sur le gothique, sur la physique nucléaire et sur les armes de destruction massive, sur les forêts et sur les sciences aux XVIe et XVIIe siècles. Ce n'était pas le savoir en lui-même qui importait mais l'aura qu'il dégageait, les lieux d'où il provenait, presque tous hors de notre époque tout en faisant partie de cet espace ambivalent où reposent les objets et les représentations historiques.

Depuis quelques années, j'avais de plus en plus le sentiment que le monde était petit et que je l'avais percé à jour, même si ma raison me disait exactement le contraire : le monde était illimité, impossible à déchiffrer dans sa totalité, et notre époque une porte ouverte qui battait dans le vent de l'histoire. Pourtant ce n'était pas ce que je ressentais. J'avais l'impression que le monde avait été exploré de fond en comble et répertorié, qu'il ne pouvait plus prendre de direction imprévue et que rien de nouveau ni de surprenant ne pouvait plus advenir. Je me comprenais moi-même, je comprenais mon entourage et la société dans laquelle je vivais et, quand un phénomène me paraissait obscur, je savais quoi faire pour l'appréhender.

Il ne faut pas confondre compréhension et savoir, car je ne savais presque rien. Mais si, par exemple, des combats survenaient aux frontières d'une ancienne république soviétique d'Asie dont les villes m'étaient parfaitement inconnues et dont les habitants, leur quotidien, leur habillement, leur langue et leur religion m'étaient totalement étrangers, et qu'il s'avérait que les causes de ce conflit remontaient au XIe siècle, mon ignorance et mon incompétence ne m'empêcheraient pas de comprendre ce qui se passait, car l'esprit a des catégories pour traiter y compris ce qui nous est le plus étranger. Il en était de même pour tout. Si je voyais un insecte pour la première fois, je savais que quelqu'un l'avait forcément déjà repéré et catalogué. Si j'apercevais un objet lumineux dans le ciel, je savais qu'il pouvait s'agir d'un phénomène météorologique rare, ou d'un avion, ou peut-être d'un ballon-sonde et qu'on en parlerait dans les journaux le lendemain si c'était important. Si je ne me souvenais plus d'un événement de mon enfance, c'était sûrement un refoulement ; si je me mettais très en colère, c'était sans doute une projection. Quant à mon désir permanent de plaire à tous les gens que je rencontrais, il était lié à mon père et à ma relation à lui. Des gens qui ne comprennent pas le monde, ça n'existe pas. Quelqu'un qui comprend peu, un enfant par exemple, se meut simplement dans un monde moins vaste que celui qui comprend beaucoup. Et c'est déjà comprendre beaucoup que de savoir notre compréhension du monde circonscrite, de reconnaître qu'au-delà de nos limites tout ce qui nous échappe non seulement existe mais est plus vaste encore que ce que nous saisissons. Parfois, je pensais que l'enfance, ce monde où tout était connu ou, si l'inconnu survenait, l'on pouvait s'appuyer sur ceux qui savaient, ceux qui comprenaient, ce monde n'avait finalement jamais disparu, il n'avait fait que s'agrandir pendant toutes ces années. Lorsque à l'âge de dix-neuf ans je fus confronté à l'assertion que le monde était structuré par le langage, je la réfutai par ce que j'appelais du bon sens car je trouvais ça vraiment absurde. Le stylo que j'attrapais, c'était du langage ? La fenêtre où brillait le soleil ? La cour en bas traversée par les étudiants en vêtements d'automne ? Les oreilles du professeur, ses mains ? La légère odeur de terre et de feuilles dans les vêtements de celle qui venait d'entrer et de s'asseoir à côté de moi ? Le bruit du marteau-piqueur des ouvriers qui avaient monté leur abri juste à côté de l'église Johannes, le ronflement régulier du transformateur ? Le grondement qui nous parvenait de la ville, c'était un grondement linguistique ? La toux de mon voisin de devant, une toux linguistique ? Non, décidément, c'était une idée saugrenue. Le monde était le monde, c'était ce que je touchais et heurtais, respirais et crachais, mangeais et buvais, saignais et vomissais. Et ce n'est que bien des années plus tard que je commençai à voir les choses autrement. Dans un livre sur l'art et l'anatomie, j'avais lu une citation de Nietzsche : « La physique aussi n'est qu'une interprétation et une adaptation du monde, pas une explication du monde », et plus loin : « Nous avons imparti au monde une valeur à l'aide de catégories *qui ne valent que pour un monde fictif*. »

Un monde fictif ?

Oui, le monde comme superstructure, le monde comme esprit, en état d'apesanteur et abstrait, tissé de la même matière que les idées et où elles peuvent donc se mouvoir librement. Un monde qui malgré trois siècles de sciences reste mystérieux. Tout a été appréhendé et expliqué, tout est à l'intérieur des limites de la compréhension humaine, depuis l'infiniment grand de l'univers, dont la plus ancienne lumière observable, sa limite la plus lointaine, remonte à sa naissance il y a quinze milliards d'années, jusqu'à l'infiniment petit des protons, neutrons et mésons du noyau de l'atome. Même les phénomènes qui nous tuent, comme les bactéries et les virus qui pénètrent nos corps, attaquent nos cellules en les faisant grossir ou mourir, nous les connaissons et les comprenons. Pendant longtemps, seule la nature et ses lois ont été abstraites et radiographiées de la sorte, mais à notre époque bombardée d'images elles ne sont plus les seules concernées, les lieux et les gens le sont aussi. Tout le monde physique a été élevé au rang d'abstraction, tout a été incorporé dans l'immense empire de l'imaginaire, depuis les forêts denses d'Amérique du Sud et les îles du Pacifique jusqu'aux déserts d'Afrique du Nord et aux villes grises et fatiguées d'Europe de l'Est. Nos pensées sont envahies d'images de lieux où nous ne sommes jamais allés mais que pourtant nous connaissons et de gens que nous n'avons jamais rencontrés mais qui pourtant nous sont familiers, conditionnant nos vies en grande partie. D'où le sentiment presque incestueux que le monde est étriqué, complètement refermé sur lui-même, sans ouverture possible, et bien que sachant que c'était profondément faux, puisque finalement on ne sait rien sur rien, je ne parvenais pas à m'en affranchir. C'est de là que sourdait l'aspiration que je ressentais en permanence et si fortement certains jours qu'elle en devenait presque incontrôlable. C'était en partie pour la calmer que j'écrivais. En écrivant, je voulais ouvrir le monde et, en même temps, c'était pour ça que j'échouais. Le sentiment que l'avenir n'existe pas, qu'il n'est rien d'autre que ce qui est déjà, en plus grand, signifie aussi que toute utopie est dénuée de sens. Or la littérature a toujours eu un lien de parenté avec l'utopie, donc si l'utopie n'a plus de sens, la littérature n'en a plus non plus. Ce que j'essayais de faire, et peut-être était-ce ce que tous les écrivains tentent de faire, qu'en sais-je, c'était de combattre la fiction par la fiction. Alors que ce que j'aurais dû faire, c'était dire oui à ce qui existait, dire oui aux choses dans leur état et me vautrer dans le monde au lieu de chercher à en sortir, car certainement j'aurais eu une vie meilleure. Mais je n'y parvenais pas, je ne pouvais pas. Quelque chose en moi s'était figé, j'avais une conviction inébranlable, et bien qu'elle fût essentialiste, c'est-à-dire désuète et de surcroît romantique, je ne pouvais la passer sous silence au prétexte qu'elle n'était pas uniquement le fruit de la réflexion mais aussi celui de l'expérience, celle de ces brusques états de clairvoyance, que tout le monde connaît sans doute, où l'espace de quelques secondes on entrevoit un monde complètement différent de celui dans lequel on est et où on a l'impression qu'il se détache nettement, un court instant, avant de retomber en lui-même et de tout laisser comme avant…

La dernière fois que j'avais vécu cela, c'était dans le train faisant la navette entre Stockholm et Gnesta quelques mois plutôt. Le paysage était tout blanc, le ciel gris et humide, et nous roulions à travers une zone industrielle. Wagons vides, réservoirs à gaz, usines, tout était blanc et gris, à l'ouest le soleil se couchait et ses rayons rouges flottaient dans le brouillard. Le train dans lequel je voyageais n'était ni vieux, ni délabré, ni inconfortable comme le sont d'habitude ceux qui circulent sur ce trajet, au contraire, il était tout neuf, rutilant, le siège était neuf, ça sentait le neuf, devant moi les portes s'ouvraient et se fermaient sans friction. Je ne pensais à rien, me contentant de regarder la boule rougeoyante dans le ciel, et la joie qui m'emplit alors fut si vive et si brusque qu'elle était impossible à distinguer de la douleur. Ce que je vivais me semblait d'une importance considérable. Considérable. Lorsque ce fut terminé, le sentiment d'importance ne faiblit pas, mais soudain je n'arrivais plus à le situer : qu'est-ce qui était important exactement ? Et pourquoi ? Le train, la zone industrielle, le soleil, le brouillard ?

Je connaissais cette émotion, elle ressemblait à celle que certaines œuvres d'art pouvaient provoquer en moi. L'*Autoportrait* de Rembrandt en vieil homme à la National Gallery de Londres en faisait partie, de même que le coucher de soleil sur la mer dans un port antique de Turner dans le même musée, et *Le Christ à Gethsémani* du Caravage. Vermeer éveillait la même chose, quelques rares tableaux de Claude aussi, certains de Ruisdael et d'autres peintres paysagistes hollandais, quelques œuvres de J.C. Dahl, presque toutes celles d'Hertervig... Mais aucun tableau de Rubens, ni de Manet, ni d'aucun peintre français ou anglais du XVIIIe siècle à l'exception de Chardin, pas non plus Whistler, ni Michel-Ange et un seul de Léonard de Vinci. Cette expérience ne privilégiait aucune époque ni un peintre en particulier puisqu'elle pouvait valoir pour un seul tableau de l'œuvre d'un peintre et délaisser tout ce qu'il avait fait d'autre. Elle n'avait pas non plus de lien avec ce qu'on appelle généralement la qualité : je pouvais rester de glace devant quinze tableaux de Monet et sentir la chaleur m'envahir devant une seule toile d'un impressionniste finlandais très peu connu en dehors de son pays.

Je ne savais pas pourquoi ces œuvres me faisaient si grande impression mais il était frappant de constater qu'elles avaient toutes été créées avant le XXe siècle, dans ce paradigme artistique où la référence à la réalité visuelle ne fut jamais complètement abandonnée. On y trouvait donc toujours une certaine objectivité, c'est-à-dire une distance entre la réalité et la représentation de la réalité, et c'était sûrement dans cet espace-là que *ça* survenait, que *ça* apparaissait, quand je voyais le monde se détacher du monde. Quand non seulement on voyait ce qu'il a d'insaisissable mais qu'on s'approchait tout près de l'insaisissable. Qu'on s'approchait tout près de ce qui ne s'exprimait pas, qu'aucun mot ne pouvait atteindre et qui par conséquent se trouvait à jamais hors de notre portée et en même temps accessible, car non seulement nous en étions entourés mais nous en faisions partie, nous en étions faits.

L'idée que l'étrange et l'impénétrable nous atteignaient me fit penser aux anges, ces créatures mystérieuses relevant autant du divin que de l'humain et qui de ce fait exprimaient mieux que n'importe quelle autre figure l'ambivalence de l'étrangeté. Mais les peintures et les anges avaient en commun quelque chose de profondément insatisfaisant : ils appartenaient radicalement au passé, à celui qu'on avait vraiment laissé derrière soi, qui n'avait plus sa place dans ce monde que nous avions créé où la grandeur, le divin, le solennel, le sacré, le beau et le vrai n'avaient plus cours, où au contraire ils étaient devenus douteux, voire ridicules. Ça signifiait que tout ce qui était au-delà de notre compréhension n'avait plus d'expression, qu'il s'agisse, jusqu'au siècle des Lumières, du divin transmis par la révélation ou qu'il s'agisse de la nature, révélée par la notion de sublime chez les romantiques. Puis l'insaisissable devint synonyme de société, de ce conglomérat qui nous fait humain, à l'intérieur duquel l'art, avec ses concepts et sa relativité, fonctionna parfaitement. En Norvège, c'est le peintre Munch qui marque la rupture, c'est dans ses œuvres que pour la première fois les êtres humains prirent toute la place. Alors que jusqu'au siècle des Lumières, on subordonnait l'homme au divin, qu'à la période romantique on le subordonnait au paysage dans lequel il était représenté — les montagnes y sont imposantes et tumultueuses, la mer y est imposante et tumultueuse et même les arbres et les forêts y sont imposants et tumultueux, mais tous les hommes sans exception y sont petits —, chez Munch c'est le contraire. C'est comme si l'humain engloutissait tout en lui, faisait sien absolument tout. Les montagnes, la mer, les arbres et les forêts, tout y est teinté d'humain, non pas des actes et de la vie extérieure des êtres humains mais de leurs émotions et de leur vie intérieure. À partir du moment où les hommes avaient pris le dessus, aucune marche arrière n'était plus possible, de même qu'il n'y eut plus de marche arrière possible pour le christianisme après qu'il se fut propagé comme un incendie de forêt dans toute l'Europe aux premiers siècles de notre ère. Munch, lui, donne forme aux émotions des êtres qu'il peint, il donne forme à leur vie intérieure et bouleverse le monde. Une fois cette porte-là ouverte, la représentation du monde extérieur fut abandonnée : chez les peintres après Munch, ce sont les couleurs elles-mêmes et les formes elles-mêmes qui sont porteuses d'émotions, pas ce qu'elles représentent. Nous sommes alors dans un monde d'images où l'expression elle-même est tout, ce qui en art signifie évidemment qu'il n'existe plus de dynamique entre monde intérieur et monde extérieur, seulement une séparation. À l'époque du modernisme, la séparation entre l'art et le monde était proche de l'absolu, autrement dit, l'art était un monde à part. Choisir ce qu'on admettait dans ce monde-là était naturellement une question de jugement, et ce jugement fut bientôt le cœur même de l'art qui put ainsi, et dans une certaine mesure dut aussi pour ne pas mourir, s'ouvrir aux objets du monde réel. C'est ainsi qu'est né l'art d'aujourd'hui où le matériau artistique n'a plus d'importance puisque tout repose sur ce qu'il exprime, donc pas sur ce qu'il est mais sur les idées qu'il sous-tend, et c'est ainsi aussi que la dernière trace d'objectivité, la dernière trace de quelque chose au-delà de l'humain a été abandonnée. L'art, c'est maintenant un lit défait, quelques photocopieuses dans une pièce, une moto accrochée au plafond. Et l'art c'est aussi devenu le public lui-même, la façon dont il réagit, ce que les journaux en disent, et l'artiste est devenu quelqu'un qui joue. C'est comme ça. L'art n'est rien au-delà de lui-même, la science et la religion non plus. Notre monde est refermé sur lui-même, refermé sur nous et il n'y a plus d'issue. Ceux qui, dans cet état de fait, appellent à plus d'esprit, à plus de spiritualité, n'ont rien compris, car le problème est justement que le spirituel a tout envahi. *Tout* est devenu esprit, même nos corps ne sont plus des corps mais des idées de corps, quelque chose qui se trouve dans un ciel d'images et de représentations en nous et au-dessus de nous, là où nous vivons une part de plus en plus importante de nos vies. La frontière d'avec ce qui ne s'exprime pas, d'avec l'insaisissable a été abolie. Nous comprenons tout parce que nous avons fait en sorte que tout devienne nous. Il est très significatif que tous ceux qui se sont consacrés au côté neutre, négatif et non humain de l'art se tournent aujourd'hui vers le langage, c'est là qu'on recherche l'incompréhensible et l'étrange, comme s'ils se trouvaient à la marge du moyen d'expression humain par excellence, donc à la limite de ce que nous comprenons et c'est finalement logique : pourrait-on les trouver ailleurs dans un monde qui ne reconnaît plus ce qui est au-delà de lui ?

C'est sous cet éclairage qu'on peut voir le rôle étrange et ambigu qu'a pris la mort. D'un côté elle est partout, nous sommes submergés d'informations sur les morts, d'images de morts, car la mort à cet égard n'a pas de limite, elle est massive, omniprésente, inépuisable. Mais c'est la mort sans corps, la mort en tant que représentation, en tant qu'idée et image, en tant qu'esprit. Cette mort-là est identique à la mort du nom, c'est l'incorporel auquel on se réfère quand on emploie le nom d'une personne défunte. Du vivant de quelqu'un, son nom renvoie au corps qu'il habite et à ce qu'il fait mais, quand la personne meurt, le nom se sépare du cadavre pour rester chez les vivants, qui l'associeront toujours à celui qu'il était et jamais à celui qu'il est maintenant, un corps en train de pourrir quelque part. Ce côté-là de la mort, celui qui a trait au corps concret et physique, cette mort-là, on la cache avec un soin si grand qu'il confine à la frénésie et c'est efficace, écoutez seulement comment les témoins involontaires d'un accident mortel ou d'un meurtre ont l'habitude de s'exprimer. Ils disent toujours la même chose, *c'était complètement irréel*, alors qu'en réalité ils veulent dire le contraire. C'était tellement réel. Mais nous ne vivons plus dans cette réalité. Tout a été mis sens dessus dessous, pour nous, le réel est irréel et l'irréel est réel. Et la seule grande chose qui reste au-delà du saisissable, c'est la mort, uniquement la mort. C'est pour cette raison qu'on la cache. Car elle est certes au-delà du nom et au-delà de la vie, mais pas au-delà du monde.

J'avais moi-même presque trente ans lorsque je vis pour la première fois un corps mort. C'était l'été 1998, un après-midi de juillet, dans une chapelle à Kristiansand. Le défunt était mon père. Il était allongé sur une table au milieu de la pièce, le ciel était nuageux, la lumière à l'intérieur grisâtre, dehors une tondeuse circulait lentement sur le gazon. J'étais là avec mon frère. L'agent des pompes funèbres était sorti pour nous laisser seuls avec le mort que nous regardions intensément à quelques pas de distance. Les yeux et la bouche étaient fermés, le haut du corps couvert d'une chemise blanche, le bas d'un pantalon noir. L'idée de pouvoir étudier librement ce visage pour la première fois était presque insupportable. J'avais le sentiment de le brutaliser. En même temps, je sentais une faim, quelque chose d'insatiable qui m'obligeait à le regarder avidement, ce corps mort qui, quelques jours auparavant, était encore mon père. Je connaissais ses traits, j'avais grandi avec ce visage et, même si je ne l'avais pas vu souvent ces dernières années, il ne se passait pratiquement pas une nuit sans que j'en rêve. Je connaissais ses traits mais pas l'expression qu'ils avaient maintenant. Son teint jaune foncé ainsi que l'absence d'élasticité de la peau donnaient l'impression que son visage était taillé dans du bois. Ce côté sculptural empêchait tout sentiment de proximité. Je ne regardais plus un être humain mais quelque chose qui ressemblait à un être humain. En même temps, il était des nôtres et ce qu'il avait été reposait encore en moi, comme un voile de vie sur ce qui était mort.

Yngve passa lentement de l'autre côté de la table sans que je le suive du regard, j'enregistrai seulement son mouvement en levant les yeux pour regarder dehors. Le jardinier qui conduisait la tondeuse se retournait sans cesse pour contrôler qu'il suivait bien la bordure du tour précédent. Les courts brins d'herbe qui n'étaient pas aspirés dans le sac virevoltaient au-dessus de lui. Une certaine quantité devait s'agglutiner aussi sous la machine car elle laissait tomber à intervalles réguliers des tas d'herbe humides et compressés, toujours plus foncés que la pelouse dont ils provenaient. Derrière lui, dans l'allée en gravier, passa un petit groupe de trois personnes, tous la tête baissée, l'une portait un manteau d'un rouge éclatant, tranchant sur le vert de l'herbe et le gris du ciel. Derrière eux encore, un flot de voitures s'écoulait vers le centre-ville.

Puis le grondement du moteur de la tondeuse frappa tout à coup le mur de la chapelle. L'idée que ce bruit soudain puisse faire ouvrir les yeux à mon père fut si forte que je reculai d'un pas. Yngve me regarda, un petit sourire aux lèvres. Est-ce que je croyais que les morts se réveillaient ? Est-ce que je croyais que la sculpture en bois pouvait redevenir humaine ?

Ce fut un instant horrible. Mais lorsqu'il fut passé et que malgré tout le bruit et les émotions mon père demeura immobile, je compris qu'il n'existait pas. Le sentiment de liberté qui m'envahit alors fut aussi difficile à maîtriser que les vagues de tristesse l'avaient été et il trouva la même échappatoire : un sanglot totalement indépendant de ma volonté.

Je croisai le regard d'Yngve en souriant. Il vint se poster à côté de moi. Sa présence m'habita entièrement. J'étais si heureux qu'il soit là que je dus me faire violence pour ne pas tout ruiner en perdant à nouveau le contrôle de mes émotions. Il fallait penser à autre chose, porter son attention sur quelque chose de neutre.

Quelqu'un fit du bruit dans la pièce adjacente. Les sons étaient assourdis et tranchaient avec l'atmosphère fondamentalement étrangère dans laquelle nous étions, comme les bruits du réel qui s'invitent dans les rêves de celui qui dort sont fondamentalement étrangers.

Je baissai les yeux sur papa. Les mains, qu'on avait posées sur son ventre et dont on avait croisé les doigts, la trace jaune de nicotine le long de l'index, tavelé comme un vieux papier peint. Les plis de la peau excessivement profonds sur les articulations qu'on aurait dites fabriquées et non créées. Puis le visage encore à élucider car même s'il était là, paisible et calme, il n'était pas vide, on y trouvait toujours la trace de ce que je ne pouvais nommer autrement que volonté. Je réalisai que j'avais toujours essayé de déterminer ce qu'exprimait ce visage. Que je ne l'avais jamais regardé sans essayer d'y lire quelque chose.

Maintenant il était fermé.

Je me tournai vers Yngve.

— On y va ? dit-il.

J'acquiesçai.

L'agent des pompes funèbres nous attendait à côté. Je laissai la porte ouverte derrière moi. Même si c'était irrationnel, je ne voulais pas que papa reste seul.

Après avoir serré la main de l'agent et échangé quelques mots sur la suite des événements jusqu'à l'enterrement, on alla au parking et on alluma chacun notre cigarette, Yngve debout contre la voiture, moi assis sur un muret. Il y avait de la pluie dans l'air. Les arbres du bosquet derrière l'église pliaient sous la pression du vent qui se levait. L'espace de quelques secondes, le bruissement des feuilles couvrit la rumeur de la circulation de l'autre côté de la plaine. Puis elles se turent.

— Ça fait une drôle d'impression, dit Yngve.

— Oui, mais je suis content qu'on l'ait fait.

— Moi aussi. Il fallait que je le voie pour le croire.

— Et tu le crois maintenant ?

Il sourit.

— Pas toi ?

Au lieu de sourire comme j'avais pensé le faire, je me remis à pleurer. Cachai mon visage dans mes mains, la tête baissée. Des sanglots me secouaient. Quand ce fut terminé, je levai les yeux vers lui et ris.

— C'est comme quand on était petit, je pleure et toi tu regardes.

— Tu es sûr…, dit-il en cherchant mon regard. Tu es sûr d'arriver à faire ce qui reste tout seul ?

— Certainement, sans problème.

— Tu sais, je peux appeler pour dire que je reste.

— Rentre chez toi. On fait comme on a prévu.

— OK, alors je pars maintenant.

Il jeta sa cigarette, sortit la clé de voiture de sa poche. Je me levai et m'approchai de quelques pas mais pas suffisamment pour qu'une poignée de main ou une accolade soit possible. Il ouvrit la portière, monta et me regarda en tournant la clé pour démarrer.

— Salut alors.

— Salut. Sois prudent. Et bonjour chez toi !

Il ferma la portière, recula, s'arrêta pour boucler sa ceinture de sécurité, enclencha la première et roula lentement vers la rue. Je le suivis. Tout à coup, les feux de freinage s'allumèrent et il recula vers moi.

— Il vaut mieux que tu prennes ça, dit-il en tendant la main par la vitre ouverte.

C'était l'enveloppe marron que l'agent des pompes funèbres nous avait donnée.

— Ce n'est pas la peine que je l'emporte à Stavanger. Il vaut mieux que ça reste ici. D'accord ?

— D'accord.

— À bientôt, alors, dit-il en remontant la vitre, et la musique qui s'était répandue sur le parking sembla venir de sous l'eau.

Je restai immobile jusqu'à ce que la voiture s'engage dans la rue et disparaisse. C'était un réflexe qui remontait à l'enfance : le malheur m'aurait frappé si j'avais bougé. Puis je fourrai l'enveloppe dans ma poche intérieure et marchai vers le centre-ville.

C'était trois jours plus tôt, vers deux heures de l'après-midi, qu'Yngve m'avait appelé. Je compris aussitôt à sa voix qu'il y avait quelque chose de particulier et la première pensée qui me vint à l'esprit fut que papa était mort.

— Salut, dit-il, c'est moi. J'appelle pour dire qu'il s'est passé quelque chose. Oui... il s'est passé quelque chose...

— Oui ? dis-je, une main appuyée au mur de l'entrée et le téléphone dans l'autre.

— Papa est mort.

— Ah.

— Gunnar vient d'appeler. Grand-mère l'a trouvé dans son fauteuil ce matin.

— De quoi est-il mort ?

— Je ne sais pas mais le cœur, sans doute.

Il n'y avait pas de fenêtre dans l'entrée et le plafonnier était éteint, seule une lumière douce provenait de la cuisine d'un côté et de la porte ouverte de la chambre de l'autre. Dans le miroir, le visage qui me fixait était sombre et me regardait comme s'il venait de très loin.

— Qu'est-ce qu'on fait alors ? Concrètement, je veux dire ?

— Gunnar compte sur nous pour qu'on s'occupe de tout, donc il faut qu'on y aille, et le plus vite possible, en fait.

— Oui, dis-je. J'étais justement sur le point de partir à l'enterrement de Borghild et ma valise est prête. Je peux venir maintenant. On se rejoint là-bas ?

— Oui, on peut. J'arriverai demain.

— Demain ? Laisse-moi réfléchir.

— Et si tu prenais l'avion pour venir ici et qu'on fasse la route en voiture ensemble ? dit-il.

— Bonne idée, d'accord. Je te rappelle pour te dire par quel avion j'arrive. OK ?

— D'accord. À bientôt.

Après avoir raccroché, j'allai dans la cuisine et versai de l'eau dans la bouilloire, je sortis un sachet de thé du placard et le mis dans une tasse propre, je m'appuyai au plan de travail et levai les yeux sur la rue en cul-de-sac qui passait devant la maison, on n'en voyait que des taches grises entre les buissons verts qui poussaient dru depuis le fond du petit jardin jusqu'au bord de la route. À l'autre extrémité s'élevaient quelques feuillus immenses sous lesquels un sentier montait vers la rue principale où trônait l'hôpital régional d'Haukeland.

La seule chose à laquelle je parvenais à penser était que je n'arrivais pas à penser à ce que j'aurais dû. Que je ne ressentais pas ce que j'aurais dû. Papa est mort, pensai-je, c'est un événement fondamental, il devrait m'emplir entièrement mais ce n'est pas le cas car je suis là à regarder la bouilloire et à m'énerver parce que l'eau ne bout pas encore. Je suis là à regarder par la fenêtre et à me dire quelle chance on a eue avec cet appartement, comme chaque fois que je vois le jardin entretenu par la vieille propriétaire, et pas à penser que papa est mort bien que ce soit la seule chose vraiment importante. Ça doit être le choc, pensai-je en versant l'eau dans la tasse bien qu'elle n'ait pas bouilli. La bouilloire, un modèle de luxe étincelant, était le cadeau qu'Yngve nous avait offert pour notre mariage. La tasse jaune, un modèle de chez Höganes, je ne me souvenais plus qui nous l'avait offerte, seulement qu'elle était sur la liste de Tonje. Je remuai un peu le sachet de thé, le jetai dans l'évier où il atterrit en faisant plaf et allai dans le salon, la tasse à la main. Heureusement en tout cas que j'étais seul à la maison !

Je tournai en rond quelques minutes en essayant de donner un sens au fait que papa était mort mais sans y parvenir. C'était absurde. Je comprenais qu'il était mort, je l'acceptais et ça n'avait rien d'absurde dans le sens où une vie avait cessé brutalement, comme elle aurait très bien pu ne pas cesser, mais absurde dans le sens où c'était un fait parmi d'autres faits, un fait qui ne prenait pas la place qu'il aurait dû dans ma conscience.

Je tournais toujours en rond dans le salon, ma tasse dans la main. Dehors, il faisait gris et doux, les toits et les jardins débordants de verdure s'étalaient en pente douce. Nous n'habitions là que depuis quelques semaines, après avoir vécu à Volda où Tonje avait étudié les médias, en particulier la radio, et où j'avais écrit un roman qui devait être publié deux mois plus tard. L'appartement de Volda n'ayant été que provisoire, celui-ci était notre premier vrai foyer et il représentait quelque chose de permanent. Les murs sentaient encore la peinture. Rouge sang-de-bœuf dans la salle à manger, selon les conseils de la mère de Tonje, artiste mais qui consacrait la plupart de son temps à l'architecture d'intérieur et à la cuisine, les deux avec talent — sa maison était digne des revues de décoration et la cuisine qu'elle servait, toujours soignée et raffinée —, écaille d'œuf dans le salon, comme dans les autres pièces. Mais il n'avait rien d'un appartement comme on en trouve dans les revues car trop de meubles, d'affiches et de bibliothèques témoignaient de la vie d'étudiants que nous venions de quitter. Mon roman, j'avais pu l'écrire grâce à une bourse d'études et officiellement j'étais inscrit en licence de littérature jusqu'à ce Noël-là où j'arrivai à court d'argent. L'avance que je fus obligé de demander à la maison d'édition avait suffi jusqu'à récemment. La mort de papa tombait à pic car il avait de l'argent. Il en avait forcément. Un peu moins de deux ans auparavant, les trois frères avaient vendu la maison d'Elvegaten et s'étaient partagé l'héritage. Il ne pouvait pas l'avoir dilapidé en si peu de temps ?

Mon père est mort et je pense à l'argent que ça va me rapporter.

Et alors ?

Je pense ce que je pense, je n'y peux rien, n'est-ce pas ?

Je posai la tasse sur la table de la salle à manger, ouvris la porte peu solide du balcon et sortis. Les mains solidement appuyées sur la rambarde, je regardais au loin en inspirant profondément l'air d'été gorgé d'odeurs de plantes, de voitures et de ville. L'instant d'après, j'étais à nouveau dans le salon à réfléchir. Est-ce que j'allais manger quelque chose ? Boire quelque chose ? Sortir acheter quelque chose ?

J'errai dans le couloir puis dans la chambre, le large lit défait, la porte de la salle de bains au fond. Ah oui, prendre une douche, c'était une bonne idée, ne devais-je pas partir en voyage bientôt ?

J'ôtai mes vêtements, me fis couler l'eau brûlante sur la tête, le long du corps.

Allais-je me branler ?

Non, putain, papa est mort.

Papa est mort, mort, mort.

Papa est mort, mort, mort.

Ça ne changeait rien non plus de rester sous l'eau et je refermai le robinet, m'essuyai avec une grande serviette, me mis un peu de déodorant sous les bras, m'habillai et allai dans la cuisine pour voir quelle heure il était en me séchant les cheveux avec une serviette plus petite.

Deux heures et demie.

Tonje allait rentrer dans une heure.

Je ne supportais pas l'idée de m'épancher sur tout ça dès qu'elle aurait franchi la porte. Du couloir, je jetai la serviette dans la chambre, soulevai le combiné du téléphone et fis son numéro. Elle répondit aussitôt.

— Tonje à l'appareil.

— C'est moi, Tonje. Ça va ?

— Oui. J'étais à la rédaction mais suis passée à mon bureau chercher quelque chose. Je rentre dès que j'ai fini.

— Bien.

— Qu'est-ce que tu fais ?

— En fait rien. Mais Yngve a appelé. Papa est mort.

— Qu'est-ce que tu racontes ? Il est mort ?

— Oui.

— Oh, mon pauvre Karl Ove…

— Ça va, tu sais. Ce n'est pas vraiment une surprise. Mais je pars ce soir. Je vais chez Yngve et demain matin on fera le trajet ensemble en voiture.

— Veux-tu que je vienne avec toi ? Je le fais volontiers.

— Non, non. Il faut que tu travailles ! Reste là, tu viendras pour l'enterrement.

— Oh, mon pauvre. Je peux me faire remplacer à la rédaction et rentrer tout de suite. Quand pars-tu ?

— Ça ne presse pas. Je pars dans quelques heures. Et puis je n'ai rien contre le fait d'être un peu seul.

— Tu es sûr ?

— Oui, oui, tout à fait certain. Je ne ressens rien finalement. On en avait déjà parlé longuement, qu'il mourrait bientôt s'il continuait comme ça. Au fond, j'y étais préparé.

— Bien. Je finis mon travail et me dépêche de rentrer. Prends soin de toi. Je t'aime.

— Moi aussi je t'aime.

Après avoir raccroché, je pensai à maman. Il fallait qu'elle sache. Je soulevai à nouveau le combiné et composai le numéro d'Yngve. Il l'avait déjà appelée.

J'étais assis dans le salon, prêt à partir, lorsque

j'entendis Tonje. Elle entra dans l'appartement, fraîche et pleine de vie comme une brise d'été. Je me levai. Ses mouvements étaient nerveux, son regard plein de sollicitude, et elle me prit dans ses bras, dit qu'elle voulait m'accompagner mais que j'avais raison, le mieux était qu'elle reste ici. J'appelai un taxi et nous attendîmes ensemble sur les marches du perron les cinq minutes qu'il mit à venir. Nous formons un couple, nous sommes mari et femme, mon épouse me fait au revoir de la main devant la maison, pensai-je en souriant. D'où venait cette image de faux-semblant ? Du fait que nous jouions plus que nous n'étions mari et femme ?

— Qu'est-ce qui te fait sourire ?

— Rien, je pensais à quelque chose.

Je serrai sa main.

— Le voilà, dit-elle.

Je regardai l'enfilade de maisons. Au loin, le taxi noir grimpait la côte, lent comme un scarabée, il s'arrêta et hésita au carrefour avant de continuer à ramper vers la droite, dans la rue qui portait le même nom que la nôtre.

— Je cours le rattraper ? dit Tonje.

— Non pourquoi ? Je peux aussi bien le faire, moi.

Je saisis ma valise et montai l'escalier menant à la route. Tonje me suivit.

— Je vais le récupérer au carrefour, dis-je. Je t'appelle ce soir, d'accord ?

Nous nous embrassâmes. Lorsque, arrivé au croisement, je me retournai en même temps que le taxi redescendait la pente à reculons, elle me fit un signe de la main.

— Knausgaard ? demanda le chauffeur lorsque j'ouvris la portière et y passai la tête.

— C'est bien ça, je vais à l'aéroport.

— Montez, je m'occupe de votre valise.

Je m'installai confortablement à l'arrière. J'adorais les taxis. Pas ceux qui me ramenaient soûl à la maison mais ceux qui m'emportaient vers l'aéroport ou la gare. Pouvait-on rêver mieux que de traverser les villes et les banlieues à l'arrière d'un taxi, en route pour un voyage ?

— C'est un piège cette rue, dit le chauffeur en remontant dans la voiture. On m'avait dit qu'elle se séparait en deux mais en vingt ans je n'y étais encore jamais venu, c'est quand même étonnant.

— Oui.

— C'était la seule rue où je n'étais pas encore allé, maintenant je pense être allé partout.

Il me sourit dans le rétroviseur.

— Vous partez en vacances ?

— Non, pas vraiment. Mon père est mort aujourd'hui et je pars l'enterrer. À Kristiansand.

La conversation s'arrêta net. Calé sur la banquette, le regard fixé sur l'enfilade de maisons longeant la rue, je ne pensais à rien en particulier. On passa par Minde, Fantoft, Hop, devant des stations-service, des concessionnaires automobiles, des supermarchés, des quartiers résidentiels, des forêts, des lacs, des cités pavillonnaires. Lorsqu'on atteignit la dernière portion du trajet et que j'aperçus la tour de contrôle, je sortis ma carte bancaire de ma poche intérieure et me penchai pour lire le taximètre. Trois cent vingt couronnes. Ce n'était pas malin d'avoir pris un taxi, en bus, ça aurait coûté le dixième et s'il y avait bien une chose que je n'avais pas à ce moment-là, c'était de l'argent.

— Pouvez-vous me faire un reçu de trois cent cinquante ? dis-je en lui tendant ma carte.

— Oui, oui, dit-il en me la raflant des mains.

Il la fit glisser dans le lecteur d'où un reçu sortit aussitôt en crépitant. Il le posa avec un stylo sur une tablette qu'il me tendit, je signai, il arracha un second reçu pour me le donner.

— Merci bien, dit-il.

— Merci à vous. Je prends ma valise moi-même.

Bien que mon bagage fût lourd, je le portais par la poignée. Je détestais utiliser les roulettes des valises, d'une part parce que c'était féminin, donc pas digne d'un homme, un homme se devait de porter, pas de faire rouler, d'autre part parce que c'était une concrétisation de la facilité, du raccourci, de l'économie, du raisonnable que je haïssais et combattais partout où je le pouvais, même là où ça avait le moins d'importance. Pourquoi vivre dans le monde sans en connaître la pesanteur ? Étions-nous des images ? Et à quelle fin économiser nos forces ?

Dans le hall, je posai ma valise à mes pieds pour regarder le tableau des départs. Il y avait un avion pour Stavanger vers cinq heures, que j'avais le temps de prendre, et un vers six heures. Comme j'adorais les aéroports, peut-être encore plus que les taxis, je me décidai pour ce dernier.

Je me tournai vers les guichets d'enregistrement. Il y avait peu d'affluence, à l'exception des trois derniers où les longues files d'attente en désordre étaient composées de gens en tenue légère à côté d'énormes valises, gais comme le sont ceux qui ont pris quelques verres, et j'en déduisis qu'ils prenaient un charter pour un pays du Sud. J'achetai mon billet, enregistrai mon bagage et flânai jusqu'aux cabines téléphoniques en face pour appeler Yngve. Il répondit aussitôt.

— Salut, c'est Karl Ove. L'avion part à six heures et quart et je serai à Sola à sept heures moins le quart. Est-ce que tu viens me chercher ?

— Oui, si tu veux.

— Tu en sais plus ?

— Non... J'ai appelé Gunnar pour dire que nous arrivions. Il n'en savait pas plus. J'ai pensé qu'on pourrait partir de bonne heure pour avoir le temps de passer aux pompes funèbres avant que ça ferme, demain c'est samedi.

— Oui, c'est une bonne idée. À tout à l'heure, alors.

— À tout à l'heure.

Je raccrochai et montai l'escalier menant à la cafétéria, achetai un journal et un café, trouvai une table avec vue sur le hall, pendis ma veste au dossier de la chaise en jetant un regard aux autres tables pour voir s'il y avait quelqu'un que je connaissais et m'assis.

La mort de papa me revenait à intervalles réguliers depuis le coup de téléphone d'Yngve, mais elle n'était liée à aucune émotion, elle restait une constatation objective. Sans doute était-ce parce que j'y étais préparé. Depuis ce printemps où il avait quitté ma mère, sa vie n'était allée que dans un sens. On n'en prit pas conscience tout de suite, mais à un moment il finit par franchir une limite à partir de laquelle nous savions qu'il pouvait lui arriver nimporte quoi, même le pire. Ou le meilleur, suivant le point de vue. Longtemps j'avais souhaité sa mort, mais dès l'instant où je compris qu'il pouvait mourir rapidement, je me mis à l'espérer. Chaque fois qu'à la télévision on annonçait des accidents mortels dans la région où il habitait, que ce soit des incendies, des accidents de voiture, des cadavres d'hommes trouvés dans la forêt ou dans la mer, mon sentiment immédiat était l'espoir : peut-être était-ce papa. Mais ce n'était jamais lui, il vivait toujours.

Jusqu'à aujourd'hui, pensais-je en regardant les gens se déplacer dans le hall, en dessous de moi. Dans vingt-cinq ans, un tiers seront morts, dans cinquante ans, deux tiers, dans cent ans, tous. Et qu'en restera-t-il alors ? À quoi leur vie aura-t-elle servi, la mâchoire pendante et les orbites vides dans les profondeurs de la terre ?

Peut-être que le jour du jugement dernier viendrait vraiment. Peut-être que tous les squelettes et leurs crânes, enterrés depuis les milliers d'années que l'homme vit sur terre, rassembleraient leurs carcasses et se relèveraient dans un bruit sec, pleurant au soleil, et que Dieu, grand et tout-puissant sur son trône céleste, les jugerait, entouré d'une armée d'anges. Sur la terre verdoyante et magnifique résonneraient les trompettes. Des versants et des vallées, des plages et des plaines, des mers et des lacs, les morts se seraient mis debout et marcheraient vers le Seigneur, leur Dieu. Ils seraient élevés jusqu'à lui, jugés et précipités dans les flammes de l'enfer ou jugés et hissés à la lumière céleste. De même les gens dans le hall, avec leurs valises à roulettes et leurs sacs d'achats en détaxe, leurs portefeuilles et leurs cartes bancaires, leurs aisselles parfumées et leurs lunettes de soleil, leurs cheveux teints et leurs déambulateurs, ressusciteraient d'entre les morts et on ne verrait aucune différence entre eux et ceux qui seraient morts au Moyen Âge ou à l'âge de pierre, ils formeraient la cohorte des morts et les morts sont les morts, et les morts seraient jugés le jour du jugement dernier.

Du fond du hall, où se trouvaient les tapis à bagages, arriva un groupe d'une vingtaine de Japonais. Je posai ma cigarette allumée sur le cendrier et bus une gorgée de café en les suivant des yeux. Leur étrangeté, qui n'était pas liée à leurs vêtements ni à leurs traits, mais uniquement à leur comportement, était attirante et je rêvais depuis longtemps de vivre au Japon, au cœur de cette étrangeté, de tout ce qu'on voyait sans en comprendre le sens ou en le supposant seulement mais sans jamais pouvoir en être complètement sûr. Ce devait être fantastique d'habiter une maison japonaise, nue et simple, avec des portes coulissantes et des murs en papier, tout entière dédiée à une délicatesse profondément étrangère à mon impétuosité d'Européen du Nord. Écrire un roman là-bas et voir l'environnement former lentement et imperceptiblement l'écriture, car notre façon de penser est intimement liée à notre environnement concret autant qu'aux gens avec qui nous conversons et aux livres que nous lisons. L'Argentine aussi, où le côté européen et familier avait pris un caractère tout autre en s'implantant ailleurs. Et les États-Unis, les petites villes du Maine, par exemple, aux paysages semblables à ceux de la côte sud, que ne pouvait-il pas survenir là-bas ?

Mais pour l'instant, j'étais à Bergen.

Un frisson me traversa.

Papa est mort.

Pour la première fois depuis qu'Yngve avait appelé, je le vis devant moi. Pas celui qu'il avait été ces dernières années, mais celui de mon enfance, quand nous l'accompagnions l'hiver à l'extrémité de Tromøya pour pêcher, quand le vent hurlait à nos oreilles et que nous sentions les embruns des énormes vagues grises qui se brisaient sur les rochers en dessous de nous et qu'il nous regardait en riant pendant qu'il rembobinait le fil de sa canne à pêche. Ses cheveux épais et noirs, sa barbe noire, son visage légèrement asymétrique couvert de gouttes d'eau. Un ciré bleu, des bottes en caoutchouc vertes.

C'était l'image que j'avais.

Évidemment je le revoyais dans une situation où il était à son avantage. Évidemment mon subconscient choisissait un moment où j'avais ressenti de la sympathie envers lui. Cette tentative de manipulation était visiblement destinée à ouvrir la voie à une sentimentalité irrationnelle, qui, une fois la porte ouverte, s'engouffrerait en toute liberté et prendrait possession de moi. Se voyant lui-même en inquisiteur de la pensée et de la volonté, le subconscient fustigeait tout ce qui s'opposait au bon sens. Mais papa n'avait eu que ce qu'il méritait, c'était bien qu'il soit mort, et tout ce qui en moi disait le contraire mentait. Ça valait autant pour celui qu'il avait été pendant mon enfance que pour celui qu'il était devenu après avoir rompu et choisi, à mi-parcours, une nouvelle vie. Certes il avait changé, y compris dans sa façon de m'approcher, mais pour moi ça n'y faisait rien, je ne voulais pas davantage avoir affaire à celui qu'il était devenu. La rupture s'était faite au printemps et il s'était mis à boire. C'était même devenu leur activité principale à lui et à Unni pendant tout l'été : ils s'installaient au soleil et buvaient, passant de longues et agréables journées sous l'emprise de l'alcool. À la rentrée scolaire, ils continuèrent à boire mais uniquement l'après-midi, le soir et le week-end. Puis ils partirent habiter dans le nord de la Norvège où ils travaillèrent dans la même école et c'est là que nous avons commencé à réaliser dans quel état il était. Un jour, Yngve, son amie et moi nous avions pris l'avion pour leur rendre visite, et papa était venu nous chercher à l'aéroport en voiture. Il était pâle, ses mains tremblaient et il ne disait presque rien. Quand nous fûmes dans leur appartement, il but trois bières d'un coup dans la cuisine et ce fut comme s'il renaissait : il cessa de trembler, nous fit entrer, se mit à parler et continua de boire. Ces jours-là, c'était pendant les vacances d'hiver, il but tout le temps, en précisant bien que c'était les vacances et qu'il pouvait bien boire un coup, surtout quand on habitait le Nord où il faisait nuit pendant tout l'hiver. Unni était enceinte et il buvait seul. Cette année-là, il fut examinateur dans un lycée de la région de Kristiansand et il nous avait invités, Yngve, son amie et moi, à dîner à l'hôtel Calidonien mais, lorsqu'on arriva à la réception où nous devions le retrouver, il n'y était pas. On attendit une demi-heure, puis on demanda au réceptionniste : il était dans sa chambre. On y monta, on frappa à la porte, personne ne répondit, sans doute dormait-il, on frappa plus fort et on l'appela en vain, puis on quitta l'endroit bredouilles. Deux jours plus tard, l'hôtel brûla et douze personnes périrent. À l'époque j'étais en première au lycée et j'allai sur place avec Bassen pendant la pause de midi assister à l'extinction. Si mon père avait été là dans l'état où il était, il aurait été parmi les victimes, c'était évident, avais-je dit à Bassen. Ni Yngve ni moi ne comprenions vraiment ce qui lui arrivait, n'ayant pas d'alcooliques dans la famille, nous n'avions aucune expérience de ce que c'était. Nous savions bien qu'il buvait car nous avions vécu bon nombre de nuits bien arrosées qui s'étaient diluées dans les larmes, les querelles et la jalousie, et d'où toute dignité avait disparu, mais pas pour longtemps car dès le lendemain elle était de retour et il était fier de toujours pouvoir assumer son travail, mais nous ne réalisions pas qu'il ne pouvait pas s'arrêter, ou peut-être qu'il ne voulait pas. C'était sa vie, c'était ce qu'il en faisait, même si entre-temps l'enfant était né. Pour se remettre d'une gueule de bois, il lui arrivait parfois de boire les matins d'école mais il n'était jamais ivre au travail, quelques bières dans la journée ne portent pas à conséquence, regardez les Danois, ils boivent à midi et le Danemark ne s'en porte pas plus mal, n'est-ce pas ?

L'hiver, ils partaient en voyage organisé pour un pays du Sud. Les guides recevaient des plaintes à cause d'eux. Un jour que j'étais chez eux, j'avais lu une lettre en cachette, il s'agissait d'une affaire où mon père, victime d'un collapsus, avait été transporté à l'hôpital en ambulance avec des douleurs aiguës dans la poitrine. Après coup, il les avait poursuivis en justice en affirmant que la façon dont il avait été traité avait provoqué l'infarctus, ce à quoi le tour-opérateur avait froidement répondu qu'il n'y avait pas eu infarctus mais collapsus dû à la prise d'alcool et de médicaments.

Ensuite, ils quittèrent le nord de la Norvège et revinrent dans le Sud où papa, devenu gros, bouffi et ventru, buvait tout le temps. Qu'il puisse rester quelques heures à jeun pour venir nous chercher en voiture était devenu impensable. Ils divorcèrent et papa alla s'installer dans une ville de l'Est où il avait obtenu un nouveau poste qu'il perdit quelques mois plus tard. Il ne lui restait plus rien, ni femme ni travail et à peine un enfant car, même si Unni souhaitait qu'il puisse voir sa fille, ça ne se passait pas très bien et le droit de visite lui fut retiré sans que cela l'affecte vraiment. Mais ça le mettait quand même en colère, probablement parce que c'était son droit et que son droit, il s'en prévalait à tout bout de champ. Il se passa des choses terribles et, pour finir, il ne lui resta plus que son appartement où il ne faisait rien d'autre que boire, à moins qu'il ne sortît dans les bars de la ville pour y boire, là aussi. Il était devenu rond comme un tonneau et sa peau, toujours hâlée, était comme recouverte d'un voile mat. Habillé sans soin, les cheveux et la barbe hirsutes, il ressemblait à un sauvage cherchant désespérément à boire. Une fois, il disparut complètement pendant plusieurs semaines. Gunnar avait appelé Yngve pour l'informer qu'il avait signalé sa disparition à la police. Lorsqu'il refit surface, il était alité dans un hôpital de l'Est et ne pouvait plus marcher. Mais il se remit de sa paralysie et, après un séjour de quelques semaines dans une clinique de désintoxication, il recommença comme avant.

À cette époque, je n'avais aucun contact avec lui mais il rendait visite à grand-mère de plus en plus souvent et de plus en plus longtemps chaque fois. Il finit par s'installer chez elle et se barricada. Il entassa ce qui lui restait dans le garage, mit à la porte l'aide à domicile que Gunnar avait trouvée pour grand-mère qui n'arrivait plus à tout faire seule et verrouilla la porte. Jusqu'à sa mort, il vécut là avec elle. Un jour, Gunnar avait appelé Yngve pour lui expliquer la situation. Il avait entre autres raconté qu'il y était allé une fois et avait trouvé papa par terre dans le salon. Il s'était cassé une jambe mais, au lieu de demander à grand-mère d'appeler l'ambulance pour le conduire à l'hôpital, il lui avait commandé de ne rien dire à personne, pas à Gunnar non plus, et c'est pour ça qu'il gisait là, entouré d'assiettes sales, de bouteilles, de verres contenant des restes de bière et d'alcool qu'elle était allée lui chercher dans la vaste réserve qu'il avait constituée. Gunnar ne savait pas depuis combien de temps il était par terre, vingt-quatre heures peut-être ou le double. Nous ne pouvions pas nous tromper sur le sens de l'appel de Gunnar : il pensait que nous devions intervenir pour sortir papa de là car il allait mourir. On en discuta mais on décida de ne rien faire, de le laisser dans son jus, de le laisser vivre sa vie et mourir de sa belle mort.

Maintenant c'était fait.

Je me levai pour aller reprendre du café. Un homme vêtu d'un élégant costume foncé, un foulard de soie autour du cou et des pellicules sur les épaules, était en train de se servir quand j'arrivai au comptoir. Il posa la tasse blanche remplie de café sur le plateau rouge et me regarda l'air interrogateur en soulevant légèrement la verseuse qu'il avait dans la main.

— Je vais me servir moi-même, merci, dis-je.

— Comme vous voulez, dit-il en la reposant sur la plaque chauffante.

Je supposai qu'il devait être diplômé de l'enseignement supérieur. La serveuse, robuste, entre la cinquantaine et la soixantaine, était à coup sûr de Bergen car j'avais vu ce type de visage partout en ville pendant les huit années que j'y avais habité, dans les bus et les rues, derrière les comptoirs et dans les magasins, avec leurs sempiternels cheveux teints coupés court et leurs sempiternelles lunettes rectangulaires que seules les femmes de cet âge-là trouvaient bien. Elle tendit la main lorsque je levai ma tasse pour la lui montrer.

— Je me suis resservi, dis-je.

— Cinq couronnes, dit-elle avec un pur accent de Bergen.

Je lui mis une pièce de cinq couronnes dans la main et retournai à ma table. J'avais la bouche sèche et mon cœur battait fort, j'étais comme excité mais au fond je ne l'étais pas, au contraire, j'étais calme et engourdi sur ma chaise à regarder le petit avion qui pendait à l'énorme plafond de verre où la lumière du jour s'étalait, statique, à regarder le tableau des départs, où l'horloge indiquait cinq heures et quart, à regarder les gens qui formaient des files d'attente, traversaient le hall, lisaient des journaux ou discutaient. C'était l'été, les vêtements étaient clairs, les corps bronzés, l'ambiance légère, comme toujours là où se rassemblent les gens en voyage. Parfois, quand je regardais les gens ainsi, je pouvais percevoir les lignes nettement, les couleurs clairement et les visages extrêmement distinctement, ils étaient chargés de sens. Sans lui, comme c'était le cas ce jour-là, ils restaient lointains et vagues, impossibles à saisir, comme des ombres sans leurs ombres.

Je me tournai vers la porte d'embarquement. Un groupe de passagers qui venaient sans doute d'arriver remontait la passerelle en forme de tunnel. La porte donnant sur la salle d'attente des départs s'ouvrit et leurs vestes pliées sur l'avant-bras, leurs sacoches et leurs sacs leur battant les cuisses, les passagers entrèrent, la tête levée à la recherche d'un panneau indiquant la livraison des bagages, ils prirent vers la droite et disparurent.

Les deux garçons qui passèrent à côté de moi avaient chacun un gobelet de Coca en carton avec des glaçons. L'un avait un soupçon de barbe sur la lèvre supérieure et le menton et devait avoir une quinzaine d'années. Le second était plus petit et complètement imberbe mais pas forcément plus jeune. Le plus grand avait de grosses lèvres qu'il ne fermait pas et son regard vide lui donnait l'air idiot. Le plus petit avait le regard plus vif, mais vif comme l'est un jeune de douze ans. Il dit quelque chose qui les fit rire et, quand ils arrivèrent à leur table, il dut remettre ça car ceux qui y étaient assis se mirent à rire aussi.

Je m'étonnai qu'ils soient si petits et ne pouvais m'imaginer avoir été aussi petit qu'eux quand j'avais quatorze, quinze ans. Mais c'était forcément le cas.

Je repoussai ma tasse et me levai, posai ma veste sur mon bras et attrapai ma valise. J'allai à la porte d'embarquement et m'assis à côté du guichet où une femme et un homme en uniforme travaillaient devant leur ordinateur. Je me renversai dans mon fauteuil et fermai les yeux un instant. Le visage de papa m'apparut aussitôt, comme s'il avait attendu. Un jardin dans le brouillard, l'herbe légèrement boueuse et piétinée, une échelle contre un arbre et le visage de papa qui se tourne vers moi. Il tient l'échelle à deux mains, porte de hautes bottes, un gros pull. Par terre à côté de lui, il y a deux baquets blancs et tout en haut de l'échelle un seau est pendu à un crochet.

J'ouvris les yeux. Je ne me souvenais pas d'avoir vécu ça, ce n'était pas un souvenir. Mais si ce n'était pas un souvenir, qu'est-ce que c'était ?

Oh non, il était mort.

Je respirai profondément et me levai. Une petite file d'attente s'était formée devant le guichet. Les passagers, interprétant tout ce que faisait le personnel, s'étaient avancés dès qu'ils avaient cru que le départ approchait.

Mort.

Je me postai au bout de la file, derrière un homme aux larges épaules, une demi-tête plus petit que moi. Il avait du poil sur la nuque et dans les oreilles. Il sentait l'après-rasage. Une femme vint se mettre derrière moi. Je tournai légèrement la tête pour apercevoir son visage dont les yeux, les lèvres et les joues étaient si minutieusement maquillés qu'elle ressemblait plus à un masque qu'à un être humain. Mais elle sentait bon.

La personne chargée du nettoyage de l'avion remonta la passerelle rapidement, elle portait un uniforme et parlait au téléphone. Lorsqu'elle eut fini, elle prit le petit micro et dit que tout était prêt pour le départ. Je sortis mon billet de la poche extérieure de ma sacoche. Mon cœur se remit à battre plus fort, comme s'il partait faire un tour tout seul. Ça devenait insupportable d'attendre mais je n'avais pas le choix. Je balançai le poids de mon corps d'une jambe sur l'autre, penchai la tête légèrement en avant pour apercevoir le tapis roulant dehors. Une des petites voitures à bagages passa. Un homme en combinaison et casque sur les oreilles s'éloigna, il avait dans les mains ces instruments ressemblant à des raquettes de ping-pong qui servent à diriger les avions à terre. La file d'attente s'ébranla. Mon cœur battait toujours fort. La paume de mes mains était moite. J'avais envie d'être assis, assis tout là-haut dans les airs, et de regarder en bas. L'homme trapu devant moi reçut le talon de son billet. Je tendis le mien à la femme en uniforme. Elle le prit en même temps qu'elle planta, pour une raison que j'ignore, son regard dans le mien. Elle avait une beauté sévère, les traits réguliers, le nez peut-être un peu pointu, la bouche étroite. Ses yeux étaient bleu clair et le bord foncé de l'iris singulièrement marqué. Je la fixai un court instant et baissai les yeux. Elle sourit.

— Bon voyage, dit-elle.

— Merci, dis-je en suivant les autres dans le couloir puis dans l'avion, où une hôtesse d'âge moyen saluait les passagers d'un signe de tête. Je remontai l'allée centrale jusqu'au dernier rang, déposai mon bagage et ma veste dans le coffre au-dessus des sièges, m'assis dans l'étroit fauteuil, mis ma ceinture, avançai mes pieds et m'adossai.

Voilà.

Les métaréflexions augmentèrent tout à coup. J'étais dans l'avion, en route pour enterrer mon père pendant que je pensais que j'étais dans l'avion, en route pour enterrer mon père. Tout ce que je voyais, les visages, les corps qui traversaient lentement la cabine et qui déposaient leurs bagages et s'asseyaient, déposaient leurs bagages et s'asseyaient, étaient suivis d'une ombre réflexive qui ne pouvait s'empêcher de me dire que c'était ce que j'étais en train de voir pendant que je pensais que c'était ce que je voyais et ainsi de suite jusqu'à l'absurde. En même temps, la présence de cet écho de pensées, ou plutôt ce miroir, comportait la critique que je ne ressentais pas plus que ça. Papa est mort, pensai-je — et une image de lui surgit violemment, comme si j'avais besoin d'illustrer le mot « papa » —, et moi, en route pour l'enterrer, ça me laisse froid, pensé-je en regardant deux petites filles d'une dizaine d'années prendre place d'un côté et de l'autre de l'allée, à côté de gens qui devaient être leurs parents, pensé-je que je pense que je pense. Tout s'emparait de moi à toute allure, plus rien n'avait ni queue ni tête. Je commençai à me sentir nauséeux. Une femme déposa sa valise juste au-dessus de moi, ôta sa veste et la posa par-dessus, croisa mon regard, sourit mécaniquement et s'assit à côté de moi. La quarantaine, le visage avenant, le regard chaleureux et les cheveux noirs, elle était petite, un peu ronde mais pas grosse. Elle portait un genre de costume, un pantalon et une veste de même couleur et de même style, comment ça s'appelait quand c'était porté par une femme ? Un tailleur ? Et un chemisier blanc. Je regardais droit devant moi sans faire attention à ce qui s'y passait, c'était ma vue latérale qui m'intéressait, c'est là que « moi » j'étais, pensai-je en la regardant. Elle devait avoir des lunettes dans la main que je n'avais pas remarquées car elle les mit au bout de son nez et ouvrit un livre.

N'avait-elle pas un côté employée de banque ? Avec cette douceur et cette blancheur cependant. Ses cuisses appuyées sur le siège flottaient dans l'étoffe du pantalon. Quelle pâleur avaient-elles dans l'obscurité d'une chambre d'hôtel ?

J'essayais d'avaler mais j'avais la bouche si sèche que le peu de salive que je réussis à rassembler n'arriva pas jusqu'à ma gorge. Un nouveau passager s'arrêta à notre rang, un homme d'âge moyen, le visage blême, dur et maigre, vêtu d'un costume gris, il prit le dernier siège sans nous jeter un regard. *Boarding completed*, dit une voix dans les haut-parleurs. Je me penchai légèrement en avant pour voir le ciel au-dessus de l'aéroport. À l'ouest, la couche nuageuse s'était trouée et une bande de forêt se trouva baignée de soleil, scintillant d'un vert presque huileux. Les moteurs s'emballèrent. Les hublots vibrèrent faiblement. La femme à côté de moi avait son doigt dans le livre et regardait devant elle.

Papa avait toujours eu la phobie des avions. C'étaient les seules fois où je me souvenais de l'avoir vu boire dans mon enfance. En général il évitait de prendre l'avion et nous nous déplacions toujours en voiture, quelle que fût la longueur du trajet, mais parfois il n'avait pas le choix et dans ces cas-là il ingurgitait toute sorte de boissons alcoolisées au bar de l'aéroport. Il y avait beaucoup d'autres choses aussi qu'il évitait mais je n'y avais jamais prêté attention à l'époque, car ce que fait une personne éclipse ce qu'elle ne fait pas et ce n'était pas facile de remarquer ce que papa ne faisait pas parce qu'il n'avait absolument rien non plus de névrotique. Mais il n'allait jamais chez le coiffeur et se coupait toujours les cheveux lui-même. Il ne prenait jamais le bus. Il ne faisait pratiquement jamais les courses dans les magasins de proximité mais toujours dans les grands supermarchés à la périphérie de la ville. C'était toutes des situations où il pouvait être en contact avec des gens et être vu. Alors qu'en tant que professeur il parlait tous les jours devant des élèves, convoquait régulièrement des parents à des réunions et discutait tous les jours avec ses collègues dans la salle des professeurs, il évitait systématiquement ces situations de rencontre. Qu'avaient-elles en commun ? L'incorporation dans un groupe formé arbitrairement, peut-être ? L'impossibilité d'avoir le contrôle sur l'image que les gens se faisaient de lui ? Le fait d'être exposé, que ce soit dans le bus, chez le coiffeur ou à la caisse du supermarché ? C'était tout à fait possible. Mais quand j'étais avec lui, à l'époque, je ne le remarquai pas. Ce n'est que de très nombreuses années plus tard que je pris conscience que je ne l'avais jamais vu à bord d'un bus. Je ne réalisais pas non plus qu'il ne participait jamais aux rencontres liées à nos activités, celles d'Yngve et les miennes. Une fois, il assista à une fête de fin d'année : assis contre le mur, il regarda une pièce que nous avions répétée où je jouais le rôle principal mais malheureusement sans l'avoir appris suffisamment, car suite au succès de l'année précédente je souffrais d'un excès d'orgueil infantile et je ne pris pas la peine d'apprendre toutes les répliques par cœur, ça se passera bien, avais-je pensé, mais lorsque je me retrouvai sur scène, probablement aussi marqué par la présence de mon père, je me souvins à peine du texte et la maîtresse me le souffla tout au long de la pièce, dans laquelle il était question d'une ville dont j'étais le maire. Dans la voiture, en rentrant à la maison, il dit qu'il n'avait jamais été aussi gêné et qu'il n'assisterait plus jamais à mes fêtes de fin d'année. Il tint sa promesse. Il ne venait jamais non plus aux innombrables matchs de foot que j'ai joués dans mon enfance, n'était jamais parmi les parents qui nous emmenaient jouer à l'extérieur, jamais parmi les parents qui nous regardaient jouer à domicile, et à cela non plus je ne réagissais pas, je ne trouvais pas cela inhabituel car il était comme ça, mon père, et beaucoup d'autres pères avec lui à la fin des années soixante-dix et au début des années quatre-vingt, à une époque où le fait d'être père impliquait quelque chose d'autre, de moins étendu qu'aujourd'hui, en tout cas dans les tâches pratiques.

Si, une fois il était venu me voir.

C'était en hiver, j'étais en troisième. Il m'avait déposé au terrain de football de Kjevik et lui continuait vers Kristiansand, nous devions jouer un match amical contre une équipe extérieure. Dans la voiture, nous ne nous disions rien, comme d'habitude, lui une main sur le volant et l'autre appuyée contre la vitre, moi les mains sur les genoux. Puis impulsivement je lui demandai s'il ne voulait pas regarder le match. Non, il ne pouvait pas, il devait aller à Kristiansand. C'était ce que je pensais, dis-je. Il n'y avait aucune déception dans mon commentaire, aucun souhait réel qu'il voie ce match inintéressant, c'était une simple constatation, je ne m'attendais pas à autre chose. À la fin de la deuxième mi-temps, j'aperçus tout à coup sa voiture non loin de la ligne de touche, derrière les tas de neige. Je devinai vaguement sa silhouette derrière le pare-brise. C'était les toutes dernières minutes du match, Harald m'avait fait une passe transversale parfaite devant le but, il ne me restait plus qu'à taper dans le ballon, ce que je fis, mais avec le pied gauche que je ne maîtrisais pas particulièrement bien, je tirai légèrement de travers et le ballon dévia.

Dans la voiture, sur le chemin du retour, il commenta mon tir. Tu n'as pas marqué sur une passe pareille, dit-il. C'était vraiment une belle occasion. Je ne croyais pas que tu allais la rater. Non, dis-je. Mais on a gagné quand même. Combien à combien ? dit-il. Deux à un, dis-je en lui jetant un coup d'œil car je voulais qu'il demande qui avait marqué les deux buts.

Heureusement il le fit. Et toi, tu as marqué ? Oui, les deux.

C'est le front appuyé sur la vitre, au moment où l'avion stoppa en bout de piste et où les moteurs s'emballèrent pour de bon, que je me mis à pleurer. Les larmes n'avaient pas de fondement, je le sus dès qu'elles arrivèrent, c'est idiot, pensai-je, c'est sentimental, c'est bête. Mais ça n'y changeait rien, j'étais dans le flou, l'inconsistant, l'absence de limites, et totalement incapable d'en sortir avant que l'avion décolle quelques minutes plus tard et commence son ascension dans le vacarme. Et là, les idées enfin claires, je baissai la tête vers mon t-shirt et frottai mon œil au bout de tissu que je tenais entre le pouce et l'index et restai longtemps à regarder par le hublot, jusqu'à ce que je ne sente plus la vigilance de ma voisine. Je me renversai dans mon fauteuil et fermai les yeux. Mais ce n'était pas terminé. Je savais que ça ne faisait que commencer.

L'avion s'était à peine redressé après son ascension qu'il repiquait du nez pour entamer l'approche. Les hôtesses allaient et venaient dans l'allée avec leurs chariots pour avoir le temps de servir du café et du thé à tout le monde. Le paysage en dessous, d'abord uniquement constitué de tableaux isolés visibles à travers les rares trous de la couverture nuageuse, était maintenant bien net et beau avec ses îles vertes et sa mer bleue, ses versants abrupts et ses plateaux blancs de neige, mais c'était comme s'il s'effaçait, s'adoucissait au fur et à mesure que les nuages disparaissaient, jusqu'à ce que tout à coup il n'y eût plus à voir que le plat pays du Rogaland. Tout bouillonnait en moi. Mon esprit était bombardé de souvenirs que je ne connaissais pas et je tentais d'en sortir, ne voulant pas passer mon temps à pleurer et à analyser tout ce qui se passait, mais en vain. Je le revis une fois que nous faisions du ski ensemble à Hove, nous glissions entre les arbres de la forêt et à chaque clairière nous apercevions la mer, grise, massive et immense, et son odeur était partout, l'odeur de sel et d'algues côte à côte avec l'odeur de neige et de sapins, papa dix ou vingt mètres devant moi car mon père avait beau avoir un équipement neuf, depuis des skis Splitkein jusqu'aux fixations Rottefella en passant par l'anorak bleu, il ne savait pas faire de ski, il avançait laborieusement, presque comme un petit vieux, sans équilibre, sans fluidité, sans vitesse, et pour rien au monde je ne voulais qu'on m'associe à lui, c'est pour cette raison que j'étais toujours en arrière, la tête pleine d'idées sur moi et mon style qui pourraient un jour, sait-on jamais, me mener loin. Bref, il me faisait honte. À l'époque, je n'avais pas la moindre conscience qu'il avait acheté tout cet équipement et nous avait conduits à l'autre bout de Tromøya pour se rapprocher de moi, mais là maintenant, les yeux fermés, faisant semblant de dormir pendant qu'on nous priait d'attacher nos ceintures et de redresser notre dossier par haut-parleurs interposés, cette idée déclencha en moi une nouvelle vague de pleurs et lorsqu'une fois de plus j'appuyai la tête contre la paroi pour me cacher, ce fut sans conviction puisque mes voisins avaient dû comprendre depuis le décollage qu'ils étaient à côté d'un homme qui pleurait. J'avais mal à la gorge et ne maîtrisais plus rien, tout se liquéfiait en moi, j'étais béant, non pas au monde extérieur, c'est tout juste si je le percevais encore, mais à l'intérieur de moi où les émotions avaient totalement pris le dessus. La seule chose encore en mon pouvoir pour préserver un reste de dignité fut de n'émettre aucun bruit. Pas un sanglot, pas un soupir, pas une plainte, pas un gémissement. Juste un torrent de larmes et un visage tordu de grimaces chaque fois qu'une réflexion sur la mort de papa atteignait de nouveaux sommets.

Oooh.

Oooh.

Puis soudain tout s'éclaircit, c'était comme si cette sensation de flou et d'instable, qui m'avait totalement envahi les quinze minutes précédentes, se retirait, comme une sorte de marée, et l'énorme distance que je pris alors par rapport à ça me fit éclater d'un petit rire.

— Hi hi hi.

Je m'essuyai les yeux sur l'avant-bras. L'idée que ma voisine m'avait vu pleurer et grimacer sans cesse et qu'elle m'avait soudain entendu rire me fit rire à nouveau.

— He he he. He he he.

Je la regardai. Elle avait les yeux fixés sur son livre devant elle. Juste derrière nous, deux hôtesses s'assirent sur les strapontins et bouclèrent leur ceinture. Dehors, le soleil brillait et tout était vert. L'ombre qui nous suivait sur le sol se rapprochait de plus en plus, comme un poisson qu'on remonte à la surface, jusqu'à ce qu'elle soit juste sous le fuselage à l'instant où les roues touchèrent le sol et qu'elle y reste, comme attachée, pendant tout le freinage et le roulage.

Autour de moi, les gens commençaient à se lever. J'inspirai profondément et eus la nette impression d'être sorti du brouillard. Je n'étais pas gai mais soulagé comme toujours quand un fardeau soudain s'allège. Ma voisine se leva son livre fermé à la main et j'eus enfin l'occasion de voir ce qu'elle lisait, elle se mit sur la pointe des pieds dans l'allée pour atteindre le coffre à bagages. C'était *La Femme et le Singe* de Peter Høeg. Je l'avais lu aussi. L'histoire était bonne mais le résultat léger. Aurais-je en temps normal engagé une conversation avec elle à propos du livre ? Quand la situation s'y prêtait si bien ? Non, pas du tout, mais j'aurais pensé que je devrais le faire. Avais-je, ne serait-ce qu'une fois, engagé la conversation avec une personne inconnue ?

Non, jamais.

Et rien n'indiquait que je le ferais un jour.

Je me penchai pour regarder l'asphalte poussiéreux

à travers le hublot, comme je l'avais fait vingt ans plus tôt avec l'intention étrange mais ferme de me souvenir pour toujours de ce que je voyais à ce moment-là. À bord d'un avion comme maintenant, à l'aéroport de Sola comme maintenant, mais à l'époque j'étais en partance pour Bergen et de là j'allais chez mes grands-parents maternels à Sørbøvåg. Chaque fois que je voyageais en avion, le souvenir que je m'étais imposé me revenait. Pendant longtemps aussi, il fut l'ouverture du roman que je venais de terminer et qui se trouvait maintenant dans ma valise, sous mes pieds dans la soute, un manuscrit de six cent quarante pages qu'il fallait que je corrige en une semaine.

Ça au moins, c'était positif.

J'avais aussi hâte de retrouver Yngve. Nos relations avaient changé, après qu'il eut quitté Bergen d'abord pour Balestrand, où il rencontra Kari Anne avec qui il eut un premier enfant, ensuite pour Stavanger où ils eurent un deuxième enfant ; je ne pouvais plus passer le voir quand je n'avais rien à faire, aller au café ou au concert avec lui, mais parfois je séjournais chez lui plusieurs jours d'affilée avec toute la vie de famille que ça impliquait. Mais j'aimais bien, j'avais toujours aimé dormir dans d'autres familles, avoir ma chambre à moi, un lit aux draps tout propres, une serviette et un gant agréablement présentés, être entouré d'objets étrangers et me retrouver au cœur de la vie de ces familles, bien qu'automatiquement, et chez qui que ce fût, il y eût un côté gênant car même si on essaie toujours d'éviter les tensions en présence d'invités, elles se font sentir malgré tout et on ne sait jamais si elles sont dues à notre présence ou si elles sont tout simplement là et qu'au contraire notre présence contribue à les diminuer. Une troisième possibilité était naturellement que ces tensions n'étaient des « tensions » que dans ma tête.

L'allée centrale s'était vidée et je me levai, pris ma sacoche et ma veste, sortis de la cabine, traversai le corridor donnant sur le hall d'arrivée qui était petit et encombré avec son enchevêtrement de portes d'embarquement, de kiosques et de cafés entre lesquels les passagers allaient et venaient, attendaient, étaient assis, mangeaient, lisaient. Yngve, je pouvais le reconnaître immédiatement dans n'importe quelle foule et je n'avais pas besoin de son visage pour l'identifier, une nuque ou une épaule suffisait, et encore, car il existe une sensibilité particulière à ceux avec qui on a grandi et qui nous étaient extrêmement proches au moment où le caractère s'est formé, on les perçoit directement sans l'intermédiaire de la pensée. Tout ce qu'on sait ou presque de son frère, on le sait intuitivement. Je ne savais jamais ce qu'Yngve pensait, rarement pourquoi il agissait comme il le faisait, et je ne partageais probablement pas beaucoup de ses points de vue mais je pouvais les deviner : à tous ces égards, il m'était aussi étranger que les autres. En revanche, je connaissais son langage corporel, ses mimiques, je savais comment il sentait, je connaissais toutes les nuances de sa voix et surtout, je savais d'où il venait. Je n'avais pas de mot pour l'exprimer et il était rare que j'y pense mais tout était là.

Pas besoin de fouiller du regard parmi les tables de la pizzeria, parmi les visages qui attendaient aux portes d'embarquement ou ceux qui allaient et venaient dans le hall, car dès que je pénétrai dans cet endroit, je sus où il était. Je regardai vers la façade faussement vieille d'un pub faussement irlandais où il se tenait effectivement, les bras croisés sur la poitrine, vêtu d'un pantalon kaki mais pas militaire, d'un t-shirt blanc agrémenté d'une photo de Sonic Youth Goo, d'une veste en jean bleu clair et d'une paire de Puma marron foncé. Il ne m'avait pas encore aperçu et je pris le temps de regarder ce visage si familier. Ses pommettes hautes et sa bouche vaguement de travers, il les tenait de papa, mais la forme de son visage était différente et ses yeux ressemblaient plus à ceux de maman et aux miens.

Il tourna la tête et croisa mon regard. J'allais lui sourire mais ma bouche se tordit et, avec une force impossible à combattre, l'émotion m'envahit à nouveau, comme dans l'avion. Elle s'exprima par un hoquet et je me mis à pleurer. Je levai la main vers mon visage mais la rabaissai aussitôt, une nouvelle vague arriva, mon visage se tordit à nouveau. Je n'oublierai jamais le regard que me lança Yngve à ce moment précis. Il me dévisageait avec scepticisme. Il ne jugeait pas, c'était plutôt comme s'il était dans l'incapacité de comprendre, il ne s'y attendait pas et n'y était pas préparé.

— Salut, dis-je à travers les larmes.

— Salut. La voiture est en bas. On y va tout de suite ?

J'acquiesçai et le suivis dans l'escalier, à travers le hall et sur le parking. Je ne saurais dire si c'était le mordant particulier de l'air de l'Ouest, inévitable quelle que soit la chaleur et qu'on remarquait spécialement en marchant à l'ombre d'un grand toit, ou bien le sentiment d'espace immense dû au paysage qui m'éclaircit les idées. Yngve, qui avait mis des lunettes de soleil, se pencha pour déverrouiller la portière du côté conducteur.

— Tu n'as pas plus de bagages que ça ? dit-il en faisant un signe de tête vers ma sacoche.

— Merde ! Attends là, je vais le chercher.

Yngve et Kari habitaient à Storhaug, un quartier un peu à l'extérieur du centre de Stavanger. Ils occupaient la dernière maison d'une suite de logements mitoyens, bordés à l'arrière par un chemin et une forêt qui descendait vers le fjord sur quelques centaines de mètres. À proximité se trouvaient également des jardins ouvriers et, au-delà, une autre cité pavillonnaire où habitait Asbjørn, un vieil ami d'Yngve avec lequel il venait tout juste de fonder une entreprise de graphisme. Leur bureau sous les combles abritait tout le matériel qu'ils avaient acheté et dont ils étaient en train d'apprendre le fonctionnement. Ni l'un ni l'autre n'avait d'autre bagage que des études en médias et communication à l'université de Bergen, et aucun contact intéressant dans le métier. Mais chacun devant son Mac travaillait aux rares commandes qu'ils avaient. Une affiche pour les Journées de Hundvåg, quelques dépliants et prospectus, c'était tout. Ils avaient tout misé là-dessus et pour Yngve, je pouvais le comprendre ; après ses études, il avait travaillé quelques années comme conseiller aux affaires culturelles dans la petite commune de Balestrand sans que ça lui ouvre beaucoup de portes, loin s'en faut. Mais c'était un pari risqué et la seule chose sur laquelle ils pouvaient s'appuyer, c'était leur style qui lui en revanche était sûr, voire sophistiqué. Un style façonné au fil de vingt années de culture pop et qui couvrait tous les sujets, du cinéma à la couverture de disque en passant par l'habillement, la chanson, les magazines, la photo, du moins connu au plus commercial, toujours en train de distinguer ce qui était bien de ce qui ne l'était pas à propos de tout ce qui avait été fait jusque-là et tout ce qui se créait autour d'eux maintenant.

Je me souviens d'une fois où nous avions passé trois jours à boire chez Asbjørn. Yngve nous avait fait écouter les Pixies, un nouveau groupe américain inconnu à l'époque, et Asbjørn se tordait de rire sur le canapé parce que la musique était géniale. C'est génial ! criait-il plus fort que l'enregistrement. Ha ha ha ! Ha ha ha ! C'est génial ! Lorsque à dix-huit ans je m'étais installé à Bergen, Yngve et lui étaient passés voir ma chambre d'étudiant dès les premiers jours. Ni l'affiche de John Lennon au-dessus de mon bureau, ni celle d'un champ de blé dont l'étroite bande d'herbe au premier plan était d'un vert incandescent, ni l'affiche du film *The Mission* avec Jeremy Irons ne trouvèrent grâce à leurs yeux. Pour eux, c'était impensable. La photo de Lennon était une réminiscence de la fin du lycée, lorsque avec trois comparses on discutait littérature et politique, écoutait de la musique, regardait des films en buvant du vin, appréciait le fond des choses en nous détachant des apparences pendant que Lennon, l'apôtre de la ferveur en personne, trônait au-dessus de nous, même si au fond je préférais la gentillesse de McCartney depuis mon plus jeune âge. Mais pour Asbjørn et Yngve, les Beatles ne pouvaient pas prétendre au statut de référence, en aucune circonstance, et je ne mis pas longtemps à enlever l'affiche en question. Leur goût fiable ne se limitait pas à la culture pop ; c'est Asbjørn qui le premier m'avait conseillé Thomas Bernhard, il avait lu *Béton*, édité dans la série Vita chez Gyldendahl, dix ans avant que le monde littéraire norvégien ne commence à y faire référence. Je me souviens qu'à l'époque je n'arrivais pas à comprendre la fascination d'Asbjørn pour cet Autrichien dont je ne découvris la grandeur que dix ans plus tard, en même temps que les milieux littéraires du pays. Asbjørn avait du flair, c'était son grand talent, et je n'ai jamais rencontré quelqu'un ayant un goût aussi sûr que le sien. Mais qu'en faire d'autre que le noyau autour duquel tournait la vie d'étudiant ?

Flairer c'est juger, et pour juger il faut être à l'extérieur des choses, or ce n'est pas là que l'on crée. Yngve était plus près des choses, il jouait de la guitare dans un groupe, composait ses chansons et écoutait la musique en fonction de ça, avec en même temps un côté théorique et analytique qu'Asbjørn n'avait pas ou n'utilisait pas. À maints égards, le graphisme était idéal pour eux.

Mon roman avait été accepté presque au moment où ils avaient fondé leur entreprise et il était évident qu'ils en concevraient la couverture, ça leur permettrait d'avoir un pied dans le monde de l'édition. L'éditeur, bien sûr, ne vit pas les choses de cette façon, Geir Gulliksen m'informa qu'il allait contacter une agence de graphisme et me demanda si j'avais des idées concernant la couverture.

— Ton frère ? Il est graphiste ?

— Moui, il commence. Il vient de fonder une agence avec un ami à Stavanger. Ils sont doués, je le garantis.

— Je suggère qu'ils nous fassent des propositions. Si elles sont bonnes, il n'y aura pas de problème.

Et ainsi fut fait. Je leur rendis visite en juin muni d'un livre des années cinquante sur les voyages dans l'espace qui avait appartenu à papa et regorgeait de dessins du style optimiste de ces années-là. J'avais aussi pensé à une couleur blanc crème que j'avais vue sur la couverture du livre de Stefan Zweig, *Le Monde d'hier*. De son côté, Yngve avait trouvé des photos de zeppelins qui iraient bien. Installés sur leurs chaises de bureau toutes neuves, sous les combles chauffés par un soleil ardent, ils faisaient des maquettes et moi, dans un fauteuil, je les regardais. Le soir, nous buvions des bières et suivions la Coupe du monde de foot à la télévision. J'étais heureux et optimiste car j'avais le profond sentiment qu'une époque de ma vie finissait et qu'une autre commençait. Tonje venait de terminer sa formation et avait obtenu un emploi à la télévision régionale du Hordaland, j'allais faire mes débuts avec un roman, nous venions d'emménager dans notre véritable premier appartement, à Bergen, la ville où nous nous étions rencontrés. Yngve et Asbjørn, auxquels je m'étais cramponné pendant toutes mes études, s'étaient mis à leur compte et leur premier vrai travail était la couverture de mon livre. Tout était chargé de possible, tout indiquait l'avenir et c'était bien la première fois de ma vie.

Je trouvais bonnes les six ou sept maquettes qu'ils avaient créées et j'étais satisfait, mais ils voulaient aussi essayer quelque chose de complètement différent et Asbjørn apporta un sac plein de photos de magazines américains qu'on examina. Il me montra des photos de Jock Sturges, exceptionnelles, je n'avais jamais rien vu de tel auparavant, et on choisit celle d'une fille aux membres déliés d'environ douze ou treize ans, nue, de dos et qui regardait un lac. C'était beau en même temps que dramatique, pur mais aussi menaçant, et ça atteignait presque la qualité d'une icône. Dans un autre magazine, on trouva une publicité dont le texte en blanc était sur des bandes bleues, ou dans des encarts, et ils décidèrent de prendre l'idée mais en rouge. Une demi-heure plus tard, Yngve avait terminé la maquette. L'éditeur reçut cinq propositions différentes mais n'hésita pas, celle avec la photo de Sturges était la meilleure et le livre sortirait dans quelques mois avec la toute jeune fille sur la couverture. C'était tendre le bâton pour se faire battre, Sturges était un photographe controversé, j'avais lu que sa maison avait été fouillée par le FBI et si je tapais son nom sur le net, j'étais sûr de trouver des liens menant à des sites de pornographie infantile. Pourtant, je n'avais encore jamais vu un photographe, pas même Sally Mann, rendre la richesse du monde de l'enfance d'une manière aussi intéressante. J'étais satisfait, aussi parce que c'était Yngve et Asbjørn qui l'avaient faite.

Dans la voiture entre l'aéroport de Sola et la ville, cet étrange vendredi soir-là, nous ne parlâmes pas beaucoup. Nous discutâmes un peu des choses pratiques qui nous attendaient, de l'enterrement lui-même, dont ni Yngve ni moi n'avions l'expérience. Le soleil bas faisait rougeoyer les toits des maisons. Le ciel était haut, le paysage plat et vert et tout cet espace me donnèrent l'impression d'un désert que la plus grande assemblée d'êtres humains ne serait parvenue à remplir. Les gens que nous vîmes étaient tous petits. Petits ceux qui attendaient devant l'abribus pour aller en ville, petits aussi ceux qui roulaient à bicyclette au bord de la route, courbés sur leur guidon de course, petits encore ceux qui étaient sur un tracteur dans les champs, petits enfin ceux qui sortaient d'une station-service, un hot-dog dans une main et un Coca dans l'autre. En ville aussi c'était désert, les rues étaient vides, la journée était terminée mais la soirée n'avait pas encore commencé.

Yngve écoutait Bjørk. Dehors, on voyait de moins en moins de boutiques et de bureaux et de plus en plus de maisons. Des petits jardins, des haies, des arbres fruitiers, des enfants sur leur bicyclette, des enfants sautant à l'élastique.

— Je ne sais pas pourquoi je me suis mis à pleurer tout à l'heure, dis-je, mais j'ai été ému en te voyant. J'ai compris soudain qu'il était mort.

— Oui… Je ne sais pas si j'ai vraiment réalisé.

Il débraya dans le virage et entama la dernière côte. Sur une aire de jeu à droite, deux fillettes étaient assises sur un banc avec quelque chose qui ressemblait à des cartes dans les mains. Un peu plus haut, sur le côté opposé, j'aperçus le jardin de la maison d'Yngve. Il était vide mais la baie vitrée coulissante était ouverte.

— Nous y voilà, dit Yngve en roulant doucement dans le garage ouvert.

— Je laisse ma valise dans la voiture, on repart demain.

La porte de la maison s'ouvrit et Kari Ann sortit avec Torje dans les bras. Ylva était à côté d'elle et lui tenait la jambe, elle me jeta un coup d'œil. Je refermai la portière et m'approchai d'eux. Kari Ann tendit la tête et m'entoura de son bras libre, je lui fis la bise et ébouriffai les cheveux d'Ylva.

— Je suis désolée pour votre père, dit-elle, mes condoléances.

— Merci, mais ce n'était pas franchement une surprise.

Yngve claqua le coffre et arriva avec un sac dans chaque main. Il avait dû faire des courses en allant à l'aéroport.

— On rentre ? dit Kari Ann.

J'acquiesçai en la suivant dans le salon.

— Humm, ça sent bon, dis-je.

— C'est ce que j'ai l'habitude de préparer, dit-elle, des spaghettis au jambon et aux brocolis.

Avec sa main libre, elle ôta une casserole de la plaque, l'éteignit, se pencha pour attraper une passoire au moment où Yngve entrait, déposait les sacs par terre et commençait à ranger les marchandises. Ylva, qui n'avait qu'une couche-culotte sur elle, était immobile au milieu de la pièce et regardait tour à tour ses parents et moi. Puis elle courut vers un lit de poupée à côté de la bibliothèque, en prit une et vint vers moi en la tenant à bout de bras.

— Quelle belle poupée, dis-je en m'agenouillant devant elle, je peux la voir ?

Elle l'étreignit sur sa poitrine, l'air décidé en se tournant à moitié.

— Tu peux bien montrer ta poupée à Karl Ove, dit Kari Ann.

Je me relevai.

— Je sors fumer une cigarette, si c'est OK, dis-je.

— Je t'accompagne, dit Yngve, je finis de ranger d'abord.

Je sortis par la porte ouverte de la terrasse, la fermai et m'assis sur une des trois chaises en plastique blanc. Des jouets étaient étalés sur toute la pelouse. Tout au bout, près de la haie, il y avait un bassin en plastique rempli d'eau où flottaient des brins d'herbe et des insectes. Deux cannes de golf étaient posées contre le mur, des raquettes de badminton et un ballon de foot traînaient à côté. Je sortis les cigarettes de ma poche intérieure, en allumai une et appuyai ma tête contre le mur. Le soleil avait disparu derrière un nuage et la verdure avait soudain perdu son éclat, passant du vert éclatant à une teinte grisâtre, sans vie. Du jardin voisin on entendait le va-et-vient régulier d'une tondeuse mécanique. Dans la maison tintaient les assiettes et les couverts.

Comme j'aimais être là.

Chez nous dans notre appartement, tout nous appartenait, il n'y avait aucune distance possible, si j'étais préoccupé, l'appartement l'était aussi. Mais ici, je n'avais rien à voir avec l'environnement et pouvais lui épargner mes préoccupations.

Derrière moi la porte s'ouvrit. C'était Yngve, une tasse de café à la main.

— Tu as le bonjour de Tonje, dis-je.

— Merci, comment va-t-elle ?

— Bien. Elle a commencé à travailler lundi et mercredi déjà elle avait un sujet au journal télévisé, un accident mortel.

— Oui, tu me l'as dit, dit-il en s'asseyant.

Qu'est-ce qu'il avait ? Est-ce qu'il était fâché ?

On resta un moment sans rien dire. Dans le ciel au-dessus des immeubles à notre gauche, un hélicoptère passa. Le bruit des hélices était lointain, presque sourd. Les deux filles de l'aire de jeu remontaient la rue. Depuis un jardin un peu plus bas, on entendit appeler un nom qui sonnait comme *Bjørnar*.

Yngve sortit une cigarette et l'alluma.

— Tu joues au golf maintenant ? dis-je.

Il acquiesça.

— Tu devrais essayer toi aussi. Tu serais sûrement bon. Tu es grand, et puis tu as joué au foot et tu as un instinct de gagneur. Veux-tu frapper quelques coups ? J'ai des balles légères pour s'entraîner.

— Maintenant ? Non, pas vraiment.

— C'était une blague, Karl Ove.

— Que je joue au golf ou que j'essaye maintenant ?

— Que tu essayes maintenant.

Le voisin, qui s'était arrêté juste derrière la haie entre les deux jardins, se redressa et passa sa main sur son crâne chauve et en sueur. Assise sur la terrasse, une femme vêtue d'un short et d'un t-shirt blancs lisait une revue.

— Sais-tu comment va grand-mère ? dis-je.

— En fait non, mais c'est elle qu'il l'a trouvé et j'imagine que ce n'est pas très bien.

— Dans le salon, n'est-ce pas ?

— Oui, dit-il en écrasant sa cigarette dans le cendrier, il se leva. Et si on allait manger un peu ?

Le lendemain matin, je fus réveillé par Ylva qui criait dans le couloir à côté de l'escalier. Je me redressai à moitié et remontai le store afin de voir quelle heure il était. Cinq heures et demie. Je soupirai et me rallongeai. La pièce dans laquelle je dormais était remplie de cartons, de vêtements et de choses diverses qui n'avaient pas encore trouvé leur place dans la maison. Contre un des murs, la table à repasser était recouverte de vêtements pliés, à côté un paravent fermé d'allure asiatique était tout juste adossé au mur. Derrière la porte, j'entendis les voix d'Yngve et Kari Anne et, aussitôt après, leurs pas dans le vieil escalier en bois. Puis la radio qu'on alluma en bas. Nous avions décidé de nous mettre en route vers sept heures pour être à Kristiansand vers onze heures, mais rien ne nous empêchait de partir plus tôt, pensai-je. Je mis les pieds par terre, enfilai mon pantalon et mon t-shirt et me passai la main dans les cheveux en me regardant dans le miroir accroché au mur. Aucune trace de mes épanchements émotifs de la veille, j'avais seulement l'air fatigué. Retour à la case départ, donc. Aucune trace non plus en moi. Les émotions sont comme l'eau, elles sont façonnées par leur environnement. Et quand un immense chagrin, si bouleversant et long soit-il, ne laisse pas de trace, ce n'est pas parce que les émotions se sont figées, elles ne le peuvent pas, mais c'est qu'elles font une pause, comme l'eau d'un étang fait une pause.

Merde, con, pensai-je. C'était un de mes tics mentaux. Espèce de connasse en était un autre. Ils cinglaient ma conscience à intervalles irréguliers, impossible de les arrêter et pourquoi l'aurais-je fait ? Ils ne faisaient de mal à personne. On ne pouvait pas non plus deviner en me voyant que c'était ce que j'avais en tête. Quelle connerie, pensai-je en ouvrant la porte. Mon regard alla droit dans leur chambre, là où il y avait des choses dont je ne voulais rien savoir, j'ouvris la petite barrière en bois, descendis l'escalier et entrai dans la cuisine. Ylva, sur sa chaise d'enfant, avait une tartine dans les mains et un verre de lait devant elle, Yngve devant la cuisinière était en train de faire frire des œufs pendant que Kari Anne allait et venait entre la table et les placards pour mettre le couvert. La lampe de la cafetière électrique était allumée. Les dernières gouttes tombaient dans la verseuse presque pleine. La hotte aspirante chuintait, les œufs crépitaient dans la poêle, à la radio on entendit le générique des informations routières.

— Bonjour, dis-je.

— Bonjour, dit Kari Anne.

— Salut, dit Yngve.

— Karl Ove, dit Ylva en montrant la chaise en face d'elle.

— Tu veux que je m'assoie là ?

Elle opina en faisant d'amples mouvements de la tête. Je reculai la chaise et m'assis. C'est à Yngve qu'elle ressemblait le plus, elle avait son nez et ses yeux et, curieusement, elle avait aussi ses expressions. Son corps n'avait pas encore quitté les rondeurs de la toute petite enfance, ses articulations et ses membres étaient encore souples et potelés et quand elle fronçait les sourcils et que ses yeux prenaient l'air malicieux d'Yngve, il était difficile de ne pas sourire. Ça ne la vieillissait pas elle mais ça le rajeunissait lui : soudain on réalisait qu'une de ses mimiques caractéristiques n'était absolument pas liée à l'expérience, la maturité ou la sagesse, mais qu'elle avait toujours été là, inchangée et indépendante de son visage depuis qu'il avait pris forme au début des années soixante.

Yngve souleva les œufs avec une spatule et les mit un à un sur une grande assiette qu'il posa sur la table, à côté de la corbeille de pain, il prit le café et remplit les trois tasses. Je buvais du thé au petit déjeuner et ce depuis que j'avais quatorze ans, mais je n'eus pas le cœur de le faire remarquer et pris une tranche de pain sur laquelle je mis un œuf à l'aide de la spatule qu'Yngve avait posée sur le bord du plat.

Je cherchai le sel sur la table mais n'en vis pas.
— Il y a du sel quelque part ?
— Tiens, dit Kari Anne en me le tendant.
— Merci.
J'ouvris le couvercle de la boîte en plastique et regardai les petits grains s'enfoncer dans le jaune d'œuf en lui perforant tout juste la surface, en même temps que le beurre commençait à fondre et à couler dans la tartine.
— Et Torje, où est-il ? dis-je.
— Il dort là-haut, dit Kari Anne.
Je mordis dans ma tartine. Le blanc d'œuf en dessous était cassant, de grands morceaux presque noirs se brisaient entre le palais et la langue quand je mâchais.
— Il dort encore beaucoup ?
— Moui, peut-être environ seize heures par jour, je ne sais pas exactement. Qu'est-ce que tu crois ?
Elle se tourna vers Yngve.
— Aucune idée.
Je mordis dans le jaune d'œuf qui coula tiède dans ma bouche. Je bus une gorgée de café.
— Ce qu'il a eu peur, quand la Norvège a marqué le but, dis-je.
Kari Anne sourit. Nous avions regardé chez eux le deuxième match de Coupe du monde avec la Norvège et Torje dormait à l'autre bout de la pièce dans son berceau. Au moment où nos braillements s'étaient estompés après le but, il s'était mis à crier.
— Dommage le match contre l'Italie, d'ailleurs, dit Yngve. Est-ce qu'on en a discuté ?
— Non, mais ils savaient très bien ce qu'ils faisaient. Il suffisait de donner le ballon aux Norvégiens pour que tout s'effondre.
— En plus ils devaient être épuisés après le match contre le Brésil.

— Et moi avec. Les penaltys, c'est l'horreur. C'est tout juste si j'arrivais à regarder.

J'avais vu le match Norvège-Brésil à Molde, chez le père de Tonje. Dès qu'il s'était terminé, j'avais appelé Yngve. On en pleurait presque tous les deux. Dans nos voix, il y avait toute une enfance marquée par une équipe nationale toujours hors course. Ensuite, nous étions allés en ville avec Tonje, partout on klaxonnait et on agitait les drapeaux. Des gens qui ne se connaissaient pas s'embrassaient, partout on entendait des cris et des chants, les gens couraient dans tous les sens. La Norvège avait vaincu le Brésil dans un match décisif de la Coupe du monde et personne ne savait jusqu'où cette équipe pourrait aller. Peut-être jusqu'au bout ?

Ylva descendit de sa chaise et vint prendre ma main.

— Viens.

— Laisse Karl Ove finir de manger, Ylva, il viendra après ! dit Yngve.

— Ça ne fait rien, dis-je en l'accompagnant.

Elle m'emmena jusqu'au canapé, prit un livre sur la table et s'assit. Ses petites jambes n'atteignaient même pas le bord.

— Tu veux que je lise ?

Elle opina. Je m'assis à côté d'elle et ouvris le livre. C'était l'histoire d'un ver qui mangeait tout ce qu'il rencontrait. Quand j'eus fini, elle se mit à quatre pattes pour attraper un autre livre sur la table. Cette fois, c'était l'histoire d'une souris qui s'appelait Fredrikke et qui passait son temps à rêver. Contrairement aux autres souris, elle n'avait pas fait de provisions en été et elles la traitèrent de paresseuse, mais quand l'hiver arrivait et que tout était blanc et froid, c'était elle qui apportait couleur et chaleur à l'existence. C'était ça qu'elle avait engrangé et c'était ça dont elles avaient besoin à ce moment-là, de couleur et de chaleur.

Ylva, assise tout contre moi, ne disait pas un mot et regardait très attentivement les pages, de temps en temps elle montrait du doigt quelque chose en le nommant. C'était bien d'être là avec elle mais aussi un peu ennuyeux. J'aurais préféré être de l'autre côté de la vitre, seul sur la terrasse avec une cigarette et une tasse de café.

À la dernière page, Fredrikke était représentée en héros et sauveur rougissant.

— C'est bien édifiant tout ça ! dis-je à Yngve et Kari Anne quand le livre fut terminé.

— Nous l'avions quand nous étions petits, dit Yngve, tu ne t'en souviens pas ?

— Vaguement, mentis-je, c'était ce livre-là ?

— Non, il est chez maman.

Ylva était repartie vers la pile de livres. Je me levai et allai chercher ma tasse de café sur la table.

— Tu as fini de manger ? dit Kari Anne en route vers le lave-vaisselle avec mon assiette.

— Oui, dis-je, merci.

Je regardai Yngve.

— Quand est-ce qu'on part ?

— Il faut que je me douche d'abord et que je prenne quelques affaires. Dans une demi-heure environ ?

— D'accord.

Ylva avait accepté que la lecture soit terminée pour cette fois et était allée s'asseoir dans le couloir pour enfiler mes chaussures. J'ouvris la porte coulissante de la terrasse et sortis. Il faisait nuageux et doux. Les chaises étaient couvertes de jolies perles de rosée que j'essuyai de la main avant de m'asseoir. Mes matins ne commençant pas avant onze heures, midi, voire une heure, je n'étais normalement jamais debout à cette heure-là et, à cet instant, tout ce que mes sens perçurent me rappela les matins d'été de mon enfance où je partais à bicyclette dès six heures et demie pour aller travailler chez un pépiniériste. Le ciel était le plus souvent brumeux, la route que je prenais déserte et grise, l'air que je fendais frisquet, et on ne pouvait s'imaginer que quelques heures plus tard, dans les champs, la chaleur nous accablerait à tel point qu'à la pause de midi nous enfourcherions nos bicyclettes et filerions à toute allure jusqu'au lac de Gjerstad pour avoir le temps d'y faire un plongeon avant de reprendre le travail.

Je bus une gorgée de café et allumai une cigarette. Ce n'était pas tant que je savourais le goût du café ou la sensation de la fumée dans mes poumons, je les distinguais à peine, mais ce qui était important, c'était de l'avoir fait. C'était une routine et, comme toute routine, tout était dans la forme.

Comme je détestais l'odeur de cigarette quand j'étais enfant ! Les balades à l'arrière de la voiture surchauffée avec deux parents en train de fumer à l'avant. Le matin, la fumée qui s'insinuait sous la porte de ma chambre envahissait mes narines pendant mon sommeil et me faisait tressaillir avant que je m'y accoutume. La gêne qu'elle causait tous les jours de l'année jusqu'à ce que je commence à fumer moi-même et devienne insensible à l'odeur.

À l'exception de la période où papa fumait la pipe.

Quand était-ce ?

Tout ce mal qu'il fallait se donner pour vider la pipe du tabac carbonisé, la nettoyer avec les chenillettes blanches et flexibles, remettre du tabac, tirer une bouffée en tenant l'allumette dedans, tirer encore, remettre une allumette, tirer encore et encore, et se renverser enfin dans son fauteuil, croiser les jambes et la fumer. Étrangement, j'associais ça à sa période de vie au grand air. Les pulls tricotés, les anoraks, les bottes, la barbe et la pipe. Les longues promenades dans l'arrière-pays pour ramasser des baies avant l'hiver, parfois dans la montagne pour trouver des mûres arctiques, la reine des baies, mais le plus souvent dans les bois, à l'orée desquels on garait la voiture pour partir tous une pelle à baies dans une main et un seau dans l'autre à l'affût de myrtilles et d'airelles. Les arrêts aux aires de repos aménagées au bord de l'eau ou aux points culminants avec panorama. Parfois au pied de la montagne, le long du fleuve. Parfois au milieu d'une forêt de pins où on s'asseyait sur un tronc d'arbre. Parfois au bord de la route quand nous apercevions des framboisiers. Et tout le monde sortait les seaux car c'était comme ça en Norvège dans les années soixante-dix : les familles cueillaient des framboises le week-end au bord de la route avec une énorme sacoche isotherme dans le coffre de la voiture pour les sandwichs. C'était aussi à cette époque-là que papa pêchait, qu'il allait seul après l'école à l'extrémité de l'île ou bien avec nous le week-end, à l'affût du grand cabillaud, nageant dans les parages pendant l'hiver 1974-75. Bien que mes parents ne se soient pas mêlés aux événements de 68, ayant eu des enfants à vingt ans, ils n'avaient cessé de travailler depuis, et bien qu'idéologiquement aussi ce fût étranger à mon père, il ne resta pas insensible à l'air du temps. À le voir la pipe à la main, barbu, portant les cheveux non pas longs mais épais, un pull tricoté et un jean à pattes d'éléphant, le regard clair et souriant, on aurait pu le prendre pour un de ces pères antiautoritaires qui commençaient à apparaître et se faire remarquer, ceux qui poussaient le landau de leurs enfants, leur changeaient les couches et s'asseyaient par terre pour jouer avec eux. Pourtant, rien n'était plus loin de la vérité que ça. La seule chose qu'il avait en commun avec eux, c'était la pipe.

Oh, papa, est-ce que tu m'as quitté maintenant ?

De la fenêtre ouverte du premier étage, j'entendis soudain des pleurs. Je tournai la tête. Dans la cuisine, Kari Anne, qui était en train de vider le lave-vaisselle, posa deux verres sur le plan de travail et courut vers l'escalier. Ylva, qui faisait des tours avec sa poussette et sa poupée, trottina dans la même direction. Aussitôt après, j'entendis une voix rassurante par la fenêtre et les pleurs s'arrêtèrent.

Je me levai, ouvris la porte et rentrai. Ylva se tenait devant la barrière de l'escalier et regardait en haut. On entendait la tuyauterie dans les murs.

— Tu veux monter sur mes épaules ?

— Oui.

Je me penchai, la soulevai, maintins ses petites jambes dans mes mains et fis plusieurs fois l'aller et retour entre la cuisine et le salon en hennissant comme un cheval. Elle riait et, chaque fois que je m'arrêtais pour me pencher en avant comme si j'allais la faire tomber, elle hurlait. Au bout de quelques minutes, j'en eus assez mais je continuai encore un peu pour faire les choses bien, puis je m'accroupis et la fis descendre.

— Encore !

— Une prochaine fois, dis-je en regardant par la fenêtre vers la rue où un bus était en train de s'arrêter pour prendre le maigre troupeau de gens habitant les immeubles et qui partaient au travail.

— Tout de suite.

Je la regardai et lui souris.

— Allez d'accord, encore une fois.

La remettre sur mes épaules, aller et venir encore, s'arrêter, refaire comme si j'allai la jeter, hennir encore. Heureusement, Yngve redescendit à ce moment-là et il fut naturel d'arrêter.

— Es-tu prêt ? dit-il.

Il avait les cheveux mouillés et les joues luisantes après le rasage. À la main, il tenait le vieux sac Adidas bleu et rouge qu'il avait depuis le lycée.

— Bien sûr. Kari Anne est en haut ?

— Oui, Torje s'est réveillé.

— Je vais juste fumer une cigarette et on y va, dit Yngve, tu fais attention à Ylva ?

Je fis oui de la tête. Par chance, elle semblait occupée à quelque chose et je pus m'affaler sur le canapé et feuilleter un magazine. Mais, ne parvenant pas à me concentrer sur les critiques de disques ou les interviews de groupes, je le reposai. À la place, j'attrapai sa guitare posée sur un support à côté du canapé, devant l'ampli et les caisses de disques. C'était une Fender Telecaster noire, relativement récente alors que l'ampli à tubes, lui, était un vieux Music Man. Il avait en plus une guitare Hagström mais elle était en haut, dans le bureau. Je jouai quelques accords sans réfléchir, c'était l'introduction de *Space Oddity* de Bowie et je me mis à la chanter tout bas. Je n'avais plus de guitare. Après avoir joué tant d'années, je n'étais pas parvenu au-delà des bases qu'un jeune de quatorze ans moyennement doué aurait mis un mois à apprendre. Mais la batterie, que j'avais achetée très cher cinq ans auparavant, était toujours au grenier à Bergen et, quand nous serions rentrés, elle pourrait peut-être resservir.

C'est Fifi Brindacier qu'on devrait savoir jouer ici, pensai-je.

Je reposai la guitare et repris le magazine de rock au moment où Kari Anne arrivait avec Torje dans les bras. Il était tout sourire. Je me levai et allai vers eux, me penchai et lui dis *bouh !*, chose qui m'était étrangère et inhabituelle, et je me sentis bête tout à coup mais ça n'eut aucune importance pour Torje qui rit à gorge déployée et qui me regarda plein d'espoir quand son rire s'arrêta, il voulait que ça recommence.

— Bouh ! dis-je.

— Hihiha, hihiha, hihiha, dit-il.

Tous les rituels ne sont pas forcément cérémonieux et tous les rituels ne sont pas clairement délimités, il y a ceux qui prennent forme au cœur du quotidien et qui ne se reconnaissent qu'à la gravité et au poids qu'on leur confère et qu'ils n'ont pas d'habitude. Lorsque ce matin-là je sortis de la maison et suivis Yngve à la voiture, j'eus un instant l'impression d'entrer dans une histoire plus grande que la mienne. Les fils qui rentrent à la maison pour enterrer leur père. C'était moi soudain au cœur de cette histoire, là devant la portière du passager pendant qu'Yngve ouvrait le coffre pour y mettre son sac et que Kari Anne, Ylva et Torje nous regardaient depuis le seuil de la maison. Le ciel était blanc gris et doux, la cité plongée dans le silence. Le bref claquement du coffre qui résonna contre le mur de la maison fit un bruit clair et sec, presque agressif. Yngve ouvrit la portière et monta, il se pencha et déverrouilla de mon côté. Je fis un signe de la main à Kari Anne et aux enfants avant de me caler sur le siège et de fermer la portière. Ils agitèrent la main aussi, Yngve démarra, posa sa main sur mon dossier et recula vers la droite, puis il leur fit un signe à son tour et on descendit la rue. Je me plaquai contre le dossier.

— Fatigué ? dit Yngve. Tu peux dormir si tu veux.

— Tu es sûr ?

— Oui, oui, si je peux mettre de la musique.

J'acquiesçai et fermai les yeux. Je l'entendis appuyer sur le lecteur de CD, chercher un disque dans le petit compartiment sous le tableau de bord. Le ronronnement assourdi du moteur. Puis le CD qui glissa dans le lecteur et aussitôt après une introduction à la mandoline dans un style folk.

— Qui est-ce ? dis-je.

— Sixteen Horsepower. Tu aimes ?

— C'est pas mal, dis-je en refermant les yeux.

L'impression de grande histoire avait disparu. On n'était pas deux fils mais Yngve et Karl Ove, on ne rentrait pas à la maison mais on allait à Kristiansand, ce n'était pas un père qu'on allait enterrer mais papa.

Je n'étais pas fatigué et je savais que je ne parviendrais pas à m'endormir mais c'était agréable d'être là, surtout parce que je n'avais rien à faire. Quand j'étais jeune, je parlais de tout avec Yngve et je n'avais aucun secret pour lui, mais à un moment donné, peut-être dès mes années de lycée, les choses changèrent et je remarquai que, quand nous bavardions, j'avais toujours une conscience aiguë de qui il était et de qui j'étais, la spontanéité avait disparu. Chacune de mes phrases était soit planifiée à l'avance, soit analysée après coup, et la plupart du temps les deux, sauf quand je buvais et retrouvais mon naturel d'avant. C'était pareil avec tout le monde, à l'exception de Tonje et de ma mère. Je ne pouvais plus parler simplement avec les gens, ma trop grande conscience de la situation me mettait à distance. Je ne savais pas si c'était pareil pour Yngve mais, à le voir avec les autres, il ne donnait pas cette impression. Je ne savais pas non plus s'il savait que je vivais les choses comme ça mais il me semblait que oui. J'avais souvent le sentiment d'être faux ou de mentir puisque j'étais toujours en train de calculer et de prévoir, mais ça ne m'affectait plus, c'était devenu ma façon d'être. Pourtant, juste là, au départ d'un long trajet en voiture, au moment de la mort de papa, je ressentais très fort l'envie d'échapper à moi-même, ou à ce qui en moi montait la garde si âprement.

Quelle putain de connerie !

Je me redressai et jetai un œil aux CD. Massive Attack, Portishead, Blur, Leftfield, Bowie, Supergrass, Mercury Rev, Queen.

Queen ?

Fervent défenseur du groupe depuis son adolescence, Yngve n'avait pas changé d'avis. Je le revois dans sa chambre en train de reproduire note à note un solo de Brian May sur sa guitare neuve, une copie de Les-Paul noire achetée avec l'argent reçu à sa confirmation, avec la revue du fan-club de Queen qu'il recevait par la poste. Il espérait toujours que le monde s'amende et rende à Queen ce qui lui revenait.

Je souris.

Lorsque Freddie Mercury mourut, la révélation qui choqua ne fut pas qu'il était homosexuel mais indien.

Qui aurait pu imaginer ?

Dehors, l'habitat était plus dispersé. La circulation dans l'autre sens avait augmenté pendant un certain temps à l'approche de l'heure de pointe mais recommençait à diminuer comme nous arrivions dans la campagne. On passa devant de grands champs de blé jaune, de grands champs de fraises, des lopins de pâturage vert, quelques parcelles récemment labourées à la terre foncée, presque noire. Entre deux, des bois, des villages, une rivière ou un lac quelconque. Puis le paysage changea et devint presque montagneux, parsemé d'étendues vertes, dépourvues d'arbres et incultivables. Yngve s'arrêta à une station-service, fit le plein et passa la tête par la portière pour me demander si je voulais quelque chose, je secouai la tête mais, lorsqu'il revint, il me tendit une bouteille de Coca et une barre de chocolat.

— On se prend une cigarette ? dit-il.

J'acquiesçai et sortis de la voiture. On alla vers un banc à l'extrémité de la station, derrière coulait un ruisseau traversé par un pont. Une moto passa, puis un camion et encore un autre.

— Et maman, qu'a-t-elle dit ? demandai-je.

— Pas grand-chose. Elle a besoin de temps pour réaliser. Mais elle était désolée. Je crois qu'elle pense surtout à nous.

— Et c'est aujourd'hui l'enterrement de Borghild.

— Oui.

Un camion arriva à la station et se gara, dans un soupir, à l'autre bout. Un homme d'âge moyen sauta à terre et se dirigea vers l'entrée de la boutique en remettant en place ses cheveux qui flottaient dans le vent.

— La dernière fois que j'ai vu papa, il m'avait dit qu'il envisageait de travailler comme routier, dis-je en souriant.

— Ah ? C'était quand ?

— Pendant l'hiver, il y a environ un an et demi. J'étais à Kristiansand et j'écrivais.

Je dévissai le bouchon de la bouteille et bus une gorgée.

— Quand est-ce que tu l'as vu pour la dernière fois ? dis-je en m'essuyant la bouche du revers de la main.

Yngve regardait la plaine de l'autre côté de la route et tira plusieurs fois sur sa cigarette bientôt consumée.

— Je crois que c'était à la confirmation d'Egil, en mai dernier. Mais tu y étais aussi ?

— Merde, c'est vrai. C'était la dernière fois alors, hein ? Je ne suis plus très sûr tout à coup.

Yngve reposa par terre son pied posé sur le banc, referma sa bouteille et marcha vers la voiture au moment où le routier ressortait avec un journal sous le bras et un hot dog dans la main. Je jetai ma cigarette allumée sur l'asphalte et suivis Yngve. Arrivé à la voiture, il avait déjà démarré.

— Bon, dit Yngve, encore deux heures de route environ. On pourra manger là-bas, hein ?

— Oui.

— Tu veux écouter quelque chose ?

Il s'arrêta à la sortie de la station et regarda plusieurs fois devant et derrière avant de s'engager sur la route et prendre de la vitesse.

— Non, tu peux choisir.

Il mit Supergrass. Ce disque, je l'avais acheté après les avoir vus en concert à Barcelone où j'avais accompagné Tonje qui participait à un colloque sur les radios locales européennes. Après, en écrivant mon roman, je l'avais écouté à longueur de temps avec quelques autres disques. L'atmosphère de cette année-là me revint soudain. C'était donc déjà un souvenir, pensai-je étonné. C'était donc déjà devenu le temps où j'écrivais vingt-quatre heures sur vingt-quatre à Volda, en laissant complètement tomber Tonje.

Jamais plus, avait-elle dit après coup, le premier soir où nous étions dans notre nouvel appartement à Bergen, la veille de notre départ pour des vacances en Turquie. Ou alors je te quitte.

— Je l'ai revu une fois après ça, dit Yngve. L'été dernier, quand j'étais à Kristiansand avec Bendik et Atle. Nous l'avons vu en passant en voiture, il était assis sur un banc devant le kiosque de Rundingen. Il a une sacrée allure, avait dit Bendik. Et il avait raison.

— Pauvre papa, dis-je.

Yngve me regarda.

— S'il y a bien quelqu'un qui ne mérite pas la pitié, c'est lui.

— Je sais, mais tu vois ce que je veux dire.

Il ne répondit pas. D'abord grave pendant quelques secondes, le silence devint tout simplement du silence. Je contemplais le paysage qui était maigre par ici, si près de la mer et balayé par les vents. Une grange peinte en rouge par-ci, une maison blanche par-là, une moissonneuse-lieuse dans un champ. Une vielle voiture sans roues dans une cour, un ballon jaune en plastique coincé sous une haie, quelques moutons paissant sur un talus, un train passant lentement sur des rails surélevés à quelques centaines de mètres de la route.

J'avais toujours su que nous n'avions pas la même relation à notre père. Les différences n'étaient pas grandes mais peut-être avaient-elles de l'importance. Qu'en savais-je ? À un moment, papa s'était rapproché de moi, je m'en souvenais très bien, c'était l'année où maman suivait une formation à Oslo et était en stage à Modum pendant que nous habitions avec lui. J'avais l'impression qu'avec Yngve, âgé alors de quatorze ans, il avait renoncé, mais qu'il avait encore de l'espoir avec moi. En tout cas, il fallait que je lui tienne compagnie tous les jours dans la cuisine pendant qu'il préparait le dîner. Je restais sur une chaise pendant qu'il poêlait quelque chose devant la cuisinière en m'interrogeant sur tout. Sur ce que la maîtresse avait dit, sur ce qu'on avait appris en anglais, sur ce que j'allais faire après dîner, si je savais quelles équipes jouaient le samedi. Je répondais succinctement en me tortillant sur ma chaise. C'est cet hiver-là aussi qu'il m'emmena faire du ski. Yngve avait le droit de faire ce qu'il voulait à condition qu'il dise où il allait et qu'il soit rentré à neuf heures et demie, et je me souviens que je l'enviais. Cette période s'étendit au-delà de l'année où maman était absente, car l'automne suivant il m'emmenait à la pêche le matin avant l'école. On se levait vers six heures, dehors il faisait aussi noir qu'au fond d'un puits, et froid, surtout en mer. J'étais frigorifié et voulais rentrer mais c'était papa qui avait décidé, ça ne servait à rien de se plaindre, je n'avais rien à dire, il fallait tenir jusqu'au bout. Deux heures plus tard, nous étions rentrés juste à temps pour que j'attrape mon bus. Je détestais ça, j'avais toujours froid, la mer était glaciale. C'était moi qui devais attraper le flotteur et remonter les premières longueurs du filet pendant qu'il manœuvrait le bateau, et malheur à moi si je n'arrivais pas à le saisir, il m'engueulait, oui, et il arrivait très souvent que j'essaye, en larmes, d'attraper ce maudit flotteur pendant qu'il faisait aller et venir le bateau en me fixant de son regard furibond, dans la pénombre de l'automne au large de Tromøya. Mais je sais qu'il faisait ça pour moi, jamais pour Yngve.

Je sais aussi par ailleurs que les quatre premières années de la vie d'Yngve furent des années fastes, voire heureuses. À l'époque, ils habitaient la rue Theresesgate à Oslo, papa étudiait à l'université et travaillait comme garde de nuit, maman suivait l'école d'infirmières et Yngve allait au jardin d'enfants. Je sais également que papa était content, content aussi d'avoir Yngve. C'est quand je suis né que nous avons emménagé à Tromøya, d'abord à Hove, dans la forêt tout près de la mer, dans une vieille maison qui avait appartenu à l'armée, ensuite dans la cité pavillonnaire de Tybakken. Le seul épisode qu'on m'a relaté de cette époque est la fois où j'étais tombé dans l'escalier et que j'eus une crise d'hyperventilation qui me fit m'évanouir. Me portant dans ses bras, maman avait couru chez le voisin pour emprunter le téléphone et appeler l'hôpital car mon visage bleuissait. Et la fois où j'avais tellement crié qu'à la fin mon père m'avait jeté dans la baignoire et douché à l'eau froide pour que j'arrête. Maman, qui m'avait raconté l'incident, était arrivée à ce moment-là et lui avait adressé un ultimatum : si ça se reproduisait, elle le quitterait. Ça n'arriva plus et elle resta.

Ses tentatives pour se rapprocher de moi ne l'empêchaient pas par ailleurs de me battre ou de me crier dessus, ou encore de trouver les manières les plus rusées de me punir, et par conséquent j'avais une image de lui plus ambiguë que celle qu'avait peut-être Yngve. Lui le haïssait davantage et c'était plus clair. Mais au-delà de ça, je n'avais aucune idée de leur relation. La perspective d'avoir des enfants un jour n'était pas sans me poser problème et, lorsque Yngve raconta que Kari Anne était enceinte, je ne pus m'empêcher de me demander quel genre de père il serait, si ce que papa nous avait légué était ancré en lui ou s'il était possible de s'en délivrer, et même peut-être facilement. Yngve fut une sorte de cobaye : s'il passait l'épreuve avec succès, alors moi aussi j'y arriverais. Et il réussit. Il n'y avait rien qui ressemblât à papa dans sa relation à ses enfants, tout était différent, comme si elle faisait partie intégrante de sa vie. Il ne les repoussait jamais, prenait toujours le temps nécessaire avec eux, mais il ne s'en approchait jamais non plus dans le sens où il ne les laissait jamais prendre la place d'autre chose en lui ou dans sa vie. Il gérait avec facilité les situations où Ylva tempêtait et hurlait en refusant de s'habiller car il était resté à la maison pendant six mois avec elle et le lien étroit qu'ils avaient tissé était toujours là. Je n'avais pas d'autre modèle qu'Yngve et papa.

Autour de nous, le paysage de nouveau avait changé. On traversait des bois, ces bois du Sud surmontés çà et là de rochers nus entre les arbres, mais aussi des landes de sapins et de chênes, de trembles et de bouleaux, parfois un marécage sombre, soudain des prés, des étendues plates plantées de pins. Quand j'étais petit, j'imaginais souvent que la mer montait et remplissait la forêt jusqu'à ce que les landes deviennent des îlots entre lesquels on pouvait naviguer et au bord desquels on pouvait se baigner. C'était la vision la plus fascinante de mon imaginaire d'enfant ; l'idée que tout était recouvert d'eau m'envoûtait, l'idée qu'on pouvait nager là où on marchait à l'instant même, nager au-dessus des abribus, des toits, plonger et passer une porte, monter un escalier, entrer dans un salon. Ou bien simplement nager à travers la forêt, ses pentes, ses ravins, ses rochers et ses vieux arbres. À une certaine période de mon enfance, mon jeu le plus inventif était de construire des digues dans les ruisseaux de façon que l'eau déborde et recouvre la mousse, les racines, l'herbe, les cailloux, le sentier piétiné le long du cours d'eau. C'était envoûtant. Sans parler de la cave d'une maison en construction que nous avions trouvée remplie d'une eau brillante et noire sur laquelle, vers l'âge de cinq ans, nous naviguions dans deux caisses en polystyrène. Envoûtant. C'était la même chose l'hiver quand nous remontions les ruisseaux gelés en patins à glace et que l'herbe, les bâtons, les brindilles et les petites plantes étaient prises dans la glace.

Pourquoi cette fascination ? Et où était-elle passée ?

À cette époque-là, j'imaginais aussi que la voiture était munie de deux énormes scies qui tronçonnaient tout sur leur passage. Les arbres et les lampadaires, les maisons et les cahutes, mais aussi les gens et les animaux. Si quelqu'un était en train d'attendre le bus, il se retrouvait coupé en deux par le milieu, le haut du corps tombait, à peu près comme un arbre coupé tombe, et le bas du corps restait sur place à saigner de la tranche.

Aujourd'hui encore, j'étais capable de me replonger dans cette sensation-là.

— Là-bas, c'est Søgne, dit Yngve, j'en ai toujours entendu parler mais n'y suis jamais allé, et toi ?

Je secouai la tête.

— Certaines filles du lycée venaient de là mais je n'y suis jamais allé.

Il ne restait que quelques dizaines de kilomètres.

Ensuite, le paysage prit des formes que je reconnus vaguement, elles m'étaient de plus en plus familières et finirent par coïncider parfaitement aux images que j'avais en mémoire. C'était comme si nous avancions dans un souvenir. Comme si les lieux que nous traversions n'étaient rien d'autre que les coulisses de notre jeunesse. La route vers Vågsbygd où Hanne avait habité, l'usine Hennig Olsen, l'usine Falconbridge, sombre et sale, entourée de montagnes glabres, puis le port de Kristiansand s'étalant sur la droite avec la gare routière, le terminal des ferries, l'hôtel Caledonien, les silos sur l'île d'Odderøya. À gauche, le quartier où l'oncle de papa avait habité jusque récemment, avant que sa démence ne l'oblige à aller dans une maison de retraite.

— Est-ce qu'on mange d'abord ? dit Yngve. Où est-ce qu'on va directement aux pompes funèbres ?

— Autant se jeter à l'eau tout de suite. Tu sais où c'est ?

— Quelque part dans Elvegaten.

— Donc il faut y aller par le haut. Tu sais par où passer ?

— Non, mais on va bien trouver.

On stoppa au feu rouge du carrefour. Penché en avant, Yngve scrutait toutes les directions. Le feu passa au vert, il embraya et roula lentement derrière un petit camion couvert d'une bâche grise et sale. Il regardait sans cesse sur le côté, le camion accéléra et, lorsque Yngve s'aperçut de l'écart entre eux, il se redressa et accéléra à son tour.

— C'était là, à droite, dit-il, maintenant on est obligés de prendre le tunnel.

— Ça n'a aucune d'importance, on arrivera simplement par l'autre côté.

Mais ça avait une certaine importance. Lorsqu'on sortit du tunnel et qu'on monta sur le pont, je vis sur la droite l'appartement où j'avais habité puis de l'autre côté du fleuve à quelques centaines de mètres seulement, bien qu'invisible d'ici, il y avait la maison de grand-mère où papa était mort la veille.

Il était toujours là, quelque part dans la ville, son corps reposait dans une cave quelconque, pris en charge par des inconnus pendant que nous roulions vers les pompes funèbres. Il avait grandi dans ces rues que nous prenions, il les parcourait encore quelques jours auparavant. En même temps me revenaient les souvenirs que m'évoquaient les lieux. Là-bas, il y avait mon lycée, le quartier résidentiel que je traversais matin et soir, tellement amoureux que j'en avais mal, et la maison où j'avais été beaucoup seul.

Je pleurai mais discrètement. Yngve ne s'aperçut de rien avant de me regarder. Je me défendis en faisant un geste de la main et fus content que ma voix porte lorsque je lui dis :

— Prends à gauche, là.

On descendit la rue Torridalsveien, on dépassa les deux terrains de football en gravier où je m'étais entraîné si rudement avec l'équipe senior, l'hiver de mes seize ans, et Kjøita, puis on monta en direction du croisement de la rue Østerveien, qu'on prit, on passa le pont et on tourna à droite, dans Elvegaten.

— C'est quel numéro ? dis-je.

Yngve regardait les façades en roulant doucement.

— C'est là, dit-il. Il ne reste qu'à trouver une place pour se garer.

Sur la gauche, une enseigne noire aux lettres dorées était suspendue à la façade en bois. C'était Gunnar qui avait donné le nom de ces pompes funèbres à

Yngve, c'était celles qu'ils avaient utilisées lors de la mort de grand-père et, à ce que je sache, celles que la famille prenait toujours. Moi, j'étais en Afrique à ce moment-là, pour un séjour de deux mois chez la mère de Tonje et son mari, et je ne fus informé de la mort de grand-père qu'après son enterrement. Papa avait dit qu'il m'informerait. Il ne le fit pas. Mais à l'enterrement il avait raconté qu'il m'avait contacté et que j'avais dit que je ne pouvais pas venir. J'aurais bien voulu être présent à cet enterrement et, bien que c'eût été difficile pour des raisons pratiques, ça n'aurait pas forcément été impossible et quand bien même, j'aurais aimé savoir qu'il était mort au moment où il est décédé et pas trois semaines plus tard quand il était déjà en terre. J'étais furieux. Mais que pouvais-je faire ?

Yngve prit une petite rue transversale et se gara. On enleva nos ceintures de sécurité et on ouvrit nos portières exactement en même temps, on se regarda en souriant. Dehors, l'air était doux mais plus lourd qu'à Stavanger et le ciel un soupçon plus sombre. Yngve alla à l'horodateur et j'allumai une cigarette. Je n'avais pas non plus assisté à l'enterrement de ma grand-mère maternelle. À ce moment-là, j'étais à Florence avec Yngve. Nous étions descendus en train et logions dans une pension choisie au hasard, les téléphones portables n'étant pas encore répandus, nous n'étions pas joignables. C'est Asbjørn qui nous raconta ce qui s'était passé le soir de notre retour, en buvant l'alcool que nous avions rapporté. Donc le seul enterrement auquel j'avais assisté était celui de mon grand-père maternel. Nous avions porté le cercueil, c'était un bel enterrement, le cimetière était sur une hauteur au-dessus du fjord et le soleil brillait. J'avais pleuré quand maman avait pris la parole à l'église et quand, alors que tout était terminé et qu'il était en terre, elle s'était arrêtée devant la tombe ouverte. Elle était seule, tête baissée, et l'herbe était verte et tout en bas le fjord bleu miroitait, et de l'autre côté la montagne s'élevait compacte et sombre et la terre dans la tombe était noire et brillante.

Après nous avions mangé une soupe à la viande. Cinquante personnes en train de laper bruyamment leur soupe. Il n'y a rien de mieux qu'une soupe contre la sentimentalité, rien de mieux qu'une soupe chaude contre la tourmente des émotions. Magne, le père de Jon Olav, avait fait un discours en pleurant tellement qu'on avait eu du mal à le comprendre. Jon Olav, lui, avait essayé dans l'église mais dut renoncer car aucun mot ne sortait, il était très proche de mon grand-père.

Je fis quelques pas pour me dégourdir les jambes et regardai la rue presque vide sauf à l'autre extrémité, au croisement de la rue commerçante de la ville où elle semblait noire de monde. La cigarette me déchira les poumons comme toujours quand je n'avais plus fumé depuis un certain temps. Une voiture stoppa environ cinquante mètres plus loin et un homme en sortit. Il se pencha pour faire un signe de la main à ceux qui l'avaient déposé. La cinquantaine, les cheveux bruns frisés et une calvitie au sommet du crâne, il portait un pantalon de velours brun clair, un blazer noir et de minces lunettes rectangulaires. Comme il s'approchait, je me tournai de sorte qu'il ne pût voir mon visage car je l'avais reconnu. C'était mon professeur de norvégien en seconde, comment s'appelait-il déjà ? Fjell ? Berg ? Quelle importance, pensai-je en me retournant après son passage. Je me souvins qu'il était dynamique et chaleureux mais quelques rares fois aussi mordant, voire mauvais. Il leva son porte-documents qu'il tenait à la main pour regarder sa montre, accéléra le pas et disparut au coin de la rue.

— Il m'en faut une aussi, dit Yngve en s'arrêtant à ma hauteur.

— C'était mon ancien professeur, celui qui vient de passer.

— Ah ? dit Yngve en allumant une cigarette. Il ne t'a pas reconnu ?

— Je ne sais pas. Je lui ai tourné le dos.

Je jetai mon mégot et cherchai un chewing-gum dans la poche de mon pantalon. Il me semblait me souvenir qu'il m'en restait un et c'était exact.

— Je n'en ai qu'un, dis-je, sinon je t'en aurais proposé aussi.

— Oui, oui.

Les larmes n'étaient pas loin, je le sentais, et je respirai profondément plusieurs fois en ouvrant grands les yeux comme pour les clarifier. Sur les marches presque en face de nous était assis un alcoolique que je n'avais pas remarqué. La tête appuyée contre le mur, il semblait dormir. Son visage était buriné et couvert d'égratignures, ses cheveux étaient si gras qu'ils avaient pris la forme d'une coiffure à la rasta. Il portait une grosse veste d'hiver, bien qu'il fît au moins vingt degrés, et avait un sac plein de bric-à-brac à côté de lui. Sur une poutre du pignon au-dessus de lui se tenaient trois mouettes. Au moment où mon regard s'arrêta dessus, l'une d'elles renversa la tête en arrière et cria.

— Bon, dit Yngve, on se lance ?

J'acquiesçai.

Il éteignit sa cigarette et on avança.

— Est-ce qu'on a rendez-vous, au fait ?

— Non, justement, mais il ne devrait pas y avoir foule.

— Ça ira sûrement.

C'est à peine si je pouvais distinguer le fleuve en contrebas entre les arbres mais, après avoir tourné au coin de la rue, je vis toutes les enseignes, les vitrines et les voitures de la rue Dronningen. Asphalte gris, bâtiments gris, ciel gris.

Yngve ouvrit la porte de l'agence des pompes funèbres et entra. Je le suivis, fermai la porte derrière moi, et en me retournant je découvris une sorte de salle d'attente avec un canapé, des chaises et une table d'un côté et un comptoir de l'autre, sans personne derrière. Yngve s'en approcha, regarda dans la pièce attenante et frappa discrètement au carreau pendant que je restais au milieu de la pièce. Par une porte entrouverte, j'aperçus une silhouette en costume noir aller et venir dans la pièce. Il avait l'air jeune, plus jeune que moi. Une femme d'une cinquantaine d'années, blonde et aux hanches larges, vint s'asseoir derrière le comptoir. Yngve lui dit quelque chose mais je n'entendis pas quoi, seulement le son de sa voix.

Il se retourna.

— Quelqu'un va venir dans cinq minutes.

— C'est comme si on était chez le dentiste, dis-je quand on prit place et qu'on regarda autour de nous.

— Alors c'est dans notre âme qu'il va passer la roulette, dit-il.

Je souris, pensai au chewing-gum que je sortis de ma bouche et cachai dans ma main en cherchant un endroit où le jeter. Il n'y en avait pas. J'arrachai un petit morceau de journal sur la table, l'enveloppai avec et mis le petit paquet dans ma poche.

Yngve tapotait l'accoudoir.

Si, j'avais assisté à un autre enterrement. Comment pouvais-je l'avoir oublié ? C'était l'enterrement d'un jeune. Dans l'église, l'atmosphère était hystérique, des pleurs, des hurlements, des cris, des soupirs, des sanglots mais aussi des rires et des ricanements qui arrivaient par vagues. Le moindre cri déclenchait des émotions en chaîne, c'était une véritable tourmente, tout entière provoquée par le cercueil blanc près de l'autel, où reposait Kjetil. En s'endormant au volant un matin, il était sorti de la route et avait percuté une clôture. Une barre de fer lui avait transpercé la tête. Il était âgé de dix-huit ans, apprécié de tous, toujours gai et jamais agressif. Après le collège, il était entré au même lycée professionnel que Jan Vidar et c'était pour ça qu'il était sur la route si tôt, son travail à la boulangerie commençait à quatre heures du matin. Lorsque j'entendis la nouvelle à la radio, je crus d'abord qu'il s'agissait de Jan Vidar et fus soulagé quand je compris que ce n'était pas lui mais j'étais aussi désolé. Sans doute pas autant que les filles de notre ancien collège qui laissèrent libre cours à leur émotion, ce que j'eus l'occasion de constater quand Jan Vidar et moi les avons sollicitées les jours qui suivirent l'accident pour participer à l'achat d'une couronne mortuaire au nom de la classe. Je n'étais pas tout à fait à l'aise dans ce rôle, j'avais le sentiment de revendiquer une relation avec Kjetil à laquelle je n'avais pas droit, je faisais profil bas et prenais le moins de place possible quand nous allions de maison en maison dans le village avec Jan Vidar qui, lui, dégageait la tristesse, la colère et la mauvaise conscience.

L'ayant connu pendant quatre ans, je me souviens bien de Kjetil, de son visage, de sa voix, mais seul un fait unique, concret et complètement insignifiant est resté dans ma mémoire : dans le bus scolaire, quelqu'un passait sur une stéréo *Our House* de Madness, et Kjetil à côté de moi riait de la vitesse à laquelle chantait le vocaliste. Tout le reste, je l'ai oublié. Mais j'ai toujours dans ma cave un livre que je lui avais emprunté, *L'ABC du permis de conduire*, sur lequel il avait écrit son nom de cette écriture enfantine qu'ont presque tous les gens de notre génération.

J'aurais dû le rendre, mais à qui ? Ce livre, c'était bien le dernier souci de ses parents.

L'école que Jan Vidar et lui avaient fréquentée n'était qu'à un pâté de maisons de là où nous étions avec Yngve. Depuis cette époque, c'est à peine si j'avais remis les pieds dans la ville, sauf un séjour de quelques semaines deux ans auparavant. Une année au nord de la Norvège, six mois en Islande, presque six mois en Angleterre, une année à Volda et neuf ans à Bergen. Et à l'exception de Bassen que je rencontrais toujours sporadiquement, je n'avais plus aucun contact avec les gens que j'avais connus ici. Mon plus vieil ami, Espen Stueland, je l'avais rencontré en première année de littérature à Bergen dix ans auparavant. Ce n'était pas un choix délibéré de ma part, ça s'était fait comme ça. Pour moi, Kristiansand était une ville engloutie. Je savais que presque tous ceux que j'avais connus habitaient toujours là mais je n'éprouvais rien pour eux car cette époque de ma vie s'était arrêtée après le lycée, quand j'avais quitté Kristiansand pour toujours.

La mouche, qui avait tourbillonné sur la vitre depuis que nous étions là, vola tout à coup dans la pièce. Je la vis tourner plusieurs fois au plafond, se poser sur le mur jaune, s'envoler de nouveau pour atterrir sur l'accoudoir, celui qu'Yngve ne tapotait pas. Elle se frotta les pattes antérieures, comme pour se débarrasser de quelque chose, avant de faire quelques pas, puis de décoller pour se poser sur la main d'Yngve, qu'il leva brusquement si bien qu'elle se mit à aller et venir devant nous comme si elle était soucieuse. Pour finir, elle retourna sur la fenêtre où elle montait et descendait en suivant des trajectoires compliquées.

— Finalement, on n'a pas discuté de la façon de l'enterrer, dit Yngve, est-ce que tu y as pensé ?

— Tu veux dire un enterrement religieux ou pas ?
— Par exemple.
— Non, je n'y ai pas réfléchi. Il faut qu'on se décide maintenant ?
— Ce sera difficile mais bientôt, je pense.
J'aperçus de nouveau l'homme jeune au costume quand il repassa devant la porte entrouverte. Il me vint à l'esprit qu'il pouvait y avoir des cadavres dans la maison. Que c'était peut-être là qu'ils accueillaient les morts pour en prendre soin. Où le faisaient-ils sinon ?
On ferma la porte de la pièce comme si quelqu'un avait senti ma curiosité. Et on aurait pu croire que les portes suivaient une logique secrète car celle qui se trouvait en face de nous s'ouvrit simultanément. Un homme corpulent, pouvant avoir dans les soixante-cinq ans, impeccablement vêtu d'un costume sombre et d'une chemise blanche, fit quelques pas vers nous en nous regardant.
— Knausgaard ? dit-il.
Nous acquiesçâmes en nous levant. Il se présenta en nous serrant la main.
— Venez.
Nous le suivîmes dans un bureau relativement grand dont les fenêtres donnaient sur la rue. Il nous indiqua les chaises placées devant le bureau. Elles étaient en bois sombre et le siège en cuir noir. La large table, derrière laquelle il s'assit, était aussi en bois sombre. Il n'y avait rien d'autre dessus qu'un porte-dossiers sur sa gauche et un téléphone à côté.
Non, pas tout à fait, de notre côté, tout au bord, il y avait une boîte de mouchoirs en papier. C'était sans doute pratique mais comme ça paraissait cynique ! En les voyant, on imaginait tous les gens qui venaient et pleuraient au cours d'une journée, et on prenait conscience que son propre deuil n'était pas unique et

n'avait pas de valeur particulière. La boîte de Kleenex était le signe qu'il y avait ici inflation de larmes et de morts.

Il nous regarda.

— Que puis-je faire pour vous ? dit-il.

Son double menton bronzé débordait sur le col de la chemise blanche. Il avait les cheveux gris, bien peignés. Une ombre recouvrait ses joues et son menton. Sa cravate noire ne pendait pas mais s'étalait sur la courbe saillante de son ventre. Il était gros mais ferme, il n'y avait rien de fluctuant chez lui. Il présentait bien, c'était le terme exact, et il était donc également sûr de lui et digne de confiance. Il me plut.

— Notre père est décédé hier, dit Yngve, et nous voudrions savoir si vous pouvez vous occuper de l'enterrement.

— Bien, dit l'agent des pompes funèbres. Je vais commencer par remplir un formulaire.

Il ouvrit un tiroir du bureau et en sortit une feuille.

— C'est vous qui vous êtes occupés de l'enterrement de notre grand-père et nous avons été très satisfaits, dit Yngve.

— Je m'en souviens. Il était expert-comptable, n'est-ce pas ? Je le connaissais bien.

Il prit un stylo qui traînait à côté du téléphone, leva la tête et nous regarda.

— Mais d'abord j'ai besoin de quelques renseignements. Comment s'appelait votre père ?

Je dis son nom et j'eus une impression étrange. Non pas parce qu'il était mort mais parce que je ne l'avais pas prononcé depuis bien longtemps.

Yngve me regarda.

— Non..., dit-il doucement. Il a changé de nom il y a quelques années.

— Mais oui, c'est vrai, j'avais complètement oublié. Quel nom idiot il avait choisi !

Quel imbécile il avait été !

Je baissai les yeux.

— Avez-vous son numéro d'identification ?

— Non, pas le numéro entier, dit Yngve, je suis désolé. Mais il est né le 17 avril 1944. On pourra vous communiquer plus tard les chiffres restants si nécessaire.

— Ça ira. Son adresse ?

Yngve donna l'adresse de grand-mère. Puis me regarda.

— Mais ce n'est pas sûr que ce soit son adresse officielle. Il est mort chez sa mère et c'est là qu'il habitait ces derniers temps.

— Ne vous inquiétez pas, on trouvera. Il me faut aussi vos noms et un numéro de téléphone où je puisse vous joindre.

— Karl Ove Knausgaard, dis-je.

— Et Yngve Knausgaard, dit Yngve, et il lui donna son numéro de portable. Quand il eut fini de tout noter, il déposa son stylo et nous regarda à nouveau.

— Avez-vous eu le temps de réfléchir à la cérémonie ? À la date et à la forme qui vous conviendraient ?

— Non, dit Yngve, pas encore. Mais n'est-ce pas l'habitude d'enterrer les gens une semaine environ après le décès ?

— Oui, tout à fait. Alors peut-être que vendredi prochain vous irait ?

— Ou... oui, dit Yngve en me regardant. Qu'en penses-tu ?

— Oui, vendredi c'est bien.

— Disons vendredi prochain pour le moment. Pour le côté pratique des choses, nous pourrons nous revoir, n'est-ce pas ? Si l'enterrement a lieu vendredi, il faudrait que ce soit en début de semaine prochaine, dès lundi peut-être. Est-ce que cela vous convient ?

— Oui, dit Yngve. Serait-ce possible de bonne heure ?

— Bien sûr. Disons à neuf heures ?

— Oui, d'accord.

Après avoir noté tout cela dans un livre, il se leva.

— Nous nous occupons de tout dorénavant et, si vous avez la moindre question, n'hésitez surtout pas à appeler. Peu importe quand. Je pars en week-end cet après-midi mais j'emporte mon téléphone portable, donc appelez, n'ayez pas peur. Et puis nous nous revoyons lundi.

Il nous tendit la main et nous la serrâmes l'un après l'autre avant de sortir de la pièce, il fit un bref signe de la tête en souriant et referma la porte derrière nous.

Dans la rue, en allant vers la voiture, je sentais que quelque chose avait changé. Ce que je voyais, ce qui m'entourait n'était plus aussi net, comme relégué à l'arrière-plan, comme si j'étais entouré d'une zone au-delà de laquelle rien n'avait d'importance. J'avais le sentiment que le monde avait sombré mais ne m'en souciais guère car papa était mort. Alors que j'avais une conscience aiguë et claire du bureau que je venais de quitter, avec tous ces détails, la ville dehors était vague et grise, un endroit que je traversais parce qu'il le fallait. Non pas que je pensais différemment ou que mon for intérieur eût changé, mais il revendiquait désormais plus de place et repoussait plus loin le monde extérieur. Je n'avais pas d'autre explication.

Yngve se pencha pour ouvrir la portière. Je remarquai un ruban blanc et brillant enroulé sur la galerie du toit comme ceux qui ficellent les cadeaux, mais ça ne pouvait pas être ça ?

Il m'ouvrit et je montai.

— Ça s'est bien passé finalement, dis-je.

— Oui. On va chez grand-mère ?
— On y va.
Il mit le clignotant et déboîta, prit la première à gauche, puis encore à gauche, dans la rue Dronningen, et depuis le pont on vit bientôt la maison jaune de grand-mère et grand-père, trônant sur la lande au-dessus de la petite marina et du bassin portuaire. On monta la Kuholmsveien et on prit la toute petite rue si étroite qu'il fallait d'abord descendre un peu la pente puis reculer dans le sentier avant de pouvoir monter encore et se garer devant les marches de la maison. Quand j'étais jeune, j'avais vu mon père effectuer la manœuvre plus d'une centaine de fois, et le simple fait qu'Yngve fasse exactement la même chose fit remonter les larmes que seul un surcroît de concentration put empêcher de déferler.

Deux grandes mouettes s'envolèrent de l'escalier à notre arrivée. L'espace devant le garage était encombré de sacs-poubelle qu'elles avaient déchirés, éparpillant les détritus pour trouver à manger.

Yngve éteignit le moteur mais resta assis. Moi aussi je restai là. Le jardin était totalement à l'abandon. L'herbe était d'un jaune gris et montait jusqu'aux genoux comme dans un pré, par endroits elle avait été aplatie par la pluie. Elle s'enchevêtrait partout et recouvrait les plates-bandes dont je n'aurais pas distingué les fleurs si je n'avais pas su où elles étaient, c'était à peine si on pouvait entrevoir çà et là les petites touches de couleur. Contre la haie, une brouette rouillée semblait incrustée dans la végétation. Sous les arbres, le sol avait pris la teinte brune des poires et des pommes en train d'y pourrir. Le pissenlit était partout et même de petits arbres avaient poussé. C'était comme si nous nous étions arrêtés dans la clairière d'une forêt alors que nous étions devant une villa en plein Kristiansand.

Je me penchai en avant pour voir la maison. Les rebords de fenêtre étaient pourris et la peinture s'écaillait par endroits mais le délabrement était moins criant.

Quelques gouttes de pluie s'écrasèrent sur le pare-brise. D'autres martelèrent faiblement le toit et le capot.

— En tout cas, Gunnar n'est pas là, dit Yngve en enlevant sa ceinture de sécurité. Mais je pense qu'il arrivera d'ici peu.

— Il est sûrement au travail.

— Les experts-comptables ne travaillent pas pendant les vacances, que je sache, même s'il pleut, dit Yngve sèchement.

Il enleva la clé et mit le trousseau dans la poche de sa veste avant d'ouvrir la portière et sortit.

J'aurais vraiment préféré rester dans la voiture mais ce n'était pas possible, alors je fis comme lui, claquai la portière et jetai un coup d'œil à la fenêtre de la cuisine au premier étage, où le visage de grand-mère nous avait toujours accueillis chaque fois qu'on arrivait.

Il n'y avait personne ce jour-là.

— J'espère que c'est ouvert au moins, dit Yngve en grimpant les six marches de l'escalier autrefois peint en rouge foncé mais maintenant tout gris. Les deux mouettes s'étaient installées sur le toit de la maison voisine et suivaient attentivement nos mouvements.

Yngve appuya sur la clenche et poussa la porte.

— Oh merde ! dit-il.

Je grimpai les marches et, arrivé derrière lui dans l'entrée, je dus détourner la tête tellement l'odeur était insoutenable. Ça sentait la pourriture et la pisse.

Yngve balayait le vestibule du regard. La moquette bleue était parsemée de taches et de marques sombres. La penderie ouverte encastrée dans le mur débordait de bouteilles et de sacs remplis d'autres bouteilles encore. Partout des vêtements traînaient et encore des bouteilles, des portemanteaux, des chaussures, des lettres non décachetées, des publicités et des sacs en plastique.

Mais le pire c'était la puanteur.

Putain mais qu'est-ce qui pouvait bien empester pareillement ?

— Il a tout ruiné, dit Yngve en secouant lentement la tête.

— Qu'est-ce qui peut puer comme ça ? Il y a quelque chose en train de pourrir quelque part ?

— Allez viens, dit-il en se dirigeant vers l'escalier. Grand-mère nous attend.

À partir du milieu de l'escalier, il y avait cinq à six bouteilles vides par marche mais plus on approchait du premier étage, plus il y en avait. Le palier lui-même était pratiquement couvert de bouteilles et de sacs de bouteilles et dans l'escalier qui continuait jusqu'au deuxième étage, où se trouvait l'ancienne chambre de grand-mère et grand-père, toutes les marches en étaient tapissées sauf quelques dizaines de centimètres dégagés au milieu pour passer. C'était pour la plupart des bouteilles de bière en plastique d'un litre et demi, des bouteilles de vodka et çà et là une bouteille de vin.

Yngve ouvrit la porte et on entra dans le salon. Sur le piano, il y avait encore des bouteilles et en dessous des sacs en étaient remplis. La porte de la cuisine était ouverte. C'était toujours là qu'elle était assise, et ce jour-là aussi, à la table, le regard baissé et une cigarette à la main.

— Bonjour, dit Yngve.

Elle leva les yeux. D'abord elle donna l'impression de ne pas nous reconnaître puis son regard s'alluma.

— Ah, c'était vous les garçons ! Il m'avait bien semblé entendre la porte.

Je déglutis. Ses yeux étaient enfoncés dans leurs orbites, son nez saillait et ressemblait à un bec au milieu du visage émacié. Sa peau était blanche et toute flétrie.

— Nous sommes venus dès que nous avons appris ce qui s'était passé, dit Yngve.

— Oh oui, c'était horrible, dit grand-mère. Mais vous êtes là maintenant et c'est bien.

Elle portait une robe criblée de taches dans laquelle flottait son corps maigre. La partie supérieure du buste que sa robe était censée cacher laissait apparaître ses côtes comme des baguettes sous la peau. Les omoplates et les hanches saillaient. Sur les bras, elle n'avait plus que la peau et les os. Sur ses mains, les veines couraient comme de petits câbles bleus.

Elle empestait la pisse.

— Est-ce que vous voulez du café ? dit-elle.

— Volontiers, dit Yngve. Ce n'est pas une mauvaise idée. Mais on peut le faire nous-même. Où est la bouilloire ?

— Je n'en ai pas la moindre idée, dit-elle en regardant autour d'elle.

— Elle est là, dis-je en montrant la table.

Il y avait un mot à côté et je tournai légèrement la tête afin de pouvoir le lire.

LES GARÇONS ARRIVENT VERS MIDI. JE PASSE VERS UNE HEURE. GUNNAR.

Yngve prit la bouilloire pour vider le marc de café dans l'évier encombré d'assiettes et de verres sales. Le plan de travail était jonché d'emballages, surtout de plats cuisinés pour four à micro-ondes dont certains contenaient encore des restes. Et toujours des bouteilles, ces mêmes bouteilles en plastique d'un litre et demi, les unes avec un petit reste au fond, les autres à moitié pleines, d'autres encore inentamées mais aussi des bouteilles d'alcool, de la vodka la moins chère et quelques bouteilles d'un demi-litre d'Upper-Ten. Partout traînaient du marc de café, des miettes et des restes de nourriture desséchés. Yngve poussa un tas d'emballages, enleva quelques assiettes de l'évier, les posa sur le plan de travail et put rincer la bouilloire et la remplir d'eau fraîche.

Grand-mère était toujours assise comme quand nous étions entrés, le regard baissé sur la table et la cigarette, maintenant éteinte, à la main.

— Où ranges-tu le café ? dit Yngve. Dans le placard ?

Elle leva les yeux.

— Quoi ?

— Où ranges-tu le café ?

— Je ne sais pas où il l'a mis.

Il ? Est-ce que c'était papa ?

J'allai dans le salon. Du plus loin que je me souvienne, il n'avait toujours servi que dans les grandes occasions. Maintenant l'énorme télévision de papa y trônait au milieu et deux des grands fauteuils en cuir avaient été placés devant. Entre eux, il y avait une petite table encombrée de bouteilles, de verres, de paquets de tabac et de cendriers pleins. Je passai devant pour aller dans l'autre partie du séjour.

Dans le coin salon le long du mur traînaient des vêtements. Deux pantalons, une veste, quelques slips et des socquettes. L'odeur était horrible. Là aussi, il y avait des bouteilles renversées, des paquets de tabac, des petits pains rassis et d'autres déchets. J'avançai lentement. Sur le canapé, des excréments avaient été étalés mais il y en avait aussi en morceaux. Je me penchai sur les vêtements. Eux aussi étaient pleins d'excréments. Le plancher par endroits faisait de grandes taches irrégulières, là où le vernis avait été attaqué.

Par la pisse ?

Je sentis le besoin de casser quelque chose. D'attraper la table et de la jeter contre le mur. De faire tomber l'étagère. Mais la force me manqua et je parvins tout juste à atteindre la fenêtre. Je posai mon front dessus et regardai dehors. Les meubles de jardin étaient renversés et leur peinture presque complètement écaillée. On aurait dit qu'ils sortaient de terre.

— Karl Ove ? dit Yngve dans l'embrasure de la porte.

Je fis demi-tour.

— C'est immonde là-dedans, dis-je tout bas pour qu'elle ne m'entende pas.

Il hocha la tête.

— On reste un peu avec elle, dit-il.

— D'accord.

Je tirai la chaise en face d'elle et m'assis. Le tic-tac de la minuterie pour éteindre automatiquement les plaques électriques emplissait la cuisine. Yngve s'assis à son tour et sortit son paquet de cigarettes de sa veste qu'il n'avait pas enlevée. Moi aussi j'avais gardé la mienne.

Je ne voulais pas fumer, ça m'apparaissait sale mais, d'un autre côté, j'en avais besoin et je sortis mes cigarettes. Stimulée par notre présence, grand-mère s'anima de nouveau.

— Vous avez fait toute la route depuis Bergen aujourd'hui ? dit-elle.

— Depuis Stavanger, dit Yngve. C'est là que j'habite maintenant.

— Mais moi j'habite à Bergen, dis-je.

Derrière nous, la bouilloire crépitait sur la plaque.

— Ah, c'est ça, dit-elle.

Silence.

— Vous voulez du café, les garçons ?

Le regard d'Yngve et le mien se croisèrent.

— Je suis en train d'en préparer, dit Yngve, c'est presque prêt.

— Ah oui, c'est vrai.

Elle regarda sa main et d'un geste brusque, comme si elle venait d'apercevoir sa cigarette, elle attrapa le briquet et l'alluma.

— Vous avez fait toute la route depuis Bergen aujourd'hui ? dit-elle en tirant plusieurs fois sur sa cigarette avant de nous regarder.

— Depuis Stavanger, dit Yngve, ça n'a pris que quatre heures.

— C'est vrai que les routes sont meilleures aujourd'hui, dit-elle.

Puis elle soupira.

— Hélas oui, la vie est un compat, disait celle qui ne savait pas prononcer les *b*.

Elle rit un peu. Yngve sourit.

— J'aurais bien mangé quelque chose avec le café, dit-il. On a du chocolat dans la voiture, je vais le chercher.

J'avais envie de lui dire de ne pas partir mais je ne pouvais pas, évidemment. Lorsqu'il franchit la porte, je me levai, posai ma cigarette à peine commencée sur le cendrier et allai appuyer sur la bouilloire pour que l'eau bouille plus vite.

Grand-mère était retournée à ses pensées et fixait la table. Elle avait le dos courbé, les épaules basses et se balançait légèrement d'avant en arrière.

À quoi pouvait-elle bien penser ?

À rien. Elle n'avait rien en tête forcément. Rien que le froid et la nuit.

Je lâchai la bouilloire et cherchai la boîte à café autour de moi. Pas sur le meuble à côté du réfrigérateur, pas non plus sur le meuble en face, à côté de l'évier. Peut-être dans un placard ? Mais non, puisque Yngve l'avait sortie. Où l'avait-il mise ?

— Là, putain !

Il l'avait posée sur la hotte, avec les vieux pots à épices. Je m'en saisis et ôtai la bouilloire de la plaque alors que l'eau n'avait toujours pas bouilli, je soulevai le couvercle et y versai quelques cuillerées de café. Il avait l'air sec et vieux.

Quand je levai les yeux, grand-mère me regardait.

— Où est passé Yngve ? Il n'est pas parti, hein ?

— Mais non, il est seulement allé à la voiture.

— Ah bon.

Je pris une fourchette dans le tiroir et remuai un peu dans la bouilloire, puis la tapai plusieurs fois sur la plaque.

— On le laisse infuser un peu et ce sera prêt.

— Il était assis dans le fauteuil, immobile, quand je suis montée le matin, dit grand-mère. J'ai essayé de le réveiller mais sans succès. Il était pâle.

J'avais la nausée.

On entendit les pas d'Yngve dans l'escalier. J'ouvris le placard pour trouver un verre mais il n'y en avait pas. Ne supportant pas l'idée d'utiliser ceux qui traînaient dans l'évier, je me penchai pour boire au robinet au moment où Yngve entra.

Il avait enlevé sa veste et tenait dans les mains deux barres chocolatées et un paquet de Camel. Il s'assit et déchira le papier d'une des barres.

— Tu en veux un morceau ? dit-il à grand-mère.

Elle regarda le chocolat.

— Non merci, mais mangez, vous.

— Moi je ne peux pas, dis-je, mais le café est prêt.

Je posai la bouilloire sur la table, retournai au placard et sortis trois tasses. Je savais que grand-mère prenait du sucre et ouvris le grand placard à provisions sur l'autre mur. Deux demi-pains couverts de moisissure bleue, un sac de petites brioches moisies, quelques soupes en sachet, des cacahuètes, trois plats de spaghettis cuisinés qui auraient dû être au congélateur, des bouteilles d'alcool de la même marque bon marché.

Je me dis qu'il valait mieux laisser tomber et me rassis. Je soulevai la bouilloire et leur servis du café. N'ayant pas fini d'infuser, le liquide marron clair qui s'écoula du bec verseur était truffé de particules de café. Je rouvris le couvercle et remis le contenu des tasses dans la bouilloire.

— C'est bien que vous soyez là.

Je commençai à pleurer. J'inspirai profondément mais doucement, posai ma tête dans mes mains et la frottai comme si j'étais fatigué, non pas comme si je pleurais. Mais grand-mère ne remarquait rien de toute façon, elle était de nouveau absorbée par ses pensées. Cette fois, ça dura environ cinq minutes. Yngve et moi ne disions rien, buvions notre café en regardant droit devant nous.

— Hélas oui, dit-elle, la vie est un compat, disait celle qui ne savait pas prononcer les *b*.

Elle attrapa sa rouleuse à cigarette rouge, ouvrit le paquet de Petterøes Mentol, tassa rapidement du tabac dedans, enfila un tube vide à une extrémité, claqua le couvercle et tira avec force.

— Et si on allait chercher nos bagages ? dit Yngve. Il regarda grand-mère. Où est-ce qu'on va dormir ?

— La grande chambre en bas est inoccupée, vous pouvez la prendre.

On se leva de table.

— On va à la voiture, dit Yngve.

— Ah bon ?

Je stoppai devant la porte et me tournai vers lui.

— Tu as vu là-dedans ?

Il acquiesça.

En descendant l'escalier, je fus submergé par une vague de pleurs. Cette fois il n'était pas question de les cacher. J'étais secoué de sanglots et n'arrivais plus à reprendre ma respiration, je hoquetais et grimaçais. Je n'étais plus maître de moi.

— Oooooh, dis-je, ooooh.

Je savais qu'Yngve était derrière moi et je me forçai à continuer de descendre l'escalier, traverser le vestibule et sortir. J'allai jusqu'à l'étroite pelouse entre la maison et la clôture du voisin, levai la tête et regardai le ciel en essayant de respirer profondément et régulièrement. Après quelques tentatives, les secousses cessèrent.

Revenant sur mes pas, je vis Yngve penché sur le coffre ouvert de la voiture. Ma valise était par terre à côté de lui. Je la pris, montai les marches, la déposai dans l'entrée et tournai la tête vers Yngve qui arrivait juste derrière moi avec un sac sur le dos et un autre dans la main. Après les quelques minutes au grand air, la pestilence à l'intérieur paraissait encore plus forte. Je me mis à respirer par la bouche.

— On va vraiment dormir là-dedans ? dis-je en montrant de la tête la chambre que grand-mère et grand-père avaient utilisée les dernières années de leur vie commune.

— On va voir comment c'est.

J'ouvris la porte et jetai un œil à l'intérieur. Jonchée de vêtements, de chaussures, de ceintures, de sacs à main, de brosses à cheveux, de rouleaux pour mise en plis et de produits à maquillage, partout, par terre, sur le lit, sur les commodes en plus de la poussière partout, la chambre était dévastée mais pas avilie comme le salon du premier étage.

— Qu'en penses-tu ? dis-je.

— Je ne sais pas. Où crois-tu qu'il dormait ?

Il ouvrit la chambre d'à côté, autrefois celle d'Erling, et entra. Je le suivis.

Le sol était jonché d'ordures et de vêtements. Un

monceau de papiers et de lettres non décachetées encombrait une table cassée sous la fenêtre. Juste à côté du lit, quelque chose ressemblant à du vomi avait séché en formant une tache rugueuse orange. Les vêtements sales étaient auréolés de taches brunes qui ressemblaient à du sang séché. L'un d'eux était noir d'excrément à l'intérieur. Tout empestait la pisse.

Yngve se fraya un passage jusqu'à la fenêtre et l'ouvrit.

— On dirait qu'un drogué a vécu ici, dis-je. On dirait le putain de repaire d'un drogué !

— Exactement.

La commode entre le lit et la porte était étrangement indemne. Dessus trônaient les photos de papa et d'Erling prises lors de leur diplôme à l'université, coiffés de leur bonnet noir d'étudiant. Sans barbe, papa ressemblait à Yngve de façon frappante. La bouche et la partie au-dessus des yeux étaient les mêmes.

— Mais qu'est-ce qu'on va bien pouvoir faire ? dis-je.

Yngve ne répondit pas, il regardait autour de lui.

— On va ranger.

J'acquiesçai et sortis de la chambre. Arrivé dans la buanderie située dans une aile jouxtant le garage, je me mis à tousser dès que je respirai l'air de cette pièce. Au beau milieu s'élevait un tas de linge aussi haut que moi, il atteignait presque le plafond. J'étais sûr que l'odeur de pourriture émanait de là. J'allumai la lumière. Serviettes de bain, draps, nappes, pantalons, pulls, robes, sous-vêtements, ils avaient tout déposé là. Les couches les plus basses n'étaient pas seulement piquées d'humidité, elles étaient en train de pourrir. Je m'accroupis et y enfonçai un doigt. C'était mou et trempé.

— Yngve !

Il arriva dans l'encadrement de la porte.
— Regarde, c'est de là que vient l'odeur.
On entendit des pas en haut de l'escalier. Je me relevai.
— On sort d'ici, dis-je, il ne faudrait pas qu'elle croie qu'on fouille chez elle.
Quand elle arriva en bas, nous étions dans le couloir, les bagages à nos pieds.
— Ça vous ira pour dormir ? dit-elle en ouvrant la porte et en jetant un coup d'œil à l'intérieur. Il suffit de ranger un peu.
— On pensait à la chambre du grenier, dit Yngve, qu'en penses-tu ?
— Oui, c'est possible, mais je n'y suis plus montée depuis longtemps.
— On monte voir, dit Yngve.

La chambre du grenier, autrefois celle de grand-mère et grand-père mais que nous avions toujours connue comme la chambre d'amis, était la seule pièce de la maison qu'il n'avait pas touchée. Tout y était comme avant. C'était poussiéreux et les couettes sentaient un peu le renfermé, mais pas plus qu'une maison de vacances dans laquelle on n'a pas mis les pieds depuis un an, et après l'horreur d'en bas c'était une délivrance. On posa nos bagages par terre, je pendis mon costume à une porte de l'armoire, Yngve, les bras appuyés au chambranle de la fenêtre, regardait la ville.
— On pourrait commencer par enlever toutes les bouteilles, dit-il, aller les consigner, comme ça on sortirait un peu.
— Bonne idée.
En arrivant dans la cuisine, on entendit le bruit d'une voiture devant la maison. C'était Gunnar. On attendit qu'il monte.

— Vous voilà ! dit-il en souriant, ça fait bien longtemps.

Le visage bronzé, les cheveux blonds et le corps musclé, il était bien conservé.

— C'est bien que les garçons soient là, n'est-ce pas ? dit-il à grand-mère.

Il se retourna vers nous.

— C'est terrible ce qui s'est passé ici, dit-il.

— Oui, dis-je.

— Vous avez fait le tour des pièces ? Vous avez vu ce qu'il a fait ?

— Oui, dit Yngve.

Gunnar secoua la tête résolument.

— Je ne sais pas quoi dire, dit-il, c'était votre père. Je suis désolé qu'il ait fini ainsi. Mais vous vous doutiez de l'issue.

— Nous allons nettoyer toute la maison, dis-je, à partir de maintenant nous nous chargeons de tout.

— C'est bien. J'ai sorti le plus gros des détritus de la cuisine ce matin mais il en reste encore.

Il eut un bref sourire.

— J'ai amené une remorque. Yngve, si tu pouvais déplacer ta voiture, on pourrait la mettre sur la pelouse à côté du garage. On ne peut garder les meubles, ni les vêtements ni rien. N'est-ce pas aussi simple de tout emporter à la décharge ?

— Si, dis-je.

— Tove et les garçons sont à la maison de vacances. Je suis juste passé vous dire bonjour et apporter la remorque. Mais je reviens demain dans la matinée… C'est terrible ce qui est arrivé. Mais c'est comme ça. Je suis sûr que vous allez bien vous débrouiller.

— Oui, oui, dit Yngve, mais tu as dû te garer derrière moi, alors c'est toi qui dois reculer en premier.

Grand-mère avait levé les yeux sur nous quelques instants après l'arrivée de Gunnar et elle lui avait souri, mais elle s'était replongée aussitôt dans ses pensées et regardait désormais devant elle comme si elle était toute seule.

Yngve s'engagea dans l'escalier et je pensai que je devais rester avec elle.

— Viens aussi, Karl Ove, dit Gunnar, il faut qu'on pousse la remorque dans la montée et elle est bien lourde.

Je le suivis dans l'escalier.

— Est-ce qu'elle a dit quelque chose ? dit-il.

— Grand-mère ?

— Oui, sur ce qui s'est passé.

— Presque pas, seulement qu'elle l'a trouvé dans le fauteuil.

— Il a toujours été son préféré, dit-il. Elle est en état de choc.

— Qu'est-ce qu'on peut faire ?

— Eh oui, qu'est-ce qu'on peut faire ? Le temps est le médecin de l'âme. Mais dès qu'il sera enterré, elle ira dans une institution. Tu as vu toi-même dans quel état elle est. Elle a besoin d'aide et de soins. Après l'enterrement, elle quittera cette maison.

Il sortit sur les marches et cligna des yeux dans la forte luminosité. Yngve était déjà dans sa voiture.

Gunnar se retourna encore vers moi.

— Tu sais, nous lui avions trouvé une aide à domicile qui venait s'occuper d'elle tous les jours. Puis ton père est arrivé et l'a jetée dehors. Il s'est enfermé avec sa mère. Même moi, je n'avais plus le droit d'entrer. Mais un jour elle m'a appelé, c'était la fois où il s'était cassé la jambe et gisait au milieu du salon. Il avait chié dans son pantalon. Tu imagines. Incapable de bouger, il continuait à boire et c'était elle qui le servait. Avant que l'ambulance arrive, je lui ai dit que ça ne pouvait plus durer, que c'était indigne de lui, qu'il fallait qu'il se ressaisisse. Et sais-tu ce qu'a répondu ton père ? Il m'a dit : Tu veux m'enfoncer encore plus dans la merde, Gunnar ! C'est pour ça que tu es venu, hein, pour m'enfoncer encore plus dans la merde ?

Gunnar secoua la tête.

— C'est ma mère, tu comprends, on a toujours voulu l'aider. Il a tout ruiné. La maison, sa mère, tout.

Il posa hâtivement sa main sur mon épaule.

— Mais je sais que vous êtes de bons gars.

Je pleurai et il détourna les yeux.

— Bon, il faut qu'on déplace la remorque maintenant, dit-il en allant à sa voiture.

Il s'installa au volant et démarra. À reculons, il descendit lentement la pente vers la gauche, klaxonna quand la rue fut libre pour qu'Yngve recule à son tour. Puis il avança, descendit de voiture et décrocha la remorque. Je les rejoignis, agrippai la poignée et tirai pendant qu'Yngve et Gunnar poussaient.

— Elle est bien, là, dit Gunnar quand nous fûmes arrivés dans le jardin, et je posai l'avant de la remorque par terre.

De la fenêtre au-dessus de nous, grand-mère nous regardait.

Pendant tout le temps qu'on ramassa les bouteilles pour les mettre dans des sacs en plastique et les porter à la voiture, grand-mère resta assise dans la cuisine. Elle me vit verser dans l'évier les restes de bière et d'alcool mais ne dit rien. Peut-être était-elle soulagée que tout ça disparaisse, peut-être ne réalisait-elle pas tout à fait. On chargea la voiture et Yngve monta lui dire que nous allions au magasin. Elle se leva et le suivit jusque dans le vestibule, nous pensions qu'elle voulait nous regarder partir mais elle sortit, descendit les marches, alla jusqu'à la voiture et ouvrit la portière pour monter.

— Grand-mère ? dis-je.

Elle s'arrêta.

— On avait pensé y aller tous les deux. Il faut quelqu'un pour garder la maison. Je crois que c'est mieux que tu restes.

— Tu crois vraiment ? dit-elle en reculant.

— Oui, dit Yngve.

— D'accord, je reste.

Yngve partit en marche arrière et grand-mère rentra dans la maison.

— Quel enfer ! dis-je.

Yngve regarda de mon côté, mit le clignotant à gauche et sortit lentement de la propriété.

— Elle est clairement en état de choc, dis-je. Et si j'appelais le père de Tonje pour lui demander conseil ? Il peut sans doute lui prescrire des calmants.

— Elle prend déjà des médicaments, dit Yngve. Il y en a tout un plateau sur une étagère de la cuisine.

Il regarda encore une fois de mon côté, cette fois en direction de Kuholmsveien où trois voitures arrivaient en se suivant. Puis il me regarda.

— Mais tu peux le préciser au père de Tonje et il décidera.

— Je l'appellerai en rentrant.

La dernière voiture à passer était une de ces affreuses coccinelles modernes. Quelques gouttes s'écrasèrent sur le pare-brise et je repensai à cette pluie qui avait commencé à tomber puis, comme si elle regrettait, avait décidé de cesser.

Cette fois, elle persista et quand Yngve mit le clignotant et s'engagea dans la descente, il enclencha aussi les essuie-glaces.

Une pluie d'été.

Ah, les gouttes qui tombent sur l'asphalte sec et chaud et puis qui s'évaporent ou bien disparaissent dans la poussière et qui accomplissent ainsi leur part de travail, car la goutte suivante trouve l'asphalte plus froid ou la poussière déjà humide, et ensuite les taches sombres qui se sont formées finissent par se rejoindre jusqu'à ce que l'asphalte soit tout mouillé et tout noir. Oh, l'air chaud de l'été qui se rafraîchit d'un seul coup à tel point qu'en renversant la tête on éprouve cette sensation particulière d'une pluie plus chaude que l'air. Les feuilles des arbres qui tremblent au léger contact des gouttes, le tambourinement doux, presque inaudible de la pluie qui tombe à toutes les hauteurs : sur la montagne balafrée à nos côtés et sur les brins d'herbe dans le fossé, sur les toits des maisons et sur la selle de la bicyclette attachée au grillage, sur le hamac dans le jardin et sur les panneaux de signalisation, dans les caniveaux et sur la carrosserie des voitures garées.

Yngve s'arrêta au feu, il pleuvait de plus en plus, de grosses gouttes lourdes, toujours plus nombreuses. En quelques secondes, tout le quartier autour du croisement de Rundingen s'était transformé. Le ciel noir faisait ressortir les lumières en même temps que la pluie les voilait en tombant et rebondissant sur le sol. Les voitures roulaient avec les essuie-glaces, les piétons couraient se mettre à l'abri, leurs journaux sur la tête ou leur capuche relevée, à moins qu'ils n'aient emporté un parapluie et puissent continuer leur chemin comme si de rien n'était.

Le feu passa au vert et on descendit vers le pont en passant devant l'ancien magasin de musique, fermé depuis longtemps, où Jan Vidar et moi nous nous attardions quand nous faisions notre tour habituel de ces boutiques le samedi matin et que nous traversions le pont Lundsbrua. C'est aussi à ce lieu que remonte mon tout premier souvenir d'enfance. Avec grand-mère, un jour que nous le traversions, j'avais vu un vieillard à la barbe et aux cheveux blancs qui marchait courbé sur sa canne. Je m'étais arrêté pour le regarder et grand-mère m'avait tiré par la main. Dans le bureau de mon père, il y avait une affiche et, un jour que j'y étais avec papa et Ola Jan, son voisin et collègue de norvégien au collège Roligheden, j'avais montré du doigt l'affiche en disant que j'avais vu cet homme-là, c'était l'homme voûté à la barbe et aux cheveux blancs. Je ne trouvais pas le moins du monde étrange qu'il soit sur une affiche dans le bureau de mon père, j'avais quatre ans et rien n'était incompréhensible, tout se tenait. Mais papa et Ole Jan dirent en riant que c'était impossible, qu'il s'agissait d'Ibsen et qu'il était mort depuis presque cent ans. Mais moi j'étais sûr que c'était le même homme et je leur redis que je l'avais vu, mais ils secouèrent la tête et mon père ne riait plus, il me fit sortir.

Sous le pont, l'eau était grise et criblée de ronds que la pluie faisait en ricochant mais elle avait aussi des reflets verts, comme toujours à cet endroit où l'eau douce de l'Otra se mélangeait à l'eau de mer. Combien de fois n'y avais-je pas contemplé les courants ! Parfois elle s'écoulait vivement comme un fleuve, formant des tourbillons, des petits maelströms. Parfois elle faisait de l'écume blanche autour des piliers.

Là elle était calme. Deux canots à la capote relevée partaient en direction de la mer dans un bruit de teuf-teuf. Deux rafiots rouillés étaient à quai de l'autre côté et derrière eux trônait un voilier d'un blanc étincelant.

Yngve s'arrêta au feu, qui passa au vert aussitôt, et prit à gauche la rue du petit centre commercial dont le parking avait été aménagé sur le toit. La rampe d'accès en béton qu'on emprunta était réglementée par des feux, et là-haut on trouva une place libre tout au bout du parking, heureusement c'était un samedi pendant les vacances.

Je sortis et renversai la tête en arrière pour sentir la

pluie chaude sur mon visage. Yngve ouvrit le coffre, on attrapa autant de sacs qu'il était possible de porter et on prit l'ascenseur jusqu'au supermarché au rez-de-chaussée. Ayant décidé qu'il ne servait à rien de consigner les bouteilles d'alcool et que nous les porterions à la décharge, notre fardeau était majoritairement constitué de bouteilles en plastique. Ce n'était pas lourd mais encombrant.

— Tu commences à consigner ? Comme ça je peux continuer à aller chercher les sacs, dit Yngve en s'arrêtant devant la machine.

Je hochai la tête, posai les bouteilles une à une sur le tapis roulant, fis une boule des sacs au fur et à mesure qu'ils se vidaient et les déposai dans une poubelle posée à côté à cet effet. Qu'on puisse me voir en train de consigner une quantité aussi impressionnante de bouteilles de bière m'était égal. J'étais indifférent à tout. La zone qui était apparue en sortant des pompes funèbres, et où tout ce qui m'entourait était mort ou sans importance, s'était étendue et intensifiée. Le magasin, ses lumières tapageuses et ses marchandises chatoyantes, je les percevais à peine, j'aurais aussi bien pu être au milieu d'un marécage. J'étais habituellement soucieux de mon apparence et sensible à ce que les autres voyaient, que je sois joyeux et fier ou déprimé et plein de haine envers moi-même, je n'étais jamais indifférent et il ne m'était jamais arrivé de n'accorder aucune importance aux regards jetés sur moi ou que mon environnement s'efface. Mais là maintenant, c'était le cas. J'étais engourdi et ma torpeur dominait tout. Le monde extérieur était comme une ombre autour de moi.

Yngve arriva chargé de sacs.

— Tu veux que je prenne le relais ?

— Non. Non, mais tu peux aller faire les courses.

Il nous faut impérativement des produits d'entretien, des gants en caoutchouc, des grands sacs-poubelle noirs. Et putain, à manger aussi !

— Il y a encore une cargaison de sacs dans la voiture, je vais les chercher d'abord.

— D'accord.

Quand la dernière bouteille fut consignée et que j'eus récupéré le reçu, je rejoignis Yngve devant les produits d'entretien. On choisit du Cif pour salle de bains, du Cif pour cuisine, de l'Ajax multi-usages, de l'Ajax pour vitres, de l'eau de Javel, du savon noir, du Monsieur Propre pour les taches difficiles, un produit pour le four, un produit spécial pour les canapés, de la laine d'acier, des éponges, des lavettes, des serpillières, deux seaux et un balai. Au rayon boucherie, on prit des steaks hachés et au rayon légumes des pommes de terre et un chou-fleur. On acheta aussi de quoi garnir les tartines, du lait, du café, des fruits, une série de yaourts et quelques paquets de biscuits. Et pendant que nous arpentions les rayons, j'avais hâte de remplir la cuisine de toutes ces marchandises neuves, intactes, fraîches et rutilantes.

Lorsqu'on retourna sur le toit, il avait cessé de pleuvoir. Autour des pneus arrière de la voiture une petite marre s'était formée, là où le béton faisait un creux. Là-haut, l'air sentait bon le frais, la mer, le ciel et pas la ville.

— Qu'est-ce que tu crois qu'il s'est réellement passé ? dis-je pendant que nous descendions les étages du parking plongés dans la pénombre. Elle dit qu'elle l'a trouvé dans son fauteuil. Est-ce qu'il est mort là, tout simplement ?

— Probablement.

— Son cœur s'est arrêté, tout simplement ?

— Oui.

— Oui, ce n'est pas très étonnant avec la vie qu'il menait.

— Non.

On ne dit plus rien jusqu'à la maison. On monta les marchandises dans la cuisine et grand-mère, qui nous avait vus arriver par la fenêtre, demanda où nous étions allés.

— Faire des courses, dit Yngve, et maintenant il faut qu'on mange un peu !

Il commença à sortir les marchandises des sacs. Je descendis une paire de gants jaunes et un rouleau de sacs-poubelle au rez-de-chaussée. La première chose à évacuer était la montagne de linge en putréfaction dans la buanderie. Je soufflai dans les gants, les enfilai et me mis à bourrer les sacs, en respirant tout le temps par la bouche. Quand les sacs étaient pleins, je les traînais jusqu'au tas de poubelles devant les deux containers verts près de la porte du garage. J'avais presque tout sorti et il ne restait que la dernière couche, la plus putride, quand Yngve cria que le repas était prêt.

Il avait nettoyé le plan de travail de tout détritus et bric-à-brac et sur la table, elle aussi débarrassée, étaient posés un plat de steaks hachés, un saladier de pommes de terre, un autre de chou-fleur et une petite cruche de sauce brune. Il avait dressé la table avec le vieux service d'apparat de grand-mère qui n'avait pas dû quitter le buffet toutes ces dernières années.

Grand-mère ne voulut rien manger mais Yngve lui servit quand même un demi-steak haché, une pomme de terre et un petit bouquet de chou-fleur et parvint à la convaincre d'y goûter. Moi, j'avais une faim de loup et mangeai comme quatre.

— Tu as mis de la crème dans la sauce ? dis-je.

— Mm. Et un peu de fromage de chèvre.

— C'est très bon, exactement ce qu'il me fallait.

Après le déjeuner, Yngve et moi on sortit sur la terrasse prendre une cigarette avec le café. Il me rappela que je devais appeler le père de Tonje, ce que j'avais totalement oublié. Ou peut-être refoulé car ce n'était pas une partie de plaisir. Mais il le fallait et je montai dans la chambre chercher mon carnet d'adresses. Je l'appelai chez lui depuis le téléphone de la salle à manger pendant qu'Yngve débarrassait la table de la cuisine.

— Bonjour, c'est Karl Ove, dis-je quand il répondit. Je voulais savoir si vous pouviez m'aider. Je ne sais pas si Tonje vous a dit mais mon père est décédé hier…

— Si, si, elle m'a prévenu. C'est une triste nouvelle, Karl Ove.

— Oui. Quoi qu'il en soit, je suis à Kristiansand chez ma grand-mère, c'est elle qui l'a trouvé. Elle a plus de quatre-vingts ans et on dirait qu'elle est en état de choc. Elle ne parle presque pas, reste prostrée. Je pensais qu'on pourrait peut-être lui donner des tranquillisants ou quelque chose pour la soulager. Elle prend déjà des médicaments et sans doute déjà des calmants aussi mais je pensais… Enfin, vous comprenez. Elle n'est pas bien.

— Sais-tu quels médicaments elle prend ?

— Non, mais je peux essayer de trouver. Attendez un peu.

Je posai le combiné sur la table et allai à l'étagère de la cuisine où se trouvait son pilulier. Je me souvenais d'y avoir vu des papiers jaune et blanc ressemblant à des ordonnances.

C'était bien ça mais il n'y en avait qu'une.

— Est-ce que tu as vu les boîtes de médicaments ? dis-je à Yngve. Les emballages ? Je suis en train de parler au père de Tonje.

— Il y en a quelques-uns dans le placard à côté de toi.

— Qu'est-ce que tu cherches ? demanda grand-mère depuis sa place.

Je ne voulais pas la chaperonner et j'avais bien senti son regard dans mon dos pendant que je fouillais l'étagère, mais en même temps je n'avais pas le choix.

— Je suis en communication avec un médecin, lui dis-je, pour toute explication.

Étrangement, elle s'en contenta, et je repartis avec l'ordonnance et les boîtes à moitié cachées dans mes mains.

— Allô, dis-je.

— Je suis là.

— J'ai trouvé quelques boîtes.

Et je lui lus les noms.

— Je vois. Elle a déjà un anxiolytique mais je peux lui en prescrire un autre sans problème. J'appellerai une pharmacie dès que j'aurai raccroché. Est-ce qu'il y en a une pas loin de là où tu es ?

— Oui, dans le quartier de Lund.

— Je m'en occupe tout de suite. Bon courage.

Je raccrochai et ressortis sur la terrasse regarder la mer au loin, là où le ciel était encore encombré mais où il avait un autre reflet car la couche nuageuse était plus claire. Le père de Tonje était un homme bon et quelqu'un de bien. Jamais il n'aurait fait quelque chose d'indécent ou d'exagéré dans un sens ou dans un autre. Convenable et correct mais sans être rigide ni formel, il était même souvent fougueux, avec un côté petit garçon et, s'il n'allait jamais trop loin, ce n'était pas parce qu'il ne voulait pas mais plutôt parce que ce n'était pas dans son répertoire, ça lui était tout simplement impossible, et c'était pour ça que je l'estimais. Cette correction-là, je l'avais toujours recherchée, tout en sachant bien que, si je l'appréciais tant, c'était parce que mon père était ce qu'il était et qu'il avait été ce qu'il avait été. Je m'étais marié à vingt-cinq ans pour accéder à cette bourgeoisie, à cette stabilité, à cette sécurité, mais en même temps la vie que nous menions n'était ni bourgeoise ni stable ou routinière, bien au contraire. Et le simple fait que personne ne se mariait si jeune nous rendait sinon rebelles, du moins originaux.

C'était ce que je croyais. Et parce que je l'aimais, j'étais tombé à genoux un soir que nous étions seuls sur une terrasse aux alentours de Maputo au Mozambique, sous un ciel noir, enveloppés des stridulations des sauterelles et des lointains tam-tams d'un village à quelques kilomètres, et je lui avais demandé si elle voulait m'épouser. Elle avait dit quelque chose que je n'avais pas compris. Mais ce n'était pas oui. Que dis-tu ? lui avais-je demandé. Tu me demandes si je veux t'épouser ? avait-elle dit. Vraiment ? C'est ça ta question ? Oui, avais-je dit. Oui, avait-elle dit. Je veux t'épouser. Nous étions tombés dans les bras l'un de l'autre, les larmes aux yeux, et à ce moment précis le ciel avait émis un grondement profond et puissant qui s'éloigna aussitôt, Tonje avait tremblé légèrement puis il s'était mis à pleuvoir à verse. Nous avions ri, elle avait couru chercher son appareil photo, avait mis un bras autour de moi et nous avait pris en photo en tenant l'appareil au bout de l'autre.

Nous étions des enfants.

Par la fenêtre, je vis Yngve entrer dans le salon, aller vers les deux fauteuils, les examiner puis disparaître.

Même dehors, il y avait des bouteilles, certaines poussées par le vent contre la clôture, d'autres coincées dans les deux chaises longues rouillées et décaties qui traînaient là depuis le printemps, au moins.

Sans distinguer les traits de son visage, je vis

l'ombre d'Yngve traverser le salon pour entrer dans la cuisine. Je descendis l'escalier qui mène au jardin. Il n'y avait pas de maisons plus bas, c'était trop abrupt mais au pied du rocher s'étalait la marina et, plus loin, l'étroit bassin portuaire. Sur l'autre côté, le jardin jouxtait une propriété qui était aussi bien tenue que celle-ci l'avait été autrefois. Comparé à la netteté et à la maîtrise qui se dégageaient des haies taillées, de la pelouse tondue et des parterres de fleurs bariolés, le jardin d'ici paraissait malade. Je restai là quelques minutes à pleurer puis fis le tour de la maison pour continuer mon travail dans la buanderie. Une fois les derniers vêtements enlevés, j'aspergeai le sol d'une demi-bouteille d'eau de Javel et frottai avec un balai avant de passer le jet d'eau pour rincer. Ensuite, je vidai la bouteille de savon noir par terre et frottai encore, cette fois avec une serpillière. Après avoir rincé à nouveau, je me dis que ça suffisait et remontai à la cuisine. Yngve était en train de nettoyer l'intérieur d'un placard. Le lave-vaisselle était en marche. Le plan de travail rangé et lavé.

— Je fais une pause, dis-je, et toi ?

— Moi aussi mais je termine ça d'abord. Tu peux faire du café ?

Ainsi fut fait. Tout à coup, je repensai au médicament de grand-mère. Ça ne pouvait pas attendre.

— Je vais à la pharmacie. As-tu besoin de quelque chose au kiosque ?

— Non, si, achète-moi un Coca.

Je boutonnai ma veste en arrivant sur le perron. Devant la belle porte en bois du garage des années cinquante, le tas de sacs-poubelle noirs brillait dans la lumière grise de l'été. La boule d'attelage de la remorque reposait à terre comme soumise, pensai-je, comme un valet qui se serait incliné à mon passage. Les mains dans les poches, je descendis la rue où la pluie avait maintenant complètement séché. Mais en face, dans la pente aménagée dans le rocher, les nombreuses terrasses étaient encore trempées et le vert intense de l'herbe qui y poussait tranchait sur le gris ambiant. Quand tout était sec et poussiéreux, c'était différent, les couleurs contrastaient moins, tout paraissait indifférent, impossible à qualifier, béant, immense et vide. Combien de fois n'avais-je pas déambulé ici au cours de journées aussi béantes et vides, où je voyais les fenêtres éteintes aux maisons, le vent souffler sur le paysage, le soleil l'illuminer, et que je percevais tout ce qu'il avait d'aveugle et de mort ? Oh, bien sûr il y avait la période qu'on révérait dans cette ville, la période considérée comme la meilleure, quand elle s'animait vraiment. Ciel bleu, soleil brûlant, rues poussiéreuses. Une voiture décapotable ouverte, la stéréo au maximum, deux jeunes hommes assis à l'avant, uniquement vêtus d'un maillot de bain et de lunettes de soleil, ils vont à la plage... Une vieille femme avec un chien, habillée de la tête aux pieds, les lunettes de soleil sont grandes, le chien tire sur la laisse en direction d'un grillage. Un avion tire une longue banderole annonçant un match au stade le lendemain. Tout est béant, tout est vide, le monde est mort et le soir les bars et les restaurants s'emplissent de femmes gaies et trop bronzées et d'hommes en vêtements clairs.

Je haïssais cette ville.

J'arrivai au carrefour de Kuholmsveien, la pharmacie était cent mètres plus loin, au centre du quartier. Derrière s'étalait une pente herbue au sommet de laquelle s'élevaient des immeubles des années cinquante ou soixante. De l'autre côté de la rue se trouvait la salle des fêtes Elevine. C'était peut-être là qu'on devrait organiser la réception après l'enterrement ?

À la pensée que mon père ne m'avait pas seulement

quitté moi mais aussi sa mère et ses frères, ses oncles et tantes, je me remis à pleurer. Le fait que ce soit sur un trottoir où des gens passaient sans arrêt n'avait aucune importance, je les voyais à peine. Je m'essuyais les yeux avec la main quand même pour voir où je marchais, et soudain une idée me traversa l'esprit : le rassemblement après la cérémonie n'aurait pas lieu à Elevine mais dans la maison de grand-mère et grand-père, la maison qu'il avait ruinée.

L'idée m'enthousiasma.

Nous allions laver chaque centimètre carré de chaque pièce, jeter tout ce qu'il avait détérioré, ressortir tout ce qui était utilisable, arranger toute la maison et y rassembler tout le monde. Merde alors ! Il avait beau avoir tout abîmé, nous allions tout restaurer. Nous étions des gens comme il faut ! Yngve allait dire que c'était impossible, que ça n'avait pas de sens mais je pourrais toujours insister. J'avais autant le droit que lui de décider du déroulement de l'enterrement. Mais putain, bien sûr que c'était possible ! Il suffisait de laver, laver encore, laver toujours.

À la pharmacie, je n'eus pas à attendre. Après avoir vérifié mon identité, le pharmacien en blouse blanche alla dans les rayons chercher le médicament, imprima une étiquette qu'il colla sur l'emballage, le mit dans un sac et m'indiqua la caisse pour payer.

Une impression de bien-être, peut-être tout simplement due à l'air légèrement plus frais sur ma peau, me fit m'arrêter sur le perron en sortant.

Ciel gris, ville grise.

Des carrosseries lustrées. Des fenêtres rutilantes. Des fils courant d'un poteau à l'autre.

Non, décidément, il n'y avait rien ici.

Lentement, je me dirigeai vers le kiosque.

À plusieurs reprises papa avait parlé de suicide, mais toujours de manière générale.

Il était d'avis que les statistiques mentaient et que beaucoup, voire presque tous les accidents de voiture où le chauffeur était seul, étaient des suicides déguisés. Il dit plusieurs fois qu'il était habituel d'aller percuter un rocher ou un camion de plein fouet pour échapper à la honte d'un suicide avéré. C'était à l'époque où lui et Unni avaient déménagé dans le Sud après avoir longtemps habité dans le Nord. Papa, la peau presque noire de tout le soleil qu'il avait pris, et rond comme une barrique, passait son temps à boire sur une chaise longue dans le jardin ou sur la terrasse. Le soir, il était ivre, comme planant, et dans la cuisine, uniquement vêtu d'un short, il poêlait des côtelettes, il ne mangeait que ça, pas de pommes de terre, pas de légumes, uniquement des côtelettes trop grillées. Un soir, il raconta que Jens Bjøneboe s'était suicidé en se pendant à une poutre par les pieds, la tête en bas. Il ne lui vint pas à l'esprit, ni à moi non plus, que le procédé était impossible sans aide, or il était seul dans la maison de Veierland. Il disait aussi que la façon la plus prévenante de se suicider était de prendre une chambre d'hôtel, d'écrire à l'hôpital pour signaler où l'on pouvait trouver le corps, de boire de l'alcool, d'avaler des pilules et de s'allonger pour s'éteindre. Pour moi, ce ne fut jamais rien d'autre qu'une simple conversation et c'était ça le plus incroyable, pensai-je au moment où je m'approchais du kiosque derrière l'arrêt de bus, mais c'était comme ça. Il avait gravé son image si fortement en moi que je voyais toujours celui qu'il avait été, y compris après qu'il eut si radicalement changé qu'on pouvait à peine le reconnaître, aussi bien physiquement que moralement.

Je gravis les marches de bois et ouvris la porte du kiosque où il n'y avait personne d'autre que le vendeur. J'attrapai un journal sur le présentoir devant la caisse, ouvris la porte en verre du réfrigérateur, pris un Coca et mis les deux choses sur le comptoir.

— Un *Dagbladet* et un Coca, dit le vendeur en les approchant du lecteur de code-barres, autre chose ?

Il ne me regarda pas en disant ça, il avait dû voir que je pleurais en entrant.

— Non, c'est tout.

Je sortis de ma poche un billet froissé et le regardai. C'était un billet de cinquante. Je le défripai un peu avant de lui tendre.

— Merci, dit-il.

Il avait beaucoup de poils blonds sur les avant-bras, portait un t-shirt Adidas, un pantalon de sport bleu, sûrement Adidas lui aussi, et n'avait pas l'allure d'un vendeur mais d'un copain qui remplace le vendeur pendant quelques minutes. Je pris mes achats et sortis au moment où deux garçons d'une dizaine d'années entraient, leur argent dans la main. Ils avaient balancé leur bicyclette sur les marches dehors. De chaque côté de la rue une file de voitures s'était mise en marche. Il fallait que j'appelle maman ce soir. Et Tonje. Je suivis le trottoir, traversai au passage piéton et repris la Kuhlomsveien. Bien sûr que la réception devait avoir lieu là. Dans... six jours. Il faudrait que tout soit prêt. D'ici là, il fallait mettre un faire-part dans le journal, planifier la cérémonie, contacter les invités, arranger la maison et le jardin et passer commande chez le traiteur. En se levant tôt, se couchant tard et en ne faisant rien d'autre, on devait pouvoir y arriver. Il ne restait plus qu'à convaincre Yngve. Et Gunnar aussi. Car s'il n'avait pas son mot à dire concernant la cérémonie, il l'avait concernant la maison. Mais putain, ça pouvait marcher ! Il comprendrait pourquoi.

Quand j'entrai dans la cuisine, Yngve était en train de nettoyer la pièce à la laine d'acier. Grand-mère était assise. Sous elle, on apercevait quelques gouttes. Ça ne pouvait être que de la pisse.

— Voilà ton Coca, je le pose sur la table.

— D'accord.

— Qu'est-ce que tu as dans ton sac, là ? dit grand-mère en regardant le sac de la pharmacie.

— C'est pour toi. Mon beau-père est médecin et, quand je lui ai raconté ce qui s'était passé ici, il t'a prescrit des calmants. Je crois que ce n'est pas bête après ce que tu as vécu.

Je sortis du sac la boîte en carton, l'ouvris et pris le flacon en plastique.

— Qu'est-ce qu'il y a d'écrit dessus ? dit grand-mère.

— Un comprimé matin et soir. Tu veux en prendre un maintenant ?

— Oui, si le médecin l'a dit.

Je lui tendis le flacon, elle l'ouvrit et fit tomber un comprimé. Elle chercha du regard sur la table.

— Je te donne de l'eau.

— Non. Non, dit-elle en posant le comprimé sur sa langue.

Elle porta la tasse de café froid à ses lèvres, fit un petit mouvement sec de la tête et avala.

Je déposai le journal sur la table et jetai un coup d'œil à Yngve qui s'était remis à frotter.

— C'est bien que vous soyez là, les garçons, mais Yngve, tu ne veux pas t'arrêter un peu ? Tu n'es pas obligé de te tuer à la tâche non plus.

— C'est pas une mauvaise idée, dit Yngve en enlevant les gants en caoutchouc qu'il pendit à la poignée du four. Il passa ses mains plusieurs fois sur son t-shirt et s'assit.

— J'ai l'intention de m'atteler à la salle de bains d'en bas, dis-je.

— Peut-être qu'on devrait rester au même étage, dit Yngve, pour communiquer plus facilement ?

Je compris qu'il ne souhaitait pas rester seul avec grand-mère et j'acquiesçai.

— Alors je fais le salon.

— Comme vous travaillez, dit grand-mère, ce n'est vraiment pas nécessaire.

Pourquoi dit-elle cela ? Avait-elle honte de ne pas avoir été capable d'entretenir la maison ? Ou bien ne voulait-elle pas que nous la quittions ?

— Ça ne coûte rien de nettoyer un peu, dis-je.

— Non, c'est vrai, dit-elle.

Puis elle regarda Yngve.

— Est-ce que vous avez contacté les pompes funèbres ?

J'eus un frisson dans le dos.

Était-elle lucide à ce point tout le temps ?

Yngve acquiesça.

— Nous y sommes passés ce matin. Ils s'occupent de tout.

— C'est bien.

Elle se tut, plongée dans ses pensées un court instant. Puis elle poursuivit.

— Je ne savais pas s'il était mort quand je l'ai trouvé. J'allais descendre me coucher et je lui ai dit bonne nuit mais il n'a pas répondu. Il était dans son fauteuil comme d'habitude. Et il était mort. Le visage tout pâle.

Yngve et moi nous regardâmes.

— Tu allais te *coucher* ? dit-il.

— Oui, nous avions regardé la télé toute la soirée et puis il n'a pas bougé quand j'ai voulu aller me coucher.

— Tu te souviens s'il faisait nuit dehors ? dit Yngve.

— Oui, je crois.

J'eus envie de vomir.

— Mais quand tu as appelé Gunnar, dit Yngve, c'était bien le matin, tu t'en souviens ?

— C'était peut-être bien le matin, maintenant que tu le dis. Si, c'était bien ça. Je suis montée et il était dans son fauteuil, là-bas.

Elle se leva et sortit de la cuisine. On la suivit. Elle s'arrêta au milieu du salon et montra le fauteuil devant la télévision.

— C'est là qu'il était assis. C'est là qu'il est mort.

Elle mit son visage dans ses mains un court instant. Puis elle retourna rapidement dans la cuisine.

C'était hors de ma portée, pensai-je, impossible à gérer. J'avais beau remplir mon seau d'eau et laver cette satanée maison de la cave au grenier, ça ne changerait rien, pas plus que ça ne changerait quoi que ce fût de reprendre en main la maison pour y rassembler tout le monde après l'enterrement. Il n'y avait rien que je pusse faire, rien pour amortir les chocs, nul endroit où disparaître.

— Il faut qu'on parle, dit Yngve. On va dehors ?

J'acquiesçai et le suivis à travers l'autre salon jusqu'à la terrasse. Il n'y avait pas un souffle de vent. Le ciel était toujours aussi gris mais légèrement plus clair au-dessus de la ville. Le bruit d'une voiture à bas régime s'éleva de la ruelle en contrebas de la maison. Yngve avait posé les deux mains sur la rambarde et regardait la mer au loin. Je m'assis sur la chaise longue délavée, me relevai aussitôt, ramassai rapidement les bouteilles qui traînaient et les posai contre le mur, cherchai un sac mais en vain.

— Tu penses à la même chose que moi ? dit enfin Yngve en se redressant.

— Je crois, oui.

— Grand-mère est la seule à l'avoir vu mort. Elle est le seul témoin. Gunnar ne l'a pas vu. Elle l'a appelé le matin et il a appelé l'ambulance mais il ne l'a pas vu.

— Non.

— Si ça se trouve, il était encore en vie. Mais

comment aurait-elle pu le savoir ? Elle le trouve sur le canapé, il ne répond pas quand elle lui parle, elle appelle Gunnar, l'ambulance arrive, médecins et ambulanciers envahissent la maison, ils l'emportent sur un brancard et disparaissent. Et voilà. Et s'il n'était pas mort ? Seulement ivre mort ? Dans une sorte de coma ?

— Tout à fait. Quand on est arrivés, elle nous a raconté qu'elle l'avait trouvé le matin, et maintenant elle nous dit que c'était le soir.

— En plus elle commence à être sénile et pose les mêmes questions tout le temps. Est-ce qu'elle a réalisé ce qui se passait quand les ambulanciers étaient là ?

— Et puis, aussi, elle est sous médicaments, dis-je.

— Oui.

— Il faut absolument qu'on sache, qu'on soit sûr.

— Eh merde ! Et s'il était encore en vie ?

Une terreur comme je n'en avais plus connu depuis l'enfance m'envahit. Je fis les cent pas le long de la rambarde, m'arrêtai pour regarder par la fenêtre si grand-mère était là, et me tournai vers Yngve qui scrutait à nouveau l'horizon, les mains appuyées sur la barre de fer. Oh, merde, merde. Le raisonnement était implacable. La seule personne à avoir vu papa était grand-mère, nous ne disposions que de son témoignage et, dans l'état psychologique où elle se trouvait, on avait toutes les raisons de croire qu'il était inexact. Quand Gunnar était arrivé sur les lieux, tout était terminé, l'ambulance l'avait déjà emmené, et ensuite personne n'avait contacté l'hôpital ni les ambulanciers. Et au bureau des pompes funèbres, ils n'étaient pas au courant. Ça faisait un peu plus de vingt-quatre heures qu'elle l'avait découvert et il était peut-être dans un hôpital depuis tout ce temps.

— On appelle Gunnar ? dis-je.

Yngve se tourna vers moi.
— Mais il n'en sait pas plus que nous.
— On va reparler à grand-mère alors, et puis appeler l'agent des pompes funèbres, lui doit pouvoir nous renseigner.
— C'est exactement ce que je pensais.
— C'est toi qui appelles ?
— Oui, je veux bien.
On rentra. Un coup de vent soudain souleva les rideaux de la porte-fenêtre. Je la fermai derrière moi et suivis Yngve jusqu'à la cuisine. En bas, on entendit la porte d'entrée claquer. Yngve et moi nous regardâmes. Que se passait-il ?
— Qui ça peut bien être ? dit grand-mère.
Était-ce papa ?
Est-ce qu'il était revenu ?
J'étais terrifié comme jamais je ne l'avais été.
On entendit des pas dans l'escalier.
C'était papa, je le savais.
Merde, merde, il arrivait.
J'allai dans le salon jusqu'à la porte de la terrasse, prêt à sortir, à traverser la pelouse en courant et à quitter cette ville pour ne jamais revenir.
Je m'obligeai à ne plus bouger, entendis le son des pas changer au moment où ils atteignaient les dernières marches et le salon.
Il devait être fou de rage. Qu'est-ce qu'on était en train de fabriquer, on débarquait dans sa vie, on fouillait dans ses affaires ?
Je fis un pas en arrière et vis Gunnar entrer dans la cuisine. Bien sûr, c'était Gunnar.
— Je vois que vous avez déjà bien travaillé, dit-il.
Je les rejoignis. Je ne me sentais pas délivré mais soulagé car, si papa arrivait, la présence de Gunnar nous faciliterait les choses.
Ils étaient assis autour de la table.

— Je pensais faire un premier voyage à la décharge cet après-midi, dit-il, c'est sur la route de notre maison de vacances, et puis revenir avec la remorque demain matin et vous aider un peu. On va réussir à la remplir rien qu'avec les poubelles qu'il y a devant le garage.

— Je le crois aussi, dit Yngve.

— On peut encore remplir quelques sacs avec ses vêtements, dit Gunnar.

Il se leva.

— On y va, c'est vite fait.

Arrivé dans le séjour, il s'arrêta et jeta un coup d'œil.

— On peut déjà ramasser ceux qui traînent là, n'est-ce pas ? Ça vous évitera le spectacle le temps que vous êtes ici... Quelle horreur...

— Je peux le faire, dis-je, mieux vaut mettre des gants.

J'enfilai les gants jaunes en avançant dans la pièce et mis tout ce qui traînait sur le canapé dans un sac-poubelle noir. Je fermais les yeux quand mes mains saisirent la merde sèche.

— Prends aussi les coussins, dit Gunnar, et la couverture. Elle n'a pas belle allure.

Je fis ce qu'il me dit et descendis le tout dans la remorque dehors. Yngve arriva et on commença à la charger avec tous les sacs qui traînaient. La voiture de Gunnar était garée de l'autre côté, c'était pour ça que nous ne l'avions pas entendu arriver. Dès que la remorque fut pleine, Gunnar et Yngve refirent les mêmes manœuvres pour avancer et reculer la voiture jusqu'à ce que la boule d'attelage pointe dans la bonne direction et qu'il ne reste plus qu'à accrocher la remorque dessus. Une fois Gunnar parti et la voiture d'Yngve remise devant le garage, je m'assis sur les marches. Yngve s'appuya à l'encadrement de la porte, le front luisant de sueur.

— J'étais persuadé que c'était papa qui montait l'escalier, dit-il après un moment.

— Moi aussi.

Une pie s'envola du toit à l'autre extrémité du jardin et passa au-dessus de nous. Elle battit des ailes et le bruit, comme du cuir qui claque, parut irréel.

— Il est sûrement mort, dit Yngve. Mais il faut en être certain. Je vais téléphoner.

— Qu'est-ce qu'on en sait ? On n'a que la version de grand-mère et avec toutes les beuveries et la déchéance qui ont régné ici, il se peut très bien qu'il n'ait été qu'ivre mort. C'est tout à fait possible. Et ce serait bien lui, ça hein ? Revenir pendant qu'on est en train de fouiller dans ses affaires ! Et puis comment peut-elle dire qu'elle l'a trouvé le matin et puis après le soir ? Comment est-ce qu'on peut se tromper sur des choses pareilles ?

Yngve me regarda.

— Peut-être qu'il est mort le soir mais elle a cru qu'il dormait et ne l'a trouvé que le lendemain. C'est une possibilité. Et ça la tourmente tellement qu'elle ne peut pas l'avouer, alors elle a inventé qu'il était mort le matin.

— Oui, c'est possible.

— Mais ça ne change rien à notre affaire, je monte téléphoner.

— Je viens, dis-je en le suivant à l'étage.

Pendant qu'il cherchait la carte de visite de l'agent des pompes funèbres dans son portefeuille, je fermai aussi doucement que possible la porte de la cuisine où grand-mère était toujours assise et rejoignis le salon. Yngve fit le numéro. Bien que ce fût au-dessus de mes forces, je ne pus m'empêcher d'écouter la conversation.

— Bonjour, Yngve Knausgaard à l'appareil. Nous sommes passés chez vous ce matin, peut-être vous souvenez-vous… ? Oui, exactement. Nous voudrions savoir où il est. Les circonstances de sa mort sont un peu vagues, voyez-vous… La seule personne présente quand on est venu le chercher était notre grand-mère. Elle est très âgée et pas toujours fiable et nous ne savons toujours pas ce qui s'est réellement passé. Si vous pouviez nous expliquer ?… Oui… Oui… Oui. Très bien. Merci beaucoup… Merci. Oui… Au revoir.

Yngve raccrocha en me regardant.

— Il est dans sa maison de vacances mais il m'a dit qu'il allait passer quelques coups de fil pour se renseigner et nous rappeler plus tard.

— Bien.

Je retournai dans la cuisine remplir un seau d'eau chaude, j'y mis du savon noir, trouvai une lavette et retournai dans le salon où je restai planté sans savoir par où commencer. Il était inutile de nettoyer le sol avant d'avoir enlevé les meubles à jeter et puis il y aurait beaucoup d'allées et venues les jours suivants. Le lavage des encadrements de portes et de fenêtres, des plinthes et des étagères, des chaises et des tables était trop dérisoire. Je voulais faire quelque chose qui se voie et choisis la salle de bains et les toilettes du bas où chaque centimètre carré était à récurer. C'était logique puisque j'avais déjà lavé la buanderie située en face. Et puis je pouvais y être seul.

Je perçus un mouvement sur la gauche qui me fit tourner la tête. Une énorme mouette regardait par la fenêtre, elle donna deux coups de bec sur la vitre et attendit.

— Tu as vu ça ? criai-je à Yngve dans la cuisine. Il y a une mouette gigantesque qui frappe à la vitre.

J'entendis grand-mère se lever.

— Il faut lui donner à manger, dit-elle.

J'allai à l'entrée de la cuisine. Yngve était occupé à vider les placards et il avait empilé verres et assiettes sur le plan de travail en dessous. Grand-mère se tenait à côté de lui.

— Vous avez vu la mouette ? dis-je.

— Non, dit Yngve, je n'ai pas vu la mouette.

Il sourit.

— Elle a l'habitude de venir, dit grand-mère, elle veut à manger. Voilà, on peut lui donner ça.

Elle mit un reste de steak haché sur un petit plat. Courbée et chétive, une mèche de cheveux noirs sur les yeux, elle coupait prestement la viande en partie recouverte de sauce figée.

Je la suivis au salon.

— Elle a l'habitude de venir ? dis-je.

— Oui, presque tous les jours depuis plus d'un an. Je lui donne toujours un petit quelque chose, vois-tu. Elle l'a bien compris et revient toujours.

— Et tu es sûre que c'est la même ?

— Évidemment, je la reconnais et elle me reconnaît.

Lorsqu'elle ouvrit la porte de la terrasse, la mouette sauta par terre et avança jusqu'au plat que grand-mère avait déposé, sans avoir peur le moins du monde. Je restai dans l'embrasure de la porte et la regardai taquiner les morceaux avec son bec et rejeter la tête en arrière quand elle en avait attrapé un. Grand-mère était à côté d'elle et regardait la ville.

— Bien, dit-elle.

On entendit une sonnerie à l'intérieur. Je reculai d'un pas de sorte que je pus voir le téléphone et m'assurer qu'Yngve répondait. La conversation fut brève. Au moment où il raccrocha, grand-mère passa devant moi et la mouette sauta sur la balustrade, où elle resta quelques secondes avant de s'envoler. En quelques battements d'ailes elle fut déjà haut, je suivis des yeux sa descente vers le port. Yngve s'arrêta derrière moi. Je fermai la porte et me tournai vers lui.

— Il est absolument mort. Il repose à la morgue de

l'hôpital. On peut aller le voir lundi après-midi si on veut. Et puis on m'a donné le numéro de téléphone du médecin qui est venu ici.

— Je veux le voir pour le croire.

— Maintenant on peut.

Dix minutes plus tard, je posai un seau rempli d'eau brûlante, une bouteille d'eau de Javel et un flacon de Cif devant la salle de bains. En le secouant, j'ouvris le sac-poubelle que j'avais descendu et me mis à tout vider. Je ramassai d'abord ce qui traînait par terre : de vieux morceaux de savon tout secs, des flacons de shampoing poisseux, des rouleaux de papier toilette vides, la brosse à WC toute sale, des emballages de médicaments en aluminium et en plastique, des comprimés, des chaussettes, des rouleaux pour les cheveux. Après, je vidai complètement l'armoire de toilette, à l'exception de deux flacons de parfum qui avaient l'air coûteux. Des lames de rasoir, des rasoirs, des épingles à cheveux, de vieux savons, des crèmes et des pommades desséchées, un filet à cheveux, de l'après-rasage, des déodorants, des rouges à lèvres, des eye-liners, des espèces de petits coussins fendillés que j'imaginai être nécessaires au maquillage, des poils, des petits frisés et des plus longs raides, des ciseaux à ongles, un rouleau de sparadrap, du fil dentaire, des peignes. Après avoir tout enlevé sur les étagères, il restait une couche brunâtre assez épaisse que je décidai de nettoyer plus tard car le sol poisseux et le mur carrelé constellé de taches jaunâtres à côté des toilettes, là où pendait le dévidoir à papier, me parurent plus urgents. J'aspergeai une ligne de Cif sur le carrelage et commençai à récurer, méthodiquement, du plafond jusqu'au sol. D'abord le mur de droite, puis le mur du miroir, puis le mur de la baignoire et, pour finir, le mur de la porte. Je frottai les carreaux un à un jusqu'à ce qu'ils soient propres et cela prit une bonne heure et demie. De temps à autre, je pensais à grand-père, qui s'était écroulé dans cette pièce, six ans plus tôt, une nuit d'automne. Il avait appelé grand-mère et elle avait téléphoné à l'ambulance puis lui avait tenu la main en attendant qu'elle arrive. Je réalisai pour la première fois que rien n'avait changé ici jusqu'à maintenant. À l'hôpital, on découvrit qu'il avait eu d'importantes hémorragies internes depuis un certain temps. Il serait mort quelques jours plus tard de toute façon, il n'avait presque plus de sang. Sans doute avait-il remarqué quelque chose d'anormal mais n'avait pas souhaité consulter de médecin. Il était donc tombé là, dans la salle de bains, à l'article de la mort et bien qu'à l'hôpital il fût tiré d'affaire dans un premier temps, il était trop affaibli et dépérit petit à petit.

Quand j'étais petit, j'avais peur de cette salle de bains du bas. La chasse d'eau, qui datait des années cinquante et était actionnée sur le côté par un manche en métal pourvu d'une petite boule noire, restait toujours coincée et chuintait longtemps après chaque utilisation. Ce chuintement venu de l'obscurité, d'un étage que personne n'occupait, avec sa moquette bleue bien propre, sa penderie aux manteaux soigneusement pendus, son étagère au-dessus avec les chapeaux de mes grands-parents et son étagère en dessous avec leurs chaussures, que mon imagination voyait comme des êtres vivants, comme toute chose à l'époque, avec son escalier béant vers l'étage au-dessus m'effrayait tant qu'il me fallait toujours recourir à toute ma force de persuasion pour y descendre. Je savais bien qu'il n'y avait personne, que le chuintement n'était qu'un chuintement, que les manteaux n'étaient que des manteaux, les chaussures que des chaussures et l'escalier qu'un escalier, mais cette certitude ne faisait visiblement que renforcer ma peur car elle se nourrissait de tout ce qui était inerte, c'est-à-dire mort, et je ne voulais pas être seul face à tout ça. Maintenant encore, il m'arrivait de percevoir le monde de cette façon. La lunette des toilettes ressemblait à un être vivant, le lavabo et la baignoire aussi et par terre le sac-poubelle était un estomac noir et avide.

C'est parce que grand-père était tombé dans cette salle de bains et que papa était mort la veille dans la pièce au-dessus que je ressentis à nouveau ce trouble. Le côté non vivant de ces êtres imaginaires s'associait à la mort de mes père et grand-père.

Mais comment maintenir ce trouble à distance ?

En nettoyant, tout simplement. En récurant et décrassant, détachant et décapant. En voyant l'éclat que jette chaque carreau lavé. En pensant que tout ce qui a été abîmé serait réparé. Tout, absolument tout. Et en me disant que jamais et sous aucun prétexte je ne me retrouverais dans la même situation que lui.

Quand j'eus terminé le lavage des murs et du sol, je jetai l'eau dans les toilettes et tirai la chasse. J'enlevai les gants jaunes et les étendis sur le bord du seau rouge vide en pensant qu'il ne fallait pas oublier d'acheter une brosse le plus tôt possible. À moins qu'il y en ait une dans les autres toilettes. J'ouvris la porte de celles-ci. Oui, il y en avait une. Au moins on pouvait l'utiliser, peu importait son allure, et en racheter une lundi. En me dirigeant vers l'escalier, je stoppai à mi-chemin, la porte de la chambre de grand-mère était entrouverte et, je ne sais pourquoi, je l'ouvris et y jetai un œil.

Oh non !

Son matelas n'avait pas de drap, elle dormait à même l'étoffe grossière couverte de taches de pisse. À côté du lit, il y avait une espèce de chaise percée avec un seau. Partout des vêtements traînaient. Sur le rebord de la fenêtre s'alignait une série de plantes fanées. L'odeur d'ammoniaque prenait à la gorge.

Quelle merde ! Quelle putain de merde !

Je refermai la porte telle qu'elle était et montai lentement l'escalier. Par endroits, la rampe était noire de crasse et, en posant la main dessus, je la sentis poisseuse. Sur le palier, j'entendis des voix. Grand-mère était installée dans un fauteuil du salon et regardait la télévision. Il devait être entre six heures et demie et sept heures car c'était les informations sur TV2.

Comment pouvait-elle s'asseoir là, juste à côté du fauteuil où il était mort ?

J'eus un haut-le-cœur, des grimaces incontrôlées me déformèrent le visage et je fus secoué par une explosion de larmes, mais mes pleurs étaient infiniment éloignés de cette envie de vomir et un sentiment de déséquilibre et d'asymétrie me submergea jusqu'à la panique. J'étais déchiré. Si j'avais pu, je serais tombé à genoux, j'aurais croisé les mains et appelé Dieu, oui appelé, mais je ne pouvais pas, il n'y avait aucune miséricorde là-dedans, le pire était déjà passé, c'était fini.

Lorsque j'entrai dans la cuisine, elle était vide. Tous les placards étaient propres et, même s'il restait encore à faire les murs, le sol, les tiroirs, la table et les chaises, tout semblait plus dégagé. Sur le plan de travail, il y avait une bouteille de bière d'un litre et demi dont l'étiquette était couverte de petites gouttes d'eau. À côté, un pavé de chèvre avec un rabot à fromage dessus, un morceau de gruyère et une barquette de margarine où on avait planté un couteau, en biais, le manche reposant à peine sur le bord. Sur la planche à découper qu'on avait tirée, un pain complet à moitié sorti de son sac en papier rouge et blanc, le couteau à pain, la croûte, les miettes.

Je sortis un sac en plastique du dernier tiroir et y vidai les deux cendriers qui étaient sur la table, je le fermai en faisant un nœud et le jetai dans le grand sac-poubelle noir à moitié plein qui traînait dans un coin. Je passai la lavette sur la table pour enlever les miettes de tabac et de pain, empilai ses paquets de tabac et sa rouleuse sur la boîte de tubes au bout de la table, sous la fenêtre que j'ouvris et dont j'attachai le crochet. Je trouvai Yngve sur la terrasse, un verre de bière dans une main et une cigarette dans l'autre.

— Tu en veux ? dit-il. Il y en a une bouteille dans la cuisine.

— Non merci, dis-je. Après ce qui s'est passé ici, je ne boirai jamais plus de bière en bouteille en plastique.

Il me regarda en souriant.

— Ce que tu es sensible, dit-il. J'ai trouvé la bouteille intacte au réfrigérateur. Il ne l'a pas touchée, tu sais.

J'allumai une cigarette en m'adossant à la balustrade.

— Qu'est-ce qu'on fait pour le jardin ? dis-je.

Yngve haussa les épaules.

— On ne peut pas tout faire non plus.

— Mais moi je veux.

— Ah bon ?

— Oui.

Je voulais lui parler de mon plan tout de suite, mais n'y parvins pas. Je savais qu'Yngve y verrait des objections et je ne voulais pas être en désaccord avec lui. Oh, ce n'était que des mesquineries, mais ma vie ne s'était-elle jamais composée d'autre chose ? Enfant, j'admirais Yngve comme un petit frère admire son grand frère, je ne voulais rien d'autre au monde que sa reconnaissance à lui et, quoiqu'il fût juste un petit peu trop âgé pour que nos chemins se croisent quand nous étions dehors, à la maison au moins nous étions ensemble. Pas égaux, naturellement, c'était plus souvent sa volonté qui l'emportait. Mais nous étions proches parce que nous avions un ennemi commun, papa.

Je n'ai pas beaucoup de souvenirs de mon enfance mais les rares que je conserve sont éloquents. Nous étions capables de rire pour des riens comme cette fois où nous faisions du camping en Angleterre pendant l'été anormalement chaud de 1976. C'était le soir et nous grimpions la rue en pente à proximité du terrain de camping quand une voiture passa. Yngve dit que les passagers s'embrassaient et je compris « pissaient » : nous fûmes pliés de rire plusieurs minutes et ce rire se raviva à la moindre occasion toute la soirée.

S'il y a quelque chose de mon enfance dont j'ai la nostalgie, ce doit être ça : rire avec mon frère, de façon irrépressible et pour un rien. Lors de ce même voyage, nous avions passé une soirée à jouer au football avec deux Anglais sur le terrain à côté de la tente. Yngve portait une casquette à l'effigie de Leeds et moi à celle de Liverpool, le soleil se couchait sur la campagne, l'obscurité nous enveloppait, je ne comprenais pas un mot de ce que disaient les voix basses dans les tentes à proximité, Yngve lui, traduisait, fier. Et ce matin d'avant notre départ où nous étions allés à la piscine. Je ne savais pas nager mais m'étais risqué là où je n'avais pas pied en m'agrippant à un ballon en plastique qui m'avait soudain glissé des mains, et j'avais coulé au fond du bassin où nous étions seuls. Yngve avait appelé à l'aide et le jeune homme qui était accouru parvint à me sortir de l'eau. La première chose à laquelle j'avais pensé, après avoir régurgité un peu d'eau chlorée, c'était qu'il ne fallait pas que maman et papa le sachent. Des journées riches en événements comme celle-ci étaient innombrables et les liens qu'elles avaient créés entre nous, inaltérables. Ça ne changeait rien au fait qu'il pouvait être plus méchant envers moi que n'importe qui d'autre, ça participait d'un tout et la haine que j'étais capable de ressentir envers lui dans ces moments-là n'était pas plus qu'un ruisseau comparé à la mer, pas plus qu'une lumière dans la nuit. Il savait exactement quoi dire pour me mettre dans une rage telle que j'en perdais mon sang-froid. Il était là, tout calme, à me narguer de son sourire moqueur jusqu'à ce que la colère m'emporte et que je ne voie plus clair, au vrai sens du mot, je voyais du noir et ne savais plus ce que je faisais. J'étais capable de lui lancer à toute force la tasse que j'avais dans les mains, ou la tartine ou l'orange, à moins que je ne fonde sur lui pour le frapper, aveuglé par les larmes et la rage pendant qu'il me tenait les mains, toujours aussi calme, en disant *allons, allons, il est en colère ce pauvre petit*... Il savait aussi tout ce qui me faisait peur et quand maman était de garde, que papa était à une réunion du conseil municipal et qu'à la télévision on repassait un épisode de *Clandestin*, qui passait normalement tard le soir justement pour que des gens comme moi ne le regardent pas, il lui était très facile d'éteindre toutes les lumières de la maison, de fermer la porte à clé et de s'approcher de moi en disant *Je ne suis pas Yngve. Je suis un clandestin*, et je hurlais de peur, le suppliais de dire qu'il était Yngve, *dis-le, dis-le que tu es Yngve, je le sais, Yngve, Yngve, tu n'es pas un clandestin, tu es Yngve*... Il savait aussi que j'avais très peur du bruit de l'eau dans la tuyauterie quand on tirait de l'eau chaude. Elle faisait un bruit strident qui se terminait en cognements sourds et je ne pouvais gérer la situation autrement qu'en fuyant. Nous avions alors scellé un accord stipulant qu'il ne devait pas retirer le bouchon du lavabo après sa toilette du matin et c'est ainsi que je me suis lavé le visage et les mains dans la même eau qu'Yngve pendant six mois.

Lorsqu'il quitta la maison à l'âge de dix-sept ans, nos relations changèrent forcément. Comme je ne le voyais plus tous les jours, j'idéalisais son image et sa vie, surtout celle qu'il menait à Bergen où il s'était installé pour étudier. Cette vie-là, je la voulais aussi.

Au début de ma seconde, je lui rendis visite à la cité universitaire d'Alrek où il avait une chambre. Mon premier geste en descendant de la navette au centre-ville fut d'aller acheter un paquet de Prince et un briquet. Je n'avais jamais fumé auparavant mais j'avais prévu de le faire depuis longtemps et, seul à Bergen, j'en avais la possibilité. Là, sous un ciel bleu, au pied de la flèche verte de l'église Johannes, face à la rue Torgallmenningen pleine de gens, de voitures et d'éclats de soleil, mon sac à mes pieds, j'avais mis la cigarette au coin de ma bouche et en l'allumant avec le briquet jaune protégé du vent par ma main, je fus rempli d'un intense sentiment de liberté, presque écrasant. J'étais seul, je pouvais faire ce que je voulais, j'avais la vie devant moi. Je toussai un peu car la fumée m'arracha la gorge mais compte tenu de la situation ça se passa bien, je me sentais toujours intensément libre et, la cigarette terminée, je fourrai le paquet blanc et rouge dans la poche de ma veste, attrapai mon sac et partis retrouver Yngve. À Kristiansand au lycée, je n'avais rien à moi mais ici Yngve était avec moi, ce qu'il avait, je l'avais aussi. C'est pour ça qu'une heure plus tard, agenouillé dans sa chambre où la lumière du soleil entrait par les vitres mates à cause de la pollution, j'étais non seulement heureux mais fier de fouiller dans sa collection de disques rangée dans trois caisses à vin contre le mur. Ce soir-là on sortit en ville avec trois filles qu'il connaissait. J'avais emprunté son déodorant Old Spice, son gel pour les cheveux et avant de partir, devant le miroir du couloir, il avait replié les manches de ma chemise à carreaux noirs et blancs — la même que celle que portait The Edge de U2 sur de nombreuses photos de l'époque — et il rectifia le revers de ma veste. On retrouva les filles dans l'appartement de l'une d'elles. Le fait que je n'avais que seize ans les amusait beaucoup et elles proposèrent que j'en tienne une par la main au moment de passer devant le videur, c'était la première fois que j'entrais dans un établissement réservé aux plus de dix-huit ans. Le lendemain on alla au Café Opera puis au Café Galleri où on rejoignit maman qui habitait la rue Søndre Skogveien chez sa tante Johanna, dans un appartement qu'Yngve reprit plus tard et où je lui rendis visite les fois suivantes. Un an plus tard, je revins avec mon magnétophone pour interviewer le groupe américain Wall of Woodoo qui donnait un concert à Hulen ce soir-là. Je n'avais pas rendez-vous mais réussis à entrer pendant le réglage du son grâce à ma carte de presse, et on les attendit à l'entrée de la scène. J'étais vêtu d'une chemise blanche, d'une cravate américaine noire ornée d'un grand aigle en métal brillant, d'un pantalon noir et de boots. Mais soudain, quand le groupe arriva, je n'osai plus leur parler, ils avaient l'air terrifiant d'une bande de trentenaires drogués de Los Angeles et ce fut Yngve qui sauva la situation. *Hey, mister!* cria-t-il et le bassiste s'approcha, Yngve dit : *This is my little brother, he has come all the way from Kristiansand down south to make an interview with* Wall of Woodoo. *Is that OK with you ?*

Nice tie! dit le bassiste que je suivis dans la loge en rougissant. Il était entièrement vêtu de noir, avait de grands tatouages sur les bras, de longs cheveux noirs et des boots de cow-boy. Extrêmement aimable, il m'offrit une bière et répondit en détail à toutes mes questions, préparées par écrit pour le journal du lycée. Une autre fois à Bergen aussi, dans les canapés moelleux du Café Galleri, j'avais interviewé Blain Reininger qui venait de quitter Tuxedomoon. Je n'ai jamais douté un seul instant que c'était là que j'irais après le lycée, dans cette métropole, avec tous ses cafés, ses salles de concerts et ses magasins de disques.

C'est après le concert de Wall of Woodoo, installés à Hulen, qu'on décida de fonder un groupe quand j'arriverais à Bergen. Pål, le camarade d'Yngve, jouerait de la basse, Yngve de la guitare et moi de la batterie, on trouverait un vocaliste en temps voulu. Yngve composerait la musique et moi les paroles et un jour, c'est ce qu'on se disait ce soir-là, on jouerait ici même, à Hulen. À cette époque, aller à Bergen était chaque fois synonyme de voyager dans l'avenir. Je quittais ma vie d'alors, allais passer quelques jours dans ma vie future et revenais. À Kristiansand, j'étais seul et devais me battre pour tout, à Bergen, j'étais avec Yngve et ce qu'il avait, j'en profitais aussi. Pas seulement des cafés et des concerts, des magasins et des parcs, des bibliothèques et des auditoriums mais aussi de ses amis qui savaient qui j'étais et que j'avais ma propre émission musicale sur une radio locale et que j'écrivais des articles dans le *Fedrelandsvennen* pour présenter disques et concerts. Yngve me rapportait toujours les commentaires qu'ils faisaient sur moi, les filles surtout disaient que j'étais beau ou mûr pour mon âge, etc., mais aussi les garçons. L'un d'eux en particulier, Arvid, disait souvent que je ressemblais au jeune homme dans *Mort à Venise* de Visconti.

J'étais quelqu'un pour eux et c'était grâce à Yngve. Il m'emmena au chalet de Vindil où il avait l'habitude de passer la Saint-Sylvestre avec tous ses amis, et l'été où j'avais vendu des cassettes dans la rue à Arendal et que j'avais gagné beaucoup d'argent, nous étions sortis presque tous les soirs. Je me souviens qu'un de ces soirs, Yngve fut surpris et fier que je me comporte encore relativement bien après avoir bu cinq bouteilles de vin. À la fin de cet été-là, je sortis avec la sœur de la petite amie d'Yngve. À l'époque, il prenait pleins de photos de moi avec son Nikon, toutes en noir et blanc, toutes incroyablement apprêtées. Un jour, on alla ensemble chez le photographe car nous voulions offrir pour Noël une photo de nous à nos grands-parents paternels et maternels, mais la photo atterrit aussi dans la vitrine publicitaire du photographe située dans le hall du cinéma de Kristiansand, de sorte que nous étions à la vue de tous, coiffés et habillés à la mode des années quatre-vingt. Yngve en chemise bleu clair, des bracelets de cuir au poignet, les cheveux longs derrière et courts sur la tête et moi avec ma chemise à carreaux noirs et blancs, mon blazer noir aux manches retroussées, ma ceinture à clous et mon pantalon noir, les cheveux plus longs derrière et plus courts devant que ceux d'Yngve avec, en plus, une croix pendant à l'oreille. J'allais souvent au cinéma à ce moment-là, avec Jan Vidar ou d'autres camarades de Tveit, et chaque fois que je voyais la photo dans la vitrine, je n'arrivais pas à faire le lien avec moi ou plutôt avec ma vie à Kristiansand, qui avait une certaine apparence, une certaine qualité objective dans le sens où elle était liée à des lieux spécifiques comme l'école, la salle de sport, le centre-ville, et à des groupes spécifiques, mes amis, mes camarades de classe et mes coéquipiers de football, alors que la photo, elle, était liée à l'intime, au privé et d'abord au cercle familial, mais aussi à celui que je deviendrais un jour en partant d'ici. Si Yngve parlait de moi à ses amis, jamais je ne le mentionnais aux miens.

Cet espace privé à la vue de tous me troublait et me gênait. Mais excepté quelques commentaires, personne ne s'en souciait puisque j'étais quelqu'un dont on ne se souciait pas.

Pourtant, lorsque enfin je quittai le lycée en 1987, ce ne fut pas pour m'installer à Bergen mais dans un petit village sur une île du Nord où je fus enseignant pendant un an. J'avais prévu d'écrire mon roman le soir et de partir vivre en Europe l'année d'après grâce à mes économies. Je m'étais procuré un livre qui recensait tous les petits boulots imaginables et inimaginables de tous les pays d'Europe. C'était ça mon projet, aller de ville en ville, de pays en pays, travailler un peu, écrire un peu, mener une vie libre et indépendante. Mais grâce aux textes écrits cette année-là, je fus admis à l'Académie d'écriture récemment fondée dans la région de Hordaland et, infiniment flatté, je changeai tous mes projets et mis à dix-neuf ans le cap vers Bergen où, en dépit de mes rêves de vagabondage à travers le monde, je restai pendant neuf ans.

Et tout commença très bien. Le soleil brillait lorsque je sautai du bus sur la place du marché aux poissons et que je trouvai Yngve de bonne humeur à l'hôtel Orion où il travaillait comme réceptionniste pendant les week-ends et les vacances. Il avait encore une demi-heure à travailler mais après on irait acheter des crevettes et de la bière pour fêter l'entrée dans ma nouvelle vie. Installés sur les marches devant son appartement, on but de la bière en écoutant la musique des Undertones qui nous parvenait depuis la stéréo du salon. Le soir, déjà un peu soûls, on prit un taxi pour aller chez Ola, un camarade d'Yngve, où on but encore un peu avant de nous rendre au Café Opera où on resta jusqu'à la fermeture. Sans arrêt des gens venaient à notre table et chaque fois Yngve disait *c'est mon petit frère Karl Ove, il est à Bergen à l'Académie d'écriture. Il va devenir écrivain.* Yngve m'avait trouvé une chambre, à Sandviken, la personne qui l'occupait partait pour un an en Amérique du Sud et en attendant son départ, je dormais chez Yngve, sur le canapé. Il me réprimandait sur des détails comme il l'avait toujours fait les rares fois où nous avions vécu ensemble plus que quelques jours, comme du temps où il habitait à Alrek et qu'il m'engueulait parce que mes tranches de fromage étaient trop épaisses ou parce que je ne remettais pas les disques là où je les avais pris. Là aussi, il s'agissait de détails, je n'essuyais pas assez bien le sol de la salle de bains après ma douche, je faisais des miettes quand je mangeais, je ne posais pas assez doucement le saphir sur les disques, jusqu'au jour où la coupe fut pleine : nous arrivions à sa voiture et il m'expliqua que j'avais claqué la porte trop fort la dernière fois que j'étais monté dedans. En rage, je lui criai qu'il fallait qu'il cesse de me dire ce que j'avais à faire. Jamais plus il ne me fit de remarques. Mais l'équilibre de notre relation resta le même, c'était moi qui étais entré dans son monde, j'y étais le petit frère et le restais. À l'Académie d'écriture, ce n'était pas simple et je ne m'y fis pas d'amis, en partie parce qu'ils étaient plus vieux que moi et en partie parce que je trouvais que nous n'avions rien en commun, si bien que la plupart du temps j'étais à la remorque d'Yngve. Je l'appelais pour savoir s'il avait des projets pour le week-end et il en avait toujours, je lui demandais si je pouvais me joindre à lui et il disait oui. Et quand j'avais passé tout mon dimanche à errer en ville ou à lire sur mon lit, la tentation d'aller chez lui le soir, alors que je m'étais dit qu'il ne fallait pas, que je devais me débrouiller seul, était trop grande pour que je résiste et nombreuses furent les soirées passées à regarder la télévision chez lui.

Il emménagea plus tard dans une colocation et ce fut terrible pour moi car ma dépendance vis-à-vis de lui devint criante. Il ne se passait pratiquement pas de jour sans que je sois chez eux et, quand il n'était pas là, soit un des locataires me tenait compagnie par politesse, soit j'attendais seul dans le salon en feuilletant une revue de musique ou un journal comme le prototype du raté. J'avais besoin d'Yngve mais Yngve n'avait pas besoin de moi. C'était ainsi. Certes je pouvais discuter avec ses amis quand il était là, c'était cohérent, mais seul ? Impossible aussi d'aller seul chez l'un d'entre eux, c'eût été artificiel et importun. Et puis je ne me comportais pas toujours correctement, c'est le moins qu'on puisse dire, j'étais souvent trop ivre et n'hésitais pas à insulter les gens quand ça me prenait. J'aimais bien m'en prendre à leur physique ou à des particularités sans importance que j'avais remarquées.

Le roman que j'écrivis pendant que j'étais à l'Académie d'écriture fut refusé et je commençai sans enthousiasme à étudier la littérature à l'université. Je n'arrivais plus à écrire. Tout ce qui me restait de ma vie d'écrivain était le souhait d'écrire et il était très fort. Mais n'étaient-ils pas nombreux ceux du milieu universitaire qui voulaient écrire ? Notre groupe se produisit à Hulen et à Garage, certaines de nos chansons passèrent à la radio et on eut même quelques bonnes critiques dans la presse musicale, mais je savais que je ne devais ma présence dans le groupe qu'au seul fait d'être le frère d'Yngve car j'étais vraiment un batteur minable. Et soudain, à vingt-quatre ans, je pris conscience que c'était ça ma vie, qu'elle n'était vraiment que ça et qu'elle le resterait probablement. Que ces années d'études, cette période si mythique de la vie qu'on évoque toujours avec plaisir plus tard, ne furent pour moi qu'une suite de jours empreints de tristesse, de solitude et d'insatisfaction. Et si je ne le compris pas plus tôt c'est que j'avais en moi un espoir permanent, des illusions ridicules qu'on a à vingt ans sur les femmes et l'amour, les amis et la joie, le talent caché et le succès. Mais à vingt-quatre ans je vis les choses en face. Et ce n'était pas non plus une catastrophe, après tout j'avais mes petits bonheurs moi aussi, ce n'était pas le problème, je pouvais endurer toute la solitude et les humiliations possibles, allez-y, remettez-en ! Il y avait même des jours où je pensais que je pouvais tout encaisser car je me sentais comme un puits sans fond, un puits d'échec, de misère, de malheur, de tristesse, de gêne, d'affliction et d'ignominie. Allez, venez me pisser dessus ! Chiez aussi si vous voulez ! J'encaisse ! Je tiens bon ! Je suis l'endurance même ! Et j'étais sûr que c'était ça que les filles, celles que j'essayais de séduire, lisaient dans mes yeux. Trop de volonté, pas assez d'espoir. Pendant qu'Yngve, qui avait déjà ses amis, ses études, son travail, son groupe, sans parler de ses conquêtes, avait toutes celles qu'il voulait.

Qu'avait-il que je n'avais pas ? Comment se faisait-il qu'il avait toujours de la chance avec elles alors que les filles à qui je parlais paraissaient effarées ou hautaines ? Quoi qu'il en fût, je restais dans ses parages. Le seul véritable ami que je me fis pendant ces années-là fut Espen, qui arriva une année après moi à l'Académie d'écriture et que je retrouvai à la faculté de littérature un jour qu'il me pria de lire ses poèmes. Je ne savais rien sur la poésie mais les lus quand même et lui débitai des inepties sans qu'il s'en aperçoive. Ensuite, petit à petit, nous sommes devenus amis. Espen avait lu Beckett au lycée, il écoutait du jazz et jouait aux échecs, il avait les cheveux longs et était du genre nerveux et inquiet. Il se fermait dès que le groupe dépassait deux personnes mais il était ouvert intellectuellement et fit ses débuts en publiant un recueil de poèmes deux ans après notre rencontre, non sans susciter ma jalousie. Yngve et Espen incarnaient deux pans de ma vie qui bien entendu ne s'accordaient pas.

Espen l'ignorait sans doute car je faisais toujours semblant de m'y connaître, mais c'est lui qui m'initia au monde de la littérature sophistiquée, celle où on écrivait un essai sur une ligne de Dante, où rien n'était jamais assez compliqué, où l'art touchait au plus élevé, non pas au plus pathétique, car nous sondions les canons modernistes, mais au plus inconcevable, illustré à merveille par Blanchot dans sa description du regard d'Orphée, la nuit dans la nuit, la négation des négations, et qui, il faut bien le dire, se situait un cran au-dessus de nos vies banales et à bien des égards minables. Mais je réalisai alors que ces vies dérisoires où nous ne parvenions à rien, où tout était au-delà de nos capacités et de notre pouvoir, faisaient aussi partie de ce monde-là et touchaient par là même au plus élevé car les livres existaient, il suffisait de les lire, personne d'autre que moi-même ne pouvait m'en empêcher. Il suffisait de vouloir s'élever.

La littérature moderniste et son énorme attirail étaient un outil, une forme de connaissance, qui une fois acquise pouvait être éliminée sans que l'essentiel de la connaissance disparaisse. La forme restait et on pouvait l'appliquer à sa propre vie, à ses propres fascinations qui apparaissaient soudain sous un jour totalement nouveau et important.

Espen s'engagea dans cette voie et je le suivis, certes

comme un petit chien, mais je le suivis. Je feuilletai rapidement Adorno, lus quelques pages de Benjamin, me penchai quelques journées sur Blanchot, jetai un œil sur Derrida et Foucault, essayai un moment Kristeva, Lacan et Deleuze tandis que les poèmes d'Ekelöf, Björling, Pound, Mallarmé, Rilke, Trakl, Ashbery, Mandelstam, Lunden, Thomson et Hauge m'entouraient et que je ne leur consacrais jamais plus que quelques minutes. Je les lisais comme de la prose, comme un livre de MacLean ou Bagley, je n'en retirais rien et n'y comprenais rien mais le simple fait d'être en contact avec eux, d'avoir leurs livres sur mon étagère entraînait une prise de conscience : savoir qu'ils existaient était un enrichissement. Ils ne m'apportaient peut-être pas la connaissance, mais ils me comblaient d'idées et d'impressions.

C'était là des arguments qui portaient peu lors d'un examen ou d'une discussion mais pour le champion de l'approximation que j'étais, ça n'avait pas d'importance. C'était l'enrichissement qui comptait. Ce qui m'enrichissait en lisant Adorno par exemple, ce n'était pas ce que je lisais mais l'idée que je me faisais de moi en train de lire. J'étais de ceux qui lisaient Adorno ! Et dans ce langage difficile, embrouillé, circonstancié et précis qui tentait d'entraîner la pensée vers des sommets toujours plus élevés et où chaque signe de ponctuation était une étape dans l'ascension, il y avait aussi autre chose, une approche particulière de la réalité, un écho dans ces phrases qui pouvait susciter en moi une vague envie d'appliquer cette langue parée d'une aura spéciale à quelque chose de réel, de vivant. Pas à un argument mais à un lynx par exemple ou à un merle ou une bétonnière. Car ce n'était pas le langage qui enveloppait la réalité de cette aura mais l'inverse, c'était la réalité qui émanait d'elle.

Je ne mettais pas de mots là-dessus et ce n'était pas une réflexion, à peine une intuition, plutôt une vague attirance. Toute cette facette de ma personne restait cachée à Yngve parce qu'elle ne l'intéressait pas et qu'il n'y croyait pas non plus. Étudiant les médias, il était convaincu qu'on ne pouvait évaluer objectivement la qualité, que tout jugement était relatif et que ce qui était populaire était évidemment aussi bien que ce qui était impopulaire.

Mais cette différence et cette facette que je lui cachais prirent de plus en plus d'importance car elles commencèrent à nous concerner en tant que personnes. Finalement la distance entre nous était grande mais pour rien au monde je n'en voulais, alors je la minimisais systématiquement. Je n'hésitais jamais à lui raconter que j'avais subi une défaite ou échoué ou que je m'étais gravement fourvoyé, car tout ce qui pouvait me diminuer à ces yeux était bien alors que j'évitais souvent de lui parler de mes réussites.

En soi ce n'était peut-être pas si important, mais la situation s'aggrava lorsque j'en pris conscience car j'y pensais chaque fois que nous étions ensemble et mon comportement n'était plus naturel ni impulsif. Je n'étais plus capable de parler sans arrière-pensée comme je l'avais toujours fait avec lui, je me mis à anticiper, calculer et réfléchir. Avec Espen, je fis la même chose mais à l'envers, je minimisai mon côté léger et divertissant. À ce moment-là aussi, j'avais une petite amie dont je n'avais jamais été vraiment amoureux, ce que bien entendu elle ne devait pas savoir, et nous sommes restés ensemble quatre ans. Je passais mon temps à jouer des rôles. Et pour couronner le tout, je travaillais dans une institution pour handicapés mentaux où je ne me contentais pas d'opiner du bonnet avec les aides-soignants mais allais même jusqu'à les accompagner quand ils sortaient dans un quartier de la ville que les étudiants fuyaient, dans des pubs sans prétention où tout le monde chantait avec le pianiste et où je m'adaptais à leurs opinions, leurs conceptions et leurs attitudes. Le peu de vrai qui restait en moi, je le reniais ou le gardais caché. De ce fait, mon caractère avait quelque chose de faux et de douteux, contrairement à la fermeté et la franchise que je rencontrais chez certains à l'époque et que j'admirais. J'étais trop proche d'Yngve pour l'évaluer de cette façon car les idées ont une faiblesse, malgré tout le bien qu'on peut en dire, elles sont dépendantes d'une certaine distance pour fonctionner. Hors de cette distance, tout est émotion. Et c'était à cause de mes sentiments pour lui que je commençai à taire certaines choses. Il n'avait pas droit à l'échec, jamais. Ma mère pouvait échouer, cela ne me faisait rien, mon père et mes amis aussi, et surtout moi, je m'en fichais complètement, mais Yngve n'avait droit ni à l'erreur ni à la faiblesse. Mais quand il arrivait que j'en sois le témoin honteux, le plus important n'était pas tant ma gêne que le fait qu'il ne la remarque pas, qu'il ignore la nature de mes sentiments que je cachais derrière un regard fuyant, facile à voir mais difficile à interpréter. Il pouvait bien dire une bêtise ou une banalité, ça ne changeait rien à mon attitude envers lui, je ne l'appréciais pas moins pour autant, ce malaise en moi était uniquement dû au fait qu'il puisse croire que j'avais honte de lui.

Comme cette fois où nous étions à Garage un soir tard en train de discuter de la revue que nous voulions lancer depuis longtemps, entourés comme nous l'étions de gens qui écrivaient, photographiaient et qui avaient en commun de connaître aussi bien l'équipe de Liverpool de 1982 que les membres de l'école de Francfort, les groupes anglais aussi bien que les auteurs norvégiens, le cinéma expressionniste allemand aussi bien que les séries télévisées américaines. Depuis longtemps nous avions le sentiment que créer une revue capable de traiter avec sérieux des informations sur le football, la musique, la littérature, le cinéma, la philosophie, la photographie et l'art était une bonne idée. Nous discutions cette nuit-là avec Ingar Myking, le rédacteur du journal étudiant *Studvest*, et Hans Mjelva, le chanteur de notre groupe, mais aussi le prédécesseur d'Ingar au journal. Lorsque Yngve commença à parler de notre projet, je me mis à l'écouter comme si j'étais Ingar et Hans. C'était banal et ordinaire et je baissais les yeux. Yngve me jeta plusieurs fois des coups d'œil pendant qu'il parlait. Devais-je dire ce que je pensais et rectifier ses propos ? Ou bien passer outre, donc me renier et le soutenir ? Je choisis une solution intermédiaire, me taire en espérant que mon silence soutienne aussi bien Yngve que l'opinion qu'Ingar et Hans s'étaient faite.

Il m'arrivait souvent d'être lâche de cette façon. Ne voulant heurter personne, je gardais pour moi ce que je pensais. Mais cette fois-là, j'avais des circonstances aggravantes, à la fois parce que je souhaitais comme toujours qu'Yngve me soit supérieur et parce ma vanité m'empêchait de me sortir de la situation par une pirouette face à nos interlocuteurs.

C'était Yngve qui dirigeait en grande partie ce que nous faisions ensemble, et la plupart du temps je gardais pour moi ce que je faisais seul, comme lire et écrire. Mais inévitablement il arrivait que ces deux mondes se rencontrent car Yngve s'intéressait aussi à la littérature, bien qu'il n'en fît pas le même usage que moi. Comme cette fois où je devais faire une interview de Kjartan Fløgstad pour un journal étudiant. Yngve proposa qu'on la fasse ensemble et j'acceptai aussitôt. L'écrivain, à la fois populaire et intellectuel, avec ses théories du haut et du bas, son appartenance à la gauche dépourvue de dogme, indépendante et presque aristocratique, et surtout ses jeux de mots, était l'auteur préféré d'Yngve. Yngve lui-même était connu pour ses jeux de mots et ses calembours. Il défendait l'idée que la valeur d'une œuvre d'art n'était pas intrinsèque mais créée par celui qui la regarde et que l'expression de l'authentique est tout autant une question de forme que celle de l'inauthentique. Pour moi, Fløgstad était d'abord et avant tout le grand écrivain norvégien. L'interview avait été commandée par *TAL*, un petit journal étudiant en néonorvégien, pour lequel j'avais déjà interviewé le poète Olav H. Hauge et l'auteure Karin Moe. C'était Espen et moi qui avions fait l'interview de Hauge et Asbjørn, l'ami d'Yngve, qui avait pris les photos. Il était donc tout à fait naturel qu'Yngve participe. L'interview de Hauge s'était finalement bien passée malgré un début catastrophique. En effet, je n'avais pas prévenu le poète que nous serions trois, si bien qu'arrivés chez lui il commença par refuser de nous faire entrer. *Vous êtes nombreux*, avait-il dit sur le seuil de sa maison et face à ces paroles avares de mots, si typiques de la côte ouest, je m'étais soudain senti comme un vrai gars de l'Est, heureux, léger, bête, enthousiaste, impulsif et rougeaud. Hauge résidait en permanence dans le monde des idées et rien ne l'en faisait bouger, moi j'y venais en touriste et j'avais emmené mes camarades voir ce phénomène de plus près. C'était l'impression que j'avais et c'était probablement aussi celle de Hauge, à en juger par son aspect dur et presque hostile. Il finit par dire *Entrez quand même*, en se faufilant devant nous dans le salon. On déposa nos sacs et notre matériel. Asbjørn prépara l'appareil photo en le tendant vers la lumière, Espen et moi, on sortit nos notes, Hauge était assis sur un banc le long du mur et regardait par terre. *Pourriez-vous s'il vous plaît vous mettre devant la fenêtre*, dit Asbjørn, *la lumière est meilleure pour les photos*. Hauge leva les yeux vers lui, sa frange de cheveux gris lui tombait sur le front. *Non de Dieu ! Pas de photos !* dit-il. *C'est entendu*, dit Asbjørn, *excusez-moi*. Il se retira et remit l'appareil dans son étui. Assis à côté de moi, Espen feuilletait ses notes, un stylo à la main. Tel que je le connaissais, il n'avait aucun besoin de les relire à cet instant précis. Le silence dura un moment. Espen me regarda, regarda Hauge. *J'ai une question*, dit-il, *puis-je vous la poser ?* Hauge acquiesça en ramenant sa frange sur le côté, à sa place, d'un geste étonnamment léger et féminin contrastant avec son immobilité et son mutisme virils. Espen se mit à lire la question, elle était longue, complexe et comprenait l'analyse succincte d'un poème. Quand il eut terminé, Hauge répondit sans lever les yeux qu'il ne parlait pas de ses poèmes.

J'avais lu les questions d'Espen et elles étaient toutes liées à ses poèmes. Si effectivement Hauge refusait d'en parler, elles étaient inutilisables.

Le silence qui s'ensuivit fut long. Espen s'assombrit et se ferma à son tour. Ce sont tous les deux des poètes, pensai-je, voilà comme ils sont. En comparaison, j'avais l'impression d'être un poids léger, un dilettante qui n'y connaissait rien, une personne superficielle qui regardait les matchs de football, savait le nom de quelques philosophes et aimait la pop la plus accessible. Ce que j'avais écrit s'approchant le plus de la poésie était une chanson pour notre groupe qui s'intitulait « Tu tangues si bien ». Mais il fallait que j'intervienne car il était évident qu'Espen ne dirait plus un mot et je commençai par lui poser une question sur Jølster, où ma mère habitait, et dont le peintre Astrup était originaire, or Hauge s'était intéressé à lui et lui avait même dédié un poème. Il y avait clairement une affinité élective entre eux. Mais il ne voulut pas en parler. À la place, il se mit à relater un voyage qu'il avait fait là-bas longtemps auparavant, dans les années soixante et, toujours en fixant le sol, il mentionnait des noms d'une façon entendue, comme si nous les connaissions. Mais nous n'en avions jamais entendu parler et ça nous parut sinon énigmatique du moins sans autre intérêt que le côté privé de la chose. Je posai une question sur la traduction, Asbjørn une autre, et il y répondit toujours de la même façon entendue, comme si tout simplement il s'adressait à lui-même, ou au plancher. L'interview en soi était une catastrophe. Puis, au bout d'une heure environ, une voiture vint se garer dans la cour. C'était la télévision régionale qui voulait que Hauge lise quelques-uns de ses poèmes et ils se mirent au travail, mais ils s'aperçurent qu'ils avaient oublié un câble et durent retourner le chercher. C'est là que Hauge changea d'attitude : il devint tout à coup aimable envers nous, il plaisantait et souriait. C'était nous contre la télévision, la glace était brisée, et quand les enregistrements télévisés furent terminés et qu'ils eurent débarrassé les lieux, il resta aimable, la qualité de sa présence était tout autre, il était ouvert. Sa femme arriva avec un gâteau aux pommes sortant du four. Quand nous eûmes mangé, il nous montra la maison, nous emmena dans sa bibliothèque à l'étage, là où il écrivait. Sur son bureau, je vis un cahier intitulé « Journal ». Il nous montra des livres et en parla, entre autres un de Julia Kristeva, je m'en souviens parce que je m'étais dit *celui-là en tout cas tu ne l'as pas lu*, Hauge n'était jamais allé à l'université, *et si jamais tu l'as lu, de toute façon tu ne l'as pas compris*. Et puis, en descendant l'escalier, il dit quelque chose d'incroyablement chargé émotionnellement et de primordial sur la mort, le ton était résigné et laconique mais pas sans ironie, et je m'étais dit qu'il fallait que je m'en souvienne, que c'était important, que je m'en souvienne pour toujours, mais à peine étais-je dans la voiture pour rentrer par la route longeant le fjord de Hardanger que j'avais déjà oublié. Il marchait à quelques pas derrière moi, Espen et Asbjørn étaient déjà sortis, il était temps de prendre des photos. Pendant que Hauge, assis sur le banc de pierre, les jambes croisées, regardait au loin et qu'Asbjørn tantôt accroupi, tantôt debout, le prenait sous différents angles, Espen et moi fumions à l'écart. C'était une belle journée d'automne, froide et claire, et le matin sur la route nous avions vu la brume givrante au-dessus du fjord, les arbres rouges et jaunes sur les versants, la surface de l'eau lisse comme un miroir, les cascades blanches et gonflées. L'interview était terminée et elle s'était bien passée, j'étais heureux mais aussi déchiré, quelque chose chez Hauge, dont j'ignorais la cause, me remplissait d'inquiétude. C'était un vieil homme qui portait des habits de vieil homme : une chemise de flanelle, un pantalon de vieux monsieur, des pantoufles et un chapeau, et qui marchait aussi comme un vieil homme, mais en lui il n'était pas vieux, comme pouvait l'être mon grand-père maternel ou Alf, l'oncle de mon père, au contraire, quand il s'ouvrit à nous et voulut nous montrer des choses, ce fut d'une manière naïve et puérile, il était infiniment avenant et infiniment vulnérable, comme un enfant sans amis à qui on se serait tout à coup intéressé. C'était inconcevable s'agissant de mon grand-père et d'Alf, il y avait sûrement plus de soixante ans qu'ils ne s'étaient ouverts de cette façon à quelqu'un, s'ils l'avaient jamais fait. Ou bien non, ce n'était pas d'ouverture qu'il s'agissait mais plutôt de sa véritable nature, qu'il avait voulu préserver en nous dédaignant à notre arrivée. J'avais aperçu quelque chose que je ne voulais pas voir parce que celui qui l'avait montré ne savait pas ce qu'il avait révélé. Il avait plus de quatre-vingts ans mais rien en lui n'était mort ni figé, et vivre ainsi faisait beaucoup trop mal, pensais-je aujourd'hui. À l'époque, ça n'avait fait que m'inquiéter.

— Est-ce qu'on peut en prendre quelques-unes là-bas, près des pommiers ? dit Asbjørn.

Hauge acquiesça et suivit Asbjørn jusqu'aux arbres. Je me baissai pour écraser mon mégot par terre, me relevai en cherchant un endroit pour m'en débarrasser car je ne pouvais me résoudre à le jeter n'importe où. Ne trouvant rien, je le fourrai dans ma poche.

Entourés de montagnes, on avait l'impression d'être dans une chambre forte. On sentait encore dans l'air des restes de douceur et de chaleur, comme souvent en automne dans l'Ouest.

— Tu crois qu'on peut lui demander de nous lire quelques poèmes ? dit Espen.

— Si tu oses, dis-je en voyant Asbjørn sourire.

Si Hauge était *le* poète pour Espen, il était aussi une véritable légende pour Asbjørn qui profitait de l'occasion pour le photographier en prenant tout son temps. Quand ils eurent terminé, on alla reprendre nos affaires dans le salon, je sortis son recueil de poèmes que j'avais acheté dans une librairie sur la route et lui demandai s'il pouvait le dédicacer à ma mère.

— Comment s'appelle-t-elle ? dit-il.

— Sissel.

— Et son nom de famille ?

— Hatløy, Sissel Hatløy.

À Sissel Hatløy de la part d'Olav H. Hauge, écrivit-il, puis il me rendit le livre.

— Merci.

Il nous raccompagna à la porte. Lui tournant le dos, Espen avait sorti son livre et soudain il lui fit face, le visage rayonnant de gêne et d'espoir.

— Est-ce que vous pourriez nous lire un poème ?

— Oui, je peux, lequel veux-tu ?

— Celui avec le chat dans la cour peut-être ? dit Espen, il convient très bien ici, hehehe.

— Voyons voir, dit Hauge, le voilà.

Et il lut.

Le chat est assis
dans la cour
quand tu arrives.
Parle un peu avec le chat.
C'est lui qui en sait le plus ici.

Nous avions tous le sourire aux lèvres, Hauge aussi.

— Il était bien court celui-là, dit-il, vous voulez en entendre un autre ?

— Très volontiers, dit Espen.

Il feuilleta à nouveau puis se remit à lire.

Le temps des moissons

Ces douces journées au soleil de septembre.
Le temps des moissons. Encore des touffes
d'airelles dans la forêt, les églantines rougissent
au long des murs de pierre, les noisettes se détachent,
et les grappes noires de mûres scintillent dans les ronces,
les merles cherchent les dernières groseilles
et les guêpes sucent le sucre des prunes.
Le soir je range mon échelle et remise
mon panier. Une fine couche de neige fraîche
recouvre déjà les maigres glaciers.

Une fois au lit, j'entends les vrombissements
des harenguiers qui sortent. Toute la nuit je sais
qu'ils glissent et que leurs faros cherchent à travers
le fjord.

En l'écoutant de la sorte, les yeux baissés, je pensais que c'était un moment important et privilégié, mais cette réflexion ne se suffit plus à elle-même car ces instants dont le poème, lu par son auteur là où il avait été composé, prenait possession nous dépassaient tellement, ils étaient de l'ordre de l'infini et comment nous, si jeunes et pas plus malins que trois moineaux, aurions-nous pu les recevoir ? Ça m'était en tout cas impossible et je me tortillais en l'écoutant. C'était presque insupportable. Une plaisanterie aurait été à sa place, elle aurait au moins donné forme à la banalité dont nous étions prisonniers. Oh, la beauté, comment l'appréhender, y réagir ?

Hauge nous fit un bref signe de la main lorsqu'on le quitta et il avait déjà disparu dans la maison au moment où Asbjørn démarra. Je me sentais comme en été, quand on a passé toute la journée au soleil, fatigué et lourd, alors qu'on n'a rien fait d'autre que se prélasser sur un rocher, les yeux fermés. Asbjørn s'arrêta à un café pour reprendre sa petite amie Kari qui nous avait attendus là pendant l'interview. Après avoir discuté quelques minutes de ce qui s'était passé, le silence s'installa. Nous regardions dehors les ombres qui s'étiraient, les couleurs qui s'assombrissaient, le vent venu du fjord qui emportait les cheveux des passants, les banderoles publicitaires qui claquaient devant les kiosques, les enfants sur leurs bicyclettes, ces sempiternels enfants des campagnes sur leurs vélos. Dès que je fus chez moi, je commençai à rédiger l'interview à partir de l'enregistrement, car je savais par expérience que la réaction critique aux voix, aux questions et à tout ce qui s'était passé augmentait rapidement avec le temps. En le faisant sans délai, pendant que j'en étais encore proche, le doute et la honte seraient plus abordables. Le problème résidait, et je m'en aperçus immédiatement, dans le fait que le plus intéressant était hors enregistrement. La solution fut donc d'écrire ce qui s'était passé dans la réalité, notre première impression, ses marmonnements d'introverti, son revirement, le gâteau aux pommes, sa bibliothèque. Espen écrivit une introduction à son œuvre ainsi que quelques passages d'analyse qui contrastaient agréablement avec le déroulement des événements. On apprit du rédacteur en chef du *TAL*, Georg Marius Hansteen, étudiant en philosophie, disciple de Johannesen et adepte du néonorvégien, que Hauge avait apprécié, il lui avait dit que c'était l'une des meilleures interviews de lui. Ce n'était sûrement pas vrai, nous avions vingt ans et dans le jugement de Hauge la politesse l'emportait sur la vérité, mais ce qu'il avait aimé et qui poussa sa femme à demander des exemplaires supplémentaires pour les donner à leurs amis et connaissances, c'était certainement, pensai-je après avoir lu son journal, que l'interview donnait de lui une image qui n'était pas que flatteuse. D'habitude, par respect pour lui, on escamotait systématiquement ce côté vieillard acariâtre dont il avait pleinement conscience, et cet amoureux de la vérité n'appréciait sans doute pas toujours, malgré son vernis de politesse et de pudeur.

Six mois plus tard, ce fut le tour de Kjartan Fløgstad. Il avait lu l'interview de Hauge, m'avait-il dit, quand je l'avais appelé et il acceptait de répondre aux questions du *TAL*. Si j'avais été seul, j'aurais lu tous ses livres par pur respect pour lui et pour être bien préparé, j'aurais minutieusement rédigé suffisamment de questions pour une conversation de plusieurs heures et enregistré tous les échanges sur magnétophone, car au cas où mes questions se révéleraient idiotes, ses réponses à lui ne le seraient pas et son style marquerait l'interview, si médiocres que pussent être mes interventions. Mais comme Yngve était avec moi et que je m'appuyais sur lui, je n'étais pas stressé de la même façon. Je ne lus pas tous ses livres et rédigeai des questions approximatives qui prenaient en compte ma relation avec Yngve. Je ne voulais pas être celui qui corrige, je ne voulais pas qu'il pense que je savais mieux que lui, et lorsqu'on était partis pour Oslo rencontrer Fløgstad dans un café du quartier de Bjølsen, par une journée grise de la fin mars ou du début avril, jamais de ma vie je n'avais été aussi mal préparé, et qui plus est nous avions décidé de n'utiliser ni dictaphone ni magnétophone et de ne pas prendre de notes pendant l'interview, nous pensions qu'ainsi ce serait moins guindé et moins formel. Nous préférions que ce soit une conversation, impressionniste, spontanée. Je n'avais pas une mémoire d'éléphant mais Yngve si, et on avait pensé qu'en écrivant ce qui se dirait tout de suite après l'interview on se compléterait et qu'à nous deux on couvrirait l'ensemble. Fløgstad nous entraîna poliment dans le café, genre bar à bière sombre, et on prit place autour d'une table ronde en pendant nos vestes au dossier des chaises. On sortit nos questions et lorsqu'on lui dit que nous avions l'intention de l'interviewer sans prendre de notes et sans l'enregistrer, Fløgstad fut impressionné. Une fois, pour le journal suédois *Dagens Nyheter*, il avait été interviewé par un journaliste qui n'avait pris aucune note et ses propos avaient été impeccablement rapportés, il avait trouvé ça brillant. Pendant toute l'interview, j'étais concentré sur les paroles d'Yngve et les réactions de Fløgstad, aussi bien ses réponses que le ton de sa voix, sa gestuelle et le contenu de la conversation. Mes questions à moi portaient presque autant sur ce qui se passait autour de la table que sur ce qui se passait dans ses livres, dans le sens où elles étaient destinées à combler ou à compenser. L'interview dura environ une heure et lorsqu'on lui serra la main en le remerciant de sa participation, et qu'il prit la direction de ce que nous supposions être son quartier, nous étions de bonne humeur et contents car tout s'était bien passé, n'est-ce pas ? Nous avions parlé avec Fløgstad ! Tellement satisfaits qu'aucun de nous n'éprouva le besoin de se mettre à la rédaction du compte rendu de ce qui s'était dit, nous pouvions le faire le lendemain. En attendant c'était samedi, il y aurait bientôt un match de championnat qu'on pourrait regarder dans un pub et on sortirait encore après. Ce n'était pas si souvent qu'on était à Oslo après tout... Le lendemain, le train nous ramena à Bergen et on ne prit pas non plus le temps de rédiger quoi que ce fût pendant le trajet et, arrivés à destination, chacun rentra chez soi. On avait attendu trois jours, on pouvait bien surseoir trois jours supplémentaires non ? Et à nouveau trois jours et encore trois jours ? Quand enfin on se décida à rédiger, il ne restait plus grand-chose. Bien sûr nous avions les questions et ça nous aidait beaucoup, et puis nous avions aussi une idée de ce qu'il avait répondu, fondée en partie sur ce dont nous nous souvenions malgré tout et en partie sur ce que nous supposions être ses points de vue. La rédaction était de ma responsabilité, c'était à moi qu'on l'avait confiée et c'était mon travail. Après avoir concocté quelques pages, je compris que ça n'allait pas, que c'était trop vague, et je proposai à Yngve de rappeler Fløgstad pour lui demander si nous pourrions lui poser quelques questions supplémentaires par téléphone. On s'installa au bureau d'Yngve dans son appartement de la rue Blekebakken pour griffonner quelques questions. Mon cœur battait fort lorsque je composai le numéro de Fløgstad et son ton réservé à l'autre bout du fil n'arrangea pas la situation. Mais je parvins à lui exposer ma requête et il accepta de nous consacrer une demi-heure supplémentaire, même si je comprenais aux intonations de sa voix qu'il commençait à saisir de quoi il retournait. Pendant que je posais les questions et qu'il y répondait, Yngve, l'écouteur à l'oreille, écrivait dans la pièce adjacente tout ce qu'il entendait tel un agent secret. Et voilà, le tour était joué. J'insérai ces réponses plus véridiques entre les approximations et les à-peu-près, ce qui donna à l'ensemble un parfum d'authenticité. J'ajoutai à cela une introduction générale à l'œuvre de Fløgstad, des paragraphes factuels et des analyses. Le résultat se tenait, c'était même assez correct. Fløgstad avait demandé à lire l'interview avant qu'elle sois mise sous presse, et je lui envoyai, accompagnée d'un mot aimable.

Exigeait-il toujours de lire les interviews avant impression ? Ou était-ce seulement la nôtre parce que nous avions été suffisamment téméraires pour la faire sans notes ? Je n'en savais rien mais puisque finalement j'avais réussi à m'en sortir, ça ne m'inquiétait pas. J'avais bien un vague sentiment de gêne concernant des passages approximatifs mais je le refoulai. À ma connaissance, rien n'obligeait à ce que les paroles de l'interviewé soient rapportées mot pour mot. Si bien que, lorsque je sortis la réponse de Fløgstad de ma boîte aux lettres quelques jours plus tard, je ne me doutais de rien. Pourtant, j'avais les mains moites et mon cœur battait fort. Le printemps était là, le soleil chauffait, j'étais vêtu d'un t-shirt, d'un jean et de baskets et me rendais au conservatoire pour suivre une leçon de batterie que me donnait le camarade de Jon Olav, mon cousin. J'aurais peut-être mieux fait de la laisser dans la boîte car j'étais en retard mais, trop curieux, je la décachetai en marchant vers l'arrêt de bus. Le texte de l'interview était couvert de traits rouges et de commentaires en rouge dans la marge. Je lus : « Je n'ai jamais dit ça. » Et puis : « Imprécis » et « Non, non ! » et « ??? » et : « D'où est-ce que ça sort ? » Il y avait une remarque à pratiquement toutes les phrases. Je restais figé à regarder le texte. J'avais l'impression d'une interminable descente au fond des ténèbres. Dans une hâte fébrile, je lus le plus vite possible la courte lettre qu'il avait écrite, comme si l'humiliation allait s'estomper à la lecture du dernier mot. « Je crois qu'il serait préférable de ne pas publier, concluait-il. Meilleures salutations, Kjartan Fløgstad. » Quand je me remis en marche, en traînant les pieds car je fixais toujours les traits rouges, j'étais révolté. Rouge de honte et au bord des larmes, je fourrai la lettre dans la poche arrière de mon pantalon et m'arrêtai devant le bus qui arriva à ce moment précis, je montai et m'installai tout à l'arrière près d'une vitre. La honte me brûlait pendant que le bus peinait à grimper vers Haukeland et je ressassai encore et toujours la même chose. Je n'étais pas assez bon, je n'étais pas écrivain et ne le serai jamais. Cette conversation avec Fløgstad, qui nous avait tant réjouis, n'était plus que ridicule et douloureuse. Rentré à la maison, j'appelai Yngve, qui à ma grande surprise prit la chose plutôt bien. C'est dommage, dit-il, tu es sûr que tu ne peux pas faire quelques corrections et lui renvoyer ? Quand le désespoir commença à se dissiper, je relus les commentaires et la lettre et m'aperçus que Fløgstad avait aussi commenté mes propres commentaires, par exemple l'adjectif « cortazarien », or rien ne l'autorisait à le faire, à se mêler de ce que je pensais de ses livres ou de mes jugements. Je lui écrivis une lettre qui expliquait que l'interview, comme il l'avait fait remarquer, comportait quelques imprécisions mais qu'il les avait en partie exprimées lui-même, ce que je savais au vu des notes que j'avais prises pendant l'interview téléphonique, et qu'en outre il avait émis des objections à mes commentaires, ceux du journaliste, et que cela dépassait ses compétences. S'il était d'accord, je pouvais prendre ses corrections comme point de départ, peut-être refaire une interview téléphonique et lui renvoyer une nouvelle version ? Quelques jours plus tard arriva une lettre polie mais ferme où il me donnait raison en ce que certains de ses commentaires portaient sur mes interprétations, mais que cela ne changeait rien au fait que l'interview n'était pas publiable. Quand je finis par me débarrasser de cette mortification, ce qui prit environ six mois pendant lesquels j'étais incapable de voir le visage de Fløgstad, ses livres ou ses articles sans ressentir une honte profonde, je transformai cet incident en histoire drôle. Yngve n'apprécia guère que ce fût à nos dépens, il ne voyait rien de comique dans le côté humiliant de la chose, ou plus exactement il n'y voyait rien d'humiliant. Nos questions avaient été pertinentes et la conversation avec Fløgstad intéressante, c'était ça qu'il voulait retenir.

À Bergen, ma vie resta comme figée pendant quatre ans, il ne s'y passait rien, je voulais écrire mais n'y parvenais pas et c'était pour ainsi dire tout. Yngve accumulait les unités de valeur à l'université et vivait la vie qu'il voulait, c'est du moins l'impression qu'on avait de l'extérieur, mais à un moment il stagna aussi. Il n'arrivait pas à terminer son mémoire de DEA car il n'y travaillait pas suffisamment, soit parce qu'il se reposait sur ses lauriers, soit parce qu'il avait beaucoup d'autres choses dans sa vie. Après qu'il eut enfin rendu son mémoire sur le vedettariat au cinéma, il fut chômeur un temps. C'est à ce moment-là que je commençai mon service civil à la radio pour étudiants et intégrai petit à petit un autre milieu que le sien, et surtout c'est là que je rencontrai Tonje, avec qui je sortis cet hiver-là, fou amoureux. Ma vie avait pris un tournant radical sans que je le comprenne moi-même car je restai pendant de nombreuses années accroché à l'image que je m'étais construite les premiers temps à Bergen. Ayant obtenu un poste de conseiller culturel dans la ville de Balestrand, Yngve quitta la ville soudainement, sans doute n'était-ce pas ce qu'il avait visé mais, n'ayant personne au-dessus de lui, il faisait fonction de responsable culturel et s'occupa en plus du festival de jazz. Son camarade Arvid le rejoignit, lui aussi employé par la municipalité. Il y retrouva Kari Anne qu'il avait déjà rencontrée à Bergen et qui travaillait comme enseignante, ils sortirent ensemble et eurent un enfant, Ylva, puis s'installèrent un an plus tard à Stavanger, où Yngve s'était donc lancé tête baissée dans un métier qu'il ne connaissait pas, le graphisme. Je trouvais ça bien mais en même temps j'étais inquiet, une affiche pour les Journées de Hundvåg et un prospectus pour une manifestation culturelle locale, était-ce suffisant ?

Nous n'avions jamais de contact physique, nous ne nous serrions jamais la main et nous regardions rarement dans les yeux.

Je réfléchissais à tout ça au moment où nous étions sur la terrasse chez grand-mère ce doux soir d'été de 1998, moi le dos au jardin, lui dans une chaise longue contre le mur. À l'expression de son visage, il était impossible de savoir s'il réfléchissait à ce que je venais de lui dire, mon désir de m'occuper de tout ici, y compris du jardin, ou si ça lui était indifférent.

Je me tournai pour écraser ma cigarette sur la balustrade en ferronnerie noire. Des particules de cendre et de braise tombèrent sur le béton.

— Est-ce qu'il y a un cendrier ?

— Pas que je sache, prends la bouteille.

Je fis comme il avait dit et fourrai le mégot dans la bouteille de Heineken. En proposant de faire l'enterrement ici, ce à quoi il objecterait sans doute que c'était impossible, notre différence, que je ne souhaitais pas visible, serait patente. Lui dans son rôle de réaliste qui a le sens pratique, moi dans celui de l'idéaliste qui agit impulsivement. Papa était notre père à tous les deux mais pas de la même façon, et mon souhait d'utiliser l'enterrement comme une sorte de réhabilitation ainsi que mes pleurs répétés, alors qu'Yngve n'avait pas encore versé une larme, pouvaient faire croire que ma relation à lui était plus profonde et que l'attitude d'Yngve était critiquable. Pour moi ce n'était pas ça mais je craignais que ce ne soit interprété comme ça. En même temps, et bien qu'il s'agît d'une vétille, ma proposition nous obligerait à nous opposer, or dans ces circonstances, je voulais que *rien* ne nous sépare.

Une étroite volute de fumée sortait de la bouteille en serpentant contre le mur, la cigarette n'était donc pas complètement éteinte et je cherchai quelque chose à poser sur le goulot. L'assiette que grand-mère avait utilisée pour la mouette peut-être ? Il restait encore deux morceaux de viande et un peu de sauce figée dessus mais elle ferait l'affaire, pensai-je, et je la posai délicatement en équilibre sur le goulot.

— Qu'est-ce que tu fabriques ? dit Yngve en me regardant.

— Je fais une sculpture. Viande hachée et bière au jardin, c'est son titre. Ou bien carbonade and beer in the garden.

Je me relevai et reculai d'un pas.

— Le plus subtil, dis-je, c'est la fumée qui s'élève, ça la rend interactive avec le monde extérieur, en quelque sorte. Ce n'est pas une sculpture ordinaire. Et les restes de nourriture, c'est la pourriture. Et ça aussi c'est une interaction, un processus, quelque chose en mouvement. Peut-être le mouvement en lui-même. À l'opposé de ce qui est statique. Et la bouteille de bière est vide, elle n'a plus de fonction car qu'est-ce qu'un contenant qui ne contient rien ? C'est rien. Mais ce rien a une forme, comprends-tu ? C'est cette forme que j'ai tenté de représenter ici.

— Ah... oui, dit-il.

Je sortis une autre cigarette du paquet posé sur la balustrade et bien que je n'en eusse pas particulièrement envie je l'allumai.

— Au fait, dis-je.

— Oui ?

— J'ai réfléchi à quelque chose, beaucoup même. Est-ce qu'après l'enterrement on ne pourrait pas recevoir les gens ici, dans la maison ? On a le temps de tout remettre en ordre en une semaine, si on tient bon. Tu comprends, il a tout ruiné ici et on ne peut pas l'accepter. Tu vois ce que je veux dire ?

— Évidemment. Mais tu crois qu'on va y arriver ? Il faut que je rentre à Stavanger lundi soir et je ne peux pas revenir avant jeudi. Éventuellement mercredi mais plus probablement jeudi.

— Ça ira. Tu es d'accord ?

— Oui. Reste à savoir si ça plaira à Gunnar.

— Ce n'est pas son affaire. C'est notre père à nous.

Nous fumions notre cigarette sans plus rien dire. En contrebas, le soir avait commencé à adoucir le paysage, et ses contours, qui embrassaient aussi l'activité humaine, se firent moins nets. Quelques bateaux rentrant dans la baie me rappelèrent les odeurs de plastique, de sel et d'essence qui règnent à bord et qui furent un élément essentiel de mon enfance. Un avion arriva de l'ouest sur la ville, si bas que je pus distinguer le logo de la compagnie Braathens SAFE. Il disparut dans un faible grondement. Des oiseaux babillaient dans le feuillage d'un pommier du jardin.

Yngve vida son verre et se leva.

— On retourne travailler un peu, dit-il, et ce sera suffisant pour aujourd'hui.

Il me regarda.

— Où en es-tu en bas ?

— J'ai fait toute la buanderie et les murs de la salle de bains.

— Bien.

Je le suivis. Quand j'entendis les sons forts et comprimés de la télévision, il me revint à l'esprit que grand-mère était là. Je ne pouvais rien faire pour elle, personne ne pouvait rien mais je pensai que ça la soulagerait peut-être un peu de nous voir, de se rappeler que nous étions là, et j'allai lui parler.

— Est-ce que tu as besoin de quelque chose ?

Elle leva rapidement les yeux vers moi.

— C'est toi ? Où est Yngve ?

— Il est dans la cuisine.

— Ah bon, dit-elle en tournant les yeux vers la télévision.

Sa vivacité n'avait pas disparu mais la maigreur l'avait transformée, ou bien elle se manifestait autrement, uniquement dans ses gestes et plus dans son caractère, comme autrefois. Avant, elle était vive, gaie, ouverte, elle avait de la repartie et faisait souvent des clins d'œil, occupée à plusieurs choses à la fois. Maintenant, elle avait l'âme sombre et broyait du noir. Je le voyais bien, c'était frappant. Mais ces ténèbres, peut-être l'habitaient-elles depuis toujours ?

Ses bras reposaient sur les accoudoirs et ses mains

agrippaient les extrémités, comme dans un fauteuil lancé à toute allure.

— Je descends nettoyer la salle de bains.

Elle tourna la tête vers moi.

— C'est toi ?

— Oui, je descends nettoyer la salle de bains. Tu as besoin de quelque chose ?

— Non merci.

— OK, dis-je en partant.

— Vous, vous n'avez pas l'habitude de boire un verre le soir, hein ? Toi et Yngve ?

S'imaginait-elle que nous buvions, nous aussi ? Que non seulement son fils avait ruiné sa vie mais ses petits-fils aussi ?

— Non, absolument pas.

Grand-mère n'eut pas l'air de vouloir parler davantage et je descendis à la cave, qui continuait à empester bien que la cause des mauvaises odeurs eût été supprimée. Je rinçai le seau rouge, le remplis d'eau brûlante et continuai le nettoyage de la salle de bains. D'abord le miroir et sa couche de crasse jaune marron qui s'avéra presque impossible à enlever, elle ne partit qu'à l'éponge grattoir et au couteau que j'étais allé chercher dans la cuisine. Ensuite le lavabo et la baignoire, puis l'embrasure de la fenêtre étroite et rectangulaire et sa vitre en verre dépoli, puis les toilettes, puis la porte, son seuil et son encadrement, et pour finir le sol que je récurai avant de jeter l'eau presque noire dans les toilettes et de sortir le sac-poubelle sur les marches où je restai quelques minutes à regarder la pénombre du soir d'été qui n'était pas vraiment de l'obscurité mais faisait plutôt penser à un éclairage défectueux.

Les voix fortes qui montaient et descendaient de la rue principale étaient sûrement celles d'une bande qui sortait en ville, elles me rappelèrent que nous étions samedi soir.

Pourquoi m'avait-elle demandé si nous buvions ? Était-ce uniquement à cause de papa ou est-ce qu'elle s'appuyait sur autre chose ?

Je pensais au temps où j'étais en terminale ici, dans cette ville, dix ans plus tôt. Lors de la parade des bacheliers, mes grands-parents qui regardaient le défilé m'avaient appelé et j'avais vu leur mine crispée quand ils avaient compris dans quel état d'ivresse j'étais. J'avais commencé à boire sec à Pâques cette année-là en Suisse, au camp d'entraînement de football avec mon équipe, et j'avais continué tout le printemps. Il y avait toujours une bonne occasion, un rassemblement, des gens qui voulaient se joindre à nous, et affublés de nos accoutrements de bacheliers tout nous était permis et tout nous était pardonné. Pour moi ce fut paradisiaque mais pour maman, avec qui j'habitais seul, ce fut autre chose et elle finit par me mettre à la porte de chez elle. Ça m'était bien égal car il n'y avait rien de plus simple au monde que de trouver un endroit pour dormir, que ce soit sur le canapé d'un salon, dans la cave d'un camarade ou dans notre fourgonnette de bacheliers ou dans les buissons d'un parc. Pour grand-mère et grand-père cette période d'avant baccalauréat représentait la transition vers la vie universitaire, comme elle l'avait été pour grand-père et comme elle l'avait été pour ses fils. Elle avait un côté solennel que je piétinais en étant à ce point ivre et défoncé, mais que je piétinais aussi en tant que rédacteur du journal humoristique des bacheliers. J'avais en effet illustré l'article principal consacré à la déportation à partir de l'île de Flekkerøya par une photo de Juifs transférés de leur ghetto vers les camps d'extermination. Là encore il s'agissait de tradition car mon père aussi avait été rédacteur du journal des bacheliers à son époque. Je traînais tout dans la boue.

Mais je n'en avais pas la moindre conscience et le journal intime que je tenais régulièrement à l'époque l'exprimait très clairement : il y était beaucoup question de bonheur.

Plus tard, j'avais brûlé tous mes journaux et toutes mes notes, et il ne restait pour ainsi dire aucune trace de celui que j'avais été jusqu'à l'âge de vingt-cinq ans. Et c'était bien ainsi, rien de bon n'en serait ressorti.

L'air s'était légèrement rafraîchi et je le sentis nettement sur ma peau encore chaude après tout le nettoyage, il m'enveloppait, exerçait une pression sur mon épiderme et s'engouffrait dans ma bouche quand je l'ouvrais. Il enveloppait aussi les arbres devant moi, les maisons, les voitures, les rochers. Il assaillait les lieux dès que la température baissait, cet éternel déferlement céleste qu'on ne voyait pas, il arrivait sur nous par vagues énormes, toujours en mouvement, descendant lentement, tourbillonnant rapidement, entrant et sortant de tous ces poumons, se cognant à tous ces murs, à tous ces rebords, toujours invisible, toujours là.

Mais papa ne respirait plus. C'était ça qui lui était arrivé. Son lien avec l'air avait été rompu et il en était désormais entouré comme n'importe quel autre objet, un bâton, un bidon d'essence, un canapé. Il ne pénétrait plus l'air, or c'est ça qu'on fait quand on respire, on imprime sa marque encore et toujours dans le monde.

Il était là, quelque part dans la ville.

Je rentrai au moment où quelqu'un ouvrait une fenêtre de l'autre côté de la rue d'où s'échappèrent de la musique et des voix fortes.

Bien que les autres toilettes fussent plus petites et moins souillées, je mis autant de temps à les nettoyer. Quand j'eus terminé, j'emportai les produits d'entretien, les lavettes, les gants et le seau à l'étage. Yngve et grand-mère étaient installés à la table de la cuisine. Derrière eux, la pendule indiquait neuf heures et demie.

— Tu dois sûrement avoir terminé de nettoyer maintenant ! dit grand-mère.

— Oui, oui, j'ai fini pour aujourd'hui.

Je regardai Yngve.

— As-tu parlé à maman aujourd'hui ?

Il secoua la tête.

— Je lui ai parlé hier.

— Je lui avais promis de l'appeler aujourd'hui mais je crois que je n'ai pas le courage. Il est peut-être un peu tard aussi.

— Tu l'appelleras demain, dit Yngve.

J'allai dans la salle à manger en fermant la porte de la cuisine derrière moi et restai assis un moment sur une chaise pour me ressaisir. Puis je composai le numéro de la maison. Elle répondit aussitôt comme si elle avait attendu devant le téléphone. Je reconnus toutes les nuances de sa voix et m'imprégnai d'elles, pas de ce qu'elle dit. D'abord la chaleur de son ton, sa compassion et son regret de n'être pas là, ensuite on aurait dit qu'elle se recroquevillait comme pour se blottir tout contre moi. De mon côté, je restais très distant. Elle venait à moi et j'en avais besoin mais moi je n'allais pas vers elle, je ne pouvais pas. Je décrivis succinctement ce qui s'était passé ici sans entrer dans les détails, en disant simplement que c'était affreux et que je pleurais tout le temps. Puis on parla un peu de ce qu'elle avait fait, bien qu'au départ elle ne voulût pas, et de la date de son arrivée ici. Après avoir raccroché, je retournai dans la cuisine, qui était vide, et bus un verre d'eau. Grand-mère était de nouveau dans son fauteuil devant la télévision, j'allai la voir.

— Tu sais où est Yngve ?

— Non, il n'est pas dans la cuisine ?

— Non.

L'odeur de pisse prenait à la gorge.

Je restais là sans savoir quoi faire. Pour les excréments, l'explication était simple. Il était tellement ivre qu'il ne contrôlait plus son corps.

Mais elle à ce moment-là, où était-elle ? Que faisait-elle ?

J'eus soudain l'envie de donner un grand coup de pied dans l'écran du téléviseur.

— Vous ne buvez pas au moins, toi et Yngve ? dit-elle tout à coup mais sans me regarder.

Je secouai la tête.

— Non. Enfin, ça arrive de temps en temps. Mais un peu seulement. Jamais beaucoup.

— Mais pas ce soir, hein ?

— Non, jamais de la vie ! Ça ne me viendrait pas à l'idée, ni à Yngve.

— Qu'est-ce qui ne me viendrait pas à l'idée ? dit Yngve derrière moi.

Je me retournai. Il montait les deux marches qui séparaient les deux salons.

— Grand-mère demande si nous avons l'habitude de boire.

— Ça arrive bien une fois de temps en temps, dit Yngve, mais pas souvent. Tu sais, j'ai deux enfants en bas âge maintenant.

— Tu en as *deux* ? dit grand-mère.

Yngve sourit. Je souris aussi.

— Oui, Ylva et Torje. Ylva, tu l'as déjà vue, et Torje, tu le verras à l'enterrement.

La petite étincelle de vie qui s'était allumée dans

les yeux de grand-mère s'éteignit. Mon regard croisa celui d'Yngve.

— La journée a été longue, dis-je, il est peut-être temps d'aller se coucher ?

— Je vais faire un tour sur la terrasse d'abord, dit Yngve, tu m'accompagnes ?

J'acquiesçai. Il alla dans la cuisine.

— Tu te couches tard d'habitude ? dis-je.

— Quoi ? dit grand-mère.

— On a l'intention d'aller dormir bientôt, tu veux rester encore ?

— Non, oh non, moi aussi je vais au lit.

Elle leva la tête et me regarda.

— Vous dormez en bas, alors, dans notre ancienne chambre ? Elle est libre.

Je secouai la tête et levai les sourcils en guise d'excuse.

— On pensait dormir au grenier, on s'est déjà installés là-haut.

— Oui, c'est aussi bien là-haut.

— Tu viens, dit Yngve.

Il était dans le salon, un verre de bière à la main.

Quand j'arrivai sur la terrasse, il était assis sur une chaise de jardin en bois devant une table qui allait avec.

— Où est-ce que tu as trouvé ça ? dis-je.

— Dans le débarras, là en dessous, il me semblait bien me souvenir de l'avoir déjà vue.

Je m'appuyai contre la balustrade. Au loin clignotait le ferry en partance pour le Danemark. Les rares petits bateaux que je pouvais voir avaient tous leurs lanternes allumées.

— Il faut qu'on trouve une de ces serpes électriques, dis-je, on n'y arrivera pas avec une tondeuse ordinaire.

— On trouvera dans les pages jaunes, lundi, une entreprise qui en loue, dit-il.

Il me regarda.

— Tu as parlé à Tonje ?

J'acquiesçai.

— On ne sera pas nombreux, dit Yngve. Nous, Gunnar, Erling, Alf et grand-mère. Seize en comptant les enfants.

— Ce ne seront pas vraiment des funérailles nationales.

Yngve posa son verre et s'adossa à la chaise. Au-dessus des arbres voltigeait une chauve-souris dans le ciel voilé de gris.

— As-tu réfléchi à ce qu'on va faire ? dit-il.

— Pour l'enterrement ?

— Oui.

— Non, pas vraiment. Mais en tout cas je ne veux pas une de ces horreurs d'enterrements civils. C'est absolument certain.

— Je suis bien d'accord. Religieux alors.

— Oui, il n'y a pas d'alternative. Mais il n'était pas membre de l'Église officielle.

— Ah bon ? dit Yngve. Je savais qu'il n'était pas pratiquant mais j'ignorais qu'il s'était radié.

— Si, il l'a dit une fois. Je m'étais moi-même radié de l'Église le jour de mes seize ans et le lui avais dit lors d'un repas à Elvegaten. Il s'était mis en colère. Et puis Unni avait dit qu'il s'était radié lui aussi et qu'il ne pouvait pas me reprocher d'avoir fait la même chose.

— Donc il n'aimerait pas que l'Église soit mêlée à son enterrement, dit Yngve.

— Mais il est mort. Et moi je veux, en tout cas. Je refuse d'assister à des pseudo-rituels et de lire leurs foutus poèmes. Je veux que ce soit comme il faut. Digne.

— Tout à fait d'accord.

Je me retournai et regardai la ville dont on percevait le bourdonnement régulier, atténué parfois par l'emballement d'un moteur de voiture sur le pont, que les jeunes s'amusaient à traverser rapidement à cette heure-là, ou bien aussi dans la rue Dronningen, longue et tirée au cordeau.

— Je vais me coucher, dit Yngve.

Il rentra dans le salon sans fermer la porte derrière lui. J'écrasai mon mégot par terre et le suivis. Lorsque grand-mère comprit que nous allions au lit, elle se leva pour aller chercher des draps.

— On s'en occupe, dit Yngve, ne te fais pas de souci, tu peux aller te coucher.

— Tu es sûr ? dit-elle, petite et voûtée dans l'embrasure de la porte, en levant les yeux vers lui.

— Oui, oui, dit Yngve, on va se débrouiller.

— Bien, bien, bonne nuit.

Puis elle descendit lentement les marches sans se retourner.

Je frémis de malaise.

Il n'y avait pas d'eau au grenier. On alla chercher nos brosses à dents et devant l'évier de la cuisine on se pencha chacun son tour vers le robinet pour se rincer la bouche, comme si nous étions à nouveau enfants. En vacances.

Je m'essuyai la bouche du revers de la main que je frottai sur mon pantalon. Il était onze heures moins vingt. Je ne m'étais pas couché aussi tôt depuis des années. Mais la journée avait été longue. J'avais le corps engourdi de fatigue et mal à la tête d'avoir pleuré. Les sanglots étaient loin maintenant. Peut-être étais-je endurci ? Déjà habitué à la situation ?

Une fois en haut, Yngve ouvrit la fenêtre et mit le crochet, il alluma la petite lampe à la tête du lit. Je fis la même chose de mon côté et éteignis le plafonnier.

Les meubles et les tapis n'ayant pas servi depuis deux ans au moins, ils s'étaient empoussiérés et il régnait une odeur de renfermé.

Yngve s'assit au bord du lit double et se déshabilla. Je fis de même de mon côté. Dormir dans le même lit avait quelque chose d'un peu trop intime, cela ne nous était plus arrivé depuis que nous étions enfants et proches d'une tout autre façon. Mais au moins nous avions chacun notre couette.

— As-tu réalisé que papa n'a jamais lu ton roman ? dit Yngve en tournant la tête vers moi.

— Non, dis-je. Je n'y avais absolument pas pensé.

Yngve avait eu le manuscrit début juin. La première chose qu'il m'avait dite après l'avoir lu était que papa allait me poursuivre en justice. C'était exactement les mots qu'il avait employés. J'étais dans une cabine téléphonique à l'aéroport, sur le point de partir en vacances en Turquie avec Tonje, ne sachant pas s'il se fâcherait ou m'offrirait son appui, n'ayant pas la moindre idée de l'effet que produirait ce que j'avais écrit sur des gens qui m'étaient proches. « Je ne sais pas si c'est bon ou mauvais, avait-il dit. Mais papa va te poursuivre en justice. J'en suis certain. »

— Mais tu te souviens de la phrase qui revient plusieurs fois, « Mon père est mort » ?

Yngve souleva la couette, se coucha et se releva à moitié pour ajuster son oreiller.

— Vaguement, dit-il en se rallongeant.

— C'est quand Henrik fuit le village. Il a besoin d'une excuse et c'est la seule chose qui lui vient à l'esprit. « Mon père est mort. »

— C'est vrai.

J'ôtai mon pantalon et mes chaussettes et me couchai. D'abord sur le dos, les mains croisées sur le ventre, jusqu'à ce que je réalise que j'avais la position d'un mort et qu'épouvanté je me tourne sur le côté.

Là, je vis mes vêtements en paquet par terre. Merde ! Pas question qu'ils restent comme ça, pensai-je, et je me relevai, pliai le pantalon et le t-shirt et les posai sur la chaise, les chaussettes par-dessus.

Yngve éteignit la lumière de son côté.

— Est-ce que tu as l'intention de lire ? dit-il.

— Non, absolument pas, dis-je en cherchant à tâtons l'interrupteur sur le câble. Mais sans le trouver. Était-il sur la lampe alors ? Oui, c'était ça.

J'appuyai fort car le vieux mécanisme opposait de la résistance. Les lampes devaient dater des années cinquante ou à peu près, du temps où ils emménagèrent ici.

— Bonne nuit, dit Yngve.

— Bonne nuit.

Oh, que j'étais heureux qu'il soit là. Seul, je n'aurais cessé de revoir les images du cadavre de papa, le côté physique de la mort, son corps, ses doigts et ses jambes, ses yeux aveugles, ses cheveux et ses ongles qui continuaient à pousser. La pièce dans laquelle il reposait, peut-être au fond d'une sorte de tiroir dans une morgue comme dans les films américains. Mais là, le bruit du souffle d'Yngve et ses tressautements m'apportaient la paix. Je n'avais plus qu'à fermer les yeux et laisser le sommeil m'envahir.

Je fus réveillé deux heures plus tard par Yngve qui s'était levé. D'abord indécis, il balaya la pièce du regard puis il attrapa sa couette, en fit une boule, alla jusqu'à la porte et fit demi-tour. Au moment où il allait recommencer, je lui dis :

— Tu marches en dormant, Yngve, recouche-toi.

Il me regarda.

— Je ne suis pas somnambule ! La couette doit passer la porte trois fois.

— D'accord, si tu le dis.

Il traversa la pièce deux fois encore, se recoucha

et remit la couette sur lui. Puis il tourna la tête plusieurs fois en marmonnant.

Ce n'était pas la première fois qu'il faisait ça. Quand nous étions enfants, c'était un somnambule notoire. Une fois, maman l'avait retrouvé nu dans la baignoire qu'il était en train de remplir d'eau, une autre fois, elle l'avait rattrapé devant la maison, alors qu'il allait chez Rolf lui demander s'il voulait jouer au foot. Souvent il jetait sa couette par la fenêtre et frissonnait le reste de la nuit. Papa aussi était somnambule. Il lui arrivait de venir dans ma chambre la nuit en caleçon et il restait là, ouvrait parfois un placard pour regarder à l'intérieur, ou me jetait un coup d'œil sans me reconnaître. De temps en temps, je l'entendais faire du bruit dans le salon et je savais qu'il changeait les meubles de place. Une nuit, il s'était allongé sous la table de la salle à manger et cogné si fort en se relevant qu'il avait saigné. Quand il ne marchait pas en dormant, il parlait ou criait dans son sommeil, et sinon il grinçait des dents. Maman disait qu'elle avait l'impression d'être mariée à un marin de la marine de guerre. Moi-même, une nuit, j'avais pissé dans l'armoire, mais sinon je me contentai de parler en dormant jusqu'à l'adolescence, période où mes activités nocturnes furent intenses. L'été où j'avais vendu des cassettes dans les rues d'Arendal et où j'habitais la chambre d'Yngve, j'avais pris sa trousse et j'étais sorti nu sur la pelouse me poster devant chaque fenêtre pour regarder, jusqu'à ce qu'Yngve parvienne à entrer en contact avec moi. Je niai fermement être somnambule en lui montrant sa trousse en guise de preuve, regarde, lui avais-je dit, c'est mon portefeuille, j'étais parti faire des courses. Que de fois j'avais vu par la fenêtre la rue s'élever ou disparaître, les murs s'écrouler ou l'eau monter. Une fois, je tenais le mur en criant à Tonje qu'elle se dépêche de sortir avant que la maison s'écroule. Une autre fois, j'étais persuadé qu'elle était dans l'armoire et j'avais jeté tous les vêtements par terre pour la trouver. Quand je devais partager la chambre avec d'autres, je les prévenais. C'est ainsi qu'avec un camarade, en résidence d'écrivain dans une grande maison de maître à la sortie de Kristiansand pour écrire un scénario, cet aveu avait sauvé la situation car, une nuit, je m'étais levé, lui avais arraché sa couette, lui avais attrapé les chevilles en lui disant, pendant qu'il me dévisageait épouvanté, *tu n'es qu'une poupée*. Mais ce qui revenait le plus souvent c'était qu'une loutre ou un renard s'était introduit dans ma couette que je jetais alors par terre et piétinais jusqu'à ce que je sois sûr que l'animal était mort. Il pouvait s'écouler une année entière sans que mon somnambulisme se manifeste, et puis soudain j'entrais dans des périodes où il ne se passait pas une nuit sans que je me lève. Je me retrouvais alors au grenier, dans les couloirs ou sur les pelouses, toujours persuadé de faire une chose complètement sensée qui se révélait complètement insensée au réveil.

Le plus étonnant dans la vie nocturne d'Yngve était qu'il lui arrivait parfois de parler le dialecte de l'Est. Ayant quitté Oslo à l'âge de quatre ans, il ne l'avait plus pratiqué depuis près de trente ans. Pourtant, ça pouvait lui échapper en dormant. C'était assez effrayant.

Je le regardai en train de dormir sur le dos, une jambe à l'extérieur de la couette. On a toujours dit que nous nous ressemblions mais c'était sûrement une impression générale. Si on comparait nos traits, il y avait peu de ressemblance. La seule chose était peut-être les yeux que nous tenions tous les deux de maman. Pourtant lorsque je m'installai à Bergen et rencontrai des gens qui ne connaissaient Yngve que vaguement, il arrivait qu'ils me demandent: « C'est toi Yngve ? » La question impliquait que je n'étais pas Yngve car, s'ils l'avaient cru, ils ne l'auraient pas posée, évidemment. Ils demandaient parce qu'ils trouvaient la ressemblance frappante.

Il tourna sa tête sur l'oreiller comme s'il réalisait que je l'observais et s'y opposait. Je fermai les yeux. Souvent il me disait qu'à plusieurs reprises papa avait complètement ruiné son estime de soi, qu'il l'avait humilié comme seul il était capable de le faire et que certaines périodes de sa vie avaient été empreintes du sentiment de ne savoir rien faire et de ne rien valoir. À d'autres, tout allait bien et il ne doutait de rien. Il ne laissait voir que ces périodes-là.

Bien entendu, l'image que j'avais de moi avait aussi été marquée par papa mais peut-être d'une autre manière. Je n'avais pas de périodes de doutes suivies de périodes de certitudes, chez moi tout se mélangeait en permanence et le doute qui m'assaillait si souvent ne concernait jamais ce qui était important, seulement ce qui était mineur, ce qui avait trait à mon environnement proche, les amis, les connaissances, les filles dont j'étais toujours persuadé qu'elles me dénigraient, qu'elles me considéraient comme un imbécile, et ça me minait, tous les jours ça me minait. En revanche, je ne doutais jamais de pouvoir atteindre ce que je voulais, ni d'avoir cette capacité en moi car ma soif était immense et ne s'apaisait jamais. Comment aurait-elle pu s'apaiser d'ailleurs ? Comment aurais-je fait alors pour vaincre tout le monde ?

Quand je me réveillai à nouveau, Yngve était à la fenêtre et boutonnait sa chemise.

— Quelle heure est-il ? dis-je.

Il se retourna.

— Six heures et demie. C'est trop tôt pour toi ?

— Ah oui, alors !

Il avait enfilé un pantalon kaki léger, du genre court qui s'arrête au-dessous du genou et une chemise à rayures grises par-dessus.

— Je descends, tu me suis ?

— Oui, oui.

— Tu ne te rendors pas, hein ?

— Non.

Quand le bruit de ses pas disparut dans l'escalier, je posai les pieds par terre et attrapai mes vêtements sur la chaise. Je regardai mécontent les deux bourrelets sur mon ventre. Tâtai dans le dos mais là, heureusement, il n'y avait encore rien. De toute façon, il fallait absolument que je me remette à courir quand je rentrerais à Bergen. Et à faire des abdominaux tous les matins.

Je reniflai mon t-shirt.

Impossible à remettre.

J'ouvris ma valise et sortis mon t-shirt blanc Boo Radleys que j'avais acheté quand ils étaient passés en concert à Bergen, deux ans auparavant, et un pantalon bleu foncé dont les jambes avaient été coupées. Le soleil ne brillait pas mais il faisait chaud et lourd.

Un étage en dessous, Yngve avait mis le café en route, sorti du pain et de quoi garnir les tartines. Portant la même robe que la veille, grand-mère était assise à la table et fumait. Je n'avais pas faim et me contentai d'un café et d'une cigarette sur la terrasse avant de descendre seau, lavettes et produits d'entretien à l'étage inférieur pour continuer le nettoyage. J'allai d'abord dans la salle de bains voir ce que j'avais fait la veille. Excepté le rideau de douche taché et poisseux que j'avais laissé là par inadvertance, le reste était propre. En mauvais état mais propre.

Je descendis la tringle qui allait d'un mur à l'autre

au-dessus de la baignoire, fis glisser le rideau que je jetai dans un sac-poubelle puis je lavai la barre et ses deux fixations avant de la replacer. À quoi s'atteler maintenant ? La buanderie et les deux salles d'eau étaient terminées. À cet étage, il restait encore la chambre de grand-mère, le couloir, le vestibule, la chambre de papa et la grande chambre. Je ne voulais pas faire la chambre de grand-mère maintenant, j'aurais eu le sentiment d'empiéter sur son domaine, parce que nous aurions su dans quel état était sa chambre mais aussi parce qu'il y avait comme une mise sous tutelle dans le fait qu'un petit-fils nettoie la chambre de sa grand-mère. Je n'avais pas le courage non plus de m'atteler à la chambre de papa, entre autres parce que des papiers s'y trouvaient qu'il fallait d'abord trier. Quant au couloir et au vestibule couverts de moquette, il fallait d'abord une shampouineuse. Ce serait donc la cage d'escalier.

Je remplis le seau d'eau et emportai une bouteille d'eau de Javel, une bouteille de savon noir et un flacon de Cif puis commençai par la rampe qui n'avait pas été lavée depuis cinq ans, au moins. Entre les barreaux gisaient toute sorte de cochonneries, des restes de feuilles mortes, des petits cailloux, des insectes desséchés et de vieilles toiles d'araignée. La rampe en bois foncé était presque noire par endroits et poisseuse ici et là. J'étalai le Cif, essorai la lavette et récurai centimètre par centimètre. Après avoir ainsi réussi à nettoyer un endroit et lui avoir rendu approximativement sa couleur sombre et dorée, je trempai une autre lavette dans l'eau de Javel et frottai à nouveau. L'odeur de chlore et le design de la bouteille me ramenèrent aux années soixante-dix, plus précisément au placard sous l'évier de la cuisine où se trouvaient les produits d'entretien. Le Cif n'existait pas à cette époque mais il y avait de l'Ajax en poudre dans une sorte de flacon en carton, rouge, blanc et bleu. Du savon noir. De l'eau de Javel dans sa bouteille en plastique bleu avec son bouchon à rainure sécurisé qui n'avait pas changé. La marque OMO aussi. Et puis il y avait une boîte de lessive avec l'image d'un enfant qui tenait la même boîte et, sur celle-ci, encore l'image de l'enfant tenant la même boîte et ainsi de suite. Est-ce que c'était la marque Blenda ? En tout cas je m'aiguisais l'esprit sur cette mise en abyme, finalement infinie et qui existait aussi ailleurs, dans la salle de bains par exemple, où, en tenant un miroir derrière la tête, on pouvait voir les images se réfléchir à l'infini tout en rapetissant jusqu'à l'invisible. Mais que se passait-il au-delà du visible ? Est-ce que la réduction se poursuivait ?

Il y avait tout un monde entre les marques de l'époque et celles de maintenant, et avec elles me revenaient aussi les bruits, les goûts, les odeurs, c'était totalement irrésistible comme l'est tout ce qu'on a perdu, tout ce qui a disparu. L'odeur d'herbe tondue à ras et nouvellement arrosée quand on est assis par terre sur le terrain de foot après l'entraînement, l'ombre immense des arbres immobiles, les cris et les rires des enfants qui se baignent dans le lac de l'autre côté de la route, le goût fort mais sucré de la boisson énergétique XL-1. Ou encore le goût de sel qui remplit fatalement la bouche quand on plonge dans la mer, même si on l'a bien pincée en fendant l'eau, le chaos de courants et de bulles d'air en dessous mais aussi la lumière dans les algues et les plantes et les rochers nus, les grappes de moules et les colonies de balanes d'une incandescence tranquille et modérée sous le soleil au zénith d'un ciel bleu et sans nuage par une journée d'été. Le ruissellement de l'eau sur le corps quand on sort de la mer en prenant appui dans un creux du rocher, les gouttes d'eau qui restent entre les omoplates quelques petites secondes avant de s'évaporer, et l'eau du maillot qui continue à goutter longtemps après qu'on s'est allongé sur la serviette. Le hors-bord qui plane au-dessus de l'eau, le grondement du moteur se mêlant au bruit saccadé et arythmique des coups sourds de la coque frappant irrégulièrement les vagues, l'irréalité de celui-ci dans un environnement tellement immense que sa présence peine à s'incarner.

Mais tout ça existait encore. Les rochers-baleines étaient toujours les mêmes, la mer les assaillait toujours de la même façon et les paysages sous-marins aussi avec leurs vallées, leurs baies, leurs précipices et leurs versants couverts d'étoiles de mer et d'oursins, de crabes et de poissons, étaient toujours les mêmes. On pouvait toujours acheter des raquettes de tennis Slazenger, des balles Tretorn, des skis Rossignol, des fixations Tyroka et des chaussures Koflack. Toutes les maisons que nous avions habitées étaient encore debout. La seule différence, et c'est la différence entre la réalité d'un enfant et celle d'un adulte, était que tout ça n'avait plus de charge émotionnelle. Une paire de chaussures de foot Le Coq sportif n'était qu'une paire de chaussures de foot et, quand j'en avais une dans les mains, je ne ressentais qu'un écho de l'enfance, rien d'autre, rien en soi. C'était la même chose avec la mer, les rochers, le goût de sel qui imprégnait si fort tous les mois d'été, mais qui maintenant n'avait que le goût du sel, point final. Le monde était le même sans être tout à fait le même car son sens s'était décalé et se décalait encore, s'approchant de l'absurde.

J'essorai la lavette, l'étendis sur le rebord du seau et observai le résultat de mon travail. L'éclat du vernis était revenu même s'il y avait encore des taches çà et là, incrustées dans le bois. J'avais lavé un bon tiers de la rampe menant au niveau suivant et il restait encore celle qui montait jusqu'au dernier étage.

J'entendis les pas d'Yngve sur le palier au-dessus de moi et il apparut un seau à la main et un rouleau de sacs-poubelle sous le bras.

— Tu as fini en bas ? dit-il en m'apercevant.

— Non, tu es fou. Je n'ai fait que les salles d'eau et la buanderie. J'avais pensé attendre pour le reste.

— Je m'attelle à la chambre de papa maintenant. C'est là qu'il y a le plus à faire, semble-t-il.

— Tu as fini la cuisine ?

— Oui, pour ainsi dire. Il reste quelques placards à vider mais sinon, c'est fait.

— OK. Je fais une pause, je vais manger un peu. Grand-mère est dans la cuisine ?

Il acquiesça en passant à côté de moi. J'essuyai sur mon short mes mains à la peau molle et ridée par l'eau, jetai un dernier coup d'œil à la rampe et montai à la cuisine.

Grand-mère se balançait sur sa chaise. Elle ne leva même pas les yeux lorsque j'entrai. Je me souvins des médicaments. Est-ce qu'elle les avait pris ? Sûrement pas.

J'ouvris le placard et les sortis.

— Est-ce que tu as pris ça aujourd'hui ? dis-je en montrant la boîte.

— Qu'est-ce que c'est ? Des médicaments ?

— Oui, c'est celui qu'on t'a prescrit hier.

— Non.

Je sortis un verre du placard, le remplis d'eau et lui tendis avec un comprimé. Elle le posa sur sa langue et l'avala avec de l'eau. Elle n'eut pas l'air de vouloir en dire davantage et, pour ne pas tomber dans l'obligation de parler qu'implique le silence, j'emportai quelques pommes, au lieu des tartines que j'avais d'abord pensé manger, ainsi qu'un verre d'eau et une tasse de café. Dehors, il faisait gris et doux comme la veille. Une brise légère venait de la mer, quelques mouettes survolaient le bassin portuaire en criant, et non loin de là s'élevaient des bruits métalliques. On entendait le grondement régulier de la circulation en ville. Au-dessus des toits, à quelques pâtés de maisons du quai, une grue droite et frêle s'élevait. Elle était jaune et sa cabine, si c'est bien comme cela qu'on appelle l'endroit où manœuvre le grutier, était tout en haut. Il était étonnant que je ne l'aie pas remarquée plus tôt, car à mes yeux les grues étaient parmi les choses les plus belles qui soient, avec leur allure de squelette, leurs câbles qui couraient de part et d'autre de la flèche, leur énorme crochet et les lourdes charges qui se balançaient sur fond de ciel, hissées par ce mécanisme éphémère.

Je venais juste d'engloutir une des pommes, y compris la queue et les pépins, et j'allais entamer l'autre lorsque Yngve traversa le jardin. Il avait une grosse enveloppe dans la main.

— Regarde ce que j'ai trouvé, dit-il en me la tendant.

Je l'ouvris. Elle était remplie de billets de mille.

— Il y a environ deux cent mille, dit-il.

— Eh bien ! Elle était où ?

— Sous son lit. C'est sûrement l'argent de la vente de la maison d'Elvegaten.

— Oh merde ! Alors c'est tout ce qui reste ?

— Probablement. Il n'a même pas mis l'argent à la banque, préférant l'avoir sous son lit pour le dépenser à boire, tout simplement, un billet de mille après l'autre.

— Je me fous de l'argent. Mais cette vie qu'il a menée ici, quelle tristesse.

— Ça, tu peux le dire.

Il s'assit. Je posai l'enveloppe sur la table.

— Qu'est-ce qu'on va en faire ? dit-il.
— Aucune idée. Les partager je suppose ?
— Je pensais aux droits de succession.
Je haussai les épaules.
— On demandera à Jon Olav, il est avocat.
On entendit une voiture dans l'étroite rue en contrebas de la maison. Sans la voir, je compris à sa façon de s'arrêter, reculer et repartir qu'elle venait ici.
— Qui ça peut être ? dis-je.
Yngve se leva et attrapa l'enveloppe.
— Qui la prend ?
— Toi, dis-je.
— En tout cas, le problème des dépenses pour l'enterrement est résolu, dit-il en passant à côté de moi pour rentrer.
Je le suivis. On entendit des voix dans le vestibule du bas. C'était Gunnar et Tove. Nous étions sur le palier quand ils montèrent l'escalier, un peu mal à l'aise comme si nous étions encore enfants, Yngve portant l'enveloppe.
Tove était toujours aussi bronzée et aussi bien conservée que Gunnar.
— Bonjour, dit-elle en souriant.
— Bonjour, dis-je, ça fait bien longtemps.
— Oui, c'est vrai. Dommage que ce soit dans ces circonstances.
— Oui, dis-je.
Quel âge pouvaient-ils bien avoir ? Bientôt la cinquantaine ?
Dans la cuisine, grand-mère se leva.
— C'est vous ? dit-elle.
— Reste assise, maman, dit Gunnar. On est venus donner un coup de main à Yngve et Karl Ove.
Il nous fit un clin d'œil.
— Mais vous prendrez bien un café ? dit-elle.
— Pas de café pour nous, dit Gunnar. Il faut qu'on

reparte bientôt. Les garçons sont seuls à la maison de campagne.

— Bien, bien, dit grand-mère.

Gunnar entra dans la cuisine.

— Vous avez déjà bien travaillé, dit-il. C'est impressionnant.

— On a pensé rassembler les gens ici après l'enterrement, dis-je.

Il me regarda.

— Mais ce n'est pas possible, dit-il.

— Si, c'est possible, dis-je. Nous avons encore cinq jours. Ça ira.

Il détourna les yeux. Peut-être à cause des larmes dans les miens.

— C'est vous qui décidez, dit-il. Et si vous pensez que c'est faisable alors allons-y. Raison de plus pour s'y mettre !

Il alla dans le salon. Je le suivis.

— On va jeter tout ce qui est abîmé. Ce n'est pas la peine de garder quoi que ce soit. Les canapés, ils sont comment ?

— Il y en a un de correct, dis-je, on peut le nettoyer. L'autre par contre…

— On l'emporte, dit-il.

Il se posta devant le grand canapé en cuir noir. Je me plaçai à l'autre extrémité, me penchai et l'attrapai par en dessous.

— On passe par la terrasse, dit Gunnar. Tu peux nous ouvrir la porte, Tove ?

De l'embrasure de la porte de la cuisine, grand-mère nous regardait traverser la pièce.

— Qu'est que vous faites avec mon canapé ?

— On va le jeter, dit Gunnar.

— Vous êtes fous ! Pourquoi est-ce que vous voulez le jeter ? Vous ne pouvez pas jeter mon canapé comme ça !

— Il est abîmé, dit Gunnar.
— De quoi vous mêlez-vous ? C'est mon canapé !
Je stoppai. Gunnar me regarda.
— Il le faut, tu sais, lui dit Gunnar. Allez Karl Ove, on le sort.
Grand-mère fit quelques pas vers nous.
— Vous ne pouvez pas faire ça ! C'est ma maison !
— Si, on peut, dit Gunnar.
Nous étions arrivés aux marches menant à l'autre salon. Je fis quelques pas sur le côté sans la regarder. Elle était à côté du piano. La volonté qui émanait d'elle me vrillait. Gunnar n'y faisait pas attention. Ou bien luttait-il contre elle aussi ? C'était sa mère.
Il descendit les deux marches à reculons en se déplaçant lentement.
— C'est incroyable ! dit grand-mère.
En quelques minutes, elle avait complètement changé. Ses yeux lançaient des éclairs. Son corps, si passif et refermé sur lui-même, s'agitait dans tous les sens. Les mains sur les hanches, elle fulminait.
— Oh !
Puis elle tourna les talons.
— Je ne veux pas voir ça, dit-elle en retournant dans la cuisine.
Gunnar me sourit. Je descendis les deux marches et fis quelques pas de côté pour me retrouver face à la porte. Il y avait des courants d'air et je sentais le vent sur mes jambes, sur mes bras nus et sur mon visage. Les rideaux flottaient.
— Ça va ? dit Gunnar.
— Oui, je crois.
Arrivés sur la terrasse, on posa le canapé quelques secondes avant de descendre les marches, de traverser le jardin et de le déposer dans la remorque devant le garage. Il dépassait d'environ un mètre. Gunnar prit une corde bleue dans son coffre et se

mit à l'amarrer. Je ne savais pas très bien quoi faire et restai à le regarder au cas où il aurait besoin d'aide.

— Ne t'inquiète pas pour elle, dit-il en continuant de nouer la corde, elle ne sait pas trop ce qu'elle fait en ce moment.

— Oui.

— Qu'est-ce qu'il y a encore à jeter ? Tu sais sûrement mieux que moi.

— Un certain nombre de choses dans sa chambre à lui. Et dans la sienne. Et dans le salon. Mais rien de volumineux comme le canapé.

— Son matelas à elle, peut-être ? dit-il.

— Oui. Et le sien à lui aussi. Mais il faut lui en trouver un autre à elle.

— On peut prendre celui de leur ancienne chambre.

— Oui, c'est faisable.

— Si elle proteste quand vous êtes seuls avec elle, ne vous inquiétez pas. Faites ce que vous avez à faire. C'est pour son bien.

— Oui.

Il enroula le reste de corde et le fixa à la remorque.

— Ça devrait tenir, dit-il en se redressant.

Il me regarda.

— Est-ce que vous avez jeté un œil dans le garage, au fait ?

— Non.

— Quand il a emménagé ici, il y a mis toutes ses affaires. Il faudra que vous les emportiez. Triez-les maintenant. Il y a sûrement plein de choses à jeter.

— On le fera.

— Il n'y a plus beaucoup de place dans la remorque mais on va la remplir autant qu'on peut avant d'aller à la décharge. Pendant ce temps-là vous sortez les choses à jeter et on pourra faire un deuxième voyage. Après, il faudra qu'on reparte. Si besoin est, je peux éventuellement revenir la semaine prochaine.

— Merci.

— Je comprends bien que ce n'est pas facile pour vous tout ça.

Il soutint mon regard quelques secondes avant de détourner les yeux, qui contrastaient avec son teint bronzé et semblaient presque aussi clairs que ceux de papa.

Il y avait tant de choses qu'il ne voulait pas aborder. Tout ce dont je débordais, par exemple.

Il posa la main sur mon épaule.

Quelque chose se brisa en moi. Un sanglot éclata.

— Vous êtes de bons garçons, dit-il.

Je fus obligé de me détourner. Je me penchai, le visage dans les mains. Mon corps tremblait. Puis ce fut terminé. Je me redressai et respirai profondément.

— Est-ce que tu connais un endroit où on peut louer des machines ? Tu sais, des ponceuses ou des grosses tondeuses ?

— Vous voulez poncer les parquets ?

— Non, non, ce n'était qu'un exemple. Mais je voudrais tondre la pelouse et ce n'est pas possible avec une tondeuse ordinaire.

— Est-ce que vous n'en faites pas un peu trop ? Ne vaudrait-il pas mieux se concentrer sur l'intérieur de la maison ?

— Si, peut-être. Mais si jamais on avait le temps.

Il pencha à peine la tête et se gratta le cuir chevelu avec un doigt.

— Il y a un loueur de machines à Grim qui devrait avoir ça. Regarde dans les pages jaunes.

À côté de nous, la blancheur du mur de fondation s'intensifia. Je levai les yeux. La couche nuageuse s'était déchirée, laissant briller le soleil. Gunnar rentra et je le suivis. Dans le couloir devant la chambre de papa se trouvaient deux grands sacs-poubelle remplis de vêtements et de bric-à-brac, à côté, la chaise souillée. Dans la chambre, Yngve nous regardait, il portait des gants jaunes en caoutchouc.

— On pourrait jeter le matelas, dit-il. Il y a de la place ?

— Plus maintenant, dit Gunnar. On l'emportera au prochain voyage.

— Au fait, on a trouvé ça sous son lit, dit Yngve en attrapant l'enveloppe qu'il avait posée sur la console et il la lui tendit.

Gunnar l'ouvrit.

— Il y a combien là-dedans ?

— Environ deux cent mille, dit Yngve.

— C'est à vous maintenant. Mais n'oubliez surtout pas de partager avec votre sœur.

— Évidemment, dit Yngve.

Y avait-il pensé ?

Moi, non.

— Et puis vous décidez de déclarer l'argent ou pas, dit Gunnar.

Tove resta pour nettoyer quand Gunnar, un quart d'heure plus tard, emporta la remorque pleine. Avec toutes les portes et les fenêtres ouvertes sur l'air en mouvement, le soleil sur les sols et l'odeur de propre, au moins au premier étage, la maison était comme ouverte au monde et je m'en réjouissais, moi qui avais les idées sombres. Je continuai à nettoyer l'escalier, Yngve la chambre de papa et Tove le salon, là où on l'avait retrouvé mort. Les encadrements de fenêtres, les plinthes, les portes, les étagères. Plus tard, je montai à la cuisine pour changer l'eau. Grand-mère leva les yeux quand je jetai l'eau sale mais son regard vide et indifférent se détourna rapidement pour se repencher sur la table. L'eau brunâtre et opaque s'écoulait petit à petit en tournoyant lentement dans l'évier jusqu'à ce qu'elle disparaisse avec les dernières traces de mousse blanche et qu'il ne reste plus qu'une couche mate de sable, de poils et de débris divers sur le métal brillant. J'ouvris le robinet et laissai couler l'eau le long des parois du seau pour le rincer jusqu'à ce que toute la saleté soit partie et que je puisse le remplir d'eau brûlante et propre. Quand l'instant d'après j'entrai dans le salon, Tove se tourna vers moi en souriant.

— Il y a du travail à faire ici, dit-elle.

Je m'arrêtai.

— Ça avance en tout cas, dis-je.

Elle posa son chiffon sur l'étagère et se passa rapidement la main dans les cheveux.

— Elle n'a jamais vraiment été un as du ménage, dit-elle.

— Mais c'était toujours propre avant, non ?

Elle rit en secouant la tête.

— Oh non. On aurait pu le croire mais non... Depuis le temps que je viens ici, cette maison a toujours été sale. Pas partout mais dans les coins. Sous les meubles. Sous les tapis. Tu sais, là où ça ne se voit pas.

— Ah bon ?

— Oh oui. De ce côté-là, elle n'a jamais vraiment été une femme d'intérieur.

— Peut-être pas.

— Mais elle méritait mieux que ça. On croyait qu'elle pourrait encore profiter de la vie quelque temps après la mort de grand-père. On lui avait trouvé une aide ménagère, tu sais, qui s'occupait de toute la maison.

J'acquiesçai.

— Oui, je sais.

— Ça nous rendait bien service à nous aussi car c'était toujours nous qui les aidions. Pour tout. Et ça fait déjà longtemps qu'ils sont vieux. En plus avec le père que tu avais et Erling à Trondheim, tout nous retombait dessus.

— Je sais bien, dis-je en ouvrant les bras et levant les sourcils, dans un geste censé lui montrer ma sympathie sans que j'aie pu rien faire moi-même.

— Elle a besoin qu'on s'occupe d'elle et il faut qu'elle aille dans une institution. C'est terrible de la voir comme ça.

— Oui.

Elle sourit à nouveau.

— Comment va Sissel ?

— Bien. Elle habite à Jølster et je crois qu'elle s'y plaît. Et puis elle travaille à l'école d'infirmières de Førde.

— Passe-lui le bonjour quand tu l'auras au téléphone.

— Je n'y manquerai pas, dis-je en souriant aussi.

Tove reprit son chiffon et je redescendis l'escalier dont il restait encore environ la moitié à laver, je posai le seau, tordis la lavette et étalai du Cif sur la rampe.

— Karl Ove ? dit Yngve.

— Oui ?

— Viens voir.

Il était devant le miroir du couloir. Sur le poêle à fuel, il avait posé un énorme tas de papiers. Il avait les larmes aux yeux.

— Regarde, dit-il en me tendant une enveloppe.

Elle était adressée à Ylva Knausgaard, Stavanger. À l'intérieur, une feuille où était écrit Chère Ylva et c'était tout.

— Il lui a écrit ? D'ici ? dis-je.

— Visiblement. Sans doute pour son anniversaire. Et puis il a laissé tomber. Il n'avait pas l'adresse, tu sais.

— Je croyais que c'était tout juste s'il connaissait son existence, dis-je.

— Mais finalement il savait. Et il lui arrivait même de penser à elle.

— C'était son premier petit-enfant.

— C'est vrai. Mais s'agissant de papa, on sait que ça n'avait pas d'importance.

— Putain, c'est d'une tristesse.

— J'ai trouvé autre chose. Regarde.

Il me tendit cette fois une lettre imprimée, plus officielle, qui émanait de la Caisse nationale de prêt pour la formation et annonçait qu'il avait terminé de rembourser son emprunt d'études.

— Regarde la date, dit Yngve.

Le 29 juin.

— Deux semaines avant sa mort, dis-je en regardant Yngve dans les yeux. Nous partîmes à rire.

— Hehehe, riait-il.

— Hehehe. Et tout ça pour ça, dis-je. Hehehe !

— Hehehe !

Lorsque Gunnar et Tove partirent une heure plus tard, l'atmosphère de la maison changea de nouveau. Avec nous trois seulement, c'était comme si les pièces se refermaient sur ce qui s'était passé, comme si nous n'étions pas assez forts pour les maintenir ouvertes. Ou peut-être était-ce parce que nous étions trop au cœur de ce qui s'était passé et y prenions une plus grande part que Gunnar et Tove. Quoi qu'il en fût, le mouvement et la vie s'estompèrent, et la télévision, les fauteuils, le canapé, les portes coulissantes entre les deux salons, le piano noir et les deux peintures baroques au-dessus, chaque objet reprit ses droits, massif et immuable témoin du passé. Dehors, le ciel s'était couvert de nouveau et le blanc-gris des nuages tamisait les couleurs du paysage. Yngve triait les papiers, je lavais l'escalier et grand-mère dans la cuisine restait plongée dans ses idées noires. Vers quatre heures, Yngve pris la voiture pour aller acheter à manger. Attentif à tout mouvement dans la maison, j'espérais ardemment que grand-mère n'entamerait pas une de ses rares pérégrinations pour venir me voir car mon âme, ou quel que fût ce lieu en moi où les autres inscrivaient si facilement leur trace, était si fragile et si sensible que je ne pourrais supporter le poids de sa présence, tant elle était déchirée de tristesse et de chagrin. Mais j'espérais en vain car bientôt j'entendis un bruit de chaise là-haut, puis son pas dans le salon et dans l'escalier.

Elle se tenait à la rampe comme devant un précipice.

— Te voilà, dit-elle.

— Oui, mais j'ai bientôt fini.

— Et où est Yngve ?

— Il est parti faire des courses.

— Ah oui c'est vrai.

Elle resta longtemps à regarder ma main frotter la rampe. Puis nos regards se rencontrèrent. Le sien me glaça. Elle avait l'air de me haïr.

Elle soupira en repoussant la boucle qui lui tombait continuellement sur l'œil.

— Tu as de la constance. Tu as vraiment de la constance.

— Moui, autant en faire le plus possible une fois qu'on s'y est mis, tu ne trouves pas ?

On entendit le ronronnement d'un moteur de voiture.

— Le voilà, dis-je.

— Qui ça ? Gunnar ?

— Yngve.

— Il n'était pas là ?

Je ne répondis pas.

— Ah oui, c'est vrai. Je commence vraiment à perdre la tête moi aussi !

Je souris, laissai tomber la lavette dans l'eau presque opaque et attrapai l'anse du seau.

— On va préparer à manger, dis-je.

Dans la cuisine, je jetai l'eau, tordis la lavette et la pendis sur le rebord du seau pendant que grand-mère s'asseyait à sa place. Quand je pris le cendrier, elle tira le rideau par le bord inférieur pour regarder dehors. Je lavai le cendrier, pris les tasses et les posai dans l'évier, rinçai l'éponge, mis un peu de détergent sur la table et la nettoyais lorsque Yngve arriva chargé de deux sacs. Il les déposa et sortit les marchandises, en commençant par celles que nous allions utiliser pour le repas, quatre darnes de saumon emballées sous vide, un sac de pommes de terre terreuses, un chou-fleur et un paquet de haricots surgelés, puis les autres qu'il rangea soit dans le réfrigérateur, soit dans le placard. Un litre et demi de Sprite, un litre et demi de bière CB, un sac d'oranges, un carton de lait, un carton de jus d'orange et un pain. J'allumai la cuisinière, sortis une poêle du placard, la margarine du réfrigérateur, en coupai un morceau que je mis dans la poêle, remplis une grande casserole d'eau et la posai sur une plaque arrière, dénouai le sac et fis tomber les pommes de terre dans l'évier, ouvris le robinet et me mis à les laver pendant que le morceau de beurre s'étalait lentement sur le fond noir de la poêle. Je fus à nouveau frappé par le fait que la propreté des marchandises me rende ma bonne humeur, leurs couleurs nettes comme l'emballage vert et blanc des haricots avec ses lettres et son logo rouges, ou bien le sac en papier blanc qui enveloppait le pain, sauf à une extrémité où la croûte sombre et arrondie dépassait un peu comme un escargot de sa coquille, ou, pensai-je, comme un moine de sa capuche. La couleur vive des oranges à travers le plastique, cette masse, où la forme sphérique de chacune était cachée par les autres, ressemblait au dessin d'une molécule dans un manuel scolaire. Leur odeur qui s'emparait de la pièce dès qu'on les épluchait ou les coupait et qui me rappelait toujours papa. La cigarette et l'orange, c'était ça que sentait la pièce où il était. Quand cette odeur-là m'accueillait en entrant dans mon bureau, elle me comblait toujours d'aise.

Mais pourquoi donc ? De quel bien-être s'agissait-il ?

Yngve fit une boule des deux sacs en plastique et les mis dans le dernier tiroir. Le beurre commençait tout juste à grésiller. Le jet d'eau se brisait sur les pommes de terre que je maintenais sous le robinet et l'eau qui coulait sur les parois de l'évier n'avait pas assez de force pour emporter toute la terre qui s'accumulait en une couche de boue autour des trous d'évacuation, jusqu'à ce que je retire les pommes de terre propres et qu'en l'espace d'une seconde l'eau emporte tout, rendant à l'évier son éclat propre et net.

— Bon, dit grand-mère.

Ses orbites profondes et ombrées autour des yeux clairs, ses os saillants sur tout le corps.

Debout, Yngve buvait un verre de Coca.

— Est-ce que je peux t'aider à quelque chose ? dit-il.

Il posa le verre vide et rota à peine.

— Non, ça va.

— Je vais faire un tour dehors, alors.

— Vas-y.

Je mis les pommes de terre dans l'eau que la chaleur avait déjà mise en mouvement, de petites ondes remontaient à la surface. Sur la hotte aspirante, je trouvai du sel dans un petit drakkar en argent dont la rame servait de cuiller et en versai dans l'eau, je coupai le chou-fleur, remplis une autre casserole d'eau et le mis dedans avant d'ouvrir le paquet de saumon avec un couteau, d'en sortir les darnes, de les saler et de les poser sur une assiette.

— On mange du poisson, dis-je. Du saumon.

— Ah oui, dit grand-mère. Ce sera sûrement bon.

Il fallait absolument qu'elle prenne un bain et se lave les cheveux. Qu'elle mette des vêtements propres. J'en rêvais presque. Mais qui pouvait s'en charger ? Elle n'avait pas l'air d'en prendre elle-même l'initiative et nous ne pouvions pas le lui demander, c'était impossible. Et si elle ne voulait pas ? Nous ne pouvions pas non plus l'obliger.

On demanderait à Tove. Venant d'une personne du même sexe, et plus proche d'elle en âge, ce serait moins humiliant.

Je mis les filets dans la poêle et la hotte en marche. En l'espace de quelques secondes le dessous du poisson se mit à pâlir, passant du rose profond presque rouge au rose pâle, et je voyais le changement de couleur monter lentement. Je baissai la chaleur sous les pommes de terre qui cuisaient à gros bouillon.

— Aaah, dit grand-mère.

Je me retournai. Elle n'avait pas bougé et ne semblait pas s'être aperçue qu'un soupir lui avait échappé.

C'était son fils aîné.

Ce n'était pas normal qu'un enfant meure avant ses parents. Ce n'était pas normal. Pas normal.

Et pour moi ? Qui papa avait-il été ?

Quelqu'un dont je souhaitais la mort.

Alors pourquoi toutes ces larmes ?

J'ouvris le sac de haricots qui, recouverts d'un duvet de givre, avaient une teinte grisâtre. Le chou-fleur bouillait aussi. Je baissai et regardai l'horloge. Cinq heures moins vingt. Encore quatre minutes et le chou-fleur serait cuit. Ou six. Environ quinze minutes pour les pommes de terre. J'aurais dû les couper. De toute façon ce n'était pas un repas de fête.

Grand-mère me regarda.

— Ça vous arrive de boire de la bière au dîner ? dit-elle. J'ai vu qu'Yngve en avait acheté une bouteille.

Elle avait vu ça ?

Je secouai la tête.

— Ça arrive. Mais c'est rare. Très rare même.

Je retournai les darnes. La chaire rose était parsemée çà et là de taches brunes mais ce n'était pas brûlé.

Je mis les haricots dans la casserole, salai l'eau et vidai l'excédent dans l'évier. Grand-mère se pencha pour regarder par la fenêtre. Je baissai sous la poêle, la décalai pour qu'elle ne soit plus qu'à moitié sur la plaque et sortis voir Yngve sur la terrasse. Assis sur la chaise, il regardait au loin.

— On mange bientôt, dis-je. Dans cinq minutes.

— Bien.

— La bière que tu as achetée. Tu pensais la boire maintenant ?

Il acquiesça en me jetant un coup d'œil.

— Comment ça ?

— C'est grand-mère. Elle m'a demandé si on avait l'habitude d'en boire aux repas. Je pensais que ce n'était peut-être pas nécessaire de le faire devant elle. Après tout l'alcool qui a été bu ici, elle n'a pas besoin de ça. Même si ce n'est qu'un verre pour accompagner le repas. Tu comprends ce que je veux dire ?

— Évidemment. Mais tu exagères.

— C'est possible. Mais ce n'est pas vraiment un gros sacrifice.

— Non, c'est sûr.

— On est d'accord alors ?

— Oui !

Son irritation ne faisait aucun doute et je ne souhaitais pas qu'elle s'installe, mais je n'avais rien à dire pour la calmer. Après quelques secondes d'hésitation, les bras ballants de perplexité et des sanglots dans la gorge, je retournai dans la cuisine, mis le couvert, vidai l'eau de la casserole de pommes de terre et les laissai évaporer. Je mis les darnes de poisson sur un plat à l'aide d'une spatule, coupai les morceaux de chou-fleur, les mis sur un plat avec les haricots, puis trouvai un saladier pour y mettre les pommes de terre et posai le tout sur la table. Rouge clair, vert clair, blanc, vert foncé, brun doré. J'ajoutai une cruche d'eau et trois verres au moment où Yngve entrait dans la cuisine.

— Ça a l'air bon, dit-il en s'asseyant. Mais peut-être qu'il nous faut des couteaux et des fourchettes ?

J'allai les chercher dans le tiroir, les leur tendis, m'assis et me mis à éplucher une pomme de terre. Je me brûlais les doigts.

— Tu les épluches ? dit Yngve. Ce sont des pommes de terre nouvelles.

— Tu as raison, dis-je en plantant ma fourchette dans une autre pomme de terre pour la mettre dans mon assiette.

Elle s'écrasa quand je voulus la couper. Yngve portait un morceau de saumon à sa bouche. Grand-mère était en train de couper le sien en petits morceaux. Je me levai encore pour aller chercher la margarine dans le réfrigérateur et en mis un peu sur les pommes de terre. Selon ma vieille habitude, je respirai par la bouche en mâchant la première bouchée de saumon. Yngve semblait avoir une attitude plus adulte concernant le poisson. Il mangeait même le plat de poisson traditionnel maintenant, alors qu'avant c'était la pire chose qui soit. *C'est même très bon avec du bacon et tous les autres accompagnements*, l'entendis-je me dire dans ma tête pendant qu'il mangeait en silence à côté de moi. Les repas entre amis autour de ce plat traditionnel étaient un monde dont j'étais complètement exclu. Non pas parce que je me trouvais dans l'impossibilité d'en manger mais parce qu'on ne m'invitait pas à ce genre de rassemblement. Pourquoi c'était comme ça, je n'en avais pas la moindre idée et je m'en moquais maintenant, mais avant j'en avais souffert.

— Gunnar a dit qu'il y avait un loueur de machines à Grim, dis-je. On ira demain après les pompes funèbres ? Ce serait bien qu'on le fasse avant que tu partes.

— D'accord.

Même grand-mère mangeait et son côté pointu la faisait ressembler à un rongeur. À chacun de ses mouvements, je sentais l'odeur de pisse. Oh comme elle avait besoin d'un bain, de vêtements propres, de nourriture. Plein de nourriture. Du porridge, du lait, du beurre.

Je portai mon verre à mes lèvres et bus. L'eau fraîche dans ma bouche avait un léger goût métallique. Les couverts d'Yngve tintaient dans son assiette. Une guêpe bourdonnait dans le salon, derrière la porte entrouverte. Grand-mère soupira en se tortillant sur sa chaise comme si ses pensées ne traversaient pas seulement sa conscience mais aussi son corps.

Dans cette maison, on avait même été jusqu'à manger du poisson le soir de Noël. Quand j'étais petit, ça me paraissait monstrueux. Du poisson à Noël ! Mais dans la ville côtière de Kristiansand, la tradition était ancienne et le cabillaud qu'on trouvait à la halle aux poissons les jours précédant Noël avait été soigneusement sélectionné. J'y étais allé une fois avec grand-mère. Je me souvenais de la halle, sombre après la lumière crue du soleil sur la neige, des gros cabillauds qui nageaient tranquillement dans les bassins, leur peau brune aux reflets jaunes ou verts par endroits, leur bouche qui s'ouvrait et se refermait lentement, leur barbe sous leur menton blanc tendre, leurs yeux jaunes et figés. Les hommes qui travaillaient là portaient des tabliers blancs et des bottes en caoutchouc. L'un d'eux avait coupé la tête d'un cabillaud avec un grand couteau presque rectangulaire. L'instant suivant, après avoir mis la lourde tête de côté, il lui avait ouvert le ventre et les viscères pâles et renflés s'étaient répandus sur ses doigts et avaient été jetés dans une grande poubelle à côté de lui. Pourquoi étaient-ils si pâles ? Un autre venait juste d'empaqueter un poisson dans du papier et tapait avec un doigt sur la caisse enregistreuse. Je me souvenais d'avoir remarqué qu'il se servait des touches autrement que dans les autres boutiques, comme si deux mondes, l'un raffiné et entre quatre murs, l'autre grossier et au grand air, se rejoignaient ici dans les gestes déterminés mais inhabituels des mains du vendeur de poisson. Ça sentait le sel. Sur les comptoirs couverts de glace s'étalaient poissons et crevettes. Grand-mère, vêtue d'un long manteau foncé et d'un bonnet de fourrure, faisait la queue devant l'un des comptoirs pendant que j'allais observer une caisse en bois remplie de crabes vivants. Sur le dessus, ils étaient marron foncé comme des feuilles en décomposition, en dessous, blancs tirant sur le jaune comme l'os. Leurs yeux noirs ressemblaient à des boutons et leurs pinces cliquetaient quand ils grimpaient les uns sur les autres. Les crabes étaient comme un genre de récipient, pensai-je, un récipient contenant de la chair. Pour moi, il y avait quelque chose de magique dans le fait qu'ils venaient du fond de la mer et qu'on les avait ramenés jusqu'ici comme les autres poissons vivants. Un homme lavait le sol en béton au jet et l'eau s'écoulait en moussant vers la grille. Grand-mère s'était penchée pour indiquer un poisson tout plat, verdâtre et tacheté de rouille que le vendeur avait attrapé, posé sur une balance, puis sur un papier dans lequel il l'avait emballé. Il avait mis le paquet dans un sac et donné le sac à grand-mère qui lui avait tendu à son tour un billet, sorti de son petit porte-monnaie. Mais toute la magie qui entourait les poissons là-bas disparaissait complètement quand ils étaient dans mon assiette, blancs, gélatineux, salés et truffés d'arêtes. Exactement comme s'évanouissait la magie des poissons que papa et nous pêchions en mer, au large de Tromøya ou dans le bras de mer vers l'intérieur, à la trembleuse, à la traîne ou à la ligne, dès qu'ils devenaient propres à la consommation et se retrouvaient dans les assiettes marron que nous avions à Tybakken dans les années soixante-dix.

Quand est-ce que j'avais bien pu aller à la halle aux poissons avec grand-mère ?

Ils étaient rares les jours de semaine où j'avais été chez eux dans ma jeunesse et c'était donc probablement pendant les seules vacances d'hiver que nous avions passées là-bas avec Yngve, la fois où nous avions pris seuls le bus pour Kristiansand. Ça signifiait qu'Yngve était là aussi ce jour-là mais dans mon souvenir il n'existait pas. De même que les crabes non plus n'existaient pas pendant les vacances d'hiver car elles étaient normalement en février et ce n'était pas la saison des crabes. Et même s'il y en avait eu, ils n'auraient pas été dans une caisse en bois. Mais alors d'où venait donc ce souvenir de crabes si net et si détaillé ?

De partout finalement car mon enfance était remplie de poissons, de crabes, de crevettes et de homards. Souvent j'avais vu papa aller chercher des restes de poisson dans le réfrigérateur et les manger froids debout dans la cuisine le soir, le matin ou le week-end. Mais ce qu'il préférait, c'était les crabes. À la fin de l'été quand ils commençaient à se remplir, il avait l'habitude d'aller au marché aux poissons d'Arendal après l'école pour en acheter et il n'était pas rare qu'il les mange seul le soir ou la nuit sur un des îlots ou sur les rochers devant la mer. Il lui arrivait aussi de nous emmener avec lui et je me souviens particulièrement d'une nuit au phare de Torungen sous un ciel d'août bleu noir. Les mouettes nous avaient attaqués quand nous avions débarqué sur l'îlot et plus tard, quand nos deux seaux furent pleins de crabes, nous avions allumé un feu dans un creux du rocher. Les flammes s'étiraient vers le ciel. La mer s'étalait autour de nous, massive. Le visage de papa rayonnait.

Je reposai mon verre, coupai un morceau de poisson et enfonçai ma fourchette dedans. Les petits morceaux de chair grasse et grise étaient si tendres qu'ils fondirent entre ma langue et mon palais.

Après le repas, on continua le nettoyage. L'escalier étant terminé, je repris là où Tove s'était arrêté pendant qu'Yngve s'attelait à la salle à manger. Il pleuvait. Les fenêtres se couvraient d'une fine couche de crachin, le mur de la terrasse prit une teinte légèrement plus foncée et à l'horizon vers la mer les nuages étaient striés là où la pluie tombait plus fort. Je dépoussiérai tous les petits bibelots, lampes, photos et souvenirs qui couvraient les étagères et les posai par terre au fur et à mesure pour terminer par le lavage de l'étagère elle-même. Une lampe à huile qu'on aurait dite sortie des *Mille et Une Nuits*, à la fois ordinaire et précieuse, ornée d'arabesques dorées ; une gondole vénitienne qui faisait office de lampe ; une photo de grand-mère et grand-père devant une pyramide d'Égypte que j'étais en train de regarder quand j'entendis grand-mère se lever dans la cuisine. J'en époussetai le verre et le cadre, la posai par terre et saisis le casier de vieux 45 tours. Les mains dans le dos, grand-mère me regardait.

— Ça, c'est vraiment pas nécessaire, dit-elle. Tu n'as pas besoin d'être aussi minutieux.

— C'est vite fait, tu sais, pendant que j'y suis.

— Oui, oui, et puis ça fait bel effet.

Une fois le casier épousseté, je le posai par terre, mis les disques à côté, ouvris le placard et sortis la vieille chaîne stéréo.

— Ce n'est pas dans vos habitudes de boire un drink le soir, hein ?

— Non, en tout cas pas en semaine.

— C'est bien ce que je pensais.

Sur l'autre rive du fleuve, les lumières de la ville commençaient à briller plus nettement. Quelle heure pouvait-il être ? Cinq heures et demie ? Six heures ?

Je nettoyai le placard et remis la stéréo à sa place. Comprenant qu'elle n'avait plus rien à faire là, grand-mère dit *bon, bon* et alla dans l'autre séjour. Peu après j'entendis sa voix et celle d'Yngve. En allant dans la cuisine chercher le nettoyant pour vitres et du papier journal, je vis par la porte ouverte qu'elle s'était assise à la grande table pour lui parler pendant qu'il lavait.

En sortant le détergent du placard, je me disais que l'ivrognerie de son fils l'avait décidément bien marquée. Je déchirai quelques feuilles du journal qui se trouvait sur la chaise en dessous de l'horloge et retournai au salon. Ce n'était pas vraiment étonnant, il avait très méthodiquement mis fin à ses jours en buvant. Il n'y avait pas d'autre explication. Et chaque jour, matin, après-midi et soir, elle en avait été témoin. Pendant combien de temps ? Deux ans ? Trois ans ? Seulement elle et lui. La mère et le fils.

Je fis gicler du détergent sur la porte en verre des rayonnages, froissai le papier journal et frottai les coulées du produit jusqu'à ce que le verre soit sec et brillant. Je regardai autour de moi, à l'affût d'autres surfaces en verre à laver pendant que j'y étais, mais ne vis rien d'autre que les vitres des fenêtres que j'avais décidé de laver plus tard. Alors je terminai l'étagère en remettant tous les objets à leur place, à commencer par ce qui allait dans les placards.

C'était maintenant le bassin portuaire qui était strié de pluie. L'instant d'après, elle battait la fenêtre devant moi. De grosses gouttes lourdes commencèrent à dégouliner et à couvrir la vitre de motifs instables. Grand-mère passa derrière moi. Je ne me retournai pas mais compris qu'elle attrapait la télécommande, appuyait dessus et s'asseyait dans le fauteuil. Je posai mon chiffon et allai voir Yngve.

— C'est rempli de bouteilles ici aussi, dit-il en montrant le buffet qui couvrait tout le mur. Mais la vaisselle et tout le reste est impeccable.

— Est-ce qu'elle t'a demandé à toi aussi si on avait l'habitude de boire ? Elle me l'a demandé au moins dix fois depuis qu'on est ici.

— Oui, à moi aussi. La question est de savoir si on ne devrait pas lui en donner un peu. Elle n'a pas besoin de notre permission mais c'est quand même ce qu'elle demande. Alors… qu'en dis-tu ?

— Mais qu'est-ce que tu racontes ?

— Tu n'as pas compris ? dit-il en me regardant, un petit sourire triste aux lèvres.

— Compris quoi ?

— Qu'elle est désespérée de ne pas pouvoir boire.

— Grand-mère ?

— Oui. Alors, qu'en dis-tu, on l'autorise ?

— Tu es sûr que c'est ça ? Je croyais que c'était le contraire.

— C'est ce que j'ai pensé d'abord, mais en y réfléchissant c'est évident. Il a vécu longtemps ici, comment aurait-elle pu supporter tout ça autrement ?

— Tu veux dire qu'elle est *alcoolique* ?

Yngve haussa les épaules.

— Le fait est qu'elle a envie de boire maintenant et qu'elle a besoin de notre permission.

— Putain, quel merdier cette maison !

— Oui, mais qu'est-ce que ça peut faire qu'elle boive un petit coup ? Elle est un peu en état de choc.

— Alors, qu'est-ce qu'on fait ?

— On lui demande tout simplement si elle a envie d'un drink et on en prend un avec elle ?

— D'accord, mais pas tout de suite quand même ?

— On finit le travail et on lui pose la question le plus naturellement possible.

Une demi-heure plus tard, j'avais terminé les étagères et je sortis sur la terrasse où la pluie avait cessé et où l'air rafraîchi embaumait le jardin. La table était couverte d'une fine pellicule d'eau et le tissu des chaises gorgé d'humidité. Sur le sol, les bouteilles en plastique étaient constellées de gouttes, elles ressemblaient à des petits canons dont les bouches partaient dans tous les sens. Sous la balustrade en ferronnerie, les gouttes pendaient en grappes. Une à une et à intervalles irréguliers, elles s'écrasaient sur le sol dans un bruit quasi imperceptible. Je n'arrivais pas à croire que papa avait été à cet endroit précis trois jours auparavant. Je n'arrivais pas à comprendre qu'il avait vu le même paysage, déambulé dans la même maison, vu grand-mère comme nous la voyions et réfléchi aux choses, seulement trois jours auparavant. Ou, plus exactement, je pouvais comprendre qu'il se trouvait là peu avant mais pas qu'il ne pouvait plus voir tout ça. La terrasse, les sacs en plastique, la lumière aux fenêtres des voisins. L'écaille de peinture jaune qui s'était détachée et gisait sur le sol rouge, juste à côté du pied rouillé de la table. La gouttière et l'eau qui continuait à en sortir pour disparaître dans l'herbe. Qu'il ne puisse plus jamais voir ça m'était incompréhensible, malgré tous mes efforts. Mais je comprenais qu'il ne puisse plus nous voir moi et Yngve, car il s'agissait de sentiments et la mort s'y mêlait d'une autre manière qu'à la réalité objective et concrète qui m'entourait.

Rien. Tout simplement rien. Pas même les ténèbres.

J'allumai une cigarette, passai la main plusieurs fois sur le siège mouillé et m'assis. Je n'avais plus que deux cigarettes. Il fallait que j'aille au kiosque avant qu'il ferme.

Au bout de la pelouse, un chat tacheté de gris longeait subrepticement la clôture, il avait l'air vieux. Il s'arrêta une patte en l'air, fixa un moment la pelouse puis continua. Je pensai à notre chat, Nansen, pour qui Tonje débordait d'amour. Il n'avait que quelques mois et dormait à côté d'elle, sa tête sortant à peine de la couette.

Je n'avais pas pensé à Tonje au cours de la journée. Pas une seule fois. Qu'est-ce que ça signifiait ? Je n'avais pas envie de l'appeler car je n'avais rien à dire mais il fallait que je le fasse, pour elle. Si moi je n'avais pas pensé à elle, je savais qu'elle avait pensé à moi.

Volant haut depuis le port, une mouette arrivait. Elle alla droit sur la terrasse et je me pris à sourire, c'était la mouette de grand-mère qui venait chercher à manger. Mais comme j'étais sur la terrasse, elle n'osa pas s'y poser et choisit le toit, où elle renversa aussitôt la tête en arrière pour pousser son cri de mouette.

On pouvait bien lui donner un peu de saumon.

J'écrasai ma cigarette par terre et mis le mégot dans une des bouteilles, me levai et allai voir grand-mère qui regardait la télévision.

— Ta mouette est revenue. Est-ce que je lui donne un peu de saumon ?

— Quoi ? dit-elle en tournant la tête vers moi.

— La mouette est là. Est-ce que je lui donne un peu de saumon ?

— Ah ! mais je peux le faire, tu sais.

Elle se leva et alla, voûtée, à la cuisine. Je pris la télécommande et coupai le son. J'allai dans la salle à manger qui était vide et m'assis devant le téléphone. Je fis le numéro de la maison.

— Bonjour, Tonje à l'appareil.

— Salut, c'est Karl Ove.

— Ah, *salut*...

— Salut.

— Comment vas-tu ?

— Pas très bien. C'est pesant ici. Je n'arrête pas de pleurer sans savoir vraiment pourquoi. Papa est mort, bien sûr, mais ce n'est pas seulement ça...

— J'aurais dû être avec toi. Tu me manques.

— C'est la maison de la mort ici. On patauge dans sa mort. Il est mort dans un fauteuil, là juste à côté. Et le fauteuil est toujours là. Et puis il y a tout ce qui s'est passé ici, je veux dire il y a longtemps, quand j'étais enfant, tout ça aussi revient. Tu comprends ? Je me sens très proche de tout ça, en quelque sorte. Celui que j'étais quand j'étais petit. Celui que papa était alors. Toutes les émotions remontent.

— Mon pauvre.

Grand-mère entra dans la pièce et passa devant moi en portant un morceau de saumon sur une assiette. Elle ne me vit pas et je me tus le temps qu'elle aille dans l'autre salon.

— Non, ce n'est pas moi qui suis à plaindre mais

lui. La fin de sa vie a été un véritable enfer, c'est incroyable.

— Et comment réagit ta grand-mère ?

— Je ne sais pas très bien. Elle donne l'impression d'être en état de choc, pour ainsi dire sénile. Et elle est toute maigre. Ils ont passé leur temps à boire, elle et lui.

— Elle aussi ? Ta grand-mère ?

— Absolument. C'est incroyable. Mais on a décidé de tout remettre en ordre pour rassembler les gens ici après les obsèques.

Par la porte de la terrasse, je vis grand-mère poser l'assiette par terre, reculer de quelques pas et regarder autour d'elle.

— Oui, c'est une bonne idée, dit Tonje.

— Je ne sais pas bien mais c'est ce qu'on a décidé. Laver toute cette putain de maison et la décorer. Acheter des nappes, des fleurs et…

Yngve passa la tête par la porte et, quand il vit que j'étais au téléphone, il haussa à peine les sourcils et se retira au moment même où grand-mère rentrait de la terrasse. Elle se planta devant la fenêtre et regarda par terre.

— Je pense arriver un jour plus tôt et vous aider.

— L'enterrement est vendredi. Tu prendras ta journée alors ?

— Oui, comme ça j'arriverai le matin. Tu me manques tellement.

— Qu'est-ce que tu as fait aujourd'hui ?

— Rien de particulier. Je suis allée dîner chez maman et Hans. Ils te disent bonjour et pensent à toi.

— C'est gentil. Qu'est-ce que vous avez mangé ?

Excellente cuisinière, la mère de Tonje faisait des repas un événement mémorable pour qui s'intéressait à la gastronomie. Mais pas moi, je me fichais éperdument de la nourriture et mangeais aussi bien des poissons panés que du flétan au four, des saucisses aussi bien qu'un filet Wellington. Mais Tonje, ça l'intéressait, ses yeux s'animaient quand elle se mettait à parler de gastronomie. Elle était douée aussi et prenait plaisir à travailler à la cuisine. Même pour faire une simple pizza, elle y mettait tout son cœur. Elle était l'être le plus sensuel que j'aie rencontré et elle était tombée sur un individu qui trouvait que les repas, la convivialité et l'intimité qui vont avec étaient un mal nécessaire.

— Du carrelet, c'était bien que tu ne sois pas là.

J'entendis qu'elle sourit.

— Mais c'était succulent.

— Je n'en doute pas. Est-ce que Kjetil et Karin étaient là ?

— Oui. Et Atle.

Il s'était passé beaucoup de choses dans cette famille-là, comme dans toutes les familles, mais ils n'en parlaient jamais et on ne le percevait qu'en chacun d'entre eux ou dans l'ambiance qu'ils créaient quand ils étaient ensemble. Je supposais qu'un des aspects que Tonje aimait chez moi était justement que je m'intéresse aux liens entre les événements, aux possibilités de relations entre les choses. Elle n'y était pas habituée, n'y réfléchissait jamais et, lorsque je lui faisais part de ma façon de voir, elle trouvait ça toujours intéressant. Je tenais ça de ma mère. Dès les années de collège, j'avais eu de longues conversations avec elle sur les gens que nous connaissions ou rencontrions, ce qu'ils avaient dit, leur éventuelle raison de le dire, d'où ils venaient, qui étaient leurs parents, dans quel type d'habitation ils vivaient, le tout mêlé à des questions ayant trait à la politique, l'éthique, la morale, la psychologie et la philosophie. Et ces échanges, qui se poursuivaient toujours, m'avaient appris à regarder ce qui se passait entre les gens et à essayer de l'expliquer. Après avoir longtemps cru que je m'intéressais aux autres, je compris que c'était faux et que je ne voyais que moi, où que je me tourne. Mais l'essentiel de nos conversations n'était pas là non plus, il s'agissait d'autre chose, de maman et moi, et c'était par les mots et la pensée qu'on était proches l'un de l'autre, qu'on était liés. C'était aussi par ce biais-là que je cherchais un lien avec Tonje et c'était bien car elle en avait besoin, tout comme j'avais besoin de son imperturbable sensualité.

— Tu me manques, dis-je. Mais je suis content que tu ne sois pas là.

— Promets-moi de ne pas m'exclure de ce qui t'arrive en ce moment, dit-elle.

— Ça n'arrivera pas.

— Je t'aime.

— Je t'aime aussi.

Comme toujours quand j'avais prononcé cette phrase, je me demandai si c'était vrai, mais le questionnement ne durait pas longtemps. Bien sûr que je l'aimais, c'était évident.

— Tu me rappelles demain ?

— Bien sûr. Au revoir, alors.

— Au revoir, et salue Yngve pour moi.

Je raccrochai et allai dans la cuisine, Yngve était adossé aux placards.

— C'était Tonje, elle te passe le bonjour.

— Merci. Tu la salueras pour moi aussi.

Je m'assis au bord de la chaise.

— On a terminé pour aujourd'hui ?

— Oui, je n'ai pas le courage d'en faire plus.

— Je vais juste faire un tour au kiosque et on pourra... enfin tu sais. Tu as besoin de quelque chose ?

— Tu peux m'acheter un paquet de tabac à rouler ? Et puis des chips peut-être ?

J'acquiesçai en me levant. Je descendis l'escalier, enfilai ma veste, vérifiai que ma carte bancaire était bien dans ma poche intérieure et jetai un œil au miroir avant de sortir. J'avais l'air fatigué. Je n'avais plus les yeux rouges mais ils gardaient un aspect flou et délavé même si je n'avais pas pleuré depuis plusieurs heures. Je m'arrêtai un instant sur les marches quand il me vint à l'esprit qu'on avait beaucoup de questions à poser à grand-mère et qu'on l'avait trop ménagée jusqu'ici. Quand est-ce que l'ambulance était arrivée, par exemple ? Combien de temps avait-elle mis ? Était-il encore possible de le sauver quand les secours sont arrivés ? Étaient-ils intervenus pour ça ?

Le véhicule avait dû monter l'allée du garage avec gyrophare et sirène, le chauffeur et le médecin avaient couru jusqu'à la porte avec leur matériel, était-elle fermée à clé ? La porte d'en bas était toujours fermée à clé. Avait-elle eu la présence d'esprit de descendre l'ouvrir avant qu'ils arrivent ? Ou bien avaient-ils dû sonner ? Que leur avait-elle dit quand ils étaient entrés ? *Il est là-bas* ? Les avait-elle menés au salon ? Était-il dans son fauteuil ? Gisait-il par terre ? Avaient-ils essayé de le réanimer ? Massage cardiaque, oxygène, bouche à bouche ? Ou bien avaient-ils constaté la mort immédiatement, se contentant de l'emporter sur le brancard après avoir échangé quelques mots avec elle ? Qu'avait-elle compris ? Qu'avait-elle dit ? Et quand est-ce que ça s'était passé, le matin, en pleine journée ou le soir ?

On ne pouvait quand même pas partir d'ici sans savoir dans quelles circonstances il était mort, non ?

Je soupirai en descendant la rue. Le ciel s'était dégagé et l'épaisse couche de nuages avait pris la forme de paysages, de plaines allongées, de versants abrupts et de pics escarpés, à certains endroits ronds et blancs comme la neige et à d'autres durs et gris comme la roche, pendant que les grandes étendues éclairées par le soleil déclinant ne brillaient pas, ne rayonnaient pas ni ne rougeoyaient comme elles auraient pu le faire mais donnaient l'impression d'avoir été trempées dans un liquide. D'un rouge mat et rose foncé, frangées de toutes les nuances de gris, elles surplombaient la ville. C'était beau et sauvage. Et je pensai que tout le monde aurait dû se précipiter dehors, les voitures auraient dû s'arrêter, les portières s'ouvrir, les chauffeurs et les passagers descendre le nez en l'air et le regard étincelant de curiosité et avide de beauté. Et finalement, qu'est-ce qui se déroulait là, juste au-dessus de nos têtes ?

Mais tout au plus quelques regards s'y attardaient, accompagnés peut-être de la simple remarque que le ciel était beau ce soir-là. Il est vrai qu'un tel spectacle n'était pas rare, au contraire, il ne se passait pratiquement pas une journée sans que le ciel se remplisse de formations nuageuses extraordinaires, éclairées chacune d'une façon unique, sans réplique. Mais comme on ne regarde jamais ce que l'on voit tous les jours, nous passons notre vie sous un ciel qui se transforme en permanence sans daigner lui accorder une pensée ou un regard. Et pourquoi le ferions-nous ? Si ces formations avaient eu un *sens*, si elles avaient recelé des signes ou des messages qu'il avait fallu décoder correctement, alors oui, nous nous serions forcément intéressés à ce qui se passe là-haut. Mais ce n'était pas le cas, la forme et la couleur des nuages ne signifiaient rien, leur apparence relevait exclusivement du hasard et ils étaient le symbole le plus pur et le plus parfait de l'absurde.

J'arrivai dans la rue principale désertée et me dirigeai vers le carrefour. Là aussi régnait une ambiance de dimanche : un vieux couple qui se promenait sur le trottoir d'en face, de rares voitures qui descendaient lentement vers le pont, les feux qui passaient au rouge pour personne. Une Golf noire vint se garer à l'arrêt de bus, un jeune homme en short en descendit, son portefeuille à la main, et il courut jusqu'au kiosque tout proche en laissant le moteur tourner. Je le croisai quand il ressortit, une glace à la main. N'était-ce pas un peu puéril de laisser tourner le moteur le temps d'acheter une glace ?

Le vendeur en survêtement avait laissé place à une jeune femme d'une vingtaine d'années. Elle avait les cheveux noirs et des formes généreuses et je supposai, à ses traits en quelque sorte perses, qu'elle venait d'Iran ou d'Irak. Malgré ses joues pleines et son corps rond, elle était jolie. Elle ne m'accorda pas un regard. Son attention était accaparée par un magazine ouvert devant elle sur le comptoir. Je fis coulisser la porte de l'armoire réfrigérante et pris trois demi-litres de Sprite, cherchai des yeux les chips sur les présentoirs, les trouvai, en pris deux paquets et les posai sur le comptoir.

— Et un paquet de Tidemanns Gul avec du papier, dis-je.

Elle se retourna pour attraper le tabac derrière elle.

— Du Rizla ? dit-elle, toujours sans me regarder.

— Oui, s'il vous plaît.

Elle coinça le carton orange du papier à cigarettes sous le rabat jaune du paquet de tabac et les posa sur le comptoir pendant que de l'autre main elle commençait à enregistrer les prix.

— Cent cinquante-sept cinquante, dit-elle, dans le dialecte de Kristiansand.

Je lui tendis deux billets de cent. Elle tapa la somme et prit la monnaie dans le tiroir-caisse qui s'était ouvert. Je tendis la main mais elle posa l'argent sur le comptoir.

Pourquoi ? Avait-elle vu quelque chose qui ne lui plaisait pas ? Ou était-elle tout simplement apathique ? N'était-il pas normal que les vendeurs regardent leur client au moins une fois au cours de la transaction ? Et quand on tend la main, n'est-ce pas incorrect de poser l'argent ailleurs ? Ou au moins pas très chaleureux ?

Je la regardai.

— Je pourrais avoir un sac ?

— Bien sûr, dit-elle en pliant les genoux pour attraper un sac en plastique blanc sous le comptoir.

— Voilà.

— Merci.

Je fourrai les marchandises dedans et sortis. L'envie de coucher avec elle, qui se manifesta davantage dans une sorte d'offrande et de douceur du corps que dans la dureté et l'urgence habituelles du désir, dans une sorte d'enchevêtrement des sens, me tenaillait durant le trajet du retour mais sans être prédominante car la tristesse était là aussi, comme un ciel gris et voilé qui, je le pressentais, pouvait fondre sur moi à tout instant.

Ils étaient au salon en train de regarder la télévision. Yngve, dans le fauteuil de papa, tourna la tête dès que j'entrai et se leva.

— On pensait prendre un petit verre après cette longue journée de travail, dit-il à grand-mère. Tu en veux un aussi ?

— Ce sera avec plaisir, dit-elle.

— Je te le prépare. On pourrait peut-être s'installer dans la cuisine ?

— Volontiers.

Ne marchait-elle pas légèrement plus vite que d'habitude ? Son regard sombre ne s'était-il pas allumé ?

Si, absolument.

Je posai un des paquets de chips sur le plan de travail et vidai le contenu de l'autre dans un bol que je mis sur la table, pendant qu'Yngve sortait du placard une bouteille de vodka Absolut bleue. Elle avait été rangée avec la nourriture et nous ne l'avions pas vue quand nous avions vidé tout l'alcool que nous avions trouvé. Il prit aussi trois verres sur l'étagère, sortit un carton de jus d'orange du réfrigérateur et se mit à mixer les drinks. Assise à sa place, grand-mère le regardait.

— Alors comme ça, vous aimez bien prendre un petit remontant le soir, vous aussi ?

— Bien sûr, dit Yngve. On a travaillé toute la journée, il faut bien qu'on se relaxe un peu !

Il lui tendit un verre en souriant. On était là tous les trois autour de la table et on buvait. Il était bientôt dix heures et dehors le jour déclinait, et l'alcool faisait du bien à grand-mère, c'était évident. Rapidement ses yeux retrouvèrent leur éclat, ses joues mates et pâles se colorèrent et ses mouvements se firent plus doux. Lorsqu'elle eut terminé son verre et qu'Yngve lui en servit un autre, on aurait dit que son cœur s'allégeait d'un poids car elle se mit bientôt à parler et à rire comme autrefois. La première demi-heure, j'étais comme pétrifié et mal à l'aise car elle ressemblait à un vampire à qui on redonne du sang. Je voyais de mes propres yeux que la vie revenait en elle, membre après membre. C'était abominable. Puis, en proie moi aussi aux effets de l'alcool, mes pensées s'adoucirent, ma conscience se fit plus réceptive et je ne trouvai plus rien d'effrayant au fait qu'elle soit en train de boire et de rire deux jours après avoir trouvé son fils mort dans le salon. Ce n'était pas si grave et elle en avait visiblement besoin. Après une journée entière passée prostrée, perplexe et nerveuse dans la cuisine, à l'exception de ses rares déplacements dans la maison, c'était bon de la voir s'animer. Et nous aussi, on en avait sacrément besoin. Elle nous racontait ses histoires, on riait, Yngve remplissait les verres et on riait davantage. Ils avaient toujours eu en commun l'art de faire des jeux de mots mais jamais tant que ce soir-là. Grand-mère riait tellement qu'elle en avait les larmes aux yeux et, quand le regard d'Yngve rencontra le mien, j'y vis de la joie et, petit à petit, toute trace de mauvaise conscience disparut. C'était de la potion magique que nous buvions. Ce liquide transparent au goût si fort, même dilué dans le jus d'orange, avait le pouvoir de changer les modalités de notre présence autour de cette table. En évacuant de notre conscience ce qui avait eu lieu, il nous permettait d'être ceux que nous étions normalement et de penser ce que nous pensions normalement, comme si un éclairage de l'intérieur nous montrait sous un jour brillant et chaleureux, comme s'il n'y avait plus aucun obstacle. Grand-mère sentait toujours autant la pisse, sa robe était toujours aussi tachée, elle était toujours aussi affreusement maigre, et c'était toujours un fait qu'elle avait vécu les derniers mois dans ce nid à rats, avec son fils, notre père, qui était mort de son vice seulement deux jours auparavant. Mais ses yeux brillaient et elle souriait. Et ses mains, posées la plupart du temps sagement sur ses genoux, sauf quand elles roulaient ou tenaient ses sempiternelles cigarettes, s'étaient mises à s'agiter. Elle redevenait celle qu'elle avait été, alerte et vive, prompte à rire et à sourire. Les histoires qu'elle racontait, nous les avions déjà entendues mais c'était justement grâce à elles qu'elle redevenait comme avant, que la vie ici redevenait comme avant. Aucune de ces histoires n'était drôle en soi mais tout reposait sur la manière qu'elle avait de les raconter, de les hausser au rang d'histoire et de les trouver amusantes. Sans cesse à l'affût des bizarreries du quotidien, elle s'en amusait toujours autant. Ses fils aussi étaient de la partie dans la mesure où ils lui racontaient fréquemment leurs petites histoires de tous les jours qui la faisaient rire et qu'elle ajoutait à son répertoire si elles lui plaisaient vraiment. Ses fils, en particulier Erling et Gunnar, avaient le même penchant pour les jeux de mots. N'avaient-ils pas envoyé Gunnar au magasin acheter une babine ? Et une surtension ? N'avaient-ils pas fait croire à Yngve que les mots « pot d'échappement » et « carburateur » étaient les plus vilains qui soient et fait promettre de ne jamais les prononcer ? Parfois, papa aussi prenait part à ce sabir, mais dans mon esprit ils n'étaient jamais associés et je le regardais plutôt avec étonnement quand ça lui arrivait. Il était impensable qu'il puisse se passionner pour une histoire et en rire comme grand-mère.

Même si elle les avait déjà racontées des centaines de fois, grand-mère vivait tellement ces histoires qu'on avait l'impression que c'était la première fois et le rire qui s'ensuivait était totalement libérateur, sans la moindre trace de préméditation. Comme nous avions beaucoup bu et que l'alcool avait dissipé toutes les ténèbres qu'on avait en nous et aboli le regard de l'autre, nous n'avions aucune difficulté à la suivre. Les vagues de rire déferlaient les unes après les autres. Grand-mère puisait dans son abondante collection de petites histoires qu'elle avait accumulées au long de ses quatre-vingt-cinq années de vie mais ne s'en tint pas là, car à mesure que l'ivresse augmentait les défenses baissaient et elle ajoutait à certaines histoires connues une fin inédite. Nous savions très bien par exemple qu'elle avait travaillé comme chauffeur chez quelqu'un à Oslo au début des années trente, ça faisait partie de la mythologie familiale car peu de femmes à l'époque avaient le permis de conduire ou même travaillaient comme chauffeur. Elle nous raconta qu'elle avait répondu par courrier à une annonce qu'elle avait lue dans l'*Aftenposten* chez elle à Åsgårdstrand, puis, ayant obtenu l'emploi, elle avait déménagé à Oslo. Elle fut donc l'employée d'une femme d'un certain âge, excentrique et riche. Grand-mère avait une chambre dans la grande villa et la conduisait partout où elle désirait aller. Elle nous raconta en riant que cette femme avait un chien qui avait l'habitude de sortir la tête par la portière et d'aboyer sur tous les passants et qu'elle trouvait ça fort gênant. L'autre chose qu'elle mentionnait habituellement pour décrire à quel point la vieille dame était excentrique et probablement sénile, était qu'elle gardait de l'argent partout dans la maison. Il y avait des liasses de billets de banque dans le placard de la cuisine, dans les casseroles, dans les théières, sous les tapis et sous les oreillers. Grand-mère racontait toujours ça en riant et en secouant la tête, on ne devait pas oublier qu'elle venait tout juste de quitter sa famille et sa petite ville natale et que c'était son premier face-à-face avec le monde extérieur et le monde extérieur privilégié. Cette fois-là, installés dans sa cuisine autour d'une bouteille de vodka, l'ombre de nos visages se détachant sur les vitres qui s'assombrissaient, elle nous posa une question rhétorique :

— Alors qu'est-ce que je pouvais faire d'autre ? Elle était immensément riche, vous savez. Et de l'argent, il y en avait partout. Elle ne s'apercevait de rien quand il en disparaissait. Qu'est-ce que ça pouvait faire que j'en prenne un peu ?

— Tu as *pris* de l'argent ? dis-je.

— Bien sûr que j'en ai pris. Mais ce n'était pas grand-chose et pour elle c'était rien du tout. Et comme elle ne s'en est jamais aperçue, ce n'est pas grave, hein ? Et elle payait mal ! J'avais un salaire de misère ! Parce que je ne lui servais pas seulement de chauffeur, je faisais aussi plein d'autres choses pour elle et c'était normal que je sois mieux payée !

Elle tapa sur la table et rit.

— Mais le chien je vous assure ! On avait une sacrée allure quand on se baladait dans les rues d'Oslo. À l'époque, les voitures étaient rares et on ne passait pas inaperçus. Ah non alors !

Elle rit un peu et soupira.

— Ah, dit-elle. La vie est un compat, disait celle qui ne savait pas prononcer les *b*. Hihihi.

Elle porta son verre à ses lèvres et but. Je fis de même. Puis je pris la bouteille, remplis mon verre vide, regardai Yngve qui opina et je remplis le sien aussi.

— Tu en veux encore un peu ? dis-je en regardant grand-mère.

— Volontiers. Un petit.

Une fois servie, Yngve lui versa le jus d'orange mais il ne put remplir son verre qu'à moitié, il secoua le carton.

— Il est vide, dit-il en me regardant. Tu n'as pas acheté du Sprite tout à l'heure ?

— Si, je vais le chercher.

J'ouvris le réfrigérateur. En plus de mes trois demi-litres, il y avait la bouteille d'un litre et demi qu'Yngve avait achetée ce jour-là.

— Tu l'avais oubliée celle-là ? dis-je en la lui montrant.

— Ah oui.

Je la posai sur la table et descendis aux toilettes. Les vastes pièces toutes noires m'entouraient mais l'alcool qui me brûlait le cerveau m'empêcha de remarquer ce qui autrement n'aurait pas manqué de m'impressionner car, sans être vraiment joyeux, j'étais réconforté, de bonne humeur, animé par une envie de prolonger cet état que même la mort de papa n'aurait pu ébranler. Elle n'était plus qu'une ombre, présente certes mais sans conséquence, la vie avait pris la place, avec toutes les images, les voix et les événements que l'ivresse débusquait à une vitesse me donnant l'illusion d'être dans un lieu animé et joyeux. Je savais bien que ce n'était pas le cas mais c'était ainsi que je le ressentais et c'était ce sentiment-là qui me dominait, y compris quand je posai le pied sur la moquette tachée du rez-de-chaussée, uniquement éclairée par la faible lumière qui filtrait par la porte d'entrée vitrée, et que j'entrai dans les toilettes qui chuintaient depuis au moins trente ans. En ressortant, j'entendis leurs voix là-haut et me dépêchai de remonter. Dans le salon, je fis quelques pas pour voir, dans un état d'esprit plus indifférent, l'endroit où il était mort. Et là, soudain, je pressentis celui qu'il avait été. Non pas que je le visse devant moi mais j'entrevis sa nature et ce qu'il avait été ces derniers temps, entre ces murs. Oh, que c'était étrange. Je ne souhaitais pas m'y attarder et peut-être que je ne pouvais pas non plus car cette impression ne dura que quelques instants avant d'être saisie par les griffes de la réflexion. J'entrai dans la cuisine où rien n'avait changé depuis que je l'avais quittée, sauf la couleur des drinks devenus transparents et traversés de petites bulles blanchâtres.

Grand-mère continuait de relater l'époque où elle vivait à Oslo. Cette histoire-là aussi appartenait à la mythologie familiale et là encore elle lui donna une fin inédite. Je savais que dans sa jeunesse grand-mère était d'abord sortie avec Alf, le frère aîné de grand-père, et qu'au départ c'étaient eux qui formaient un couple. Les deux frères étudiaient à Oslo, Alf la biologie et grand-père l'économie. Après leur rupture, grand-mère avait épousé grand-père et emménagé à Kristiansand, et Alf avait fait de même après avoir épousé Sølvi qui avait eu la tuberculose avec perforation du poumon et était restée maladive toute sa vie. Ne pouvant avoir d'enfant, ils avaient adopté sur le tard une Asiatique. C'est avec la famille d'Alf et celle de mes grands-parents que j'ai passé la plupart des fêtes de mon enfance, c'est eux que nous fréquentions. Le fait qu'Alf et grand-mère avaient été ensemble dans leur jeunesse était souvent évoqué et n'était un secret pour personne. Après la mort de grand-père et de Sølvi, grand-mère et Alf avaient pris l'habitude de se voir tous les samedis. C'était elle qui lui rendait visite dans sa villa de Grim et personne ne trouvait ça bizarre mais certains souriaient avec bienveillance : n'était-ce pas ces deux-là qui auraient dû se marier ?

Grand-mère raconta la première rencontre avec les deux frères où Alf s'était montré expansif et grand-père plus discret, mais ils s'intéressaient visiblement tous les deux à la jeune fille. Quand grand-père comprit quel but poursuivait son frère en la charmant avec son humour et son esprit, il lui avait dit tout bas à elle : *Il a déjà une bague dans la poche* !

Grand-mère riait en nous racontant la suite :

— Qu'est-ce que tu dis ? lui avais-je demandé alors que j'avais parfaitement entendu. Il a déjà une bague dans la poche ! avait-il répété. Quelle bague ? avais-je demandé. Une bague de fiançailles ! avait-il répondu. Il croyait que je n'avais pas compris, vous savez !

— Alf était déjà fiancé à Sølvi à ce moment-là ? dit Yngve.

— Absolument. Mais elle habitait loin, à Arendal, et était malade, vous savez. Il pensait que ça ne durerait pas. Mais finalement ils se marièrent quand même !

Elle but une autre gorgée et se lécha les lèvres. Une pause s'ensuivit et elle s'absorba dans ses pensées comme elle l'avait fait si souvent les deux jours précédents. Les mains croisées, elle regardait droit devant elle. Je vidai mon verre et m'en resservis un, puis tirai un papier à cigarette, y déposai une ligne de tabac, l'aérai un peu pour un meilleur tirage, le roulai, l'enfermai dans le papier, léchai la colle, ôtai les bouts de tabac qui dépassaient, les remis dans le paquet, mis la cigarette un peu tordue à ma bouche et l'allumai avec le briquet vert et à moitié transparent d'Yngve.

— On devait partir au soleil l'hiver où grand-père est mort. On avait acheté les billets et tout.

Je la regardai en expirant la fumée.

— La nuit où il est tombé dans la salle de bains, vous savez… J'ai entendu un grand bruit et je me suis levée. Il gisait par terre et m'a dit d'appeler l'ambulance. Pendant que je lui tenais la main en attendant les secours, il m'a dit *On ira au soleil quand même.* Mais j'ai pensé *C'est une autre destination qui t'attend !*

Elle rit mais en baissant les yeux.

— C'est une autre destination qui t'attend ! répéta-t-elle.

La pause qui suivit fut longue. Puis elle dit :

— Oh, la vie est un compat, disait la bonne femme qui ne savait pas prononcer les *b*.

On sourit. Yngve déplaça son verre en baissant les yeux. Je ne voulais pas qu'elle pense à la mort de grand-père ou de papa et tentai de ramener la conversation à ce qu'elle avait raconté précédemment.

— Mais vous n'avez pas emménagé ici tout de suite quand vous êtes arrivés à Kristiansand ? dis-je.

— Oh non, pas ici, c'était plus loin dans la Kuholmsveien. Cette maison-ci nous l'avons achetée après la guerre. En fait c'est le terrain que nous avons acheté. C'était un bel emplacement, un des meilleurs de Lund avec vue sur la mer et sur la ville. Et si haut perché que personne ne peut voir chez nous. On l'a acquis avec une maison dessus. Enfin, appeler ça une maison, c'était un peu exagéré. Hihihi. C'était une vraie tanière. Ceux qui habitaient là, deux hommes si je me souviens bien, oui, c'était ça… buvaient. La première fois que nous sommes venus visiter la maison, je m'en souviens très bien, il y avait des bouteilles partout ! Dans l'entrée, dans l'escalier, dans le salon, dans la cuisine, partout ! Il y en avait tellement à certains endroits qu'on ne pouvait pas poser le pied par terre. Et on l'a achetée pour pas cher. On a tout rasé et construit cette maison à la place. Il n'y avait pas de jardin non plus, c'était juste un rocher, une tanière sur un rocher, voilà ce que nous avions acheté.

— Tu as dû en passer du temps à faire le jardin alors ? dis-je.

— Oh oui, c'est bien vrai. Vous savez les pruniers là-bas, je les ai rapportés d'Åsgårdstrand, de chez mes parents. Ils sont vraiment très vieux, on n'en voit plus beaucoup de cette espèce.

— Je me souviens que tu nous donnais des sacs de prunes à remporter à la maison, dit Yngve.

— Je m'en souviens aussi, dis-je.

— Ils donnent toujours des fruits ? dit Yngve.

— Oui, je crois bien. Peut-être pas autant qu'avant mais…

J'attrapai la bouteille à moitié vidée et me servis de nouveau. Je me disais qu'il n'était pas étonnant que grand-mère ne réalise pas qu'avec ce qui s'était passé ici la boucle était bouclée. J'essuyai la goutte du goulot avec mon pouce et la léchai pendant que grand-mère ouvrait le paquet de tabac et en posait une prise dans la rouleuse. Car si difficiles qu'aient pu être ces dernières années, elles ne représentaient qu'une infime partie de ce qu'elle avait vécu. Quand elle regardait papa, elle voyait en lui le nourrisson, l'enfant, le jeune et l'adulte qu'il avait été, son regard englobait toutes les facettes de son caractère et toutes ses qualités. Et quand il était ivre au point de chier sous lui sur le canapé, elle était si vieille et l'instant si court au regard de l'écrasante accumulation de temps passé avec lui, qu'il ne pesait pas dans la balance. Je supposai que c'était la même chose avec la maison. La tanière d'origine était « la maison aux bouteilles » alors que celle-ci était sa maison, l'endroit où elle avait passé les quarante dernières années, et qu'elle fût aussi pleine de bouteilles ne compterait jamais.

Ou bien était-elle ivre au point de ne plus pouvoir réfléchir ? Dans ce cas, elle le cachait bien car, outre le fait qu'elle renaissait littéralement, on ne voyait aucun signe d'ivresse dans son comportement. Mais je n'étais pas le mieux placé pour estimer quoi que ce fût. Aspiré dans la spirale toujours plus éblouissante de l'alcool dans lequel mes réflexions se diluaient de plus en plus, je m'étais mis à vider mes verres comme si c'était du sirop. Et à ce stade-là, j'étais comme un puits sans fond.

Après avoir rempli mon verre de Sprite, je saisis la bouteille de vodka qui m'empêchait de voir grand-mère et la posai sur le rebord de la fenêtre.

— Mais qu'est-ce que tu fais ! dit Yngve.

— Tu mets la bouteille à la fenêtre ! dit grand-mère.

Rouge et confus, j'attrapai la bouteille et la remis sur la table.

Grand-mère se mit à rire.

— Il a mis la bouteille d'alcool à la fenêtre !

Yngve riait aussi.

— Il faut bien que tous les voisins nous voient en train de boire ! dit-il.

— D'accord, j'ai pas réfléchi.

— Ça, tu peux le dire ! dit grand-mère en s'essuyant les yeux. Hihihi.

Dans cette maison où on avait toujours soigneusement fait barrière aux regards indiscrets, où on avait toujours veillé à être irréprochable sur tout ce qui se voyait, depuis l'habillement jusqu'au jardin sans oublier la façade de la maison, la voiture et le comportement des enfants, mettre une bouteille d'alcool à une fenêtre, qui plus est éclairée, était un geste absolument impensable. C'était pour ça qu'ils riaient, et moi je fis bientôt de même.

De l'autre côté de la route, sur la colline uniquement visible par réverbération de la lumière de la cuisine, où on ressemblait à trois silhouettes dans un sous-marin, le ciel était bleu-gris. Ce fut le moment où il fit le plus sombre. Yngve commençait à parler légèrement moins distinctement. Pour qui ne le connaissait pas, c'était imperceptible. Mais moi je le remarquai car c'était toujours comme ça quand il buvait, il commençait par parler moins distinctement puis bredouillait de plus en plus et finissait par devenir quasi incompréhensible avant de sombrer complètement. Chez moi, cette opacité due à l'ivresse était un phénomène purement intérieur, mais aussi un problème car s'il était impossible de voir à quel point j'étais soûl puisque je marchais et parlais presque normalement, rien ne pouvait excuser les mots et les actes qui m'échappaient. La sauvagerie de l'ivresse n'en était que pire encore puisqu'elle n'était stoppée ni par le sommeil ni par une mauvaise coordination des mouvements, elle ne faisait qu'avancer, lisse, vide et primitive. J'aimais ça, j'aimais cette sensation, c'était la meilleure sensation qui soit, mais elle n'apportait jamais rien de bon, et le lendemain ou les jours suivants je l'associais aussi intimement à l'absence de limites qu'à la bêtise que je détestais profondément. Pourtant, quand j'atteignais cet état-là, je n'avais ni futur ni passé, seul l'instant présent existait et c'était bien pour ça que je m'y plaisais, parce que alors mon existence, habituellement d'une insupportable banalité, était un véritable feu d'artifice.

Je me retournai pour voir l'horloge, il était minuit moins vingt-cinq. Puis je regardai Yngve. Il avait l'air fatigué avec ses yeux bordés de rouge. Son verre était vide. Pourvu qu'il n'ait pas l'intention d'aller se coucher ! J'étais incapable de rester seul avec grand-mère.

— Tu en veux encore un peu ? dis-je en tendant la tête vers la bouteille.

— Ouais peut-être, mais ce sera le dernier. Il faut se lever tôt demain.

— Oh ? Pourquoi ?

— On a rendez-vous à neuf heures. Tu ne t'en souviens pas ?

Je me frappai le front, un geste que je n'avais sans doute plus fait depuis mes années de lycée.

— Mais ça ira, il suffit d'être à l'heure, dis-je.

Grand-mère nous regarda.

N'aurait-elle pas dû nous demander où nous allions ? À coup sûr le mot pompes funèbres romprait l'enchantement et nous serions de nouveau, elle une mère qui a perdu son fils, et nous des enfants qui ont perdu leur père.

Je n'osai pourtant pas lui demander si elle en voulait encore. C'était une affaire de décence et il y avait des limites, même si on les avait dépassées depuis longtemps. Je remplis le verre d'Yngve et le mien. Grand-mère me regarda.

— Tu en veux encore un ? m'entendis-je lui dire.

— Un petit peut-être. C'est vrai qu'il est tard.

— Oui, il est tard sur la terre, dis-je.

— Qu'est-ce que tu as dit ? dit-elle.

— Il a dit il est tard sur la terre, dit Yngve. C'est une citation connue.

Pourquoi avait-il dit ça ? Voulait-il me remettre à ma place ? Mais putain, que j'étais bête aussi de dire ça. « Tard sur la terre »...

— Karl Ove va publier un livre bientôt, dit Yngve.

— C'est vrai ?

J'acquiesçai.

— Oui, maintenant que tu le dis, j'en ai entendu parler. Par Gunnar peut-être ? Un livre, eh bien.

Elle leva son verre et but. J'en fis autant. Me trompais-je ou son regard s'était-il assombri ?

— Alors vous n'habitiez pas ici pendant la guerre ? dis-je en levant mon verre.

— Non, nous avons emménagé ici quelques années après. Pendant la guerre, nous habitions là-bas, dit-elle en indiquant derrière elle.

— Et c'était comment au fait pendant la guerre ?

— Presque comme d'habitude finalement. C'était un peu plus difficile de trouver à manger mais sinon il n'y avait pas beaucoup de différence. Les Allemands étaient des gens normaux, comme nous. Et nous avons fait la connaissance de quelques-uns, vous savez. On leur a rendu visite après la guerre aussi.

— En Allemagne ?

— Oui, oui. Quand ils ont dû partir, en mai 1945, ils nous ont téléphoné pour nous dire qu'on pouvait venir chercher les choses qu'ils avaient laissées, si on voulait. Ils nous ont donné leurs meilleures bouteilles. Et une radio. Et beaucoup d'autres choses.

Je savais qu'ils leur avaient fait des cadeaux avant de capituler mais j'avais toujours cru que les Allemands étaient venus les déposer chez eux.

— Ils les avaient laissés quelque part ? Où ça ?

— Sous des pierres quelque part. Ils nous ont téléphoné pour nous dire où c'était. On y est allés le soir même et on les a trouvés exactement à l'endroit qu'ils avaient dit. Ils étaient gentils, c'est sûr.

Mes grands-parents étaient allés un soir de mai 1945 à la recherche des bouteilles des Allemands ?

Les phares d'une voiture balayèrent le jardin et éclairèrent quelques secondes le mur sous la fenêtre avant d'achever le virage et de s'engager dans l'étroit passage en contrebas. Grand-mère se pencha vers la fenêtre.

— Qui ça peut bien être à cette heure-là ?

Elle soupira et se rassit, les mains sur les genoux. Elle nous regarda.

— C'est bien que vous soyez là, les garçons.

Un silence s'ensuivit. Grand-mère but une gorgée.

— Tu te souviens que tu as habité ici ? dit-elle tout à coup en regardant Yngve chaleureusement. Quand ton père est venu te rechercher, il avait la barbe et tu grimpais l'escalier en criant : « C'est pas mon papa ! » Hihihi ! « C'est pas mon papa ! »... Tu étais drôle, tu sais.

— Je m'en souviens très bien, dit Yngve.

— Et puis la fois où on écoutait une émission de radio sur le propriétaire du plus vieux cheval de Norvège, tu t'en souviens ? « Papa, tu es aussi vieux que le plus vieux cheval de Norvège ! » avais-tu dit.

Elle riait en penchant la tête et se frottait les yeux avec les os de ses index.

— Et toi, dit-elle en me regardant. Tu te souviens de la fois où tu étais seul avec nous à la maison de campagne ?

J'acquiesçai.

— Un matin, on t'a trouvé dans l'escalier en train de pleurer et, quand on t'a demandé pourquoi tu pleurais, tu as dit : « Je suis tout seul. » Tu avais huit ans, tu sais !

C'était l'été où papa et maman étaient partis en

vacances en Allemagne. Yngve était à Sørbøvåg, chez nos grands-parents maternels, et moi ici, à Kristiansand. Je me souvenais que la distance entre mes grands-parents et moi était trop grande, que j'avais l'impression d'être à leur traîne et qu'ils m'étaient plus étrangers que d'habitude puisqu'il n'y avait rien ni personne pour faire le lien entre nous. Un matin, un insecte flottait à la surface de mon lait et je ne voulais pas le boire. Grand-mère m'avait dit de ne pas être aussi difficile, qu'il suffisait de l'enlever et que c'était comme ça à la campagne. Le ton avait été tranchant et j'avais bu le lait, écœuré. Pourquoi était-ce justement ce souvenir-là que je gardais ? Et aucun autre ? Il devait pourtant bien y en avoir d'autres ? Si : maman et papa m'avaient envoyé une carte postale avec une photo du Bayern de Munich. Comme j'en avais rêvé ! Et comme j'étais content de la recevoir ! Et les cadeaux à leur retour : un ballon de foot jaune et noir pour Yngve, un vert et rouge pour moi. Les couleurs… Oh, quel bonheur ça avait été…

— Une autre fois, tu étais dans l'escalier ici et tu m'appelais, dit grand-mère en regardant Yngve. « Grand-mère, tu es en haut ou en bas ? » J'avais répondu « en bas » et tu avais crié : « Pourquoi t'es pas en haut ? »

Elle rit.

— Oui, tu étais drôle… Quand vous avez emménagé à Tybakken, tu n'arrêtais pas d'aller frapper chez les voisins pour leur demander s'il y avait des enfants chez eux. « Il y a des enfants chez vous ? » disais-tu. Hihihi !

Quand son rire s'estompa, elle se roula une autre cigarette. L'extrémité du tube étant vide, il s'enflamma à l'approche du briquet. Une cendre de papier tourbillonna vers le sol, puis le feu atteignit le tabac qui formait de la braise incandescente chaque fois qu'elle tirait sur le filtre.

— Maintenant vous êtes adultes, dit-elle. Et c'est étrange, c'est comme si c'était hier, vous, enfants, ici…

Une demi-heure plus tard, nous allions nous coucher. Grand-mère nous regarda débarrasser la table, ranger la bouteille d'alcool sous l'évier, vider le cendrier et mettre les verres dans le lave-vaisselle. Quand nous eûmes terminé, elle se leva aussi. Un peu de pisse coula de la chaise mais elle ne le remarqua pas. En sortant elle prit appui sur le chambranle des portes, d'abord celui de la cuisine puis celui du couloir.

— Bonne nuit ! dis-je.

— Bonne nuit à vous aussi, dit-elle en souriant.

Je la suivis des yeux et vis que son sourire disparut dès qu'elle tourna la tête et descendit l'escalier.

— Eh bien voilà, c'est fait, dis-je quand nous fûmes dans la chambre du grenier, dix minutes plus tard.

— Oui.

Il enleva son pull, le mit sur le dossier de la chaise et retira son pantalon. Imprégné de la chaleur de l'alcool, j'avais envie de lui dire quelque chose de bien. Toutes les aspérités avaient disparu, tous les problèmes aussi, tout était simple.

— Quelle journée ! dit-il.

— Ça, on peut le dire.

Il s'allongea et mit la couette sur lui.

— Bonne nuit, dit-il en fermant les yeux.

— Bonne nuit, dors bien.

J'éteignis le plafonnier à la porte et m'assis sur le lit. Je préférais ne pas dormir. L'espace d'une folle seconde, je me dis que je pouvais sortir. Les bars ne fermaient que dans quelques heures et c'était l'été, en ville ça grouillait de monde et probablement de gens que je connaissais.

Mais la fatigue s'abattit sur moi. Soudain je ne voulus que dormir. C'était tout juste si je parvenais à lever le bras. L'idée de me dévêtir était insurmontable et je m'allongeai tout habillé, fermai les yeux et plongeai dans la douce lumière intérieure. Le moindre petit mouvement que je faisais, ne serait-ce que bouger le petit doigt, déclenchait des chatouillements dans le ventre et je m'endormis l'instant d'après le sourire aux lèvres.

Au plus profond de mon sommeil, je savais déjà que quelque chose de terrible m'attendait et c'est pour ça qu'arrivé à l'état de semi-conscience j'essayai de me rendormir. Et j'y serais sans doute parvenu sans la voix insistante d'Yngve et la certitude que nous avions un rendez-vous important ce matin-là.

J'ouvris les yeux.

— Quelle heure est-il ?

Yngve était à la porte, déjà vêtu d'un pantalon noir, d'une chemise blanche et d'un blazer noir. Il avait le visage bouffi, de petits yeux et les cheveux emmêlés.

— Neuf heures moins vingt. Il faut que tu te lèves et qu'on y aille.

— Et merde !

Je m'assis et sentis que les effets de l'alcool étaient encore là.

— Je descends. Dépêche-toi.

Je ressentis un certain malaise en constatant que j'avais dormi tout habillé et il s'aggrava quand me revint à l'esprit ce que nous avions fait. Je me déshabillai. Chaque mouvement était pesant, même se lever et rester debout exigeait des forces, sans parler de lever les bras pour attraper la chemise pendue à un cintre sur la porte de l'armoire. Mais je n'avais pas le choix. Enfiler le bras droit, enfiler le bras gauche, boutonner d'abord les manches puis devant. Mais putain, pourquoi est-ce qu'on avait fait ça ? Comment est-ce qu'on avait pu être aussi bêtes ? Je ne voulais pas, c'était même la dernière chose que je souhaitais, boire dans cette maison, surtout dans cette maison, et avec elle. C'était pourtant *exactement* ce que j'avais fait. Comment était-ce possible ? Mais putain, comment était-ce possible ?

C'était dégradant.

Je m'accroupis devant ma valise pour y chercher le pantalon noir et m'assis sur le lit pour l'enfiler. Que c'était bon d'être assis ! Mais il fallait que je me relève pour finir d'enfiler mon pantalon, prendre mon blazer, le mettre et descendre à la cuisine.

J'avais le front en sueur lorsque je remplis un verre d'eau et le bus. Je me penchai et me passai la tête sous l'eau du robinet. Ça me rafraîchit et mes cheveux, courts mais dans tous les sens, eurent meilleure allure.

Le menton dégoulinant et le corps lourd comme un sac plein, je descendis sur le perron où Yngve et grand-mère m'attendaient. Il fit cliqueter les clefs de voiture dans sa main.

— As-tu un chewing-gum ou une pastille ? Je n'ai pas eu le temps de me brosser les dents.

— Vraiment, aujourd'hui, il faut que tu te brosses les dents. Tu as le temps si tu te dépêches.

Il avait raison. Je puais probablement l'alcool et ce n'était pas l'odeur qu'on était censé avoir aux pompes funèbres. Mais j'étais incapable de me dépêcher. Arrivé au premier étage, je fis une pause, penché sur la rampe, c'était comme si ma volonté elle-même était fatiguée. Après avoir été chercher brosse à dents et dentifrice sur la table de nuit, je me brossai les dents à toute vitesse à l'évier de la cuisine. J'aurais dû laisser le tube et la brosse là et foncer mais quelque chose me dit que ça n'allait pas, ils n'étaient pas à leur place dans la cuisine, il fallait les remonter dans la chambre et ça prit encore deux minutes. Quand je les retrouvai sur le perron, il était neuf heures moins quatre.

— On y va, dit Yngve en se tournant vers grand-mère. Ce ne sera pas long. On est bientôt de retour.

— C'est bien, dit-elle.

Je montai dans la voiture et mis la ceinture de sécurité. Yngve s'affala sur son siège, démarra, et tourna la tête pour prendre la descente à reculons. Grand-mère restait sur le perron, je lui fis un signe de la main et elle me le rendit. Lorsqu'on arriva dans l'étroit passage où nous ne pouvions plus la voir, je me demandai si elle était restée là comme elle en avait l'habitude car quand on repartait en marche avant on pouvait se voir encore une fois et se refaire un dernier signe de la main avant qu'elle rentre et qu'on s'engage sur la route.

Elle était là. Je lui fis signe, elle me fit signe et rentra dans la maison.

— Elle voulait venir aujourd'hui aussi ? dis-je.

Yngve acquiesça.

— On ne mettra pas trop de temps comme on lui a dit, même si je serais bien allé dans les magasins de disques ou prendre un café quelque part.

Il abaissa le clignotant de son index gauche et débraya en regardant à droite. La voie était libre.

— Comment te sens-tu ? dis-je.

— Tout à fait bien. Et toi ?

— Je sens que je suis encore un peu soûl.

Il me jeta un coup d'œil en s'engageant dans la rue.

— Ah oui, zut alors.

— Oui, c'était pas l'idéal ce qu'on a fait hier.

Il ébaucha un sourire, débraya à nouveau et s'arrêta

juste devant la ligne blanche. Un homme âgé, maigre comme un clou, aux cheveux blancs et au gros nez traversa la rue devant nous. Il avait les coins de la bouche qui pointaient vers le bas et les lèvres rouge foncé. Regardant d'abord vers la lande à ma droite, puis vers l'alignement de magasins de l'autre côté de la rue, il finit par baisser les yeux, probablement pour repérer la marche du trottoir. Il fit tout ça comme s'il était seul au monde. Comme si le regard des autres n'existait pas. C'est Giotto qui peignait aussi ses personnages de telle sorte qu'ils donnent l'impression de n'avoir pas conscience d'être vus. Il était le seul à leur imprimer cette aura de vulnérabilité et c'était sûrement lié à l'époque car, plus tard, les générations suivantes de grands peintres italiens ont toujours intégré l'existence du regard des autres dans leur peinture, ce qui les rendait moins naïves mais aussi moins révélatrices.

De l'autre côté de la rue, une jeune femme rousse arrivait rapidement avec une poussette. Juste à ce moment-là, le feu passa au rouge pour les piétons mais elle jeta un coup d'œil au feu pour les voitures, il était encore rouge et elle traversa devant nous en courant à petits pas. L'enfant d'environ un an, aux joues rebondies et la bouche petite, regardait autour de lui d'un air un peu désorienté.

Yngve lâcha la pédale d'embrayage et s'engagea lentement dans le carrefour.

— Il est déjà neuf heures deux, dis-je.

— Je sais. Mais si on peut se garer sans chercher, ça ira.

En arrivant sur le pont, je regardai le ciel au-dessus de la mer. Il était couvert mais si légèrement que par endroits le blanc laiteux avait un reflet bleu comme si le ciel était tendu d'une membrane à moitié transparente. Ailleurs, des nuages lourds et sombres formaient des masses grises dont les contours dérivaient comme de la fumée sur le blanc du ciel. Au niveau du soleil, la couche de nuages était jaune sans être intense et la lumière tamisée semblait venir de partout. C'était une de ces journées sans ombre, où rien ne débordait.

— C'est ce soir que tu pars ?

Yngve acquiesça.

— Là, il y en a une ! dit-il.

L'instant d'après, il se gara le long du trottoir, éteignit le moteur et tira le frein à main. Les pompes funèbres étaient en face. J'aurais préféré une transition moins rapide où j'aurais pu me préparer à ce qui m'attendait, mais il ne restait plus qu'à se jeter à l'eau.

Je descendis de voiture, fermai la portière et suivis Yngve. Dans la salle d'attente, la dame derrière le comptoir nous sourit en nous disant d'entrer directement.

La porte était ouverte. Assis à son bureau, l'agent corpulent se leva dès qu'il nous vit, s'avança et nous serra la main avec un sourire poli mais pas trop chaleureux compte tenu des circonstances.

— Je vous en prie, dit-il en montrant les deux chaises. Asseyez-vous !

— Merci, dis-je.

— Vous avez sûrement réfléchi à l'enterrement pendant le week-end, dit-il en s'asseyant.

Il saisit un dossier devant lui et se mit à le feuilleter.

— Oui, dit Yngve. Nous souhaiterions un enterrement religieux.

— Bien. Je vais vous donner le numéro de téléphone du prêtre. Nous nous chargeons de tout le côté pratique mais ce serait bien que vous lui parliez directement. Lors de la cérémonie, il dira quelques mots sur votre père et ce serait bien que vous lui donniez des informations le concernant.

Il nous regarda. Les plis de son cou débordaient sur le col de sa chemise à la manière d'un saurien. On acquiesça.

— Vous avez le choix entre plusieurs possibilités. Souhaitez-vous par exemple de la musique et si oui, sous quelle forme ? Certains la préfèrent en live, d'autres se satisfont d'un enregistrement. Mais nous avons un chantre très apprécié et qui joue de plusieurs instruments... La musique en live donne une ambiance particulière, une dignité, une gravité... Avez-vous une idée de ce que vous aimeriez ?

Yngve et moi nous regardâmes.

— Ce serait peut-être bien, dis-je.

— Oui, absolument, dit Yngve.

— Alors on est d'accord ?

— Tout à fait.

— C'est entendu ?

On acquiesça.

Il tendit une feuille à Yngve.

— Voici quelques propositions concernant la musique. Mais si vous avez d'autres souhaits, ça ne pose aucun problème, il faut simplement que nous le sachions quelques jours à l'avance.

Je me penchai sur le côté et Yngve bougea la feuille de façon que je puisse lire aussi.

— Du Bach, ce ne serait pas mal ? dit Yngve.

— Oui, il aimait ça.

Pour la première fois depuis presque vingt-quatre heures je me remis à pleurer.

Mais putain, il était hors de question que j'utilise ses Kleenex, pensai-je en m'essuyant les yeux dans le creux du coude à plusieurs reprises. J'inspirai profondément, expirai lentement et remarquai qu'Yngve me jetait un coup d'œil.

Était-il mal à l'aise de me voir pleurer ?

Non, ce n'était pas possible.

Non.

— Ça va, dis-je. Où en étions-nous ?

— On disait que du Bach ce serait bien, dit Yngve en regardant l'agent. La sonate pour violoncelle, là, par exemple...

Il me regarda.

— Tu es d'accord ?

J'acquiesçai.

— Très bien, dit l'agent. Il est de coutume de jouer trois morceaux de musique et de choisir un ou deux cantiques que tout le monde chante.

— « Gloire à la Terre et au Ciel », dis-je aussitôt. On peut prendre ce cantique-là ?

— Bien sûr, dit-il.

Oooh, oooh, oooh.

— Ça va Karl Ove ? dit Yngve.

J'acquiesçai.

On tomba d'accord sur deux cantiques interprétés par le chantre et un autre chanté par l'assemblée, en plus du morceau de violoncelle et de « Gloire à la Terre et au Ciel ». Nous fûmes aussi d'avis qu'il n'y aurait pas d'hommage près du cercueil. Le reste de la cérémonie étant réglé par le rituel liturgique, nous avions terminé l'organisation de l'enterrement.

— Souhaitez-vous des fleurs en dehors des couronnes ? Les gens trouvent que ça fait solennel. J'ai un choix à vous montrer, si vous voulez...

Il tendit une autre feuille à Yngve qui en pointa une du doigt en me regardant et j'acquiesçai.

— D'accord, dit l'agent. Et puis il reste le cercueil... Nous avons plusieurs modèles...

Nouvelle feuille.

— Blanc, dis-je. Ça te va ? Celui-là.

— Oui, si tu veux.

L'agent reprit la feuille et nota. Il nous regarda.

— Donc vous souhaitez une visite aujourd'hui ?

— Oui, dit Yngve, de préférence cet après-midi, si c'est possible.

— Bien sûr c'est possible. Mais… vous savez dans quelles conditions il est décédé ? Que son décès est… lié à l'alcool ?

On acquiesça.

— Bien. Dans ce genre de situation, il est parfois nécessaire d'être préparé à ce qui nous attend.

Il rassembla les feuilles et les tapa sur le bureau.

— Je n'ai malheureusement pas la possibilité de vous accueillir personnellement cet après-midi mais mon collègue sera à la chapelle de l'église d'Oddernes. Vous savez où c'est ?

— Je crois, dis-je.

— À quatre heures, ça vous va ?

— Oui, très bien.

— Alors c'est d'accord. À quatre heures à l'église d'Oddernes. Et si vous avez d'autres idées ou si vous changez d'avis, n'hésitez pas à appeler. Vous avez mon numéro ?

— Oui, dit Yngve.

— Parfait. Mais, ah oui, une dernière chose. Voulez-vous mettre une annonce dans le journal ?

— Sans doute, dis-je en regardant Yngve.

— Oui. Il en faut une.

— Mais il faut peut-être prendre le temps d'y réfléchir, dis-je. Décider du texte, quel nom y mettre…, etc.

— Pas de problème, dit l'agent. Vous pouvez passer ou appeler quand vous aurez réfléchi. Mais dans pas trop longtemps, il y a souvent quelques jours de délai pour les journaux.

— Je peux vous appeler demain, dis-je. Ça vous va ?

— C'est parfait, dit-il en se levant, une autre feuille à la main. Voilà le numéro de téléphone et l'adresse du bureau du prêtre. Je ne sais pas qui veut les prendre.

— Moi, dis-je.

En arrivant à côté de la voiture, Yngve sortit un paquet de cigarettes et m'en offrit une que j'acceptai. Mais, au fond, l'idée de fumer me répugnait — comme toujours les lendemains de cuite, non pas tant à cause du goût ou de l'odeur mais parce que ça créait un lien avec la veille, une sorte de pont, traversé par un tas d'impressions qui faisaient que tout ce qui m'entourait, l'asphalte gris foncé, la bordure du trottoir en blocs de ciment gris clair, le ciel gris et les oiseaux qui y planaient, les fenêtres noires sur les façades alignées, la voiture rouge à côté de nous, la silhouette d'Yngve me tournant le dos, tout était parasité d'images intérieures effrayantes — mais en même temps j'avais besoin ou envie de cette impression de destruction et de décomposition que donnait la fumée dans les poumons.

— Ça s'est bien passé finalement, dis-je.

— Oui, mais on a encore pas mal de choses à faire, enfin, *tu* as encore pas mal de choses à faire. L'annonce, par exemple, mais tu peux me joindre par téléphone.

— Mm.

— Au fait, tu as remarqué le mot qu'il a utilisé ? Visite ?

Je souris.

— Oui, ils ont quelque chose d'une agence immobilière : ce qu'ils vendent doit être impeccable et coûter un maximum d'argent. Tu as vu combien coûtent les cercueils ?

Yngve acquiesça.

— Mais ce n'est pas chez eux qu'on peut se montrer radin, dit-il.

— C'est un peu comme choisir le vin au restaurant. Je veux dire quand on ne s'y connaît pas. Si on a beaucoup d'argent, on ne prend jamais le plus cher mais celui d'en dessous et, si on a peu d'argent, on ne prend jamais le moins cher mais celui du dessus. C'est sûrement la même chose avec leurs cercueils.

— À ce propos, tu étais drôlement déterminé. Sur la couleur blanche, je veux dire.

Je haussai les épaules et jetai ma cigarette allumée sur la route.

— La pureté. C'est sans doute à ça que j'ai pensé.

Yngve laissa tomber sa cigarette par terre et l'écrasa, il ouvrit la voiture et monta. J'en fis autant.

— J'appréhende de le voir, dit Yngve. Il attacha sa ceinture d'une main et démarra de l'autre. Et toi ?

— Moi aussi. Mais il le faut. Sinon je ne comprendrai jamais qu'il est vraiment mort.

— C'est pareil pour moi, dit-il en regardant dans le rétroviseur.

Puis il mit le clignotant et déboîta.

— On rentre alors ? dit-il.

— Et les machines. La shampouineuse et la tondeuse. Ce serait bien de régler ça avant que tu partes.

— Tu sais où c'est ?

— Non, justement. Gunnar a dit qu'il y avait une entreprise à Grim mais je n'ai pas l'adresse exacte.

— OK. On va trouver un annuaire et regarder dans les pages jaunes. Tu sais où il y a une cabine téléphonique dans les parages ?

Je secouai la tête.

— Il y a une station-service au bout d'Elvegaten, on peut essayer là-bas.

— Ça tombe bien, il faut que je fasse le plein avant de partir ce soir.

La minute suivante, nous y étions, et Yngve se gara à côté de la pompe. Pendant qu'il remplissait le réservoir, j'allai dans la boutique. Il y avait un téléphone au mur et trois caisses d'annuaires en dessous. Après avoir trouvé et mémorisé l'adresse de l'entreprise de location, j'allai à la caisse acheter un paquet de tabac. Dans la file d'attente, l'homme qui se trouvait devant moi se retourna.

— Karl Ove ? Qu'est-ce que tu fais là ?

Je le reconnus. Nous avions été au lycée ensemble mais je ne me souvenais plus de son nom.

— Salut ! Ça fait longtemps, dis-je. Comment vas-tu ?

— Bien ! Et toi ?

Son ton chaleureux m'étonna. Lors d'une de nos fêtes de bacheliers que j'avais organisée à la maison, il était devenu agressif et avait fait un trou dans la porte de la salle de bains en donnant un coup de pied dedans. Ensuite, il avait refusé de payer et je n'avais rien pu faire. Une autre fois, alors qu'avec Bjørn on s'était installés sur le toit d'une fourgonnette et que c'était lui qui nous conduisait au centre de divertissements, il avait soudain accéléré dans la descente, après le carrefour de Timenes, et on avait été obligés de s'allonger et de s'agripper aux barres. Il roulait au moins à soixante-dix ou quatre-vingts à l'heure. Arrivés à destination, il continuait à rigoler pendant que nous l'engueulions.

Alors pourquoi cette amabilité aujourd'hui ?

Je croisai son regard. Son visage était peut-être un peu plus rond qu'avant mais sinon il n'avait pas changé. Pourtant, il y avait une certaine rigidité dans ses traits, une immobilité que son sourire, loin d'adoucir, renforçait au contraire.

— Qu'est-ce que tu fais dans la vie ? dis-je.

— Je travaille en mer du Nord.

— Ah ? tu gagnes bien ta vie alors !

— Oh oui. Et j'ai beaucoup de temps libre, c'est bien. Et toi ?

En me parlant, il fit signe au vendeur qu'il voulait une saucisse.

— Je poursuis mes études.
— De quoi ?
— De littérature.
— Oui, c'est vrai que ça t'intéressait déjà à l'époque.
— Oui. Tu vois Espen de temps en temps ? Et Trond ? Et Gisle ?
Il haussa les épaules.
— Trond habite en ville donc je le croise parfois, et Espen quand il rentre pour Noël. Et toi ? Tu as gardé contact avec les anciens ?
— Seulement avec Bassen.
Le vendeur mit la saucisse dans le pain et plaqua le tout dans une serviette.
— Ketchup ou moutarde ? dit-il.
— Les deux s'il vous plaît. Et des oignons.
— Crus ou frits ?
— Frits. Non, crus.
— Crus ?
— Oui.
Quand il fut servi, il tourna la tête vers moi, la saucisse à la main.
— C'est sympa de t'avoir revu, Karl Ove. Tu n'as pas changé !
— Toi non plus.
Il mordit dans la saucisse en tendant un billet de cinquante au vendeur et un moment de gêne s'instaura pendant qu'il attendait la monnaie car nous avions déjà terminé notre conversation. Il sourit légèrement.
— OK, dit-il en refermant la main sur la monnaie qu'on lui donnait. À bientôt peut-être !
— Oui, sûrement.
J'achetai le paquet de tabac et restai quelques secondes devant le présentoir à journaux en faisant semblant de m'y intéresser pour ne pas retomber sur lui dehors. Yngve entra pour payer. En regardant de

côté, je vis qu'il sortait un billet de mille de son porte-feuille mais, ne voulant pas montrer que je savais que c'était l'argent de papa, je marmonnai que je l'attendais dehors et me dirigeai vers la porte.

L'odeur d'essence et de béton à l'ombre du toit d'une station-service, n'est-ce pas l'idéal pour les associations d'idées ? Moteurs, vitesse, avenir.

Mais aussi saucisses, musique de Céline Dion et d'Eric Clapton.

J'ouvris la portière et montai dans la voiture. Yngve arriva aussitôt et démarra. Nous partîmes sans un mot.

Je tondais le jardin avec la machine que nous avions louée. Elle était constituée d'un appareil qu'on s'attachait sur le dos et d'un manche pourvu d'une lame rotative au bout. À déambuler avec mon gros casque antibruit orange, je me sentais comme un robot, amarré à un engin vibrant et bourdonnant en train de raser méthodiquement tous les petits arbustes, toutes les fleurs et toute l'herbe qui me tombaient sous la main. Tout en pleurant. Les sanglots me prenaient par vagues que je ne refrénais pas. Que sorte tout ce qui voulait sortir ! Vers midi, Yngve m'appela de la terrasse et je rentrai manger avec eux. Il avait fait du thé et préparé des petits pains comme grand-mère les servait toujours, réchauffés sur une grille à la chaleur d'une plaque de la cuisinière de façon que la croûte normalement molle devienne croustillante et fasse plein de miettes quand on mordait dedans. Mais je n'avais pas faim et ressortis rapidement pour continuer à tondre. Ça me détendait d'être seul dehors et c'était satisfaisant de voir le travail avancer. Le ciel était bouché par une chape de nuages gris-blanc qui faisait se détacher plus nettement la mer gris foncé et donnait à la ville de l'importance et de l'épaisseur, alors que sous un ciel ouvert elle avait l'allure d'un modeste agglutinement de maisons, comme un crachat par terre. C'était ce que je voyais d'où j'étais. La plupart du temps, j'avais les yeux fixés sur la lame rotative et les tiges qui tombaient comme des soldats fauchés, plus jaunes et grises que vertes, mêlées au pourpre des digitales et au jaune des rudbeckias. Mais de temps en temps je levais aussi les yeux vers le ciel, ce plafond massif d'un gris clair, et vers la mer, ce sol massif d'un gris foncé. Vers le quai et son désordre de capotes de bateaux et de coques, de mâts et de proues, de containers et de bric-à-brac rouillé. Vers les couleurs et les mouvements de la ville qui vibrait comme une machine pendant que je pleurais à chaudes larmes parce que papa, qui avait grandi ici, était mort. Ou peut-être n'était-ce pas pour ça que je pleurais, peut-être avais-je des raisons tout autres. Peut-être que la tristesse et la détresse que j'avais accumulées durant les quinze années précédentes se libéraient. Ça n'avait pas d'importance, rien n'avait d'importance, je tondais l'herbe du jardin parce qu'elle était trop haute.

À trois heures et quart j'éteignis cette machine infernale, la rangeai dans le réduit sous la terrasse et rentrai prendre une douche avant de partir. J'allai chercher vêtements, serviette et shampoing au grenier, les posai sur le couvercle des toilettes, verrouillai la porte, me déshabillai, grimpai dans la baignoire, déviai la pomme de douche et ouvris le robinet. Quand elle fut chaude, je la remis à sa place et l'eau coula sur moi. D'habitude j'en ressentais du bien-être mais pas là et, après m'être lavé et rincé les cheveux en toute hâte, je fermai le robinet, sortis de la baignoire, me séchai et m'habillai. Je fumai une cigarette dehors sur les marches en attendant qu'Yngve descende. J'appréhendais, et en apercevant son visage au-dessus de la voiture pendant qu'il ouvrait la portière, je sus que lui aussi.

La chapelle se trouvait près du lycée que j'avais fréquenté, en biais derrière le grand gymnase, et le chemin que nous prîmes était celui que j'avais emprunté pendant les six mois où j'avais habité l'appartement de mes grands-parents à Elvegaten, mais la vue de ces lieux connus n'éveilla rien en moi et peut-être que je les voyais vraiment comme ils étaient pour la première fois, vides de sens et sans atmosphère. Une clôture par-ci, une maison blanche des années 1800 par-là, des arbres, des buissons, un peu d'herbe, une barrière, une pancarte. Les mouvements réglementaires des nuages dans le ciel, les mouvements réglementaires des hommes sur la terre. Le vent soulevant les branches et faisant trembler les milliers de feuilles selon des modèles aussi imprévisibles qu'invariables.

— Tu peux tourner là, dis-je quand on eut dépassé le lycée et aperçu l'église derrière la clôture en pierre. C'est là-bas.

— J'y suis déjà venu.

— Ah bon ?

— Une fois, à une communion. Mais toi aussi tu y étais, non ?

— Je ne m'en souviens pas.

— Mais moi, oui, dit Yngve en se penchant pour voir plus loin. C'est derrière le parking ?

— Sans doute.

— On est en avance, il n'est que moins le quart.

Je sortis de la voiture et fermai la portière. Une tondeuse-tracteur, conduite par un homme torse nu, arrivait vers nous de l'autre côté de la clôture. Lorsque l'engin passa à environ cinq mètres de nous, je vis que l'homme portait une chaîne en argent autour du cou à laquelle pendait quelque chose ressemblant à une lame de rasoir. Au-dessus de l'église, à l'est, le ciel s'était assombri. Yngve alluma une cigarette et s'éloigna de quelques pas.

— Et nous y voilà, dit-il.

Je jetai un coup d'œil à la chapelle. Une lampe était allumée au-dessus de la porte, presque invisible dans la lumière du jour. Une voiture rouge était garée à côté.

Mon cœur battit plus fort.

— Oui, dis-je.

Haut dans le ciel toujours gris clair tournaient des oiseaux. Ruisdael, le peintre néerlandais, peignait toujours des oiseaux très haut dans le ciel pour donner de la profondeur, c'était pour ainsi dire son sceau, en tout cas j'en avais vu à maintes reprises dans le livre que j'avais sur lui.

À quelques mètres de nous, les arbres étaient pratiquement noirs sous les frondaisons.

— Et maintenant, quelle heure est-il ? dis-je.

Yngve tendit brusquement le bras pour dégager sa montre de la manche de sa veste.

— Moins cinq. On y va ?

J'acquiesçai.

Arrivés à dix mètres de la chapelle, la porte s'ouvrit et un homme jeune en costume foncé nous regarda. Il avait le visage bronzé et les cheveux blonds.

— Knausgaard ? dit-il.

On acquiesça.

Il nous serra la main. Sur les ailes du nez, il avait la peau rouge, comme irritée. Son regard clair était absent.

— Nous y allons ? dit-il.

On acquiesça de nouveau et on entra d'abord dans un vestibule où il s'arrêta.

— C'est là, dit-il. Mais avant d'entrer, je tiens à vous préparer. Ce n'est pas très beau à voir, il y avait tellement de sang, vous savez, on a fait ce qu'on a pu, mais ça se voit encore.

Du sang ?

Il nous regarda.

J'étais transi.

— Vous êtes prêts ?

— Oui, dit Yngve.

Il ouvrit la porte et on entra après lui dans une salle plus grande au milieu de laquelle papa reposait sur une table. Il avait les yeux fermés, les traits doux.

Oh mon Dieu.

Je me mis à côté d'Yngve, juste devant lui. Il avait les joues roses, comme saturées du sang qui était resté incrusté dans les pores quand on l'avait nettoyé. Et il avait le nez cassé. Je voyais tout ça sans le percevoir car tous ces détails se diluaient dans quelque chose de plus grand : d'un côté, ce qu'il dégageait de mort et que je n'avais jamais approché auparavant et, de l'autre, ce qu'il était pour moi, un père, et toute la vie que ça impliquait.

*

Ce n'est qu'en rentrant chez grand-mère, après avoir vu Yngve partir pour Stavanger, que l'histoire du sang me revint. Comment se faisait-il qu'il y en eût ? Grand-mère avait dit qu'elle l'avait trouvé mort dans son fauteuil et on avait tout naturellement cru que son cœur l'avait lâché pendant qu'il était assis là, probablement même pendant son sommeil. Pourtant, l'agent des pompes funèbres avait dit qu'il y avait eu du sang, voire beaucoup de sang. Et il avait le nez cassé. Donc il y avait eu agonie, sous une forme ou une autre. Est-ce qu'il s'était levé, pris de douleurs, puis écroulé contre le mur de la cheminée ou par terre ? Mais dans ce cas, pourquoi n'y avait-il pas de sang sur le mur ou par terre ? Et comment se faisait-il que grand-mère n'eût pas parlé de sang ? Car il s'était forcément passé quelque chose, il n'avait pas pu s'éteindre sereinement, pas avec tout ce sang. Est-ce qu'elle l'avait nettoyé et oublié ensuite ? Et pourquoi ? Elle n'avait rien lavé ou caché d'autre et ne semblait pas non plus en avoir envie. Étrange aussi le fait que j'avais oublié aussi rapidement. Ou pas si étrange finalement, il y avait eu tant d'autres choses à considérer. Quoi qu'il en fût, il fallait que j'appelle Yngve dès que je serais rentré chez grand-mère. Il fallait absolument contacter le médecin qui était venu le chercher. Lui serait capable de nous dire ce qui s'était passé.

La rue en pente douce, bordée d'un grillage vert de l'autre côté duquel poussait une haie touffue, je la remontai le plus vite possible, comme si j'étais en retard, en même temps qu'une autre envie me travaillait, celle de profiter de ma solitude le plus longtemps possible et peut-être même de trouver un café pour y lire le journal. Car une chose était d'être chez grand-mère avec Yngve, une autre d'y être seul. Yngve savait tellement bien s'y prendre avec elle. Le ton léger et facétieux qu'ils employaient entre eux et avec Erling et Gunnar n'avait jamais été mon point fort, c'était le moins qu'on puisse dire. Et pendant l'année de lycée où j'avais passé beaucoup de temps chez eux parce que j'habitais tout près, j'eus l'impression que ma façon d'être leur déplaisait, qu'il y avait quelque chose chez moi qu'ils n'acceptaient pas. Ce pressentiment fut en quelque sorte confirmé quelques mois plus tard, un soir que maman me raconta que grand-mère l'avait appelée pour dire que je ne devais plus venir aussi souvent. Capable la plupart du temps de gérer le fait d'être rejeté, j'avais trouvé ça déchirant venant de mes propres grands-parents et, incapable de me contrôler, je m'étais mis à pleurer devant maman. Elle, de son côté, était furieuse, mais que pouvait-elle faire ? À l'époque, je n'avais rien compris et croyais tout simplement qu'ils ne m'aimaient pas mais, depuis, une idée m'était venue d'où avait pu provenir le malaise. Dans l'incapacité de feindre ou de jouer un rôle, j'étais aussi zélé chez eux qu'au lycée et, à un moment ou à un autre, ils furent obligés de s'en mêler. Et puisque leur bavardage ne m'avait jamais motivé en quoi que ce fût, il s'ensuivit un déséquilibre qui dut être à l'origine du coup de fil à ma mère. Ma présence les obligeait toujours à quelque chose, soit à me nourrir car, si je ne passais pas chez eux entre l'école et l'entraînement, j'aurais dû tenir jusqu'à huit ou neuf heures du soir sans manger, soit à me donner de l'argent car je n'avais pas toujours de quoi payer le bus du soir, or seuls ceux de l'après-midi étaient gratuits pour les élèves. Ce n'était pas le repas ou l'argent en soi qui les gênait mais probablement le fait que j'en avais besoin et que par conséquent ils n'avaient pas le choix. Cette obligation créait un lien entre nous auquel ils n'adhéraient pas. Je ne comprenais pas à l'époque mais aujourd'hui, si. Idem pour ma façon de leur imposer ma vie et mes réflexions. Sans doute ne pouvaient-ils ou ne voulaient-ils pas me donner cette proximité, c'était aussi quelque chose que je leur dérobais. Et le plus paradoxal était que, lors de mes visites, je faisais toujours très attention à eux, disais toujours ce que je supposais qu'ils voulaient entendre et, même ce que j'avais de plus personnel, je l'exprimais parce que je croyais que c'était bon pour eux de l'entendre, pas parce que j'avais besoin de le dire.

Mais le pire, pensai-je en remontant la rue vers Lund qui était encombrée de voitures prises dans les bouchons du soir, dépassant l'un après l'autre les arbres au tronc noirci par les poussières goudronnées et les gaz d'échappement, si massifs et comme pétrifiés en comparaison de la multitude de feuilles vertes et aériennes qui les surplombaient, le pire donc était qu'à l'époque je me considérais comme un connaisseur de l'âme humaine. Je m'étais imaginé que c'était mon domaine, celui où j'étais bon. Comprendre les autres. Alors que moi-même j'étais plutôt un mystère.

Quelle bêtise !

Je ris. Aussitôt, je vérifiai si on m'avait vu. Mais non, les gens dans leur voiture étaient plongés dans leurs pensées.

Peut-être étais-je devenu plus intelligent au cours des douze dernières années mais je ne savais toujours pas feindre, ni mentir ni jouer et c'était pour ça que j'avais bien volontiers laissé Yngve manœuvrer grand-mère. Mais cette fois, c'était à moi d'y aller.

Je m'arrêtai pour allumer une cigarette et, quand je me remis en route, je me sentis joyeux sans savoir pourquoi. Était-ce les façades blanches à l'origine mais ternies par la pollution qui se trouvaient à ma gauche ? Ou bien était-ce les arbres ? Ces êtres immobiles, entourés d'air et coiffés de leur infinité de feuilles ? Chaque fois que je les apercevais, ils m'emplissaient de joie. J'inhalai profondément et fis tomber la cendre gris argent de la cigarette en marchant. Les souvenirs que m'évoquaient ces lieux, et dont j'avais fait le plein quand nous étions allés à la chapelle avec Yngve, me revinrent en force. Ils remontaient à deux périodes ; d'abord celle où, enfant, je venais en visite chez grand-mère et grand-père à Kristiansand et où chaque petit détail du paysage urbain sortait tout droit d'un conte merveilleux, puis celle où j'habitais ici, adolescent. Ça faisait maintenant plusieurs années que j'étais venu et, dès mon arrivée, j'avais remarqué le flot d'impressions que l'endroit déclenchait en moi, lié pour une part aux souvenirs de la première période et pour une autre à la seconde, de sorte que ces trois époques se superposaient. J'aperçus la pharmacie et me souvins d'une fois où Yngve et moi y étions allés avec grand-mère. Les remblais de neige étaient hauts, il neigeait, elle portait un manteau et une toque en fourrure et faisait la queue au guichet derrière lequel les pharmaciens en blouse blanche allaient et venaient. De temps à autre, elle tournait la tête pour voir ce que nous faisions. Passé le premier instant où son regard, sinon froid du moins neutre, nous cherchait, il s'emplissait tout à coup de chaleur comme par magie quand elle souriait. J'aperçus la pente vers le pont de Lund et me souvins que grand-père avait l'habitude de la remonter à bicyclette l'après-midi. Comme il me paraissait différent dehors. Comme si le balancement de sa silhouette, dû à la montée, n'avait pas seulement à voir avec sa bicyclette mais aussi avec l'homme qu'il était : un habitant quelconque de Kristiansand portant manteau et casquette et l'instant d'après mon grand-père. J'aperçus les toits des maisons du quartier résidentiel qui s'étalait en contrebas de la route et me souvins qu'à seize ans je le traversais la nuit, débordant tellement d'émotions que même un étendoir à linge rouillé et bancal au fond d'un jardin, des pommes pourries sous un arbre, un bateau emballé dans une bâche et perché sur des tréteaux humides au-dessus de l'herbe jaune et plate, avaient une beauté incandescente. J'aperçus la pente herbeuse derrière les bâtiments et me souvins que, par un jour d'hiver bleu et froid, nous y étions venus avec grand-mère pour y faire de la luge. Il y avait une telle réverbération du soleil sur la neige que la lumière était comme en haute montagne et faisait que la ville en dessous semblait étrangement ouverte et ce qui s'y passait, les gens et les voitures circulant dans les rues, l'homme en train de déneiger l'accès à la salle des fêtes, les autres enfants qui glissaient sur la neige, n'était pas ancré quelque part mais suspendu dans les airs. C'est en marchant dans ces lieux que me revenaient toutes ces réminiscences qui vivaient en moi mais superficiellement, dans la couche supérieure de la conscience, parce que papa était mort et que la tristesse qui s'était emparée de moi atteignait toutes mes pensées et mes émotions, et me les rappelait. Papa aussi était dans ces souvenirs mais, étrangement, il n'y était pas important, son image n'exprimait rien. Papa en train de marcher sur le trottoir quelques mètres devant moi au début des années soixante-dix, un jour où nous étions allés au kiosque acheter des cure-pipes et que nous rentrions chez grand-mère et grand-père, sa façon de lever le menton quand il relevait la tête en même temps qu'il se souriait à lui-même, la joie que j'en éprouvais, ou bien papa à la banque, en train de tenir son portefeuille d'une main et de se passer l'autre dans les cheveux en regardant son reflet dans la vitre du guichet, ou encore papa dans la voiture en train de sortir de la ville : dans aucun de ces souvenirs il n'apparaissait comme quelqu'un d'important. Enfin si, au moment où je vivais ces événements, mais pas maintenant, au moment où j'y repensais. À la pensée qu'il était mort, les choses étaient différentes. Là, naturellement, il était tout, mais la pensée elle-même aussi était tout car en marchant ainsi sous la pluie fine, c'était comme si je me trouvais dans une zone à l'extérieur de laquelle rien n'avait d'importance. Je voyais et pensais puis ce que je voyais et pensais se retirait : ça ne comptait pas. Rien ne comptait sauf le fait que papa soit mort.

Pendant tout le temps que je marchais, j'avais aussi

à l'esprit l'enveloppe marron contenant les effets personnels qu'il avait sur lui au moment de sa mort. Je m'arrêtai au niveau de l'épicerie, en face de la pharmacie, me tournai vers le mur et sortis l'enveloppe. Je vis le nom de mon père. Il me parut étranger car je m'étais attendu à lire Knausgaard. Mais celui-là était bien le nom ridicule et pompeux qu'il avait à sa mort.

Tirant un cabas à roulettes d'une main et un petit chien blanc de l'autre, une femme d'un certain âge me regarda quand elle sortit du magasin. Je fis quelques pas pour m'approcher du mur et fis tomber le contenu de l'enveloppe dans ma main. Son alliance, une chaîne, quelques pièces de monnaie et une aiguille. C'était tout mais au fond c'était aussi ordinaire que des objets peuvent l'être. Mais le fait qu'il les avait portés, que l'alliance avait été à son doigt et la chaîne autour de son cou au moment de sa mort leur conférait une aura particulière. Mort et or. Je les fis tourner dans ma main et ils m'emplirent d'épouvante. J'avais peur de la mort comme j'en avais peur quand j'étais enfant. Pas parce que moi j'allais mourir mais pour les morts.

Je remis les objets dans l'enveloppe que je fourrai dans ma poche, traversai rapidement la rue en profitant d'un espace entre deux voitures et allai au kiosque m'acheter un journal et une barre chocolatée que je mangeai en grimpant les quelques centaines de mètres qui restaient jusqu'à la maison.

Malgré tout ce qui s'était passé, l'odeur dont je gardais le souvenir depuis l'enfance était toujours là. Déjà à l'époque, je réfléchissais au phénomène qui faisait que chaque maison que je connaissais, celles des voisins et celles de la famille, avait son odeur bien à elle qui ne changeait jamais. Toutes, sauf la nôtre. Elle n'avait pas d'odeur spécifique. Elle ne sentait rien. Quand grand-mère et grand-père nous rendaient visite, ils amenaient l'odeur de leur maison avec eux ; je me souvins particulièrement d'une fois où grand-mère était venue chez nous à l'improviste et qu'en rentrant de l'école j'avais senti cette odeur et cru que c'était le fruit de mon imagination car aucun autre signe n'attestait cette présence. Pas de voiture dehors, pas de vêtement ni de chaussures dans le vestibule. Uniquement l'odeur. Pourtant ce n'était pas mon imagination car grand-mère était effectivement dans la cuisine, tout habillée. Elle avait pris le bus pour nous faire la surprise, ce qui ne lui ressemblait pas. Il était étrange que l'odeur soit encore la même dans cette maison, vingt ans plus tard, après tous les changements qui y avaient eu lieu. On aurait pu penser que l'odeur d'une maison était liée aux habitudes, parce qu'on utilisait les mêmes savons, les mêmes produits d'entretien, les mêmes parfums et après-rasage, parce qu'on cuisinait les mêmes plats toujours de la même façon, parce qu'on rentrait tous les jours du même travail et qu'on faisait toujours les mêmes choses le soir : si on bricolait la voiture, alors oui, le cambouis et le white-spirit, le métal et les gaz d'échappement flottaient dans l'air, si on collectionnait les vieux livres, alors oui, ça sentait le papier jauni et le vieux cuir. Mais dans une maison où toutes les anciennes habitudes avaient cessé, où les gens étaient morts et où ceux qui restaient étaient trop vieux pour faire ce qu'ils avaient l'habitude de faire, comment se faisait-il que l'odeur restât inchangée ? Est-ce que quarante ans d'une vie imprégnaient les murs ? Est-ce que c'était ça que je sentais chaque fois que j'entrais dans cette maison ?

Au lieu de monter la voir tout de suite, j'ouvris la porte de la cave et descendis les premières marches étroites de l'escalier. L'air froid et obscur qui m'accueillit était comme un concentré de celui qui flottait dans la maison, exactement comme dans mon souvenir. Ils y avaient toujours entreposé les caisses de pommes, de poires et de prunes à l'automne, et ce parfum mêlé à l'odeur de vieux mur et de terre formait la base odorante de la maison, à laquelle d'autres venaient s'associer ou se dissocier. Je n'y étais descendu que trois ou quatre fois car, comme le grenier, son accès nous était défendu. Mais combien de fois n'étais-je pas resté dans le couloir à regarder grand-mère nous remonter des sacs pleins de prunes jaunes et juteuses ou de pommes rouges, à peine ridées, au goût merveilleux ?

L'unique source de lumière venait d'une petite lucarne, comme sur un bateau. Et le jardin étant en dessous du niveau de l'entrée, on pouvait le voir à travers. La perspective était troublante, la perception de l'espace comme dissoute et j'eus un court instant l'impression que le sol se dérobait. Au moment où je m'agrippai à la rampe, tout revint à sa place : j'étais là, la fenêtre là, le jardin là et l'entrée de la maison là.

Je restai un moment à regarder par la lucarne, sans que rien ne retienne mon attention, ni que je pense à quelque chose de particulier. Je remontai dans le vestibule, accrochai ma veste à un des cintres de la penderie et jetai un coup d'œil à mon reflet dans le miroir près de l'escalier. La fatigue faisait comme une pellicule sur mes yeux. Je montai d'un pas lourd pour que grand-mère m'entende.

Elle était assise à la table de la cuisine, exactement comme quand nous l'avions quittée quelques heures plus tôt. Devant elle, une tasse de café, un cendrier et une assiette pleine de miettes du petit pain qu'elle avait mangé.

Quand j'entrai, elle me jeta un rapide coup d'œil d'oiseau.

— Ah, c'est toi ? Ça s'est bien passé ?

Elle avait sûrement oublié où j'étais allé mais je ne pouvais pas en être certain et je répondis avec le sérieux qui sied à la situation.

— Oui, ça s'est bien passé.

— Bien, dit-elle en détournant la tête.

Je fis quelques pas pour poser sur la table le journal que j'avais acheté.

— Tu veux du café ? dit-elle.

— Oui, volontiers.

— Il est sur la plaque.

Le ton qu'elle employa m'incita à la regarder. Elle ne m'avait jamais parlé de la sorte. Le plus étonnant était que ça la changeait moins elle que moi. C'est ainsi qu'elle avait dû parler à papa ces derniers temps. C'était à lui et non à moi qu'elle s'était adressée. Et elle n'aurait pas non plus parlé de la sorte en présence de grand-père. C'était le ton employé entre une mère et son fils quand ils sont seuls.

Je ne pensais pas qu'elle me prenait pour mon père, seulement qu'elle parlait ainsi par habitude, comme un bateau continue d'avancer alors que le moteur a été coupé. Pourtant, ça me glaça. Je ne pouvais pas le montrer et je pris une tasse dans le placard et mis la main sur la bouilloire. Il y avait bien longtemps qu'elle avait refroidi.

Grand-mère sifflota et tambourina avec ses doigts sur la table comme elle l'avait fait du plus loin que je me souvienne. Ça faisait plaisir à voir — elle avait tellement changé.

J'avais vu des photos d'elle du début des années trente : elle était belle sans que ce soit frappant mais suffisamment pour la distinguer à la façon de l'époque : un regard sombre et dramatique, une petite bouche et des cheveux courts. Photographiée devant les attractions touristiques de leurs voyages, entre deux âges et mère de trois enfants à la fin des années cinquante, elle avait encore tout ce qui l'avait caractérisée, d'une façon plus douce, moins évidente et cependant toujours nette, on pouvait encore dire d'elle qu'elle était belle. Dans mon enfance, quand elle avait vers les soixante-dix ans, je ne la voyais bien sûr pas comme ça, elle était tout simplement « grand-mère » et je n'avais pas conscience de ce qu'elle avait de spécifique, de ce qui révélait qui elle était. Elle devait donner l'image d'une dame âgée, bourgeoise, bien habillée et bien conservée, comme ce jour de la fin des années soixante-dix où elle prit exceptionnellement le bus pour venir nous surprendre à Tybakken. Elle avait toujours été vive, présente et en bonne santé, sauf ces deux dernières années. Quelque chose s'était produit qui n'avait rien à voir avec la vieillesse ni avec la maladie. L'absence qui l'habitait n'avait rien de la douce indifférence et de la saturation qu'éprouvent les personnes âgées, non, elle était âpre et aussi sèche que son corps.

Je voyais mais ne pouvais rien y faire, je ne pouvais pas la rejoindre, je ne pouvais pas l'aider ni la consoler. Je ne pouvais que constater et chaque instant passé avec elle me crispait. La seule chose à faire était d'être en mouvement pour ne pas laisser ce qu'il y avait là, dans la maison ou en elle, prendre racine.

De la main elle enleva une miette de tabac qu'elle avait sur les lèvres et me jeta un coup d'œil.

— J'en fais pour toi aussi ? dis-je.

— Le café n'était pas bon ?

— Il était un peu tiède, dis-je en allant à l'évier avec la bouilloire. J'en refais.

— Ah bon, tu trouves qu'il était tiède !

Me grondait-elle ?

Non. Elle rit en balayant une miette de sa robe.

— Je dois commencer à radoter. J'étais certaine que je venais de le faire.

— Il n'était pas complètement froid, dis-je en ouvrant le robinet. Mais j'aime le café brûlant.

Je vidai le marc dans l'évier et laissai le jet d'eau couler jusqu'à ce que tout soit emporté. Puis je rinçai la bouilloire, presque toute noire à l'intérieur et couverte de marques de doigts à l'extérieur, et la remplis d'eau fraîche.

Radoter était un euphémisme dans la famille pour désigner la sénilité. Leif, le frère de grand-père, radotait quand à plusieurs reprises il était parti de la maison de retraite pour aller le soir ou la nuit jusqu'à la demeure de son enfance, frapper à la porte et crier. Alf, son autre frère, avait aussi commencé à radoter ces dernières années et mélangeait présent et passé. Grand-père, quant à lui, radotait aussi un peu à la fin de sa vie quand, en pleine nuit, il se mettait à bricoler une énorme collection de clés que personne ne savait qu'il possédait, ni pourquoi. C'était de famille, leur mère avait, elle aussi, beaucoup radoté à la fin de sa vie, à en croire ce que papa avait raconté. D'après lui, elle s'était tuée en tombant au bas de l'escalier pentu qui menait au grenier alors que, la sirène ayant retenti, elle aurait dû descendre à la cave. Je ne savais pas si c'était vrai car mon père pouvait mentir sur tout. Mon intuition me disait que ce n'était pas vrai mais il n'y avait aucun moyen de le savoir.

Je mis la bouilloire à chauffer. Le tic-tac de la minuterie emplit la cuisine, bientôt suivi du crépitement des gouttes d'eau sur la plaque. Les bras croisés, je regardais par la fenêtre vers le haut de la lande où trônait une maison blanche. Il me traversa l'esprit que j'avais vu cette maison toute ma vie sans jamais apercevoir personne, ni dedans ni autour.

— Et où est passé Yngve ? dit-elle.

— Tu sais bien qu'il fallait qu'il rentre à Stavanger aujourd'hui, dis-je en me tournant vers elle. Retrouver sa famille. Mais il revient pour l'enterr… il revient vendredi.

— Ah oui, c'est vrai, dit-elle en hochant la tête pour elle-même. Il devait rentrer à Stavanger.

En attrapant le paquet de tabac et la petite rouleuse noir et rouge, elle dit sans lever les yeux :

— Mais toi tu restes ?

— Oui, je reste là.

J'étais content qu'elle veuille que je sois avec elle, même si je comprenais que ce n'était pas spécialement moi qu'elle voulait mais une présence.

Elle tira la manette de la rouleuse avec une force étonnante, sortit la cigarette remplie de tabac et l'alluma, puis elle épousseta encore les miettes qu'elle avait sur les genoux et resta à regarder devant elle.

— J'ai l'intention de continuer à nettoyer. Et puis, plus tard, il faut que je travaille un peu et que je passe des coups de téléphone.

— C'est bien, dit-elle en me regardant. Mais tu as quand même le temps de t'asseoir un peu ?

— Oui, bien sûr.

La bouilloire commença à siffler et j'appuyai dessus. Le sifflement s'amplifia et je la retirai de la plaque. J'y versai une quantité de café au hasard, mélangeai avec une fourchette, la tapai bien fort sur la plaque et la posai sur une grille sur la table.

— Voilà, il n'a plus qu'à infuser un peu, dis-je.

Parmi les traces de doigts sur la bouilloire que nous n'avions pas lavée, il devait aussi y avoir celles de papa. Je revis les marques de nicotine sur ses doigts. Elles avaient quelque chose d'indigne. Je trouvais que la trivialité dont elles témoignaient ne s'accordait pas à la solennité de la mort.

Ou à la solennité que moi j'attribuais à la mort.

Grand-mère soupira.

— Ah, la vie est un compat, disait celle qui ne savait pas prononcer les *b*.

Je souris. Grand-mère sourit aussi puis son regard redevint absent. Je cherchai quelque chose à dire mais ne trouvai rien et me versai du café alors qu'il était plus clair que noir et que des particules flottaient encore à la surface.

— Tu en veux ? Il n'est pas très fort, mais…

— Oui, volontiers, dit-elle en avançant sa tasse de quelques centimètres. Merci, ajouta-t-elle quand elle fut remplie à moitié.

Elle attrapa le carton de crème liquide et s'en versa.

— Mais où est passé Yngve ?

— Il est rentré chez lui, à Stavanger.

— Ah oui, c'est vrai. Quand revient-il ?

— Vendredi, je crois.

Je rinçai le seau dans l'évier, le remplis d'eau, y versai du savon noir, enfilai les gants en caoutchouc, attrapai d'une main la lavette sur le plan de travail, levai le seau de l'autre et allai au fond du salon. Dehors, le crépuscule commençait tout juste à tomber. On devinait un halo bleuté par terre, autour du feuillage des arbres et de leur tronc et autour des buissons tout contre le grillage qui nous séparait du voisin. Il était si faible que les couleurs n'étaient pas estompées, comme elles le seraient au cours de la soirée, mais au contraire renforcées puisque la lumière n'éblouissait plus et que cet adoucissement donnait à leur plénitude un genre d'arrière-plan d'où elles se détachaient. Mais au sud-ouest, où on apercevait à peine le phare à l'entrée du bras de mer, la lumière du jour restait inchangée. Quelques nuages rougeoyaient d'eux-mêmes là-bas car le soleil était caché.

Au bout d'un moment, grand-mère arriva, alluma

la télévision et s'assit dans le fauteuil. Le son de la publicité, toujours plus fort que celui des émissions, remplit le salon et résonna même dans la pièce.

— Est-ce que c'est les informations maintenant ? dis-je.

— Oui, je pense. Tu ne veux pas les regarder ?

— Si, mais je finis d'abord.

Après avoir lavé tout le lambris d'appui d'un des murs, j'essorai la lavette et allai dans la cuisine, où mon reflet dans la fenêtre ne faisait plus maintenant qu'une surface plus ou moins sombre, vidai l'eau dans l'évier, étendis la lavette sur le bord du seau, restai immobile un instant, ouvris le placard, poussai les rouleaux d'essuie-tout et sortis la bouteille de vodka. Je pris deux verres dans le placard au-dessus de l'évier. J'ouvris le réfrigérateur, pris la bouteille de Sprite, en remplis l'un des verres jusqu'en haut, fis le mélange dans l'autre et les emportai au salon.

— Je me disais qu'on pouvait s'accorder un petit verre, dis-je en souriant.

— Oh oui, dit-elle en souriant aussi, c'est une bonne idée.

Je lui tendis le verre avec la vodka, pris l'autre et m'assis dans le fauteuil d'à côté. Horrible, c'était horrible. Ça me déchirait mais je ne pouvais rien y faire. Elle en avait besoin. C'était comme ça.

Si au moins ça avait été du cognac ou du porto !

J'aurais pu le servir sur un plateau avec une tasse de café, ça aurait paru, sinon complètement normal, du moins pas aussi criant que ce mélange clair de vodka-Sprite.

Je la regardai ouvrir sa vieille bouche et avaler la boisson. Je m'étais promis que ça n'arriverait plus, pourtant elle était là, un verre à la main. Ça me fendit le cœur. Heureusement, elle n'en redemanda pas.

Je me levai.

— Je vais passer des coups de téléphone, dis-je.
Elle tourna la tête vers moi.
— Qui appelles-tu à cette heure-ci ?
— Il n'est que huit heures.
— Pas plus ?
— Non. Je vais appeler Yngve. Et Tonje aussi.
— Yngve ?
— Oui.
— Il n'est pas ici ? Non, je sais qu'il n'est pas là, dit-elle en reportant son attention sur la télévision, comme si j'avais déjà quitté la pièce.

Je tirai une chaise de la salle à manger, m'assis et fis le numéro d'Yngve. Il venait juste d'arriver et tout s'était bien passé. Derrière lui, j'entendais les cris de Torje et Kari Anne qui essayait de le faire taire.
— J'ai repensé au sang, dis-je.
— Oui, et alors ? Il a dû lui arriver quelque chose de plus que ce que grand-mère a raconté.
— Il est forcément tombé. Et sur quelque chose de dur. Tu as vu qu'il avait le nez cassé ?
— Évidemment.
— On devrait parler à quelqu'un qui était sur place. Au médecin, directement.
— Les pompes funèbres ont sûrement son nom. Veux-tu que j'appelle ?
— Oui. Tu peux le faire ?
— J'appellerai demain. Il est un peu tard, là. Et on en reparle après.
J'avais pensé pouvoir lui relater un peu plus ce qui se passait ici mais sentis une certaine impatience dans sa voix et ce n'était pas étonnant, Ylva, sa petite de deux ans, l'avait attendu avant de pouvoir se coucher. Et puis ça ne faisait que quelques heures qu'on ne s'était pas parlé. Pourtant, il ne concluait pas notre conversation et je dus le faire. Dès que

j'eus raccroché, je composai le numéro de Tonje. Je compris à sa voix qu'elle avait attendu mon appel, lui dis que j'étais très fatigué et qu'on pourrait parler davantage le lendemain et que, de toute façon, elle arrivait dans quelques jours. La conversation ne dura que quelques minutes mais je me sentis mieux après. J'attrapai mes cigarettes et un briquet sur la table de la cuisine, et sortis sur la terrasse. Ce soir-là aussi, la baie grouillait de bateaux qui rentraient. L'air doux était saturé de cette odeur de bois de construction caractéristique de la ville quand le vent venait du nord, des senteurs du jardin et de l'odeur légère et à peine perceptible de la mer. Par la fenêtre, on voyait vaciller la lumière de la télévision. Je me mis devant la rambarde en fer forgé au bout de la terrasse pour fumer. Quand j'eus terminé, j'écrasai la cigarette sur le mur et les braises tombèrent dans le jardin comme des petites étoiles. Une fois rentré, je vérifiai d'abord que grand-mère était toujours dans le salon et montai dans la chambre du grenier. Ma valise était ouverte à côté du lit. Je sortis le carton contenant le manuscrit, m'assis au bord du lit et déchirai le scotch. L'idée que c'était finalement devenu un livre qui allait être publié me heurta de plein fouet quand je lus la première page, si différente après correction de la version à laquelle je m'étais habitué. Je la mis immédiatement tout en dessous car je ne pouvais pas y réfléchir maintenant, je sortis un crayon de la poche de la valise, pris la feuille avec la liste des signes de correction, m'adossai à la tête de lit et posai le manuscrit sur mes genoux. Ça pressait et j'avais prévu de corriger le plus possible le soir. Jusqu'à présent je n'avais pas eu le temps mais là, il n'était que huit heures du soir et, Yngve ayant quitté la maison, j'avais au moins quatre heures devant moi pour travailler, si ce n'était plus.

Je me mis à lire.

En face de moi, les deux costumes noirs pendus chacun de son côté aux portes entrouvertes de l'armoire gênaient ma concentration car je les devinais en lisant et, même si je savais que ce n'était que deux costumes, l'idée de vrais corps projetait son ombre dans ma conscience. Au bout de quelques minutes, je me levai pour les enlever et restai là, un costume dans chaque main, à chercher où je pourrais les pendre. Sur la tringle à rideaux de la fenêtre ? Ils se verraient encore plus. Dans l'encadrement de la porte ? Non, c'était là que je passais. À la fin, je quittai la chambre pour aller à côté, dans le grenier qui servait à sécher le linge, où je les suspendis chacun à son fil. À pendre comme ça librement, ils avaient l'air encore plus humains qu'avant mais, une fois la porte fermée, ils étaient hors de ma vue.

Revenu dans la chambre, je me rassis au milieu du lit et continuai. Dans les rues au loin, une voiture accéléra. La télévision qui résonnait à l'étage en dessous, dans cette maison par ailleurs vide et silencieuse, était proprement de la folie.

Je levai les yeux.

J'avais écrit le livre pour papa. Sans le savoir. C'était à lui que j'avais écrit.

Je posai le manuscrit et m'approchai de la fenêtre.

Était-il aussi important que ça pour moi ?

Oh oui.

Je voulais qu'il me voie.

La première fois que je compris que j'avais écrit quelque chose de véritablement abouti, pas seulement que j'aurais voulu abouti ou qui faisait semblant d'être abouti, ce fut quand je rédigeai un passage sur papa et que je me mis à pleurer en même temps. Ça ne m'était jamais arrivé et j'en étais même très loin. J'écrivais sur papa en pleurant si fort que je ne voyais plus ni clavier ni écran, je ne faisais que taper. La tristesse qui m'habitait alors, je n'en connaissais pas l'existence, je n'imaginais pas qu'elle puisse exister. Mon père était un idiot, une personne à laquelle je ne voulais pas avoir affaire et dont il ne me coûtait pas de me tenir à l'écart. Il n'était même pas question d'écart puisqu'il n'y avait rien. Rien chez lui ne me touchait. C'était comme ça, et puis un jour j'écrivis sur lui et les sanglots éclatèrent.

Je me rassis dans le lit et reposai le manuscrit sur mes genoux.

Mais il y avait plus que ça.

J'avais aussi voulu montrer que j'étais mieux que lui. Que j'étais plus grand que lui. Ou avais-je simplement voulu qu'il soit fier de moi ? Qu'il m'accorde sa reconnaissance ?

Il n'avait même pas su que j'allais publier un livre. La dernière fois qu'on s'était rencontrés tous les deux avant qu'il meure, c'était un an et demi auparavant. Il s'était enquis de ce que je faisais et j'avais répondu que je venais juste de commencer un roman. Nous remontions la rue Dronningen pour aller dîner au restaurant, son visage était en sueur bien qu'il fît froid, et il avait demandé sans me regarder, sur le ton de la conversation, si ça aboutirait. J'avais acquiescé et dit qu'une maison d'édition était intéressée. Il m'avait alors jeté un coup d'œil comme provenant de ce lieu où il était encore celui qu'il avait été, et qu'il pouvait peut-être encore redevenir.

— Je suis content que ça se passe bien pour toi, Karl Ove, avait-il dit.

Pourquoi est-ce que je m'en souvenais si bien ? D'habitude, j'oubliais pratiquement tout ce que les gens me disaient, si proches soient-ils, et rien ne laissait prévoir que ce serait la toute dernière fois que je serais avec lui. Peut-être m'en souvenais-je parce qu'il avait dit mon nom, ça devait faire quatre ans que je ne l'avais pas entendu de sa bouche, et que par conséquent ce qu'il dit prit un caractère intime et inattendu. Peut-être m'en souvenais-je parce que, en écrivant sur lui quelques jours auparavant, j'étais empreint de sentiments qui contredisaient complètement ceux qu'il avait éveillés en moi ce jour-là, en étant bienveillant. Ou bien m'en souvenais-je parce que je détestais l'emprise qu'il avait sur moi et qui se révélait encore par le fait de me réjouir de si peu. Pour rien au monde je ne voulais faire quoi que ce fût pour lui, être poussé à quoi que ce fût par lui, de positif ou de négatif.

Cette volonté ne valait plus rien maintenant.

Je posai le tas de feuillets sur le lit, rangeai le crayon dans la poche de la valise, me penchai pour attraper le carton par terre à côté, essayai de remettre le manuscrit dedans mais en vain, alors je le mis tel quel dans la valise, tout au fond, en le couvrant bien de vêtements. Le carton sur le lit, que je regardai fixement un certain temps, allait me faire penser au roman chaque fois que je le verrais. Mon premier mouvement fut de le descendre pour le jeter dans la poubelle de la cuisine, mais après réflexion je me dis qu'il ne fallait pas l'associer à la maison de cette façon-là. Donc je déplaçai une nouvelle fois les vêtements dans la valise, posai le carton au fond, à côté du manuscrit, remis les vêtements par-dessus, puis refermai le couvercle en tirant la fermeture éclair et sortis de la pièce.

Dans le salon, grand-mère regardait la télé. C'était un débat. Je supposai que ça n'avait aucune importance pour elle. Elle regardait aussi bien les émissions pour la jeunesse de l'après-midi sur TV2 et TVNorge que les documentaires du soir. Je n'avais jamais compris en quoi l'univers dément des jeunes, leurs désirs démesurés qui envahissaient aussi les journaux télévisés et les débats, pouvait lui parler. Elle qui était née avant la Première Guerre mondiale et donc issue de la vieille Europe, certes à la marge de celle-ci mais quand même. Elle qui avait vécu son enfance dans les années dix, sa jeunesse dans les années vingt, qui devint adulte dans les années trente, mère dans les années quarante et cinquante et qui était déjà une dame âgée en 1968. Mais il devait bien y avoir quelque chose car chaque soir elle s'installait devant.

Une petite flaque jaune s'étalait sous elle. Une traînée plus foncée le long du fauteuil montrait d'où elle venait.

— Tu as le bonjour d'Yngve, dis-je. Il est bien arrivé.

Elle leva furtivement les yeux vers moi.

— C'est bien.

— As-tu besoin de quelque chose ?

— Besoin ?

— Oui, veux-tu manger quelque chose. Je peux te préparer quelque chose si tu veux.

— Non merci. Mais sers-toi.

La vision du cadavre de papa m'avait rendu l'idée de manger répugnante. Mais franchement, je ne pouvais pas associer une tasse de thé à la mort ? Je chauffai une casserole sur la cuisinière, versai l'eau bouillante dans la tasse sur le sachet et regardai un certain temps la couleur s'en détacher et se diffuser en spirales lentes jusqu'à ce que l'ensemble fût doré. Je saisis la tasse et l'emportai sur la terrasse. Au loin sur la mer, le ferry du Danemark approchait. Au-dessus de lui, les nuages avaient complètement disparu. Les traces de bleu qui restaient donnaient au ciel l'apparence d'une étoffe, telle une énorme toile éclairée par-derrière où les étoiles brillaient comme à travers des milliers de petits trous.

Je bus une gorgée et posai la tasse sur le rebord de la fenêtre. Je me remémorai cette soirée avec papa. La glace faisait des bosses sur le trottoir et le vent d'est balayait les rues presque désertes. Nous étions entrés dans un hôtel-restaurant, avions ôté nos vestes et pris place à une table. Essoufflé, papa s'était passé la main sur le front. Il avait pris le menu et l'avait parcouru, puis relu encore une fois.

— Je crois qu'ils ne servent pas de vin ici, dit-il en se levant.

Il se dirigea vers le maître d'hôtel et lui dit quelque chose. Quand ce dernier fit non de la tête, papa tourna les talons, revint vers la table, arracha presque sa veste de la chaise et l'enfila en allant droit vers la sortie. Je me dépêchai de le suivre.

— Qu'est-ce qui s'est passé ? dis-je quand nous nous retrouvâmes sur le trottoir.

— Ils ne servent pas d'alcool là-dedans. Grand Dieu, c'est un hôtel pour abstinents !

Puis il me regarda en souriant.

— Tu comprends bien qu'il nous faut du vin au repas. Mais ce n'est pas grave, il y a un autre restaurant tout près.

On atterrit au Caledonien, on prit une table à côté de la fenêtre et chacun un steak. Mais c'était moi qui mangeais ; quand j'eus fini, le sien était pratiquement intact dans son assiette. Il alluma une cigarette, but son reste de vin rouge, s'adossa à la chaise et dit qu'il avait l'intention de commencer comme routier. Ne sachant pas comment réagir, j'acquiesçai sans rien dire. Il dit que les routiers vivaient bien. Qu'il avait toujours aimé conduire, toujours aimé voyager et si par-dessus le marché on était payé pour, est-ce qu'il y avait de quoi hésiter ? L'Allemagne, l'Italie, la France, la Belgique, les Pays-Bas, l'Espagne, le Portugal, dit-il. Oui, c'est un beau métier, dis-je. Mais on va s'arrêter là, dit-il. Je paie. Tu peux partir. Tu as sûrement beaucoup à faire. J'étais content de te voir. Et je fis comme il avait dit, me levai, pris ma veste, lui dis au revoir, me dirigeai vers la réception, sortis, me demandai un instant si j'allais prendre un taxi ou pas, décidai que non et partis vers l'arrêt de bus. Par la fenêtre je le vis encore traverser le restaurant pour aller vers la porte qui menait au bar et, malgré son gros corps lourd, ses mouvements étaient toujours rapides et impatients.

Ce fut la dernière fois que je le vis vivant.

J'avais eu ces deux heures durant l'impression qu'il prenait sur lui. Qu'il avait usé de toutes ses forces pour rester maître de lui, pour être présent, pour être comme il avait été avant.

Cette pensée me torturait pendant que je faisais les cent pas sur la terrasse en fixant du regard tantôt la ville, tantôt la mer. J'envisageai la possibilité d'aller faire un tour jusqu'en ville ou peut-être vers le stade, mais je ne pouvais pas laisser grand-mère seule et puis ce n'était pas de marcher que j'avais besoin. Et demain d'ailleurs, tout serait différent. Avec le jour venait toujours plus que la lumière. Si épuisé émotionnellement qu'on puisse être, il était impossible de rester insensible à ce qu'il apportait de renouveau. Alors je rentrai ma tasse, la mis dans le lave-vaisselle, fis de même avec les tasses et les verres, les assiettes et les plats qui traînaient, y versai du détergent et le mis en marche. Je nettoyai la table avec une lavette, l'essorai et la pendis au robinet bien qu'il y ait quelque chose d'abscons dans la rencontre entre le tissu rugueux et humide et la brillance du métal, j'allai dans le salon et m'arrêtai près du fauteuil où grand-mère était assise.

— Je crois que je vais aller me coucher, dis-je. Ce fut une longue journée.

— Il est déjà si tard ? Moi aussi je vais au lit bientôt.

— Bonne nuit.

— Bonne nuit.

Je m'éloignai.

— Karl Ove ?

Je me retournai vers elle.

— Tu n'as pas l'intention de dormir là-haut cette nuit aussi ? C'est mieux en bas. Dans notre ancienne chambre, tu sais. Il y a la salle de bains juste à côté.

— C'est vrai. Mais je crois que je vais dormir en haut quand même. Je suis déjà installé, tu sais.

— Oui, oui. Tu fais comme tu veux. Bonne nuit alors.

— Bonne nuit.

Ce n'est qu'arrivé dans la chambre du grenier et pendant que je me déshabillais que je compris que ce n'était pas pour moi qu'elle avait fait la proposition mais pour elle. Je renfilai aussitôt mon t-shirt, soulevai le drap du dessous, roulai la couette, mis le tout sous mon bras, attrapai ma valise et descendis. Je la rencontrai sur le palier du premier étage.

— J'ai changé d'avis. Tu as raison, c'est mieux de dormir en bas.

— C'est vrai, hein ?

Je la suivis dans l'escalier. Une fois en bas, elle se retourna vers moi.

— Est-ce que tu as tout ce qu'il te faut ?

— Oui, pas de problème.

Alors elle ouvrit la porte de sa petite chambre et disparut.

La chambre que j'allais occuper était de celles que nous n'avions pas nettoyées mais je ne pouvais m'attarder au fait que des brosses, des rouleaux à cheveux, des bijoux et des boîtes à bijoux, des cintres, des chemises de nuit, des chemisiers, des sous-vêtements, des serviettes de bain, des trousses de toilette et du maquillage traînaient un peu partout sur les tables de nuit, le matelas, les étagères des armoires ouvertes, par terre et sur le rebord des fenêtres. Je déblayai le lit en un tour de main avant d'y mettre le drap et la couette, puis me déshabillai, éteignis la lumière et me couchai.

Je dus m'endormir immédiatement car ce dont je me souvins ensuite, c'est de m'être réveillé et d'avoir allumé la lampe de chevet pour regarder l'heure. Il était deux heures. Des pas résonnaient dans l'escalier. La première chose qui vint à mon esprit, ensommeillé et encore relié à ce que je venais de rêver, fut que papa était revenu. Pas comme fantôme mais vivant. Rien en moi ne vint contredire cette idée et j'eus peur. Puis lentement, comme un prolongement à cette idée, je compris que c'était ridicule et sortis du lit. La porte de la chambre de grand-mère était entrouverte. J'y jetai un coup d'œil. Son lit était vide. Je montai l'escalier. Elle était sûrement allée boire un verre d'eau ou alors, n'arrivant pas à dormir, elle avait décidé de regarder la télé mais je voulais vérifier, on ne savait jamais. D'abord la cuisine. Elle n'y était pas. Puis le salon de tous les jours. Elle n'y était pas non plus. Elle avait dû aller dans l'autre salon alors.

Oui, c'était là qu'elle était, devant la fenêtre.

Pour une raison quelconque, je ne me montrai pas et restai à la regarder dans l'ombre de la porte coulissante.

Elle était comme en transe. Sans un bruit, elle fixait le jardin droit devant elle. De temps en temps, ses lèvres bougeaient, comme si elle se parlait à elle-même mais sans qu'aucun son ne sorte.

Sans prévenir, elle se retourna et vint dans ma direction. Je n'eus pas le temps de réagir et restai là à la regarder arriver sur moi. Elle passa à cinquante centimètres de moi et, bien que son regard m'effleurât, elle ne me vit pas et passa à côté de moi comme si j'étais un meuble parmi les meubles.

J'attendis d'entendre sa porte se fermer en bas avant de descendre aussi.

Arrivé dans la chambre, j'eus peur. La mort était partout. La mort était dans ma veste pendue dans le vestibule où se trouvait l'enveloppe contenant les effets personnels de mon père, la mort était dans le fauteuil du salon là-haut où elle l'avait trouvé, la mort était dans l'escalier par lequel ils l'avaient transporté, la mort était dans la salle de bains où mon grand-père s'était effondré, l'abdomen plein de sang. Quand je fermais les yeux, il m'était impossible d'éviter de penser que les morts pouvaient venir, exactement comme quand j'étais petit. Or il fallait que je ferme les yeux, je n'avais pas le choix. Et quand j'arrivais à me moquer de mon imagination d'enfant, c'était au cadavre de papa que j'étais confronté. Ses doigts croisés avec ses ongles blancs, sa peau jaunie, ses joues creusées. Toutes ces images imprégnaient mon sommeil léger de sorte qu'il était impossible de dire, dans les moments de conscience, si elles appartenaient aux rêves ou à la réalité. À un moment où j'eus un éclair de conscience, j'étais sûr que son cadavre était dans l'armoire et je l'ouvris, cherchai parmi toutes les robes qui y étaient pendues, ouvris l'autre porte, puis encore une autre, et quand j'eus terminé je me recouchai et continuai à dormir. Dans mes rêves, il était à la fois mort et vivant, à la fois dans le présent et dans le passé. C'était comme s'il s'était complètement emparé de moi, contrôlait tout en moi, et quand enfin je me réveillai, vers huit heures, la première pensée qui me vint à l'esprit fut qu'il m'avait hanté, la deuxième qu'il fallait que je le revoie.

Deux heures plus tard, je fermai la porte de la cuisine où grand-mère était assise, allai au téléphone et composai le numéro des pompes funèbres.

— Ici les pompes funèbres Andenæs, j'écoute ?

— Allô oui, Karl Ove Knausgaard à l'appareil. Je suis passé chez vous avec mon frère avant-hier. C'était pour mon père. Il est décédé il y a quatre jours…

— Oui, bonjour.

— Nous sommes allés le voir hier… Mais je me demandais s'il serait possible de le revoir ? Une dernière fois, vous comprenez…

— Oui, bien sûr vous pouvez. Quand est-ce que ça vous conviendrait ?

— Heu… cet après-midi peut-être ? Vers trois ou quatre heures ?

— Disons trois heures alors ?

— Oui.

— Devant la chapelle.

— Oui.

— Alors c'est entendu. Parfait.

— Merci beaucoup.

— Je vous en prie.

Soulagé que le coup de téléphone se soit si bien passé, je sortis dans le jardin continuer à tondre. Le ciel était couvert, la lumière douce et l'air chaud. Je terminai vers deux heures. Je dis à grand-mère que j'allais voir un camarade, me changeai et me rendis à la chapelle. La même voiture était garée devant la porte et le même homme m'ouvrit quand je frappai. Il me fit un signe de tête, ouvrit la porte de la pièce où nous étions la veille sans entrer lui-même, et je fus à nouveau devant papa. Cette fois, j'étais préparé à ce qui m'attendait et son corps, dont la peau s'était encore ternie au cours des dernières vingt-quatre heures, n'éveilla aucun des sentiments qui m'avaient déchiré la veille. Ce que je voyais maintenant, c'était son côté sans vie. C'était le fait qu'il n'y avait plus de différence entre ce qui avait été mon père avant et la table sur laquelle il reposait, ou le sol sur lequel la table était posée, ou la prise électrique sur le mur sous la fenêtre, ou le câble qui courait jusqu'à la lampe à côté. Car l'être humain n'est qu'une forme parmi d'autres formes que le monde exprime encore et toujours, non seulement dans ce qui vit mais aussi dans ce qui ne vit pas, marqué dans le sable, la pierre, l'eau. Et la mort que j'avais toujours considérée comme la chose la plus importante de la vie, obscure et attirante, n'était plus qu'un tuyau qui éclate, une branche qui casse au vent, une veste qui glisse d'un cintre et tombe par terre.

Le poème d'Olav H. Hauge, « Le Temps des moissons », cité page 451, est extrait de *Cette nuit l'herbe est devenue verte*, édition bilingue. Traduit du néo-norvégien par Eva Sauvegrain et Pierre Grouix. Éditions Rafaël de Surtis.